Español
Santillana

Become an online "fan" and part of the adventure through Español Santillana's

fansdelespañol.com

We've created a website just for you! Log on and learn more about us and about the Spanish-speaking world. Discover surprising customs and traditions that will take you to fascinating far-off places, and follow the adventures of our *Fans del español* participants. Will they succeed in the cultural challenges they take on in the Spanish-speaking world?

¡Nosotros somos unos fans del español! ¿Y tú?

- Learn about fascinating Hispanic places and customs.
- Check out the cool photos and fascinating anecdotes posted by the participants.
- Take on your own challenge and demonstrate your knowledge of Spanish through fun online activities.

Log on to **fansdelespañol**.com and have fun practicing Spanish!

The letter ñ, a very special letter

Spanish has a letter that does not appear in other languages: ñ. The letter ñ is used in words like *español* (Spanish), *España* (Spain), *niño* (boy), *pequeño* (small), *año* (year), *mañana* (morning, tomorrow), *otoño* (autumn), and many others. The letter ñ is also used in our webpage: www.***fansdelespañol***.com

How can you write the letter ñ on your computer?

That depends on the system you have:

MAC COMPUTERS

Press [Alt] [option] + [N] and then N or n.

COMPUTERS WITH MICROSOFT WINDOWS

Press [Alt] + [1 End] [6 →] [4 ←], with [Num Lock] activated.

COMPUTERS WITH LINUX/BSD

Press [Shift] + [Ctrl] + [U] and then the code [F1] followed by the [Enter ↵] key.

High School 

Español Santillana

The publisher has made every effort to secure permissions for all the copyrighted selections that appear in this book. Any errors or omissions will be corrected in future printings, as information becomes available.

Santillana USA Publishing Company, Inc.
2023 NW 84th Avenue, Doral, FL 33122

Español Santillana
Student Book Level 1
ISBN-13: 978-1-61605-251-5

Illustrators: **Bartolomé Seguí, Jorge Arranz**
Picture Coordinator: **Carlos Aguilera**

Cartographer: **Tania López**
Cartographic Coordinator: **Ana Isabel Calvo**

Production Manager: **Ángel García Encinar**

Production Coordinator: **Lourdes Román, Jesús A. Muela**

Design and Layout: **Marisa Valbuena, Javier Pulido, Alfonso García, Fernando Calonge, Julio Hernández**

Proofreaders: **Gerardo Z. García, Jennifer Farrington, Arturo Cobos, Lawrence Lipson, Marta Lopez, María A. Pérez**

Photo Researchers: **Mercedes Barcenilla, Amparo Rodríguez**

Published in the United States of America by Thomson-Shore, Inc.

20 19 18 17 16 15 2 3 4 5 6 7 8 9 10

Español Santillana is a collaborative effort by two teams specializing in the design of Spanish-language educational materials. One team is located in the United States and the other in Spain.

Editorial Staff in United States
Anne Silva
Ana Isabel Antón
Andrea Roberson

Editorial Staff in Spain
Susana Gómez
Clara Alarcón
Belén Saiz
Cristina Aparecida Duarte

Linguistic and Cultural Advisers in Latin America and in the United States

Antonio Moreno
Editorial Director, Santillana México

Mayra Méndez
Editorial Director, Santillana Puerto Rico

Luis Guillermo Bernal
Editorial Director, Santillana Guatemala

Cecilia Mejía
Editorial Director, Santillana Perú

Graciela Pérez de Lois
Editorial Director, Santillana Argentina

Manuel José Rojas
Editorial Director, Santillana Chile

Mario Núñez
Director of Professional Development, Santillana USA

Reviewers

Tamara Alsace
Buffalo, NY

Josefa Báez-Ramos
Seattle, WA

Mercedes Bernal
West New York, NJ

Miguel Castro
New Orleans, LA

Yvonne Davault
Mansfield, TX

Frances S. Hoch
Raleigh, NC

Petra Liz-Morell
Ridgefield Park, NJ

James Orihuela
Whittier, CA

Ana Sainz de la Peña
Allentown, PA

Eugenia Sarmiento
Centennial, CO

Thomasina White
Philadelphia, PA

Writers

Miguel Santana
received his PhD in Hispanic literature at the University of Texas–Austin. Dr. Santana has taught Spanish at the elementary, high school, and college levels, and has worked as a Spanish editor and writer for numerous educational publishers in the United States. Miguel Santana is also an author of several novels.

Lori Langer de Ramírez
received her doctorate in curriculum and teaching from Teacher's College, Columbia University. She is chairperson of the ESL and World Language Department for Herricks Public Schools, New York. Dr. Langer de Ramírez is the recipient of many prestigious awards.

Eduardo Fernández Galán
received his *Licenciatura en Lingüística Hispánica* from the Universidad Complutense de Madrid. He has taught Spanish at Montgomery High School in Montgomery, New Jersey, and The College of New Jersey in Ewing.

Michele Guerrini
received her PhD in Romance languages from the University of Pennsylvania. She has worked as director of bilingual and EFL departments at Richmond Publishing in Spain and as an adjunct assistant professor of Spanish at The George Washington University in Washington, DC.

Cristina Núñez Pereira
received her *Licenciatura en Filología Hispánica* from the Universidad Nacional de Educación a Distancia and is a *Licenciada en Periodismo* from the Universidad Carlos III de Madrid.

Belén Saiz Noeda
received her *Licenciatura en Filología Hispánica* from Universidad de Alicante. She was a professor of Spanish language and culture and was in charge of Spanish teacher education at the Universidad de Alcalá and at other institutions.

María Inés García
received her masters in Spanish from Texas A & I University. She is a former director of the Languages Other Than English program for the Texas Education Agency, and was the Spanish specialist with the agency for 26 years.

María J. Fierro-Treviño
received her MA from the University of Texas–San Antonio. She was the director of Languages Other Than English program for the Texas Education Agency. She has taught Spanish at the secondary and college levels, and has worked as an instructional specialist, and as a presenter of professional-development seminars.

Contributors

Janet L. Glass
Dwight-Englewood School
Englewood, NJ

Jan Kucerik
Pinellas County Schools
Largo, FL

Carol McKenna Semonsky
Georgia State University
Atlanta, GA

Anne Nerenz
Eastern Michigan University
Ypsilanti, MI

Gerardo Piña-Rosales
North American Academy of the Spanish Language
The City University of New York, New York, NY

Paul Sandrock
ACTFL
Madison, WI

Emily Spinelli
AATSP
University of Michigan-Dearborn, Dearborn, MI

Brandon Zaslow
Occidental College
Los Angeles, CA

Advisers

Trina M. Gonzales-Alesi
John Glenn Middle School of International Studies
Indio, CA

Paula Hirsch
Windward School, Los Angeles, CA

María Orta
Kennedy High School, Chicago, IL

Nina Wilson
Murchison Middle School, Austin, TX

Developmental Editor
Susana Gómez

Editorial Coordinator
Anne Silva

Editorial Director
Enrique Ferro

Welcome to fans del Español

The pairs

Andy Douglas y Janet Douglas

Nosotros somos fans del español por la música. La música latina es muy divertida.

Tess Williams y Patricia Williams

Hay lugares fantásticos en el mundo hispano.

España | Estados Unidos | Argentina | Chile | Buscar

Español Santillana

Who we are

We are four pairs of fans of the Spanish language and of Hispanic cultures. Our objective is to get to know the Spanish-speaking world: its people, its landscapes, its cities, its customs, and its traditions. That's why we've created the website Fans del Español.

What we do

To reach our goal, we are going to travel to different Spanish-speaking countries with special missions: to find the most surprising place, the most fun customs and traditions, the most original recipe, and so on. In each country, we will take on Desafíos (challenges) that each pair will try to complete. Will we succeed?

You can follow our adventures through this book and on the website www.fansdelespañol.com.

Rita Delgado y Diana Robles

Tim Taylor y Mack Taylor

The countries of the challenges

What countries are the pairs going to visit? Let's find out. Do these activities.

1. Look at the photos and investigate. In which countries are these places?
2. Leaf through the book and answer:
   - In which unit can you find information about each country?
   - Which color in the book corresponds to the following countries?
     - México
     - Guatemala
     - España
     - Argentina

Your participation counts!

1. Your vote decides the winner

In these challenges, you are going to play an important role. Pay close attention, because you are going to form part of the judging panel. In each country, you will evaluate which pair has done the best job or which task is the most interesting. Each time, you will help to decide the winning team.

2. Your challenge

You will also have your own challenge: TU DESAFÍO. During the course of the year, you will be able to accumulate points toward your challenge. To do this, watch for this symbol:

When you see it, go to the *Fans del español* website. Just by participating, you will earn points. If at the end of the course you have accumulated enough points, you too will have won your challenge!

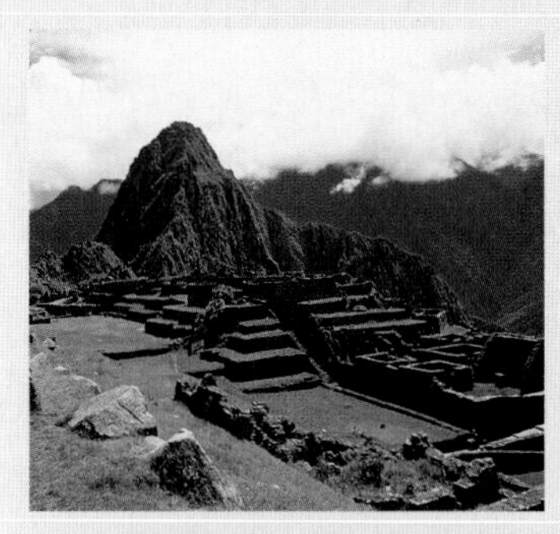
(1) Machu Picchu.

(5) Antigua.

(2) Isla de Pascua.

(6) Misión de Santa Bárbara.

(3) Sevilla.

(7) Chichén Itzá.

(4) Buenos Aires.

(8) El Viejo San Juan.

España | Estados Unidos | Argentina | Chile | Buscar

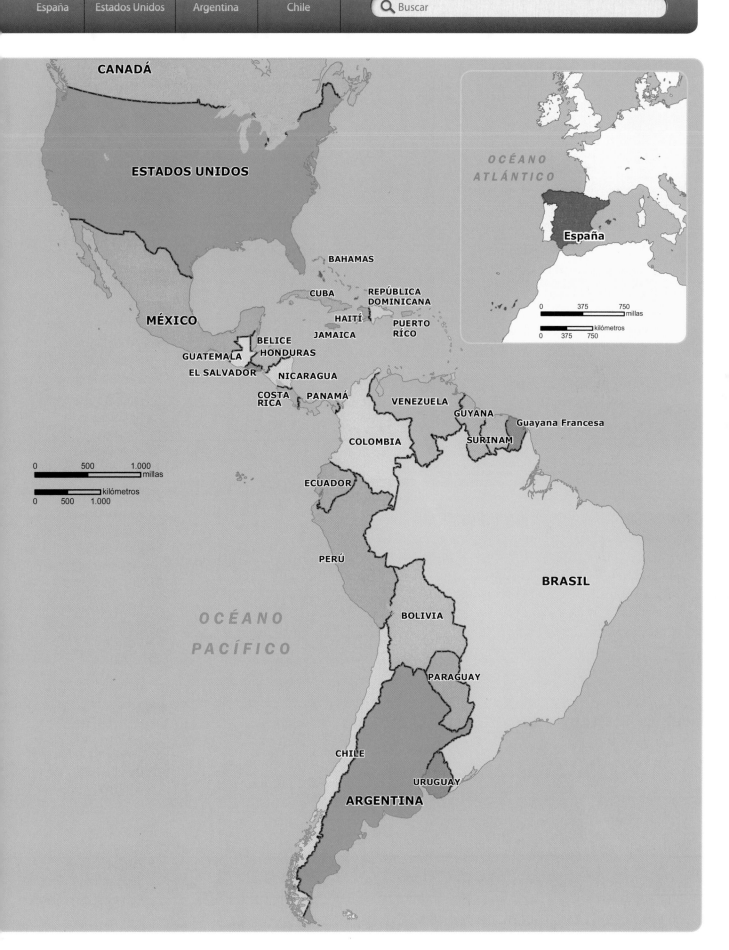

Contents

Preliminary

Appendices

Gramática	Cultura
• Subject pronouns • The verb *ser* • Adjectives • The verb *tener* • Expressing possession: - Possessive adjectives - The preposition *de* • The verb *estar*	• *Mapa cultural:* Mexico • Mexico City: Tenochtitlan • The south: the indigenous population • *Lectura: Teotihuacán, ciudad de los dioses*
• Nouns • Articles. Agreement with nouns • Expressing existence. The verb *haber* • Expressing location • Regular *-ar* verbs, present tense • Regular *-er* and *-ir* verbs, present tense • Expressing obligation: - *Tener que* + infinitive - *Hay que* + infinitive • Adverbs of frequency	• *Mapa cultural:* Puerto Rico • Old San Juan • Salsa, the essence of Puerto Rico • *Lectura: El Morro: Blog de viajes*
• Stem-changing verbs *(e > ie)* • The verb *ir* • The verb *gustar* • Demonstratives • Comparison. Comparative adjectives • Stem-changing verbs *(o > ue)*	• *Mapa cultural:* Guatemala • The great Mayan city of Tikal • The quetzal, national bird of Guatemala • *Lectura: Desde Chichicastenango*
• Adverbs of quantity • Expressing want, preference, and rejection. The verbs *querer* and *preferir* • Irregular verbs in the *yo* form • Direct object pronouns • Indirect object pronouns • Stem-changing verbs *(e > i)*	• *Mapa cultural:* Peru • The Incas, kings of the mountains • The Nazca lines • *Lectura: Festividad inca del Inti Raymi*
• The verbs *ver*, *oír*, *oler*, and *decir* • Reflexive verbs • The verb *doler* • The verb *sentirse* • Affirmative *tú* commands. Regular verbs	• *Mapa cultural*: Spain • Madrid: a painter's paradise • The south: an arabic heritage • *Lectura: El* Guernica, *de Pablo Picasso*
• Affirmative commands. Irregular verbs • *Ir a* + infinitive. Time markers in the future • The present progressive • The present participle • Stem-changing verbs *(u > ue)*	• *Mapa cultural*: United States • Hispanic influence in the United States • States with Hispanic history • Concentration of Hispanic people in cities • *Lectura*: *Celebramos la Herencia Hispana*
• The preterite tense of regular *-ar* verbs • The preterite tense of regular *-er* and *-ir* verbs • Time markers in the past • The preterite tense of the verbs *ser* and *ir* • Negative commands	• *Mapa cultural*: Argentina • The tango • Buenos Aires • *Lectura*: *La vuelta al mundo de Cinthia Scoch*
• Expressing cause: *porque* and *por* • Expressing quantity. Indefinites • Irregular verbs in the preterite. *Decir* and *hacer* • Irregular verbs in the preterite. *Estar* and *tener* • Expressing permission and prohibition	• *Mapa cultural*: Chile • Easter Island • Pablo Neruda • The chinchineros • *Lectura*: *Oda a la manzana*

UNIDAD 1

México

Empiezan los desafíos

DESAFÍO 3

DESAFÍO 4

Video Program

Videos

- México. Empiezan los desafíos
- La casa de Frida Kahlo
- Los voladores de Papantla
- Mapa cultural de México

Audiovisuales

En la Ciudad de México

El fan del fútbol

Es una mujer creativa

La quinceañera

¡Estamos nerviosos!

www.fansdelespañol.com

UNIDAD 2

Puerto Rico

Desafíos en el Caribe

DESAFÍO 3

DESAFÍO 4

Video Program

Videos

- Puerto Rico. Desafíos en el Caribe
- El Viejo San Juan
- La bahía bioluminiscente de Vieques
- Mapa cultural de Puerto Rico

Audiovisuales

En San Juan

La casa más colorida

Los coquíes en la casa

¿Quién prende la luz?

Las cuevas de Camuy

www.fansdelespañol.com

UNIDAD 3

Guatemala

Desafíos en Centroamérica

La llegada

DESAFÍO 1

DESAFÍO 2

Video Program

Videos

- Guatemala. Desafíos en Centroamérica
- Antigua
- El mercado de Chichicastenango
- Mapa cultural de Guatemala

Audiovisuales

En Antigua

La máscara de jade

Vamos de compras

Tres trajes típicos

Un mercado especial

www.fansdelespañol.com

UNIDAD 4

Perú

Desafíos en los Andes

DESAFÍO 3

DESAFÍO 4

Video Program

Videos

- Perú. Desafíos en los Andes
- Iquitos
- Lima
- Mapa cultural de Perú

Audiovisuales

En Lima

¡A cocinar pescado!

Seco de carne

Un ceviche para todos

Suspiro limeño

www.fansdelespañol.com

UNIDAD 5

España

Al otro lado del Atlántico

DESAFÍO 3

▶ Expresar estados físicos

DESAFÍO 4

▶ Dar órdenes y consejos

Video Program

Videos

- España. Al otro lado del Atlántico
- La Alhambra
- El monasterio de Silos
- Mapa cultural de España

Audiovisuales

En Madrid

Una vuelta ciclista

El azulejo perdido

El escudo de los reyes

Una receta antigua

www.fansdelespañol.com

UNIDAD 6

Estados Unidos

Desafíos en casa

DESAFÍO 3

DESAFÍO 4

Video Program

Videos

- Estados Unidos. Desafíos en casa
- La Calle Ocho (Miami)
- Los Grammy latinos
- Mapa cultural de los Estados Unidos

Audiovisuales

En Washington DC

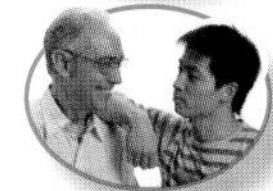
Una partida de dominó

Una noche en el museo

Fotos de famosos

¡Vamos a jugar!

www.fansdelespañol.com

UNIDAD 7

Argentina

En tierra de gauchos

DESAFÍO 3

DESAFÍO 4

Video Program

Videos

- Argentina. En tierra de gauchos
- El tren a las nubes
- Las cataratas del Iguazú
- Mapa cultural de Argentina

Audiovisuales

En Buenos Aires

El tren a las nubes

Un gaucho de la Pampa

Las cataratas del Iguazú

Sobres en la calle

www.fansdelespañol.com

Chile

De vuelta a los Andes

DESAFÍO 3

DESAFÍO 4

Video Program

Videos

- Chile. De vuelta a los Andes
- Isla de Pascua
- Maratón de las Escaleras (Valparaíso)
- Mapa cultural de Chile

Audiovisuales

En Santiago de Chile

Las estrellas de Atacama

Una estatua falsa

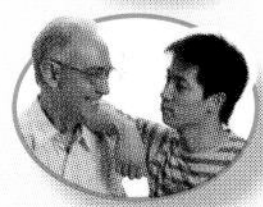

El Maratón de las Escaleras

La famosa Ruta W

www.fansdelespañol.com

UNIDAD

preliminar

Primeros pasos

Before we begin, you must be prepared. In order to get ready, you are going to take an intensive survival course. In it, you will learn to say some basic things in Spanish. That way, you'll be ready for your challenges.
GOOD LUCK!

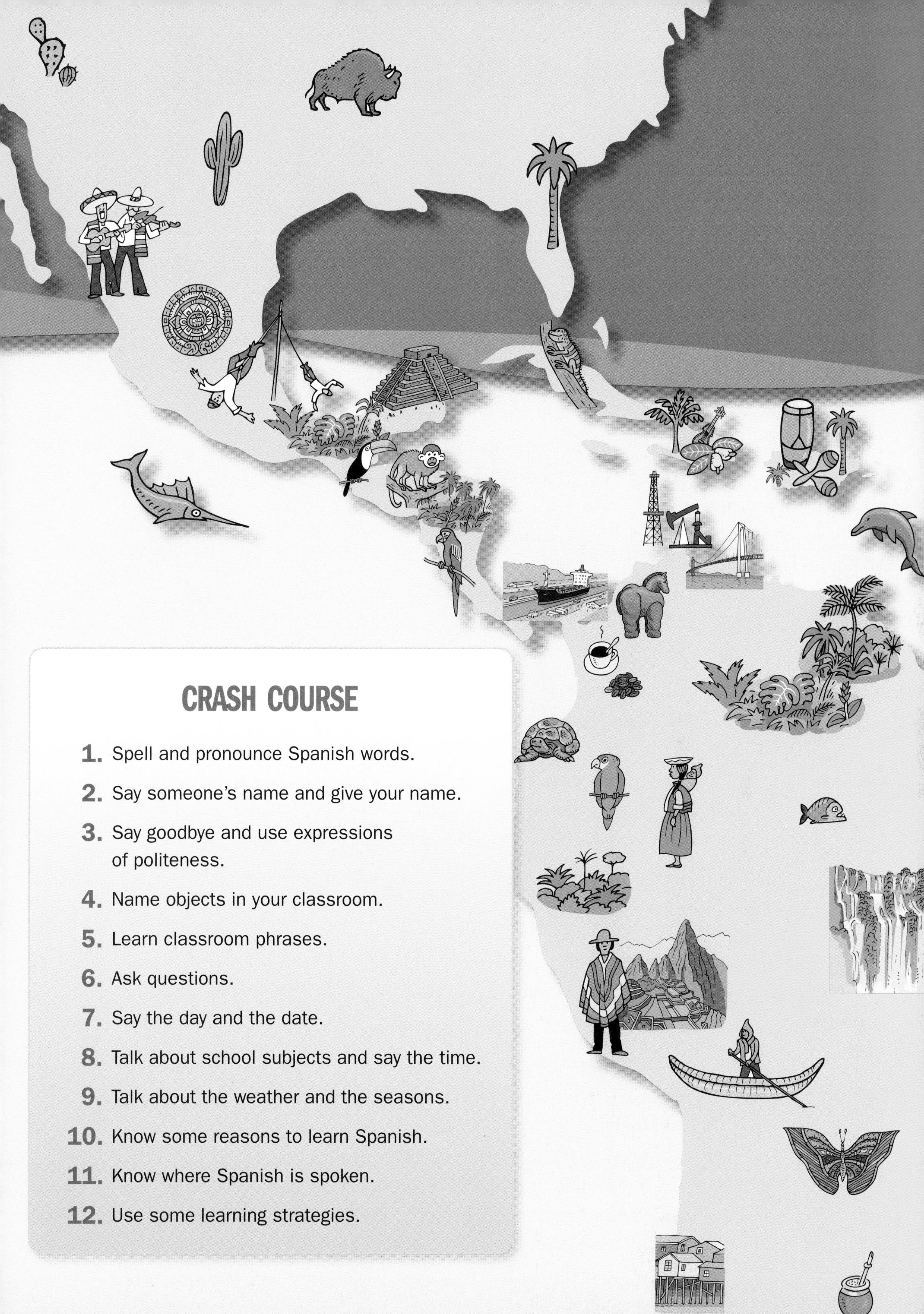

CRASH COURSE

1. Spell and pronounce Spanish words.
2. Say someone's name and give your name.
3. Say goodbye and use expressions of politeness.
4. Name objects in your classroom.
5. Learn classroom phrases.
6. Ask questions.
7. Say the day and the date.
8. Talk about school subjects and say the time.
9. Talk about the weather and the seasons.
10. Know some reasons to learn Spanish.
11. Know where Spanish is spoken.
12. Use some learning strategies.

Deletrear y pronunciar palabras del español

We're going to Teotihuacan.
How do you spell that?

EL ALFABETO ESPAÑOL

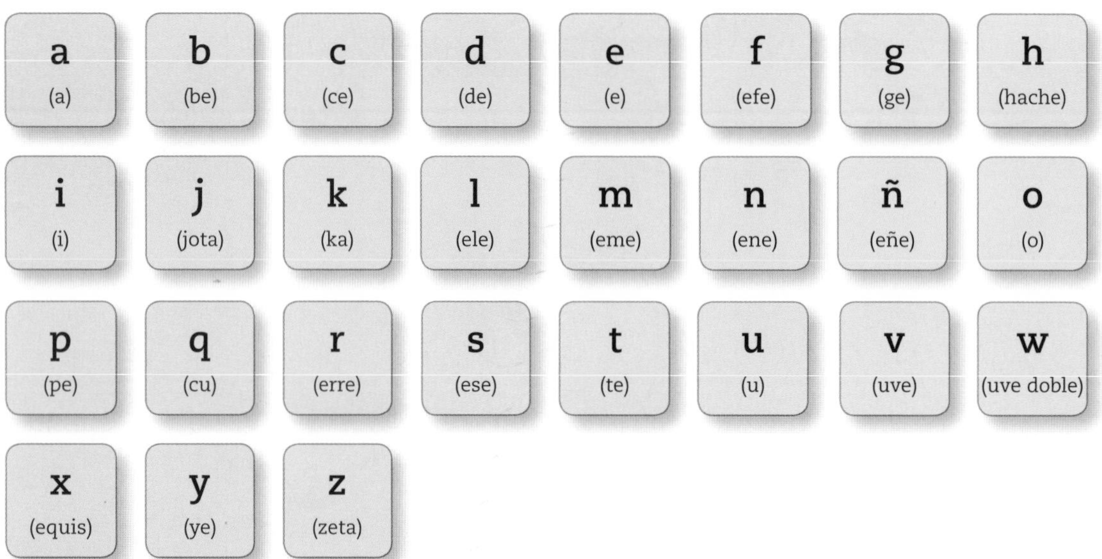

Pronunciación de las letras del español

- The five vowels in Spanish (a, e, i, o, u) are always pronounced the same way.
- The letter h is silent. Thus the words hola and ola are pronounced the same way.
- There are three double letters that represent a single sound: ch (che), ll (elle) and rr (erre doble).

chico llave perro

1 El alfabeto español

Escucha y repite. Listen to the alphabet and repeat the names of the letters.

2 ¿Cómo se escribe?

Escucha y ordena. Listen to how these words are spelled and put the words in order based on what you hear.

a. hola
b. gracias
c. mañana
d. adiós
e. chocolate
f. llama
g. vista
h. pizarra

Habla y adivina. Play a spelling game with a partner. Choose a person in the room and spell his or her name. Can your partner guess the name you are spelling?

Pronunciación de *gue, gui*

The letter u is silent in the syllables gue, gui. In these syllables, gu sounds like the letter g in ga, go, gu.

hambur**gue**sa   **gui**tarra

3 La *u* muda: gue, gui

Escucha y repite. Listen and repeat these words.

1. gato
2. guitarra
3. guantes
4. amigos
5. espaguetis

Pronunciación de *que, qui*

The letter u is also silent in the syllables que, qui. In these syllables, qu is pronounced like the letter c in ca, co, cu.

queso   es**qui**ar

4 La *u* muda: que, qui

Lee y señala. Copy these words in your notebook. Then read them aloud and circle the letters that represent the /k/ sound.

1.  C A S A
2.  B O S Q U E
3.  E S Q U Í
4.  C O M I D A
5.  C U A D E R N O

Saludos y presentaciones

Hola. ¿Cómo te llamas?

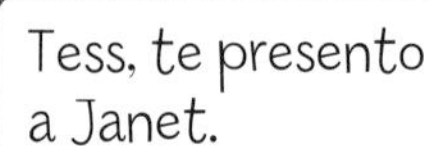

Tess, te presento a Janet.

¡Bienvenida!

Hola. ¿Cómo te llamas?
Me llamo Mack. ¡Mucho gusto!

Buenos días. Me llamo Janet.
Hola, Janet. Yo me llamo Diana.
Mucho gusto, Diana.

Preguntar el nombre a alguien y decir tu nombre

- To ask someone his or her name, say

  ¿Cómo te llamas?
- To say your name, say

  Me llamo…

Presentaciones

- To introduce someone, use

  Te presento a…
  Let me introduce … to you.
- When someone greets you in Spanish, it is polite to say

  Mucho gusto.

  Encantado. *(male)*
  Encantada. *(female)*

5 ¿Cómo te llamas?

▶ **Completa.** Read the dialogues and fill in the blanks with the phrases in the box.

~~Hola~~	Me llamo	Te presento a	Encantada	¿Cómo te llamas?	Mucho gusto

1. –Hola. ¿Cómo te llamas?
   –__1__ Ángel.
   –Mucho gusto, Ángel.
2. –¡Hola! __2__
   –Me llamo Berta.
   –Encantada. Yo me llamo Alicia.
3. –Hola, Manuel. __3__ Jaime.
   –Hola, Jaime. Encantado.
   –__4__.
4. –¿Cómo te llamas?
   –Me llamo Juan.
   –__5__, Juan. Yo me llamo Ana.

▶ **Habla.** Introduce yourself to a partner in Spanish.

Saludos

- Spanish, like English, uses different greetings at different times of the day.

Buenos días

Buenas noches

Hola

- Hola (similar to *hi* in English) can be used at any time of the day.

6 ¿Buenos días o buenas tardes?

▶ **Habla.** What Spanish greetings would you use at each of these times?

1	2	3	4	5
9:30 a. m.	10:00 p. m.	7:15 p. m.	6:30 a. m.	2:45 p. m.

7 Mucho gusto

▶ **Escribe y actúa.** With a partner, write a dialogue similar to those in activity 5. Then memorize it and act out the situation in front of the class.

Despedidas y expresiones de cortesía

¡Hasta luego, chicos!

¡Hasta mañana, Tess!
Adiós, Tim, hasta mañana.

Hasta luego, Mack.
Hasta luego, Andy.

Hasta la vista, Patricia.

Adiós, Diana, hasta pronto.

Adiós... y otras despedidas

- To say goodbye in Spanish, use

  adiós *goodbye* chao *goodbye* (informal)

- In addition, you can say goodbye using the word hasta:

  hasta pronto *see you soon* hasta luego *see you later*

  hasta mañana *see you tomorrow* hasta la vista *see you*

8 Despedidas

Habla. In a small group, take turns saying goodbye, using different expressions.

Modelo A. *Adiós, Katherine.*

B. *Adiós, Wendy, hasta pronto.*

Expresiones de cortesía

To be polite in Spanish, you can use phrases like these:

–¿Quieres un café?

–Sí, **gracias**.

–**De nada**.

–Do you want some coffee?

–Yes, thank you.

–You're welcome.

–**Por favor**, ¿tienes un lápiz?

–No, **lo siento**.

–Do you have a pencil, please?

–No, I'm sorry.

9 Por favor...

▶ **Une.** Match the statements in column A with an appropriate answer in column B.

 A	 B
1. ¿Quieres un café?	a. No, lo siento.
2. Gracias.	b. No, gracias. Prefiero un té.
3. ¿Tienes un lápiz, por favor?	c. Adiós.
4. Hasta mañana.	d. Sí, por favor. Me gusta el chocolate.
5. ¿Quieres chocolate?	e. De nada.

10 Saludos rápidos

▶ **Habla.** Sit facing a partner. Within one minute, each person should say the following:

– A greeting – An introduction – A goodbye

When the minute is up, one partner moves to the next pair of desks to repeat the activity.

El salón de clase

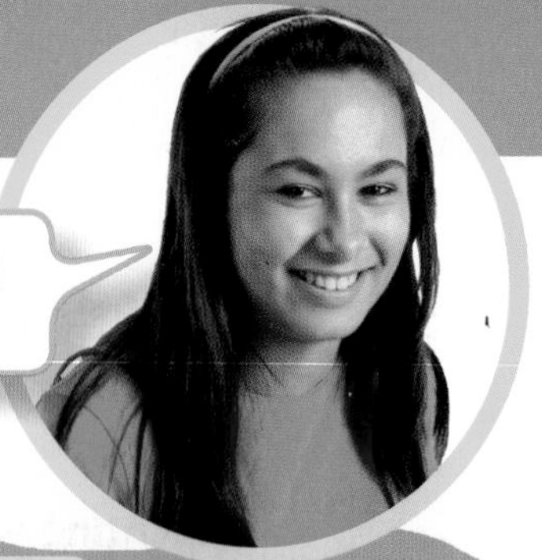

Take a look around my Spanish classroom.

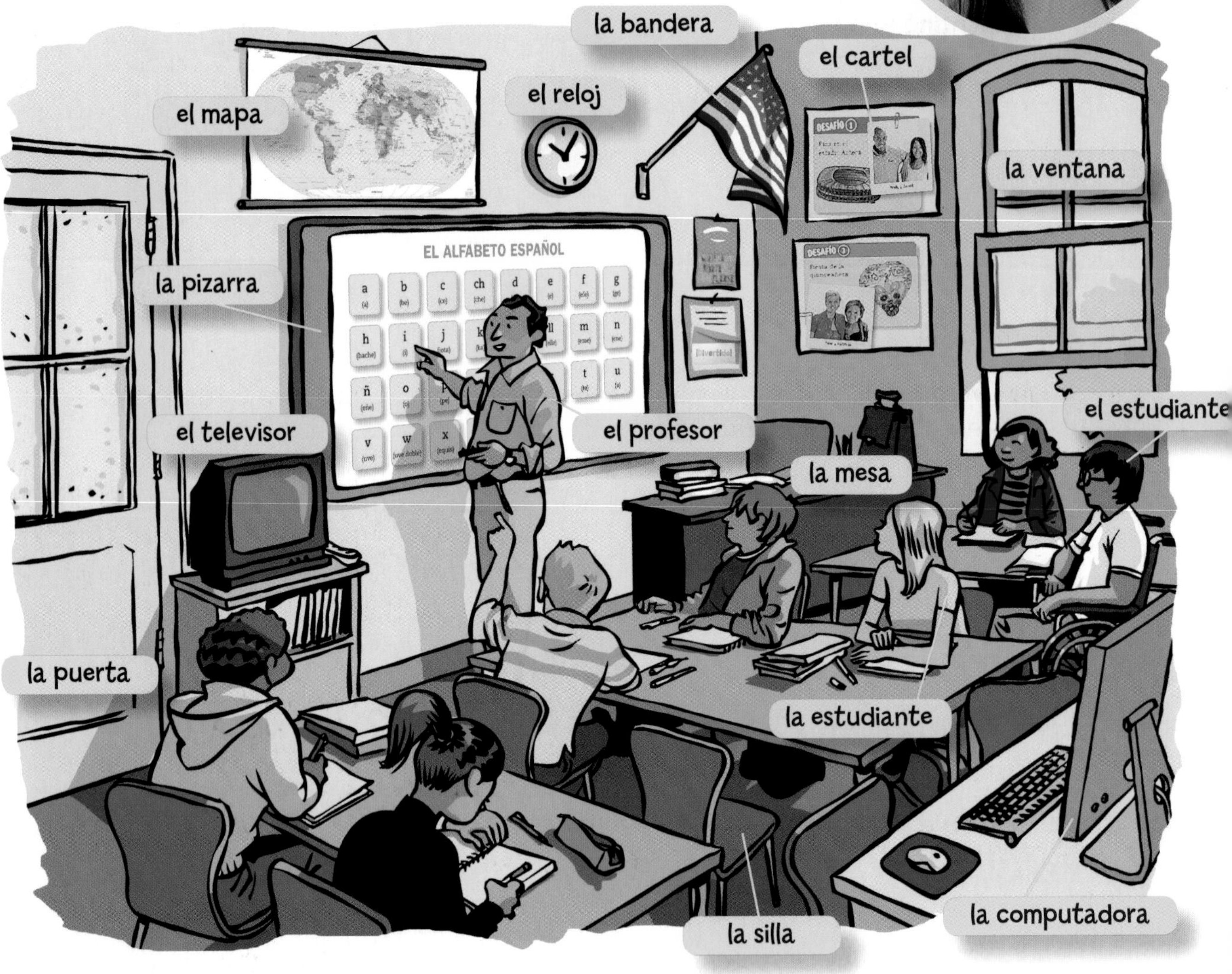

la bandera
el cartel
el mapa
el reloj
la ventana
EL ALFABETO ESPAÑOL
la pizarra
el estudiante
el televisor
el profesor
la mesa
la puerta
la estudiante
la silla
la computadora

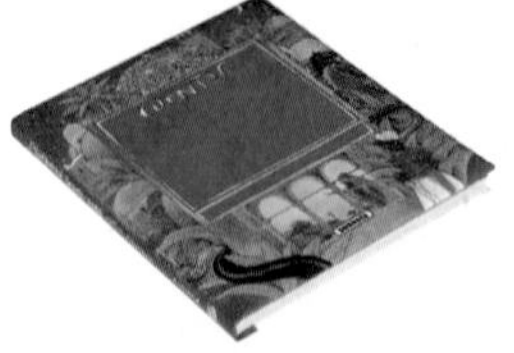

el libro

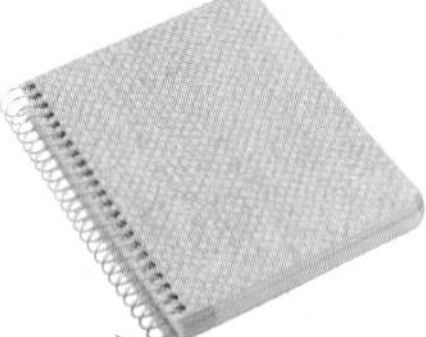

el cuaderno

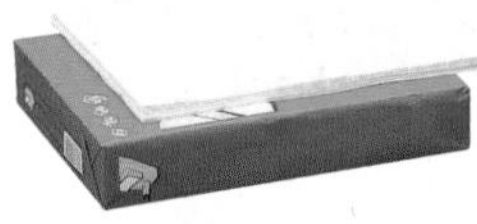

el papel

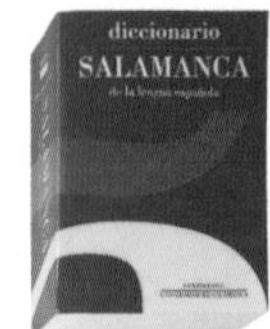

diccionario
SALAMANCA
el diccionario

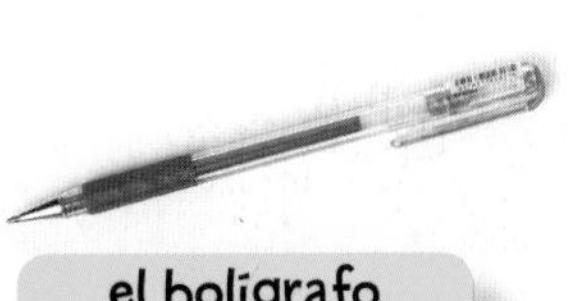

el bolígrafo

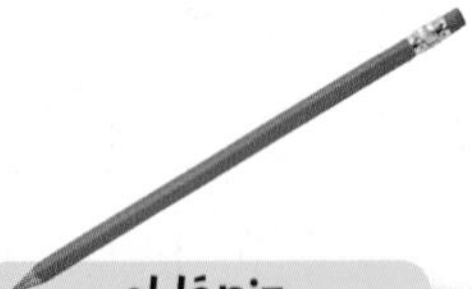

el lápiz

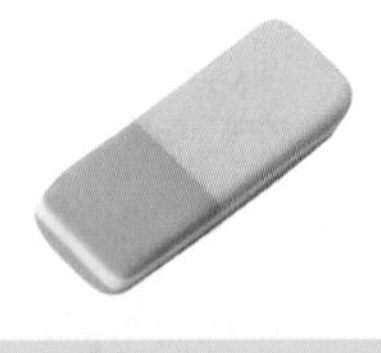

el borrador

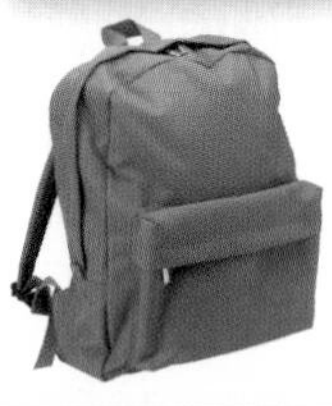

la mochila

11 Material escolar

▶ **Clasifica.** Write three words from each category in your notebook.

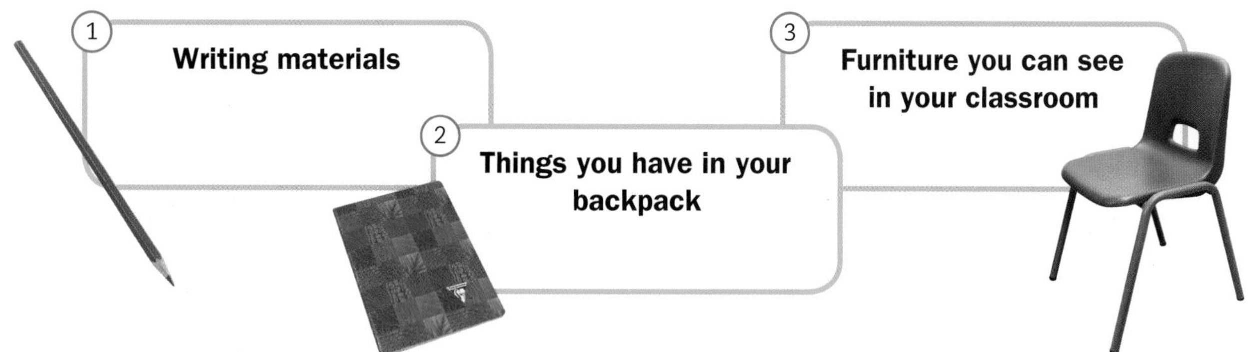

1 Writing materials
2 Things you have in your backpack
3 Furniture you can see in your classroom

12 Palabras revueltas

▶ **Encuentra y relaciona.** How is your spelling? Unscramble the words. Then match each one with the corresponding photo.

1. zirapra
2. gíblorofa
3. orudcane
4. iccdroinaio

A 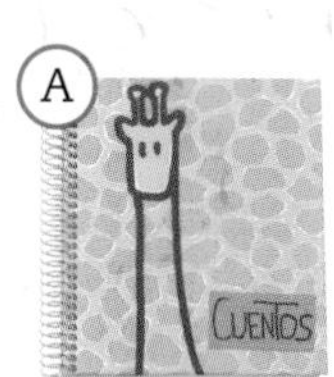

B

C 

D 

13 Juegos del salón de clase

▶ **Habla y señala.** Who is the fastest at identifying things? In a group, take turns naming items in the picture. The first person to point to the correct item says the next word.

Expresiones habituales en el salón de clase

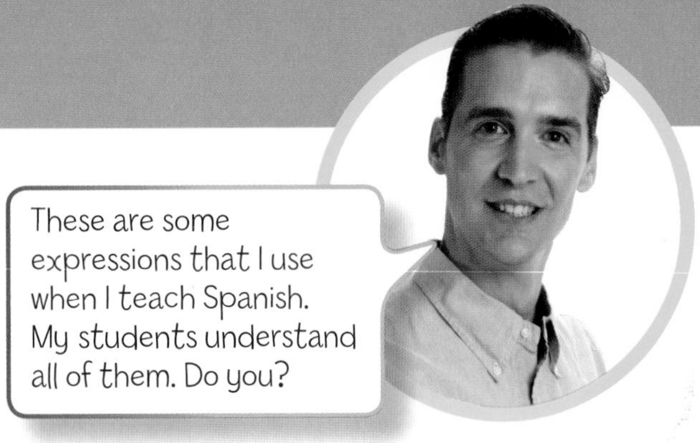

These are some expressions that I use when I teach Spanish. My students understand all of them. Do you?

¡Siéntense, por favor!

Escriban.

Saquen sus cuadernos.

Abran los libros.

Cierren los libros.

Entreguen sus papeles.

14 ¿Comprendes?

▶ **Une.** Match each instruction with its meaning.

1. Saquen sus cuadernos.
2. Cierren los libros.
3. Escriban un texto.
4. Abran los libros.
5. Entreguen sus papeles.

a. Open your books.
b. Give me your papers.
c. Close your books.
d. Take out your notebooks.
e. Write a text.

▶ **Escucha y completa.** Listen to the teacher's instructions and complete them.

1. ________ sus libros. 2. ________ los cuadernos. 3. ________ en sus cuadernos.

15 Instrucciones del libro

▶ **Relaciona.** What is each student doing? Match each instruction with the corresponding picture.

▶ **Relaciona.** Match each word with the corresponding activity below.

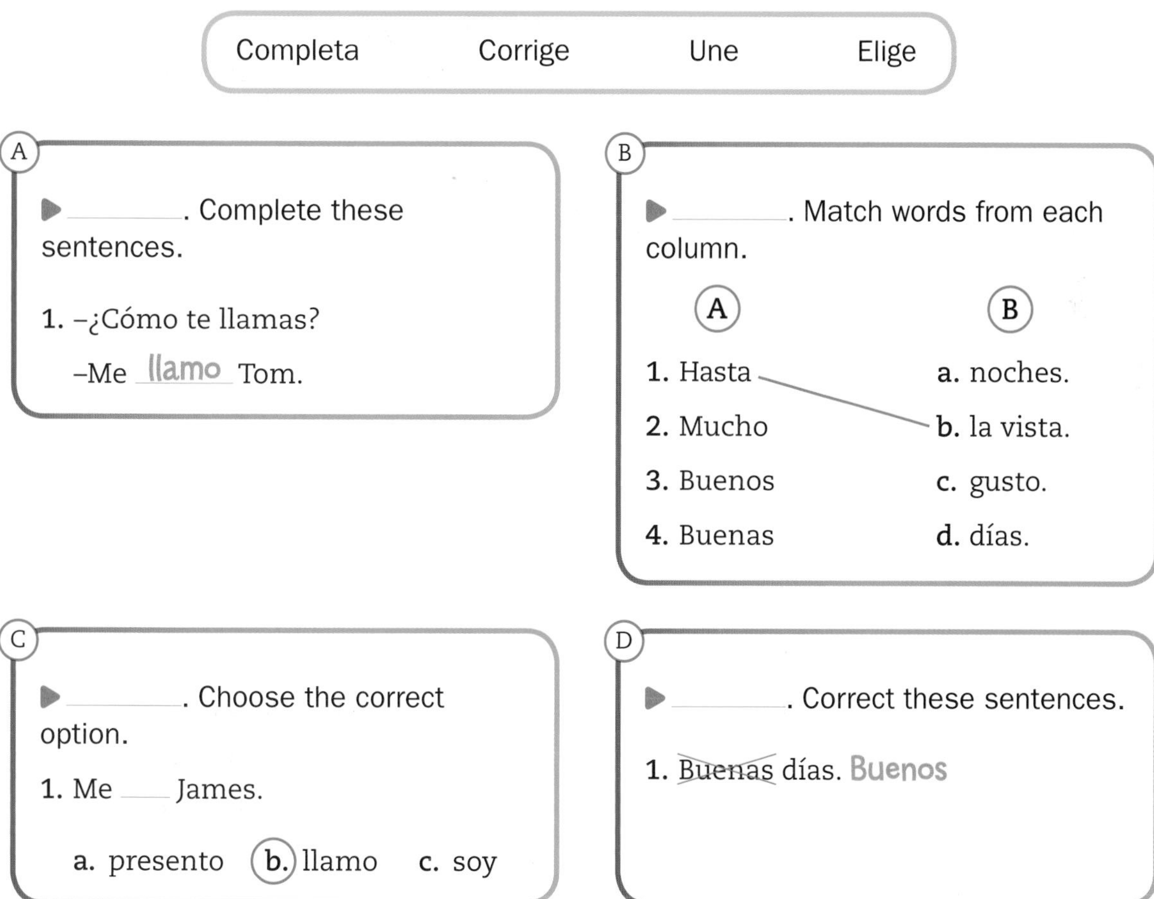

Completa Corrige Une Elige
A
▶ _______. Complete these sentences.
1. –¿Cómo te llamas?
–Me llamo Tom.
B
▶ _______. Match words from each column.
A B
1. Hasta a. noches.
2. Mucho b. la vista.
3. Buenos c. gusto.
4. Buenas d. días.
C
▶ _______. Choose the correct option.
1. Me ___ James.
a. presento b. llamo c. soy
D
▶ _______. Correct these sentences.
1. Buenas días. Buenos

▶ **Habla y representa.** How good an actor or actress are you? Give six commands to two partners. Your partners act them out. Then switch roles.

Hacer preguntas

Do you know how to ask questions in Spanish?

¿Puede repetir, por favor?
Sí. G-R-A-C-I-A-S.

¿Tienes un bolígrafo?
No, lo siento.

¿Puedo ir al baño?
Sí, claro.

Hacer preguntas (I)

- When in Spanish we ask questions that can be answered with sí or no, we put the verb at the beginning of the sentence.

–¿Estudias español? –Sí.	*–Do you study Spanish?* *–Yes.*
–¿Tienes un cuaderno? –No, lo siento.	*–Do you have a notebook?* *–No, I'm sorry.*

- Notice that we use both an opening and a closing question mark when we write a question.

16 Preguntas y respuestas

▶ **Habla.** With a partner, ask questions and answer them.

Modelo A. *¿Tienes un lápiz?*
B. *No, lo siento.*

Preguntas		Respuestas
¿Tienes	un lápiz? un libro? un bolígrafo? una mochila? una computadora?	**Sí.** **No, lo siento.**

¿Quién es Alan?
Soy yo.

¿Qué significa "lápiz"?
Significa "pencil".

¿Dónde está el diccionario?
Está en la mesa.

¿Cómo se dice "please" en español?
Se dice "por favor".

Hacer preguntas (II): los interrogativos

To ask questions, you can use question words *(interrogativos)* before the verb.

¿**Quién** es Alan? ⟶ ***Who*** *is Alan?*
¿**Qué** significa *lápiz*? ⟶ ***What*** *does* lápiz *mean?*
¿**Dónde** está el diccionario? ⟶ ***Where*** *is the dictionary?*
¿**Cuándo** es la clase de Español? ⟶ ***When*** *is the Spanish class?*
¿**Cómo** se dice *please* en español? ⟶ ***How*** *do you say* please *in Spanish?*

17 Detective de palabras

▶ **Completa.** Complete the dialogues with the appropriate question words.

1. –¿ Cómo se dice *pencil* en español?
–Se dice *lápiz*.
2. –¿ ______ está el libro?
–Está en la mochila.
3. –¿ ______ significa *pizarra*?
–Significa *blackboard*.
4. –¿ ______ es tu profesor de Español?
–Es Antonio Ortiz.
5. –¿ ______ es el examen?
–Esta tarde.

Días y fechas

It's time to organize this grand adventure. When do we leave and how long will we be gone?

AGOSTO

lunes Monday	martes Tuesday	miércoles Wednesday	jueves Thursday	viernes Friday	sábado Saturday	domingo Sunday
	1 uno	2 dos	3 tres	4 cuatro	5 cinco	6 seis
7 siete	8 ocho	9 nueve	10 diez	11 once	12 doce	13 trece
14 catorce	15 quince	16 dieciséis	17 diecisiete	18 dieciocho	19 diecinueve	20 veinte
21 veintiuno	22 veintidós	23 veintitrés	24 veinticuatro	25 veinticinco	26 veintiséis	27 veintisiete
28 veintiocho	29 veintinueve	30 treinta	31 treinta y uno			

Los meses del año

enero	febrero	marzo	abril	mayo	junio
julio	agosto	septiembre	octubre	noviembre	diciembre

18 El calendario

▶ **Contesta.** Answer these questions.

1. Which months have names that are almost the same in both Spanish and English?
2. What day does a Spanish week start on? Is it the same in the calendar you know? Compare the Spanish calendar and the calendar you use.

¿Qué día es hoy?
Hoy es viernes, doce de septiembre.
El catorce es domingo.

Decir la fecha

- To say the current date, say
  Hoy es viernes, doce de septiembre.
- To say another date, say
  El quince de octubre.
  El domingo.
- In America it is common to say Hoy es el primero de septiembre instead of Hoy es uno de septiembre.
- Notice that in Spanish, the names of days and months are written in lowercase.

19 ¿Qué día es hoy?

▶ **Escribe.** Write the dates in Spanish.

Modelo Tuesday, May 15 ⟶ *Hoy es martes, quince de mayo.*

1. Sunday, March 5
2. Wednesday, September 17
3. Saturday, July 7
4. Friday, October 11
5. Monday, January 22
6. Thursday, August 2

20 Fiestas importantes

▶ **Relaciona.** Match each holiday picture with the date it is celebrated.

1 

2 

3 

el veinticinco de diciembre

el cuatro de julio

el treinta y uno de octubre

21 Los cumpleaños

▶ **Habla.** In a group, find out each person's birthday.

Modelo A. *¿Cuándo es tu cumpleaños?*
B. *Es el tres de junio.*

▶ **Clasifica y escribe.** Put the dates in chronological order to make a class birthday calendar. Do it in Spanish!

El horario escolar

This is my schedule at my school here in the United States.
I wonder if it is similar to schools in other countries ...

Mi horario

Ciencias Naturales	8:00 a. m.
Arte	8:45 a. m.
Matemáticas	9:30 a. m.
Música	10:15 a. m.
ALMUERZO	11:00 a. m.
Ciencias Sociales	12:00 p. m.
Educación Física	12:45 p. m.
Español	1:30 p. m.
Inglés	2:15 p. m.

1 2 3 4 5 6 7 8 9

22 Mi horario de clases

▶**Identifica.** Andy has bought some school supplies. Say which classes they are for.

Decir la hora

¿Qué hora es?

 Es la una.

 Son las tres.

 Son las tres **y** cuarto.

 Son las tres **y** media.

 Son las cuatro **menos** cuarto.

Decir a qué hora sucede algo

¿A qué hora es...?

 A la una.

 A las cinco.

 A las cinco **y** cuarto.

 A las cinco **y** media.

 A las seis **menos** cuarto.

23 Janet tiene preguntas

▶ Completa. Read Andy's schedule (page 16) again and complete the sentences.

1. La clase de Ciencias Naturales es a las ______
2. El almuerzo es a las ______
3. La clase de ______ es a las doce.
4. A las nueve menos cuarto es la clase de ______
5. A las nueve y media es la clase de ______

24 ¿Qué hora es?

▶ Escribe. Can you say what time it is?

Modelo 8:00 ⟶ *Son las ocho.*

25 El horario de Tess

▶ Escucha. Tess is describing her schedule to Andy. Listen and match each subject with the time her class begins.

A	B
1. Matemáticas	a. A la 1:30 p. m.
2. Arte	b. A las 9:15 a. m.
3. Ciencias Sociales	c. A las 2:00 p. m.
4. Educación Física	d. A las 8:15 a. m.
5. Español	e. A las 12:45 p. m.

26 Frases dibujadas

▶ Completa. Tim has used some pictures instead of words in this paragraph. Rewrite the paragraph, filling in the words for each image.

Hola. Me llamo Tim. Tengo clase de 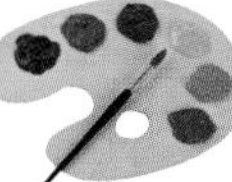 a las  y a las  tengo clase de 

El  es a las  y la clase de  es a la .

27 Tu horario

▶ Escribe. Use Andy's schedule as a model to write your ideal class schedule.

▶ Habla y escribe. Tell your partner your ideal schedule. Your partner should write it down.

Modelo Ciencias Sociales ⟶ *A las ocho.*

El tiempo y las estaciones

It's so hot at my school today! I wonder what the weather will be like in the countries we visit.

¿Qué tiempo hace?

hace sol

hace calor

llueve

está nublado

hace viento

hace frío

nieva

Las estaciones del año

La primavera

El verano

El otoño

El invierno

28 Las estaciones

Une. What's the weather like in your town during the four seasons? Match the two columns to form sentences.

 A	 B
1. En invierno...	a. hace calor.
	b. nieva.
2. En primavera...	c. llueve.
	d. hace frío.
3. En verano...	e. está nublado.
	f. hace sol.
4. En otoño...	g. hace viento.

Compara y habla. Compare your answers with your partner's. Do they all match?

Dibuja y escribe. Show today's weather in your area by drawing a picture. Then describe the scene in Spanish.

29 ¿Qué tiempo hace?

▶ **Escribe.** Use the map to complete the sentences.

1. En la Ciudad de México hace ______
2. En Lima hace ______
3. En Guatemala ______
4. En San Juan de Puerto Rico ______

ESTADOS UNIDOS
OCÉANO ATLÁNTICO
MÉXICO
Ciudad de México
La Habana
CUBA
REPÚBLICA DOMINICANA
Santo Domingo
PUERTO RICO
San Juan
HAITÍ
Puerto Príncipe
Kingston
JAMAICA
BELICE
Belmopan
GUATEMALA
Guatemala
HONDURAS
Tegucigalpa
San Salvador
EL SALVADOR
NICARAGUA
Managua
COSTA RICA
San José
Panamá
PANAMÁ
Caracas
VENEZUELA
Bogotá
COLOMBIA
OCÉANO PACÍFICO
Quito
ECUADOR
BRASIL
PERÚ
Lima
BOLIVIA
La Paz
0 250 500 millas
0 250 500 kilómetros

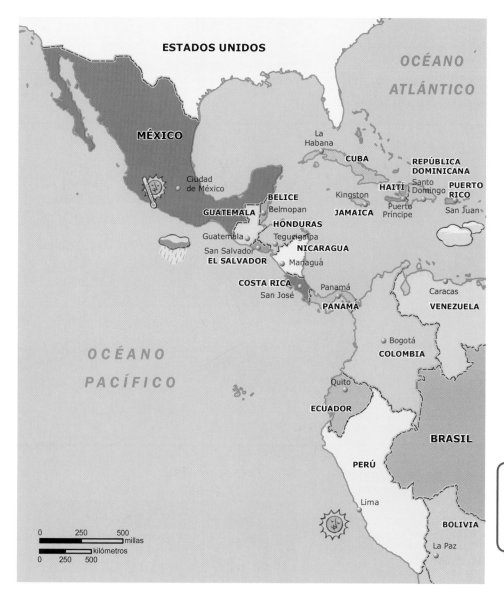

Now that we've finished our crash course in Spanish, are you ready to start?

▶ **Dibuja.** In your notebook, draw a weather symbol for each location.

Puerto Rico | Guatemala | México | Perú

▶ **Habla.** Tell your partner what the weather is like. Your partner will draw the correct symbols in his notebook. Then switch roles.

Modelo A. *En Puerto Rico está nublado.*
B. *¿Y en México?*
A. *En México hace calor.*

Tres razones para aprender español

Before we begin, it is important that you know why learning Spanish is useful. Here are three reasons.

1. Spanish is the fourth most widely spoken language in the world.

It is spoken in over 20 countries and by over 400 million people.

It ranks fourth after Chinese, English, and Hindi.

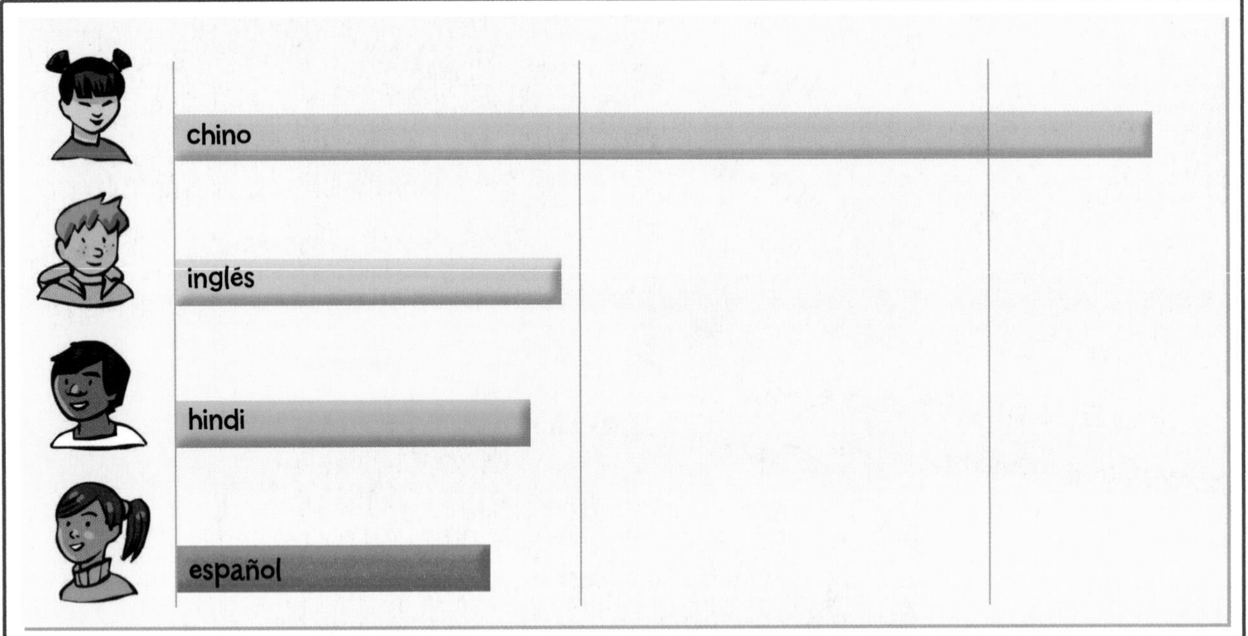

2. Spanish is essential in the U.S.

In 2007, 34 million people in the United States spoke Spanish at home. Spanish is part of American culture and heritage.

Many geographical features in the United States have Spanish names:

- States: Florida, Colorado, Nevada.
- Cities: Los Ángeles, San Antonio, Santa Clara, Sacramento.
- Rivers: Río Grande.
- Mountains: Sierra Nevada.

Cartel en una autopista (California, Estados Unidos).

3. Spanish allows you to discover other cultures.

You are going to learn a language that will enable you to discover aspects such as the music, customs, food, and celebrations of other cultures.

Fiesta de las Fallas (Valencia, España).

Tienda de mates (Argentina).

Celebración del Día de Muertos (México).

And a fourth reason ...

Spanish allows you to communicate with people from other countries and cultures. Whom can you communicate with in Spanish in your daily life?

- ☐ With your family.
- ☐ With your neighbors.
- ☐ With your friends.
- ☐ With teachers or students at school.
- ☐ With people in your community.
- ☐ In other situations: ______

El español en el mundo

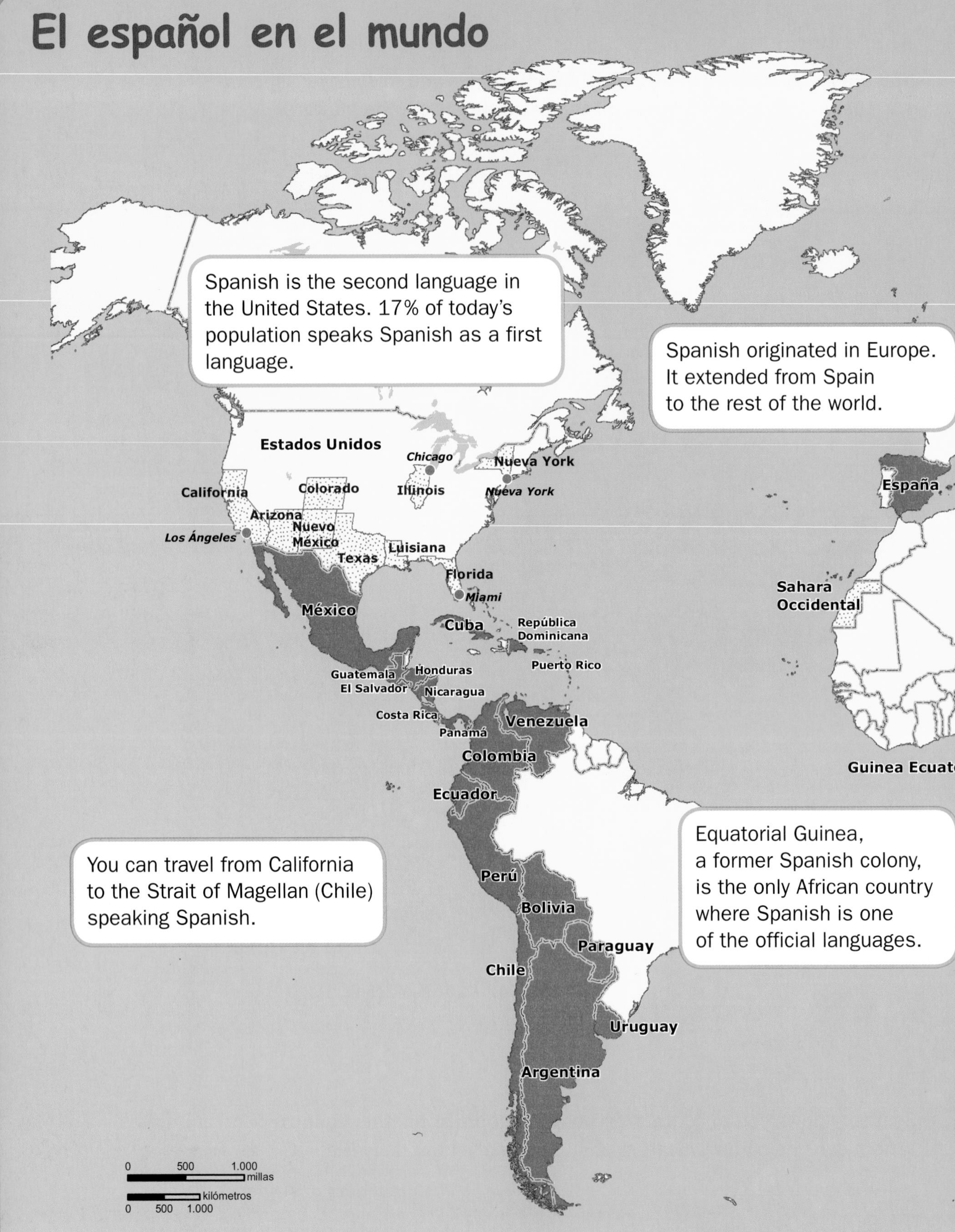
Spanish is the second language in the United States. 17% of today's population speaks Spanish as a first language.
Spanish originated in Europe. It extended from Spain to the rest of the world.
Estados Unidos
Chicago
Nueva York
California
Colorado
Illinois
Nueva York
Arizona
Nuevo México
Los Ángeles
Texas
Luisiana
Florida
Miami
México
Cuba
República Dominicana
Puerto Rico
Guatemala
El Salvador
Honduras
Nicaragua
Costa Rica
Panamá
Venezuela
Colombia
Ecuador
Perú
Bolivia
Paraguay
Chile
Uruguay
Argentina
España
Sahara Occidental
Guinea Ecuato
You can travel from California to the Strait of Magellan (Chile) speaking Spanish.
Equatorial Guinea, a former Spanish colony, is the only African country where Spanish is one of the official languages.
0 500 1.000 millas
kilómetros 0 500 1.000

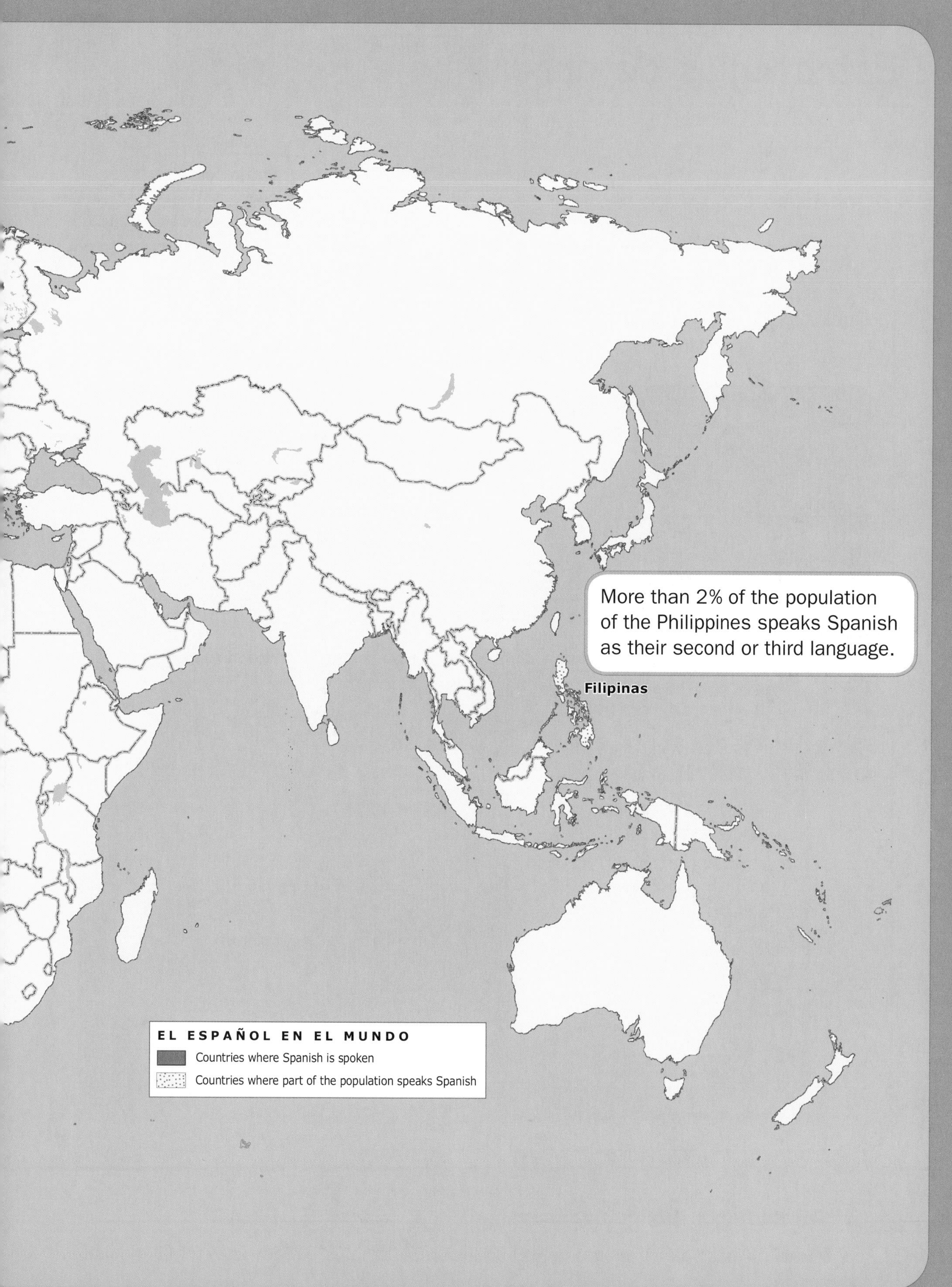
More than 2% of the population of the Philippines speaks Spanish as their second or third language.
Filipinas
EL ESPAÑOL EN EL MUNDO
Countries where Spanish is spoken
Countries where part of the population speaks Spanish

Estrategias de aprendizaje

Hey, Tim! How did you learn so much Spanish so quickly?
You can, too. Just use these strategies.

Use what you know

Think about words you have heard or read that are in Spanish, or come from Spanish. For example, *hola*, *adiós*, *fiesta*, *rodeo*, *patio*, and *Florida* are Spanish words.

Colabora con tus compañeros

▶**Habla.** What Spanish words do you and your classmates already know? Make a list.

Look at the cognates: Cognates are your friends

- Cognates (*cognados*) are words that look similar in English and Spanish, and mean the same thing, like *monitor*, *drama*, or *gimnasio*. Recognizing them is a great reading and listening strategy. There are hundreds of Spanish cognates:

teléfono	música	información	parque
estudiar	interesante	fotografía	decidir

- Be careful of **false cognates.** They look alike, but have a different meaning. For example, the Spanish word *sensible* means "sensitive", not "sensible".

Spanish	English	False cognate
colegio	*school*	*college*
argumento	*plot*	*argument*
realizar	*to make*	*to realize*
suceso	*event*	*success*
largo	*long*	*large*

2 ¿Cognado: sí o no?

▶**Escribe.** Find the cognates in this text and provide the English equivalents.

> Hoy vamos a escribir una composición en la clase de español.
> El profesor dice que es necesario tener un diccionario.

3 Cognados falsos

▶**Decide.** Look at these pictures and decide which Spanish word means *bookstore* and which means *library*.

Librería.

Biblioteca.

Learn vocabulary

Each person has a favorite way to learn words:

– Flashcards: write each Spanish word on one side and the translation on the back.

– Lists: write ten Spanish words a day to read aloud on the way to school.

– Podcasts and the Internet: find and listen to a podcast in Spanish online.

– Games: play puzzles and games in Spanish.

4 Nombres

Busca la traducción. Find the Spanish words for ten things you use a lot. Label each item … then learn the words!

Recognize prefixes and suffixes

- Prefixes are word parts added to the beginning of a root word.

Prefix	Examples
in-	**in**correcto (***in**correct*) **in**visible (***in**visible*)
des-	**des**confiar (***dis**trust*) **des**aparecer (***dis**appear*)
multi-	**multi**millonario (***multi**millionaire*) **multi**color (***multi**colored*)

- Suffixes are word parts added to the end of a word.

Suffix	Examples
-ción	produc**ción** (*produc**tion***) prohibi**ción** (*prohibi**tion***)
-dad	universi**dad** (*universi**ty***) reali**dad** (*reali**ty***)
-mente	normal**mente** (*normal**ly***) personal**mente** (*personal**ly***)

5 Análisis de palabras

Escribe. Apply your knowledge of prefixes and suffixes to give the English meaning of these Spanish words.

1. inhumano
2. multicultural
3. celebración
4. desconectar
5. perfectamente
6. actividad

Check the dictionary

- Using a Spanish-English dictionary can help you. But do not look up every word you do not know. Instead, try to do your assignments using the dictionary "in your head", using the context, and so on.
- **Watch out!** Not every word can be found in a dictionary. For example, you cannot find conjugated verb forms (*tú estudiaste* = you studied). Dictionaries are useful for looking up items such as nouns, adjectives, and the infinitive form of verbs.

6 Tu amigo, el diccionario

Usa el diccionario. Find the meaning of these words. You can use a dictionary or the glossary.

ejercicio | compañero | aprender | grande | cantar

Use Spanish every day: listen to, read, watch, and speak it!

Learn during class and after class.
Here are some ideas:
- Tune into Spanish radio stations.
- Watch Spanish TV channels.
- Read magazines in Spanish.
- Visit websites in Spanish.
- Talk to Spanish speakers in your community.
- Find a pen pal and write in Spanish.

7 Proyecto

Investiga. What opportunities do you have to practice Spanish where you live? Make a list … and use it!

- [ ] Read Spanish magazines at the library.
- [ ] Talk to Spanish-speaking students at school.
- [ ] Watch Spanish-language movies.
- [ ] …

1 **Une.** Match each time in column A with a greeting in column B.

A	B
1. 9:30 p. m.	a. Buenos días
2. 6:00 a. m.	b. Buenas tardes
3. 3:30 p. m.	c. Buenas noches
4. 1:45 p. m.	
5. 8:15 a. m.	
6. 11:00 p. m.	

2 **Escribe.** Look at the picture and, in your notebook, write what you see in this classroom.

3 **Elige.** Choose the correct option.

1. ¿________ te llamas?
   a. Hola b. Cómo c. Yo
2. ¡________ luego, Ana!
   a. Hasta b. Adiós c. Chao
3. ¿________ significa *mochila*?
   a. Qué b. Cómo c. Dónde
4. ¿________ es tu profesor de español?
   a. Dónde b. Qué c. Quién
5. ¿________ es tu cumpleaños?
   a. Qué b. Cuándo c. Quién

4 **Ordena y escribe.** Unscramble the days of the week. Then write the Spanish and the English word for each day.

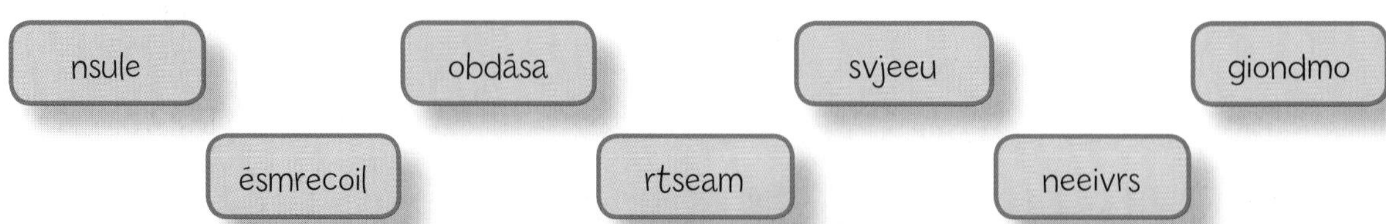

5 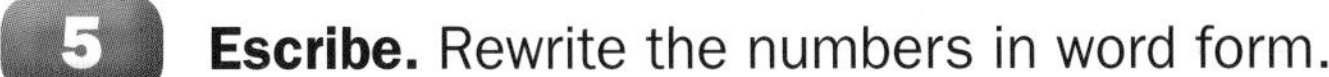 **Escribe.** Rewrite the numbers in word form.

1. 5 **2.** 20 **3.** 15 **4.** 23 **5.** 30 **6.** 14 **7.** 12 **8.** 17

6 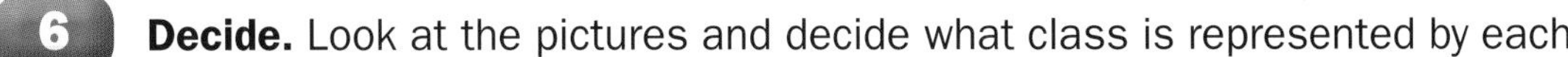 **Decide.** Look at the pictures and decide what class is represented by each.

① 

② 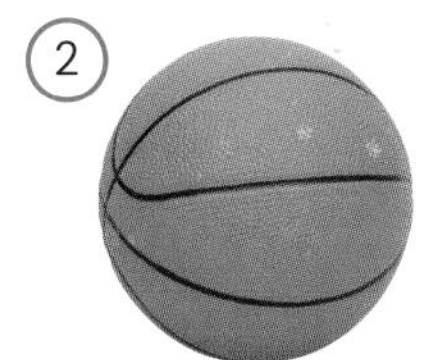

③ 

④ 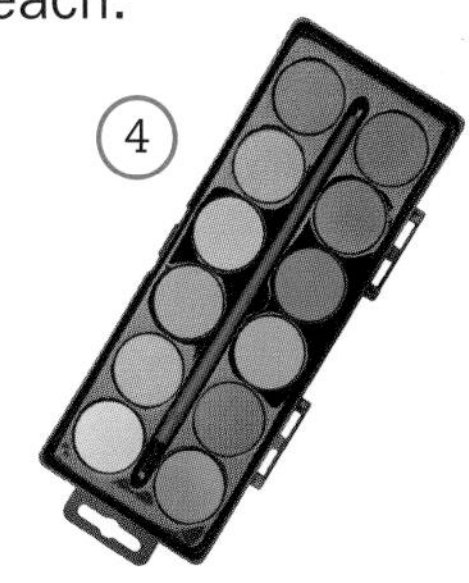

7 **Escribe.** Write the time shown on each clock.

① 9:30 a. m.
② 2:00 p. m.
③ 8:15 a. m.
④ 12:45 p. m.
⑤ 11:00 p. m.
⑥ 5:30 p. m.
⑦ 3:45 p. m.
⑧ 1:15 p. m.

8 **Dibuja.** Make a miniposter for each season using the one below as a model. Write the months, the weather, and important dates for each. Be sure to illustrate each feature!

UNIDAD 1

México

Empiezan los desafíos

▶ **To identify yourself and others**

Vocabulario

Las personas

Gramática

Los pronombres personales sujeto
El verbo *ser*

DESAFÍO
2

La casa de Frida Kahlo

▶ **To describe people**

Vocabulario

Características físicas
Rasgos de personalidad

Gramática

Los adjetivos

El estadio Azteca

To describe family relationships

DESAFÍO 3

Vocabulario

La familia

Gramática

El verbo *tener*

Expresar posesión.

Los adjetivos posesivos

La fiesta de la quinceañera

Los voladores de Papantla

To express states and feelings

Vocabulario

Estados y sensaciones

Gramática

El verbo *estar*

DESAFÍO 4

En la Ciudad de México

The four pairs have just arrived at Benito Juárez Airport in Mexico City. There they meet the Mexican family who will be helping them with their tasks.

T2
Planta Baja
LLegadas
Ground Floor
Arrives

Encantada. Yo soy Tess. Esta es mi madre, Patricia.
Ellas son Diana y Rita, y él es Tim.

Buenas tardes, señor Pérez. Este es mi abuelo. Se llama Mack. Es muy gracioso.

Hola, Mack. ¿Cómo está?
uy bien, gracias.

Yo soy Andy y esta es mi hermana Janet.
¡Estamos contentos!

¿Comprendes?

▶ **Une.** Match each question with the correct answer.

1. Who welcomes the pairs?
2. Who is Marisa?
3. How do the characters feel?
4. How many siblings does Marisa have?
5. What is Mack like?

a. Contentos.
b. Muy gracioso.
c. La hija de Carmen y Luis.
d. La familia Pérez.
e. Dos.

¡Hola! ¿Cómo están?
Me llamo Tess.
Mucho gusto.

EXPRESIONES ÚTILES

To introduce a boy or a man to someone:

Este es... Se llama...

To introduce a girl or a woman to someone:

Esta es... Se llama...

To introduce yourself:

Me llamo...
Soy...

To reply to an introduction:

Mucho gusto.
Encantado. (male)
Encantada. (female)

2 Conversaciones

▶ **Escucha.** Listen and decide. Are these people introducing themselves or greeting each other?

1. Patricia y Mack   2. Tess, Andy y Janet   3. Tim y Diana   4. Rita, Andy y Diana

3 Pequeños diálogos

▶ **Representa.** Form groups of three. Introduce one of your group members to the other. Follow the model.

Hola. Este es Juan.
Encantada.
Mucho gusto.

¿Quién ganará?

4 Los desafíos

Habla. What will be the challenge for each pair? Think about this question and discuss it with your classmates.

DESAFÍO 1

Fans en el estadio Azteca

Andy y Janet

DESAFÍO 2

Casa de Frida

Diana y Rita

DESAFÍO 3

Fiesta de la quinceañera

Mis 15 Años

Patricia y Tess

DESAFÍO 4

Voladores de Papantla

Tim y Mack

5 Las votaciones

Decide. You decide. You will vote to choose the most fun challenge. Who do you think will win?

El fan del fútbol

Janet and Andy must attend a soccer (*fútbol*) game. Their task is to find Mexico's biggest soccer fan, but Andy can't stop watching the game!

El estadio es fantástico, ¿no, Janet?
¡Sí, Andy!
Yo soy una fan del fútbol. Y él es un fan también.
¡Sí! ¿Tú eres un fan del fútbol?
¿Quién es el fan mexicano más entusiasta?
Nosotros somos fans del fútbol. Y ellos son fans también.
La chica es mi amiga Sara. Es una fan del fútbol, pero ella no es de México... ¿Andy?... ¿Andy?...
¡ANDYYY!

Continuará...

6 Detective de palabras

▶ **Une.** Copy and match each word in column A with the corresponding word in column B. Look at the text above.

A	B
1. yo	a. es
2. tú	b. soy
3. él	c. eres
4. nosotros	d. son
5. ellos	e. somos

7 Presentaciones

▶ **Escucha.** Listen to the dialogue and choose the picture that best illustrates each sentence.

A

C

B

D

8 ¿Qué dicen?

▶ **Completa.** Complete the sentences using the *fotonovela El fan del fútbol* as a guide.

1. ¿Quién es el __fan__ mexicano más entusiasta?
2. La ______ es mi amiga.
3. El estadio ______ fantástico.
4. ______ son fans también.
5. ______ no es de México.
6. ¿Tú ______ un fan del fútbol?
7. Yo soy una fan del ______.
8. ______ somos fans del fútbol.

▶ **Escribe.** Janet introduces her friend Sara to you. Write her introduction and your reply.

El fútbol mexicano

El fútbol es un deporte muy popular en México.

Los mexicanos llaman el Tri a su selección de fútbol. Ellos admiran a la selección mexicana. Los miembros del Tri son sus héroes.

9 Comparación

Explain:

1. Is soccer a major sport where you live?
2. Which sports do you most enjoy? Why?

Use the website www.fansdelespañol.com to learn more about Mexican soccer.

Vocabulario

Las personas

10 Relaciones

▶ **Completa.** Complete the sentences with words shown above.

1. Janet y Andy son los ________ de Marisa.
2. Luis y Carmen son los ________ de Marisa.
3. Tess y Rita son las ________ de Mack y Tim.
4. La ________ de Luisito es Carmen.
5. Marisa es la ________ de Xóchitl.
6. Luisito es el ________ de Xóchitl.

11 Los mensajes telefónicos

Escucha. Listen and choose. Who is speaking?

1. profesor / estudiante
2. mujer / hombre
3. novio / amigo
4. hijo / padre
5. niño / niña

12 ¿Qué son?

Escribe. Use words from each column to form five true sentences about these people.

Modelo *Mack y Carmen son amigos.*

A		B
1. Mack y Carmen		hermanas.
2. Xóchitl y Marisa		hermanos.
3. Tess y Marisa	son	amigos.
4. Tim y Andy		amigas.
5. Marisa y Luisito		amigos.

13 La cena de la victoria

Habla. Marisa's family is celebrating the soccer team's win today. Join with a partner to describe the relationships between the people in the photo. Say at least one sentence about each person.

Modelo

El hombre es el padre de Marisa...

COMUNIDADES

PHOTO SCAVENGER HUNT

14 Tu comunidad en español.

Create a poster to talk about people you know! You may want to create a digital poster.

1. Take photos of people you know.
2. Organize your photos in a logical way.
3. Label the pictures with each person's name and relationship to you.

Gramática

Los pronombres personales sujeto

- Subject pronouns identify the person who is performing an action. These are the subject pronouns:

PRONOMBRES PERSONALES SUJETO

Singular		Plural	
yo	*I*	nosotros nosotras	*we*
tú	*you (informal)*	vosotros vosotras	*you (informal)*
usted él ella	*you (formal)* *he* *she*	ustedes ellos ellas	*you* *they* *they*

Uso de los pronombres personales

- Nosotros, vosotros, and ellos are used to refer to groups of all males or to groups of males and females. Nosotras, vosotras, and ellas refer to groups of females.

  Juan, Luisa y Andrea son hermanos. **Ellos** son amigos de Marisa.

- Tú is used to speak to a relative, a friend, a classmate, a child—to those you are on an informal basis with. Usted is used to speak to an adult or to a person in authority—a teacher, a police officer, a senior citizen—someone you are more formal with.

  ¿**Tú** eres Tess? ¿**Usted** es el señor Pérez?

- In Spain, the plural of tú is vosotros and vosotras (informal), whereas the plural of usted is ustedes (formal). In the Americas, people use ustedes as the plural of both tú and usted.

  Vosotros sois mis amigos. **Ustedes** son mis amigos.

15 Comparación. What subject pronouns express *you* in Spanish?

16 ¿Quiénes?

▶ **Escribe.** Imagine you need to talk about these people. Write the pronoun you would use.

Modelo Carlos y Luis ⟶ *Ellos*

1. Marisa
2. Marisa y la señora Pérez
3. El señor Pérez y Tim
4. Los señores Pérez
5. Luisito
6. Luisito, Xóchitl y Tess
7. Marisa, Andy y yo
8. Andy, Janet y tú

17 ¿Tú o usted?

▶ **Escribe.** Would you use *tú* or *usted* to speak to the following people?

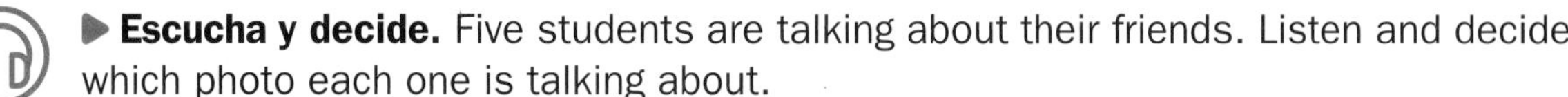

1. el profesor
2. el policía
3. la estudiante
4. el niño
5. la doctora

18 ¿Qué foto es?

▶ **Escucha y decide.** Five students are talking about their friends. Listen and decide which photo each one is talking about.

Ⓐ

Ⓑ

19 Los profesores y el estudiante

▶ **Lee y completa.** Luis and Carmen are talking to two teachers at their son Luisito's school. Complete their conversation with the correct subject pronouns.

MARCOS: Buenos días, ___(1. I)___ soy Marcos Valdés y ___(2. she)___ es Teresa Santos.

LUIS Y CARMEN: Mucho gusto. ___(3. we)___ somos los padres de Luis Pérez. ¿___(4. you)___ son los profesores de Luis?

TERESA: Sí, ___(5. we)___ somos el profesor de Matemáticas y la profesora de Historia de Luis.

Gramática

El verbo *ser*

- The verb ser *(to be)* is used to identify people, places, things, and ideas. These are the forms of ser in the present tense:

VERBO SER (*TO BE*). PRESENTE

Singular			Plural		
yo	soy	*I am*	nosotros nosotras	somos	*we are*
tú	eres	*you are*	vosotros vosotras	sois	*you are*
usted él ella	es	*you are* *he is* *she is*	ustedes ellos ellas	son	*you are* *they are* *they are*

- Subject pronouns can be omitted in Spanish.

  Yo **soy** una niña. **Soy** mexicana.

- To make a sentence negative, add no in front of the verb.

  Yo **no soy** una niña.

Expresar procedencia

- Use ser de to tell where you are from.

  Soy de México. ¿**Es** usted **de** Panamá?

20 **Comparación.** Can you omit subject pronouns in English? Why or why not?

21 **Soy Cristina**

▶ **Completa.** Cristina, the goalie for Marisa's soccer team, wants to introduce herself to you. Complete her introduction with the correct form of the verb *ser*.

Hola. Yo __1__ Cristina. Esta es mi madre, Ana Gonzales. Ella __2__ muy inteligente. La mujer es mi tía Marta. Mamá y ella __3__ hermanas. El chico __4__ mi novio, Juan. Nosotros __5__ de Oaxaca, una ciudad interesante. Tú __6__ amigo de Marisa, ¿no?

22 Identificaciones

▶ Escucha. Five students are talking to friends. In each sentence, listen to the form of the verb *ser* and decide which pronoun is the subject.

a. yo b. él c. nosotros d. ustedes e. tú

23 Soy, eres, es...

▶ Escribe. Expand the prompts into sentences using the verb *ser*. Make the nouns agree with the subjects.

Modelo Paco y Tim – amigo ⟶ *Paco y Tim son amigos.*

1. Ana – mi madre
2. yo – estudiante
3. ustedes – novio
4. mi madre y yo – amiga
5. el hombre – profesor
6. los chicos – hermano

24 ¿Quiénes son?

▶ Corrige. Someone made these false statements. Rewrite them using *no* and provide the correct information.

Modelo Marisa y Janet son hermanas
⟶ *Marisa y Janet no son hermanas. Son amigas.*

1. Tess y Diana son profesoras.
2. Carmen Ruiz y Luis Pérez son estudiantes.
3. Marisa y Luisito son novios.
4. Diana y Tim son los hijos de Carmen Ruiz.
5. Luisito y Xóchitl son de Nueva Jersey.
6. Tim y Andy son los profesores de Marisa.

25 Gente popular

▶ Habla. Identify the people in the photos to your partner, but include at least one incorrect detail. Can he or she recognize the wrong information and correct it?

Modelo A. *Mack es el abuelo de Andy.*
B. *¡Mack no es el abuelo de Andy! Es el abuelo de Tim.*

1

2

3

4

5

Comunicación

26 El fútbol en mi escuela

▶ **Escribe y dibuja.** Andy comes to watch your school's soccer game. Greet him and introduce yourself. Then introduce him to five other people. Draw the scenes and write speech bubbles with the appropriate conversation.

Hola, Andy. Yo soy Ana y este es Emilio, mi novio.
Hola. Mucho gusto.

27 La papa caliente

▶ **Habla.** How many true sentences can you make about the following people? Take turns with a partner. If you can't make a true sentence, your partner gets a point and you start the next round.

1. tú y ella
2. el profesor / la profesora
3. los estudiantes
4. mis amigos y yo
5. mi madre y mi padre

Modelo *ustedes*

Ustedes son de California.

Ustedes no son profesores.

Ustedes son amigos.

28 Andy se presenta

▶ **Lee y escribe.** Andy has created a short video to introduce his family to the people he meets in Mexico. Read the video script that he has written and answer his question.

Buenas tardes, me llamo Andy y soy estudiante. Esta es Janet. Janet y yo somos hermanos. Él es mi padre. Se llama Gary y es profesor de Matemáticas. La mujer es mi madre, Marcela. Es profesora de Música. Y tú, ¿quién eres?

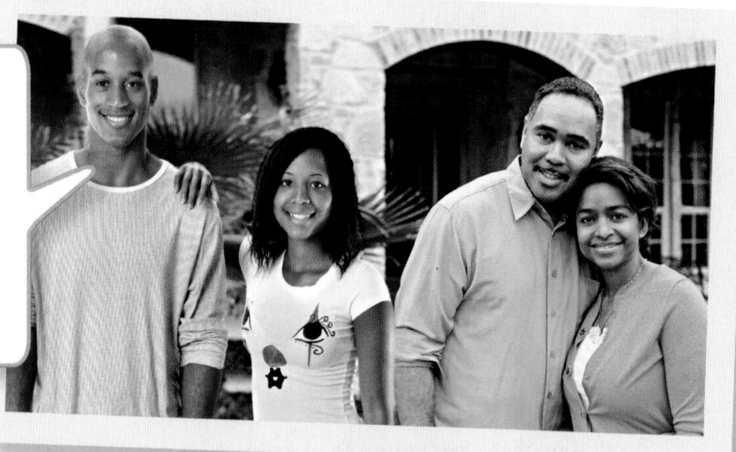

29 Una foto preciosa

▶ **Escucha y dibuja.** Janet is describing one of the photos she took at the game. Draw the picture she describes.

30 Mi gente

▶ **Escribe.** Help your classmates get to know these people. Say where they are from and describe their relationship to someone else.

Modelo *Ana es de México. Es la amiga de Luisito.*

1. Yo ______
2. Tú y yo ______
3. Mi profesor / profesora ______
4. Mis padres ______
5. Mi mejor amigo / amiga ______
6. Mi hermano / hermana ______

Final del desafío

Mucho gusto, Janet. Yo __1__ una fan del fútbol mexicano.

Hola. Mucho gusto. Soy Andy. ¿Ustedes __2__ de México?

Hola. No, nosotros __3__ de Canadá. Yo soy Eric y esta __4__ mi novia, Liz.

Ellos __5__ fans de México, pero...

¡__6__ soy el fan más entusiasta del fútbol mexicano!

31 ¿Qué pasa en la historia?

▶ **Escribe y representa.** Fill in the missing words. Then act out the scenes in class.

Earn points for your own challenge! Listen to the questions for your *Minientrevista Desafío 1* on the website and write your answers.

Es una mujer creativa

Diana and her aunt Rita are at the *Casa Azul* museum in Mexico City. This building used to be the family home of Frida Kahlo, a famous Mexican artist. Their task there is to live like Frida for one day.

¡Frida Kahlo es una artista increíble!
Sí, es una mujer muy creativa.
Frida y Diego vivieron en esta casa 1929-1954

Tú y yo somos delgadas como Frida.
Los hombres de la familia de Frida son serios.
¡Sí, el abuelo es muy serio!

Continuará...

32 Detective de palabras

▶ **Elige.** What are the people in the *fotonovela* like? Complete the sentences.

1. Frida es...	a. creativo.	b. creativa.	c. creativos.	d. creativas.
2. Diana y Rita son...	a. delgado.	b. delgada.	c. delgados.	d. delgadas.
3. Los hombres son...	a. serio.	b. seria.	c. serios.	d. serias.
4. El abuelo es...	a. serio.	b. seria.	c. serios.	d. serias.

▶ **Habla.** *Creativa*, *delgadas*, *serios*, and *serio* are adjectives. Answer these questions.

1. What letters do these adjectives end in when they refer to a girl? And to a boy?
2. How do they end when they refer to two or more people?

33 La gente en el autobús

Habla. Frida painted this scene of passengers on a bus. Talk to your partner and identify the six people.

Frida Kahlo. *El autobús.*

Modelo
A. *Él es un niño curioso.*
B. *¡Es la persona número cuatro!*

34 Diana y Rita en el museo

Completa. Diana has written a description of a Frida Kahlo painting: *Las dos Fridas*. Complete the paragraph with the correct forms of the verb *ser*.

La pintura de Frida Kahlo ___1___ una obra de arte. Las dos mujeres ___2___ dos aspectos de una persona. Yo no ___3___ una experta en arte, pero, en mi opinión, esta pintura ___4___ fantástica. Mi tía Rita y yo ___5___ admiradoras de Frida Kahlo.

Frida Kahlo. *Las dos Fridas.*

Frida Kahlo

La pintora mexicana Frida Kahlo es una figura importante en la historia del arte. Sus cuadros (*paintings*) son autorretratos (*self-portraits*) y temas del arte popular de México. "Nunca pinté mis sueños (*dreams*). Pinté mi propia realidad".

Comparación. What American artists do you know? Are their depictions realistic or unrealistic?

Use the website to watch a documentary about Frida Kahlo's life. Earn points for your own challenge!

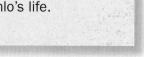

Vocabulario

Características físicas

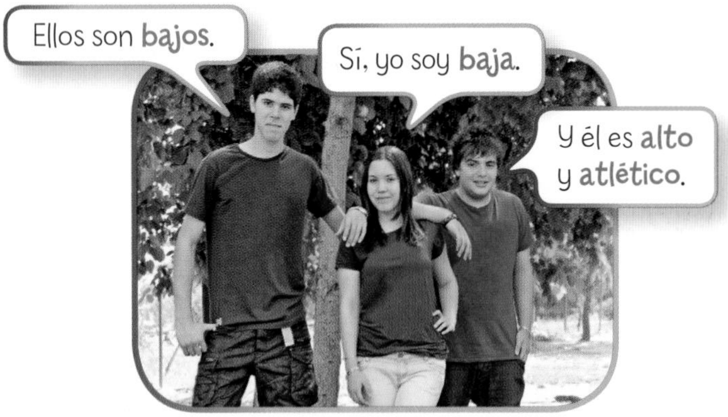

Ellos son bajos.
Sí, yo soy baja.
Y él es alto y atlético.

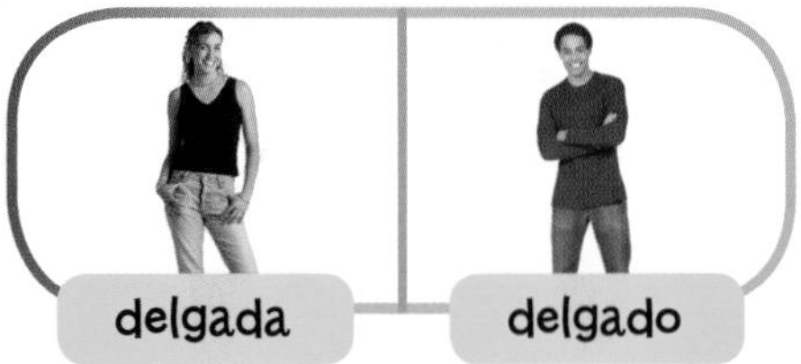

delgada
delgado

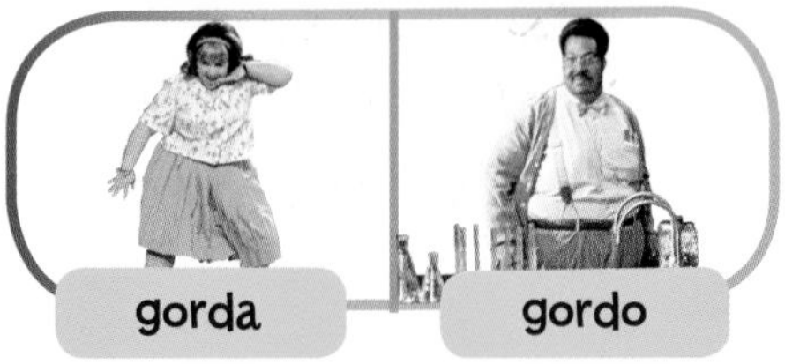

gorda
gordo

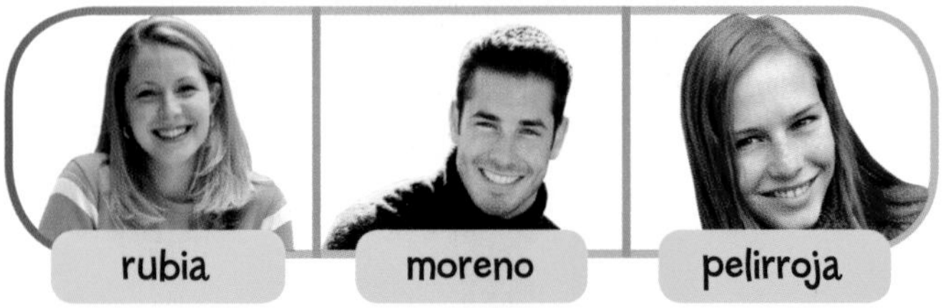

rubia
moreno
pelirroja

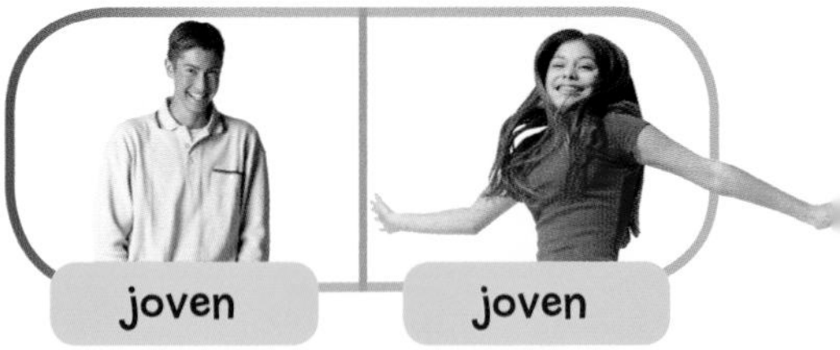

joven
joven

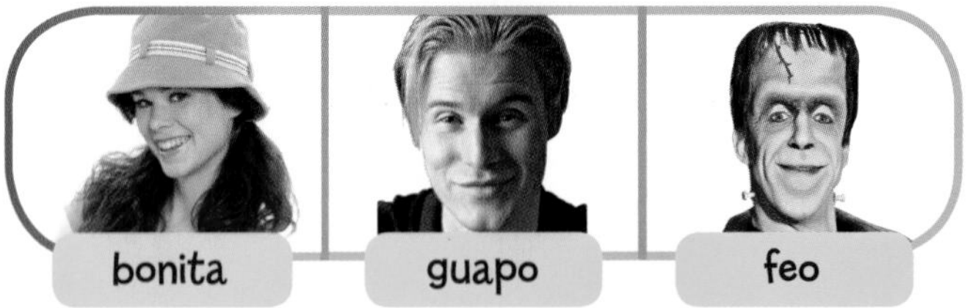

bonita
guapo
feo

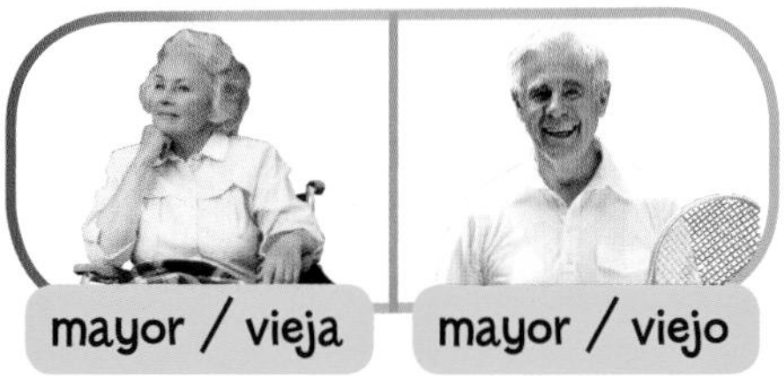

mayor / vieja
mayor / viejo

Rasgos de personalidad

tímida
atrevido

graciosa
serio

antipática
simpático

espontáneo | estudioso | inteligente | creativo

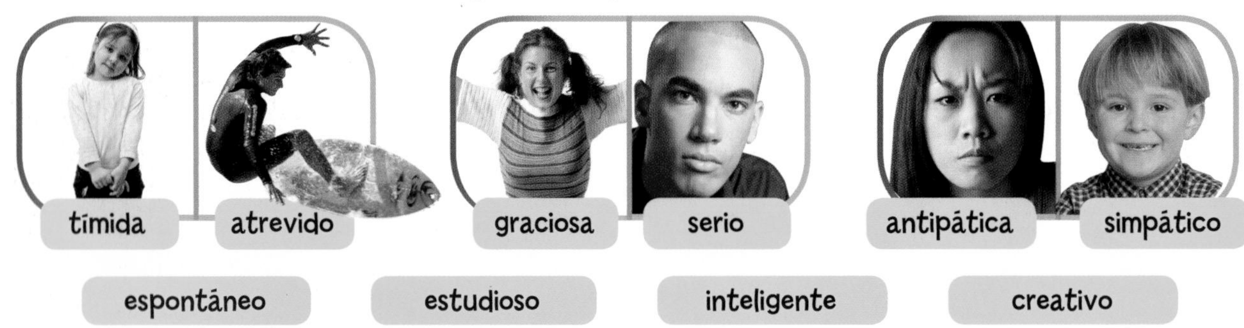

36 ¿Cierto o falso?

▶ **Elige.** In your opinion, are these statements true *(cierto)* or false *(falso)*?

1. Tess es morena.
2. La tía Rita es mayor.
3. Frida Kahlo es gorda.
4. Diana es seria.
5. Andy y Tess son jóvenes.

37 Los amigos de Mack

Escucha. Mack is describing his friends. Listen and decide which two people he is talking about.

 Diana  Rita  Andy  Tess

38 Ellos son interesantes

Escribe. Describe the following people, referring to their personality and their physical characteristics.

Modelo 1. la niña ⟶ *La niña es rubia, atlética y atrevida.*

1.  la niña
2.  el niño
3.  la chica
4.  el chico
5.  el hombre
6.  la mujer

39 Así son

Habla. Use the vocabulary on page 48 to describe the people to a classmate.

Modelo *Luisito es joven, moreno y simpático.*

1. el abuelo Mack 2. Janet 3. Tim 4. Patricia

Escribe. Write your descriptions and read them to a different partner. Can he or she guess who it is?

CONEXIONES: ARTE

Salma Hayek

La actriz mexicana Salma Hayek es una mujer famosa en todo el mundo *(world)*. Fue nominada a un Oscar por su interpretación de Frida Kahlo en la película *Frida*.

40 Investiga. What other films has Salma acted in?

Visit the website to read more about Salma Hayek and the Oscar-nominated movie *Frida*.

Gramática

Los adjetivos

- Words like *tall*, *short*, or *funny* are adjectives. Adjectives describe appearance, size, personality, and other characteristics.
- In Spanish, adjectives change to express gender and number.

simpático

simpática

simpáticos

simpáticas

El género de los adjetivos

- Spanish adjectives can be **masculine** or **feminine**, depending on what they describe.

Formación del femenino. The feminine of an adjective is formed this way:

Masculine form	Feminine form	Examples
Ends in -o.	Changes -o to -a.	simpático → simpática
Ends in -e or in a consonant.	Does not change.	inteligente → inteligente joven → joven

El número de los adjetivos

- Adjectives can be **singular** or **plural**, depending on the number of people, animals, or things they refer to.

Formación del plural. The plural of an adjective is formed this way:

Singular form	Plural form	Examples
Ends in a vowel.	Adds -s.	simpática → simpáticas
Ends in a consonant.	Adds -es.	joven → jóvenes

41 **Comparación.** What differences do you notice between Spanish and English adjectives?

42 **¿Cómo son?**

▶ **Escucha e identifica.** How well do you know these people? Listen and number the names in the order in which they are described.

a. el policía **b.** Marisa **c.** Tess **d.** Frida **e.** Andy **f.** Mack

43 Descripciones

Completa. Describe these people. Use the correct form of each adjective.

1. El hombre y la tía Rita son ___1___ (inteligente)
2. Diana y Rita son ___2___ (moreno)
3. Diana y Tim no son ___3___ (alto)
4. Andy es ___4___ (joven) y ___5___ (gracioso)
5. Los desafíos son ___6___ (interesante)
6. Los participantes son ___7___ (simpático)

44 Cadena

Habla. Make a chain with your classmates.

- Student A: describe one characteristic of someone famous.
- Student B: repeat the characteristic, and add another one.

Continue until nobody can add any more. How many adjectives are in your sentence?

Modelo

Bart es bajo.

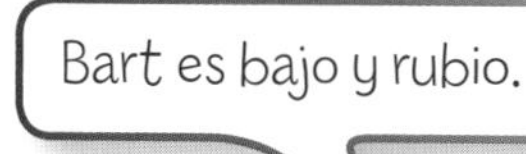
Bart es bajo y rubio.

Bart es bajo, rubio y gracioso.

45 Correos electrónicos

Lee y escribe. This is Diana's e-mail to Cristina, a new Mexican friend. Send a similar e-mail to Diana: introduce yourself and describe your appearance and your personality.

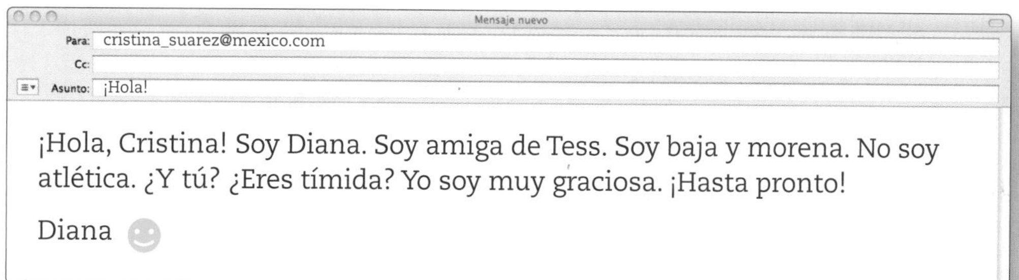

Mensaje nuevo

Para: cristina_suarez@mexico.com

Cc:

Asunto: ¡Hola!

¡Hola, Cristina! Soy Diana. Soy amiga de Tess. Soy baja y morena. No soy atlética. ¿Y tú? ¿Eres tímida? Yo soy muy graciosa. ¡Hasta pronto!

Diana

COMUNIDADES

GENTE DIVERSA

Los mexicanos son muy diversos. En el Zócalo, la plaza principal de la Ciudad de México, observas mexicanos altos y bajos, rubios y morenos, jóvenes y viejos. "Somos de todos los colores y sabores *(flavors)*", dice una turista del estado de Nuevo León.

46 Comparación. Do the people in your community have a similar appearance, or do they all look different? Use Spanish adjectives to describe them.

Comunicación

47 Voces de México

▶ **Escucha.** Diana and her aunt Rita talked to these people. According to the descriptions you hear, can you say who they are?

Modelo 1. *Es la doctora López.* ⟶ *A*

48 Los hermanos de Diana

▶ **Escribe.** Write as many descriptions as you can about Diana's brothers. Compare notes with a partner.

Sergio

Alán

49 La bitácora electrónica (blog)

▶ **Lee y habla.** Diana has written a description of Aunt Rita on her blog. Read it. Then close your books and, with a partner, take turns describing Aunt Rita.

> El blog de Diana
>
> 18 de julio, Ciudad de México
>
> Mi tía Rita es fenomenal. Es una mujer inteligente y enérgica; es muy graciosa. Ser Frida Kahlo es una tarea atrevida. Afortunadamente, mi tía y yo somos atrevidas y espontáneas.

▶ **Escribe.** Describe the family member you most resemble. How are you similar and how are you different? Circulate your description among your classmates.

50 La familia de tu compañero

▶ **Habla.** Interview classmates about their favorite family member. Find out what the person is like. Then, describe each person to your class.

Modelo

¿Quién es tu (*your*) persona favorita?
Es mi madre, Sally. Ella es alta y morena.
La persona favorita de Ana es Sally, su (*her*) madre. Ella es alta y morena.

Final del desafío

51 ¿Qué pasa en la historia?

▶ **Escribe y representa.** Write a dialogue betwen Diana and Rita for these scenes. Then act out your script for the class.

La quinceañera

Tess and Patricia's first task while in Mexico is to attend a *quinceañera*, a special party for a girl's fifteenth birthday. They must meet all of Elena's guests!

¡Hola, Elena! Soy Tess. Soy amiga de Marisa. Y esta es mi madre, Patricia.
¡Hola, Tess! ¡Hola, Patricia! ¡Bienvenidas a mi quinceañera!
¡Tienes una familia muy grande!
¡Sí! Estos son mis papás, Raúl y Eva. ¡Son muy simpáticos!

Mucho gusto, Tess. Encantado, Patricia.

Tengo dos hermanos. Carlos tiene nueve años y Ana tiene cinco.

Y este es mi amigo. Se llama Jaime ¡y es muy guapo!

Continuará...

52 Detective de palabras

▶ **Elige.** Complete the sentences.

1. Tess: Tienes... **a.** una mamá. **b.** un niño. **c.** 14 años. **d.** una familia muy grande.
2. Elena: Tengo... **a.** un amigo. **b.** una amiga. **c.** un tío. **d.** dos hermanos.
3. Ana tiene... **a.** cinco años. **b.** dos tíos. **c.** tres hijos. **d.** nueve años.

53 ¿Cómo se llaman?

▶ **Escribe.** What did you learn in the *fotonovela*? Write the names of the following people.

Modelo La amiga de Tess → *Marisa*

1. la quinceañera
2. el amigo de Elena
3. la madre de Elena
4. los hermanos de la quinceañera

54 Presentaciones

▶ **Escucha y elige.** People at the party are making introductions. Choose the photo that best illustrates each sentence.

A 

B 

C 

D 

55 Una presentación

▶ **Escribe.** You know a lot about the guests now. Describe each of the following people.

Modelo *Tess es una chica alta y simpática. Es la amiga de Marisa.*

1. Eva
2. Raúl
3. Carlos y Ana
4. Jaime
5. Elena
6. Tess y Marisa

La fiesta de los quince años

En México, las chicas celebran a los quince años su transición de niña a mujer. La celebración puede incluir una ceremonia religiosa, un banquete y un baile *(dance)* con sus familiares y amigos.
Tradicionalmente, el día de la fiesta, las madres dan consejos *(advice)* a sus hijas para su vida adulta.

56 Comparación. Why do you think the *quinceañera* is a special celebration? Are there similar traditions that you know of in other cultures?

Use the website to learn more about the *quinceañera*.

Vocabulario

La familia

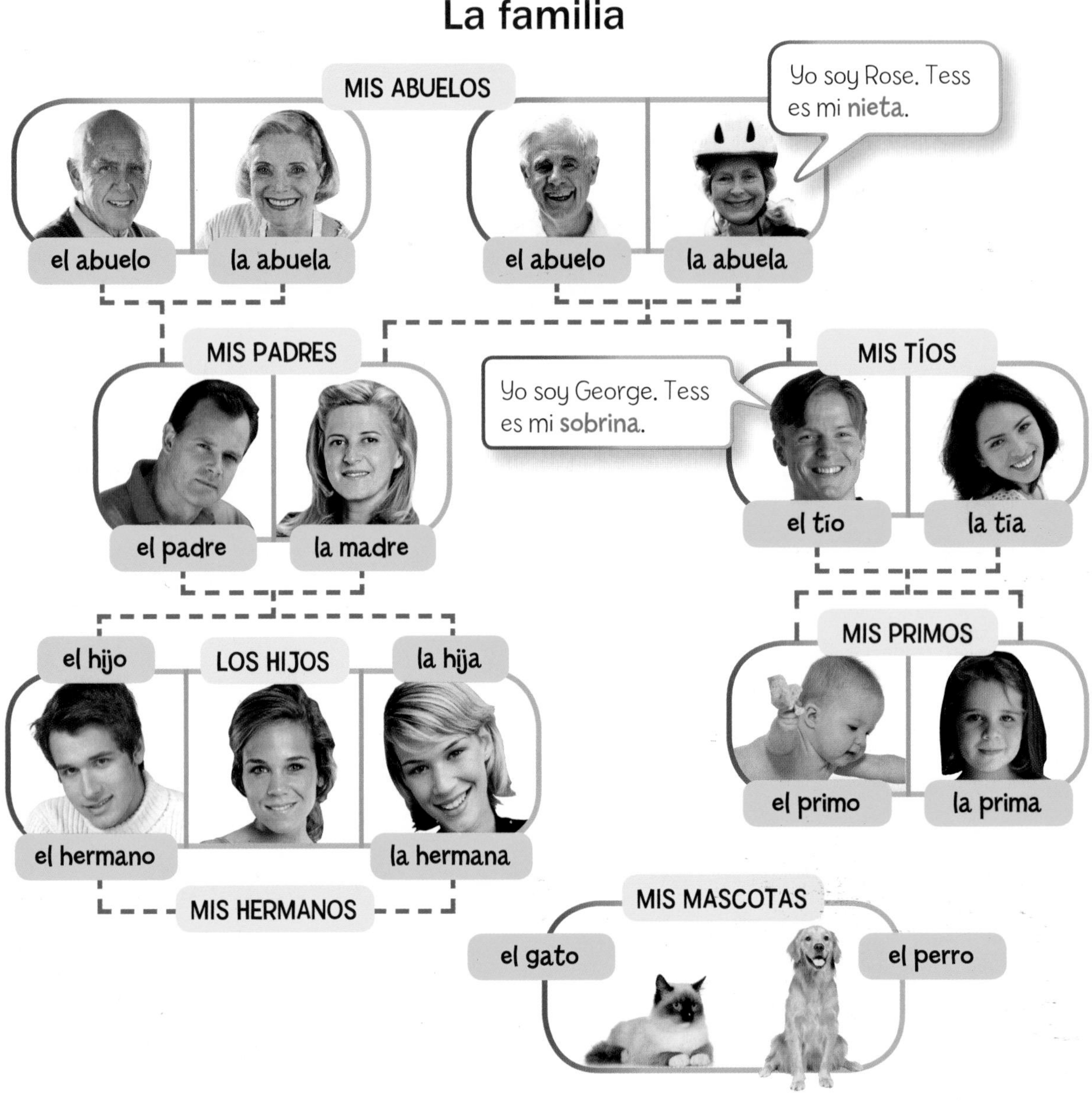

57 **La familia de Tess**

▶ **Completa.** Read what Tess says about her family. Then complete the sentences.

Modelo *Rose es la abuela de Tess.*

1. Bill es ______
2. Karen es ______
3. David es ______
4. Mike es ______
5. Lisa es ______
6. George es ______

Tengo una hermana, Karen, y un hermano, David. Mi madre se llama Patricia y mi padre se llama Bill. Mi madre tiene un hermano, George. Él tiene dos hijos: mis primos Mike y Lisa.

58 Los familiares

▶ **Escucha.** Tess is describing Rita's family. Listen and write down the name and the relationship of each person she talks about.

Modelo 1. *Charlie es el primo.*

1 

2 

3 

4 

5 

59 Relaciones

▶ **Lee y escribe.** Read the definitions and fill in the missing family relationship word.

1. Mi abuela es la madre de mi madre.
2. Mi ____ es la hija de mis padres.
3. Mis ____ son mi madre y mi padre.
4. Mi ____ es la madre de mi primo.
5. Mis primos son los ____ de mis tíos.
6. Mi ____ es el hermano de mi madre.
7. Mis ____ son los padres de mi padre.
8. Mi abuelo es el ____ de mi tío.

60 La familia de Tess

▶ **Habla.** Imagine you are Tess. Describe your family tree to a partner.

Modelo

Hola. Tengo una hermana y un hermano. ¿Y tú?
Yo tengo...

COMPARACIONES

Familias multigeneracionales

No es extraño que varias generaciones de una familia mexicana vivan *(live)* en una misma casa. Los abuelos, los tíos y los sobrinos ayudan *(help)* en las tareas familiares y dan *(give)* el apoyo *(support)* necesario.

61 Comparación. Compare typical families in Mexico and in the U.S.

1. Do you live with your extended family?
2. What are some positive aspects of living with extended family?

Gramática

El verbo *tener*

- The verb tener usually means *to have*. These are the forms of tener in the present tense:

VERBO TENER (TO HAVE). PRESENTE

Singular			Plural		
yo	tengo	*I have*	nosotros nosotras	tenemos	*we have*
tú	tienes	*you have*	vosotros vosotras	tenéis	*you have*
usted él ella	tiene	*you have* *he has* *she has*	ustedes ellos ellas	tienen	*you have* *they have* *they have*

Remember: Verbs change according to the subject, so you may omit the subject pronoun in a sentence.

Yo tengo dos hermanos. **Tengo** dos primos y tres primas.

Expresar edad

- To express age, use this expression:

Tener… años

Tess **tiene** dieciséis **años**.

- To ask someone's age, use this question:

¿Cuántos años + tener?

¿Cuántos años tienes?

62 **Comparación.** How many forms are there in Spanish to say *you have*?

63 **Habla Tess**

Completa. Tess is talking about her family and her things. Complete each sentence with the correct form of the verb *tener*.

1. Mi madre tiene un gato adorable.
2. Nosotros no ______ un perro.
3. Mis tíos ______ un amigo en España.
4. Yo ______ un cuaderno en la mochila.
5. Y tú, ¿qué ______ en tu mochila?

64 Tú y tu familia

▶ **Decide y escribe.** Decide whether the sentences below are true *(cierto)* or false *(falso)* for you and your family. If they are false, correct them.

Modelo Yo tengo dos hermanos. → *Falso. Yo tengo tres hermanos.*

1. Mi madre tiene tres hermanos.
2. Mi tía tiene dos hijas.
3. Mis abuelos tienen diez perros.
4. Nosotros tenemos dos profesores de español.
5. Mi primo tiene dieciséis años.
6. Yo tengo catorce años.

65 En Fans del español...

▶ **Escribe.** What can you say about the characters? Write five sentences with the verb *tener*. Choose items from both lists.

Modelo Tim - una mascota → *Tim no tiene una mascota.*

1. Mack y Tim
2. Patricia
3. Diana
4. Los padres de Tess
5. Janet

a. tres hijos
b. un hermano (Andy)
c. una tía (Rita)
d. una familia multicultural
e. una hija (Tess)

Mi primo tiene cinco meses. Es adorable, ¿no?

66 ¿Cuántos años tiene?

▶ **Escribe.** How old are these people? Write sentences using the information below.

Modelo Iván - 10 → *Iván tiene diez años.*

1. Tess - 16
2. Ángela y Edwin - 30
3. yo - 9
4. Andrea y yo - 19
5. usted - 22
6. Pedro y su amigo - 13
7. tú - 12
8. Marisa - 15

67 No tengo

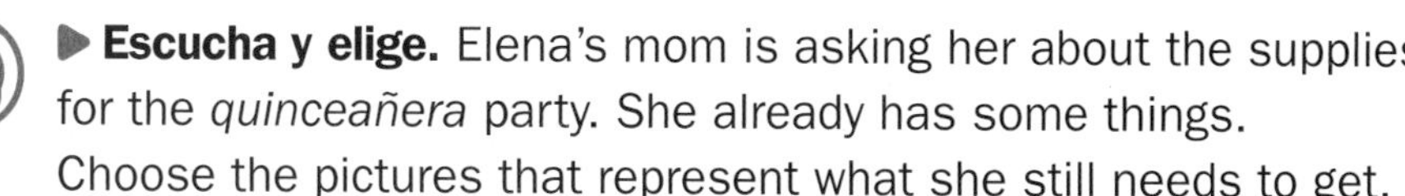

▶ **Escucha y elige.** Elena's mom is asking her about the supplies for the *quinceañera* party. She already has some things. Choose the pictures that represent what she still needs to get.

1 2 3 4 5 6

Gramática

Expresar posesión

Los adjetivos posesivos

- Possessive adjectives are used to show ownership.

ADJETIVOS POSESIVOS

mi mis	*my*	nuestro, nuestra nuestros, nuestras	*our*
tu tus	*your (informal)*	vuestro, vuestra vuestros, vuestras	*your (informal)*
su sus	*his, her, your*	su sus	*their, your*

- Adjectives agree grammatically with the noun they accompany. They agree not with the owner, but with the thing possessed.

  mi hermano mis dos hermanos

  Nuestro and vuestro also agree in gender with the thing possessed.

  nuestro hermano nuestra hermana

La preposición *de*

- You can also express ownership with the preposition de and a noun.

  la tía de Tess *(Tess's aunt)* el perro del señor Grant *(Mr. Grant's dog)*

  Notice: de + el = del. This is one of two mandatory contractions in Spanish. The other is a + el = al.

68 **Comparación.** How do you express ownership in English? Do you have the same options as in Spanish?

69 **El mundo de Tess**

▶ **Completa.** Tess is describing her things. Fill in the correct possessive adjective: *mi* or *mis*.

1. mis cosméticos
2. ____ bicicleta
3. ____ libros
4. ____ diario
5. ____ profesores

70 Mi mundo

▶ Habla. List five things or people that are important to you. Then, with a partner you know well, try to guess what he or she listed.

Modelo *¿Tus perros? ¿Tu música?*

71 Cosas en común

▶ Escribe. What does Tess have in common with her new Mexican friends? Rewrite the sentences from her perspective using possessive adjectives.

Modelo Marisa y yo tenemos padres simpáticos.
→ *Nuestros padres son simpáticos.*

1. Elena y yo tenemos hermanos jóvenes.
2. Ángela y yo tenemos abuelas mayores.
3. Elena y yo tenemos mascotas inteligentes.
4. Marisa y yo tenemos un perro atrevido.
5. Mis nuevos amigos y yo tenemos una profesora graciosa.

72 Buenas amigas

▶ Habla. Tess is helping Marisa return things to their owners. With a partner, recreate their conversation. Ask questions with *es* or *son*, and answer using the information below.

Modelo teléfono - padre
Tess: ¿Es tu teléfono?
Marisa: No, es el teléfono de mi padre.

1	2	3	4
mochila - Luisito	libros - Marisa	dinero - madre	bolígrafos - hermana

▶ Habla. Hold a similar conversation with two classmates about school supplies.

Modelo *el lápiz*

¿Es tu lápiz?
Sí.

¿Es tu lápiz?
No, es el lápiz de Peter.

Comunicación

73 La familia de tu compañero

▶ **Habla y escribe.** Find out about your partner's family and how old each person is. Then write a short paragraph in Spanish to report his or her answers.

Modelo *Miguel tiene una hermana. Su hermana tiene diez años.*

74 Mensajería instantánea

▶ **Lee y escucha.** Tess and Noelia, her new friend from the *quinceañera*, are chatting online. Read the Instant Messenger conversation. Then listen to the statements and decide whether they are true *(cierto)* or false *(falso)*.

Tess77: Noelia, ¿cómo es tu familia?
N031i4: ¡Mi familia es muy grande! Tengo 6 hermanos. No tengo hermanas. ☹
Tess77: ¿Cuántos años tienen tus hermanos?
N031i4: Tienen 20, 22 y 26 años. Pero tengo primos jóvenes.
Tess77: ¡Ah! ¿Cómo se llaman?
N031i4: Mi favorito es Fernando. Tiene 16 años. ¿Cuántos años tienes tú?
Tess77: Tengo 16 años también. ☺

▶ **Usa el contexto.** Can you guess the meanings of the following words from the context?

1. muy 2. grande 3. favorito 4. también

▶ **Lee y escribe.** Hold an IM conversation with a classmate. Pass a sheet of paper back and forth, and take turns writing about family members and their ages.

75 Entrevista a tus compañeros

▶ **Habla y escribe.** Ask your classmates questions following the model. Then write their answers.

Modelo diccionario → *Jim, ¿tienes un diccionario?*

1. unos cuadernos
2. una mochila
3. un teléfono celular
4. un bolígrafo
5. una computadora
6. un lápiz mecánico

76 ¿Qué tienen?

▶ **Escribe.** Describe these people. Write a short paragraph about each.

Modelo *Ana es de España. Es inteligente y simpática. Tiene dos hermanos y un gato.*

1. Yo
2. Tú y yo
3. Nuestra amiga
4. Mis tíos
5. Mi profesor / profesora
6. Mi novio / novia

Final del desafío

¡Tengo muchos amigos! Mis amigos y yo tenemos quince años.

Ellos son mis abuelos. Son los padres de mi madre.

Elena, ¡tienes un grupo de invitados muy simpático!
¡Gracias, Tess!

¡Y tenemos una nueva amiga!

77 ¿Qué pasa en la historia?

▶ **Escribe y representa.** Write Tess's conversation with Elena's grandparents or with one of her friends. Then act out your script in front of the class.

Earn points for your own challenge! Listen to the questions for your *Minientrevista Desafío 3* on the website and write your answers.

¡Estamos nerviosos!

Tim and his grandfather Mack are at Chapultepec Park. Their task is to perform in a *Voladores de Papantla* show.

¡No tenemos miedo!
Ellos son los voladores. ¡Son atrevidos!

Ellos no tienen miedo, pero yo sí. ¡Estoy nervioso!

Tim, Mack, ¿están preparados?

¡Excelente!

¿Están contentos?

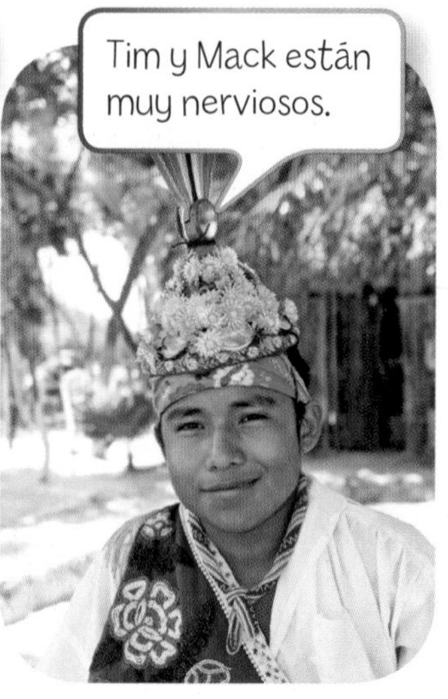

Continuará...

78 Detective de palabras

▶**Completa.** Complete the dialogue according to the text above.

1. ¡______ nervioso!
2. Tim, Mack, ¿______ preparados?
3. ¿______ contentos?
4. Tim y Mack ______ muy nerviosos.

79 Los cognados

▶**Habla.** What English word might be related to each of these Spanish words? Share ideas with a partner.

nervioso contento preparado excelente

80 Los voladores atrevidos

▶ **Escucha.** Some spectators are talking about the Papantla Flyers. Listen and say if what you hear is a question or a statement.

▶ **Escribe.** Now match each answer with the question that triggered it.

1. Mario es un volador.
2. Él es atrevido y valiente.
3. Mario tiene dieciocho años.
4. Tiene dos hermanos.
5. No, no estoy nervioso.

a. ¿Cuántos hermanos tiene?
b. ¿Cuántos años tiene Mario?
c. Mario, ¿estás nervioso?
d. ¿Cómo es Mario?
e. ¿Quién es Mario?

81 ¿Tienes miedo, Tim?

▶ **Habla.** With a partner, say whether the people below are afraid or not of taking part in the *voladores* dance. Use the verb *tener* and the clues in parentheses.

Modelo Mario (no) → A. *¿Mario tiene miedo?*
B. *No. Mario no tiene miedo.*

1. Tim
2. Mack
3. Los voladores (no)
4. Ustedes
5. Mis amigas (no)
6. Nosotros

CULTURA

Los voladores de Papantla

La **danza de los voladores de Papantla** *(Papantla Flyers Dance)* es una danza indígena. Actúan cinco personas: cuatro voladores y un sacerdote *(priest)*. El sacerdote toca una flauta y los voladores saltan al vacío *(jump off)*. Cada volador gira *(turns)* 13 veces. Estos giros simbolizan las 52 semanas del año.

82 Comparación. What other indigenous dances do you know? What do they represent?

Use the website to participate in *la danza de los voladores*.

Vocabulario

Estados y sensaciones

Preguntar cómo está alguien

¿Cómo estás?
¿Qué tal estás?

¿Cómo está?
¿Qué tal está?

¿Cómo están?
¿Qué tal están?

Decir cómo estás

excelente

muy bien

bien

así así

mal

muy mal

contento

triste

aburrido

emocionado

enojada

enferma

cansada

nerviosa

Sensaciones

Tengo miedo.

Tengo hambre.

Tengo sed.

Tengo frío.

Tengo calor.

83 ¿Cómo está?

▶ **Describe.** How does the girl feel in each drawing? Describe her with an adjective from above.

1 

2 

3 

4 

5  

84 Estoy bien

▶ **Escucha.** Two friends are describing these photos. Listen and decide which photo best matches each description.

Andy

B

los amigos de Marisa

Tess

Diana

85 Preguntas

▶ **Escribe.** Can you figure out the question by reading the answer? Write the question that triggered each of these responses.

86 Minientrevistas

▶ **Habla.** Interview four classmates. Ask them how they are feeling today. Use each question from the Modelo twice.

Modelo A. *¿Cómo estás?*
B. *Estoy muy bien.*

A. *¿Qué tal estás?*
B. *Estoy enferma.*

▶ **Escribe.** Write your classmates' answers in your notebook.

Use the website to listen to a song about feelings.

Gramática

El verbo *estar*

The verb estar *(to be)* is used to talk about emotions and conditions. These are the forms of estar in the present tense:

VERBO ESTAR (TO BE). PRESENTE

Singular		Plural	
yo	estoy	nosotros nosotras	estamos
tú	estás	vosotros vosotras	estáis
usted él ella	está	ustedes ellos ellas	están

Los verbos *ser* y *estar*

Notice that there are two Spanish verbs that mean *to be*: ser and estar.

- Ser is used to describe physical characteristics and personality traits.

  Yo **soy** alta. ¿Juan **es** simpático?

- Estar is used to express conditions and feelings.

  Yo **estoy** contento. ¿**Estás** cansado?

87 **Comparación.** What verbs can you use in English to contrast permanent characteristics with emotions or conditions?

88 **Estados y emociones**

▶ **Completa.** Describe and ask about how people are feeling. Write the correct form of the verb *estar* for each sentence.

1. – ¿Cómo estás?
   – Yo __1__ muy bien. ¿Cómo __2__ tú?
2. Ellos __3__ contentos.
3. ¿Cómo __4__ ustedes?
4. Nosotros __5__ así así.
5. – ¿Cómo __6__ ella?
   – __7__ enojada.

▶ **Completa.** Now, here are some emotions and conditions. Who is talking in each sentence? Write the subject pronoun indicated by the verb *estar*.

1. ______ no estás aburrido.
2. ______ estoy enfermo.
3. ¿Están ______ contentos?
4. ¡______ estamos emocionados!

89 Caras expresivas

Escucha y actúa. Can you express emotions with your face? Listen to these five statements, and act out the emotion they each describe.

90 Por la tarde

Escribe. Tim and Janet send text messages to Marisa. Complete each message with the appropriate forms of *estar* or *tener*.

El mensaje de Tim

¡Hola, Marisa!
¿Cómo ___1___ ?
Mack ___2___ cansado, pero Andy y yo ___3___ muy bien. Hasta luego.
Tim

El mensaje de Janet

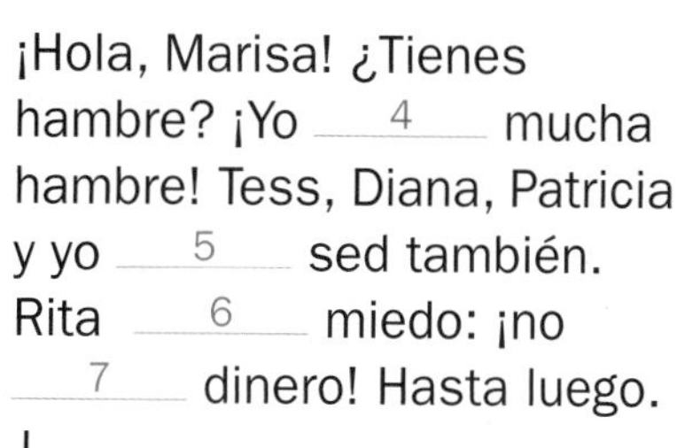

¡Hola, Marisa! ¿Tienes hambre? ¡Yo ___4___ mucha hambre! Tess, Diana, Patricia y yo ___5___ sed también. Rita ___6___ miedo: ¡no ___7___ dinero! Hasta luego.
J.

Habla. Mack is telling Luis Pérez about the people mentioned in the text messages. With a partner create their conversation by describing how each person is feeling. Transform the sentences above.

> MACK: Hola, señor Pérez. ¿Cómo está usted?
> LUIS PÉREZ: Estoy muy bien. ¿Y ustedes?
> MACK: Yo estoy cansado, pero los chicos...

91 ¿Cómo están?

Escribe. Indicate how people you know are feeling today. Remember to change *tu* and *tus* to *mi* and *mis*.

Modelo tu padre → *Mi padre tiene calor.*

1. tu madre
2. tus amigos
3. tus hermanos
4. tu compañero / compañera *(your partner)*
5. tu profesor / profesora de español
6. tú

Habla. With a partner, take turns asking and answering about each person above.

Modelo tu padre → A. *¿Cómo está tu padre?*
B. *Está así así. Tiene calor.*

Comunicación

92 ¿Quién está contento?

Escucha. Soccer can be a very emotional sport. Listen to the statements and choose which photo is being described.

A

B

C

D

E

93 Tu personalidad

Lee y escribe. Your outlook on life can affect your feelings. To find out how optimistic you are today, take this quiz: write a *sí* or *no* answer for each question.

1. ¿Estás triste hoy?
2. ¿Estás así así o mal?
3. ¿Tienes miedo al futuro?
4. ¿Tienes hambre o sed?
5. ¿Estás enojado o aburrido hoy?
6. ¿Estás contento hoy?
7. ¿Estás muy bien?
8. ¿Tienes interés en el futuro?
9. ¿Estás emocionado?
10. ¿Tienes buenos amigos y amigas?

Calcula.

– Answers 1–5: Add two points for each "No." Subtract two points for each "Sí."

– Answers 6–10: Add two points for each "Sí." Subtract two points for each "No."

– Add all your points and analyze your score:

−10		−5		0		+10		+20
muy mal	⟶	mal	⟶	así así	⟶	bien	⟶	excelente

Escribe. Are you an optimist or a pessimist? Write a paragraph in Spanish explaining why. Use the quiz above as a guide.

Modelo *Yo soy optimista. Estoy contento(a). Tengo interés en el futuro…*

94 Antes, durante, después

▶ **Habla.** Ask your partner how he or she feels before, during, and after the following situations. Then register his or her responses in a table like this.

	Antes	Durante	Después
Una pequeña prueba	Tengo miedo	Estoy bien	¡Estoy cansado!
La clase de Español			
Un programa de TV			
La clase de Educación Física			

95 Tus compañeros de clase

▶ **Habla.** Talk about how five of your classmates feel right now. Student A should ask about a particular person, and student B should answer. Then switch roles.

Modelo

¿Juan está contento?
No, está triste.

¿Ana tiene frío?
No, está bien.

Final del desafío

96 ¿Qué pasa en la historia?

▶ **Escribe y representa.** Write Tim and Mack's dialogue for these scenes. Then act out your script in front of the class.

LEER Y ESCRIBIR

97 El foro digital

Lee y escribe. On the website *Fans del español*, Janet wrote a post to introduce herself. Read her post, and write your own.

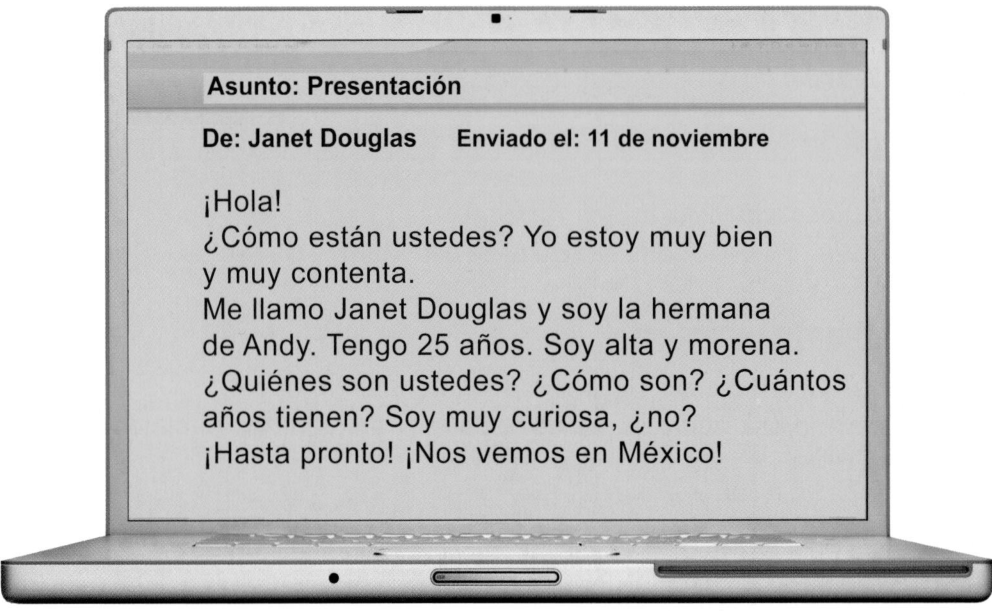

Asunto: Presentación
De: Janet Douglas Enviado el: 11 de noviembre
¡Hola!
¿Cómo están ustedes? Yo estoy muy bien
y muy contenta.
Me llamo Janet Douglas y soy la hermana
de Andy. Tengo 25 años. Soy alta y morena.
¿Quiénes son ustedes? ¿Cómo son? ¿Cuántos
años tienen? Soy muy curiosa, ¿no?
¡Hasta pronto! ¡Nos vemos en México!

ESCUCHAR

98 En la radio

Escucha. Tim and Diana are being interviewed on a Mexican radio station. Listen and decide whether each statement below is true *(cierto)* or false *(falso)*.

1. Es por la mañana *(in the morning)*.
2. El señor Rivera y Tim son amigos.
3. Diana y Tim están cansados.
4. Diana es seria.
5. Mack está enfermo.

Contesta. Answer.

1. Do Diana and Tim use tú or usted when talking to Mr. Rivera? Why?
2. Does Mr. Rivera use tú or usted when talking to Tim and Diana? Why?

HABLAR Y ESCRIBIR

99 Dos mujeres

Este cuadro *(painting)* es de Rufino Tamayo, un indio del estado mexicano de Oaxaca. Su esposa *(wife)* y él coleccionaron y donaron muchas obras de arte a los mexicanos. Muchas de sus pinturas están en el Museo Tamayo de la Ciudad de México.

Rufino Tamayo. *Dos mujeres.*

▶ **Habla.** Talk about the painting with a partner. Use these questions to guide you.

1. ¿Quiénes son las mujeres?
2. ¿Cómo son?
3. ¿Cómo están hoy?

▶ **Escribe.** Write a conversation between the two women.

Modelo

A. *Hola. ¿Cómo estás?*
B. *Estoy bien. ¿Y tú?*

Saludos

In Spanish-speaking countries, women greet friends and family (men and women) with a kiss on the cheek. In Spain, they usually give two kisses: one on each cheek.

Men usually shake hands to greet other men, but may hug each other if they are close friends or relatives.

100 Comparación

Explain:

1. How do you greet your friends and family? What about strangers?
2. What do you think it would happen if you started greeting people today with a kiss on the cheek?

En el Zócalo

The four pairs gather in the **Zócalo**, in the center of Mexico City. They all bring the proof of their completed tasks. Who will win this challenge?

Mario es el fan más entusiasta del fútbol mexicano.
Somos morenas y serias como Frida Kahlo.

La familia y los amigos de la quinceañera son muy simpáticos.

¡Qué atrevidos somos! ¡Estamos emocionados!

101 Al llegar

▶ **Escribe.** At the meeting point in Mexico City, the four pairs talk about their challenges. Write a script for this meeting. Use the following points as a guide.

- Greet each other.

> Modelo ANDY: ¡Hola, buenos días!
> MACK: ¡Buenos días a todos!

- Ask each other how he or she feels and what his or her teammate is like.

> Modelo JANET: ¿Cómo estás, Diana?
> DIANA: Estoy bien y muy contenta.
> JANET: Diana, ¿cómo es Rita?
> DIANA: ¡Rita es fantástica!

- Introduce any new friends from Mexico. Give their ages when possible.

> Modelo TESS: Ella es Elena, la quinceañera. ¡Tiene quince años!

- Say goodbye.

> Modelo TIM: ¡Adiós, hasta luego!

▶ **Representa.** In groups, act out your script.

Danzantes aztecas en el Zócalo

102 Las votaciones

▶ **Decide.** Which pair's challenge has been the most fun? Take a vote to decide!

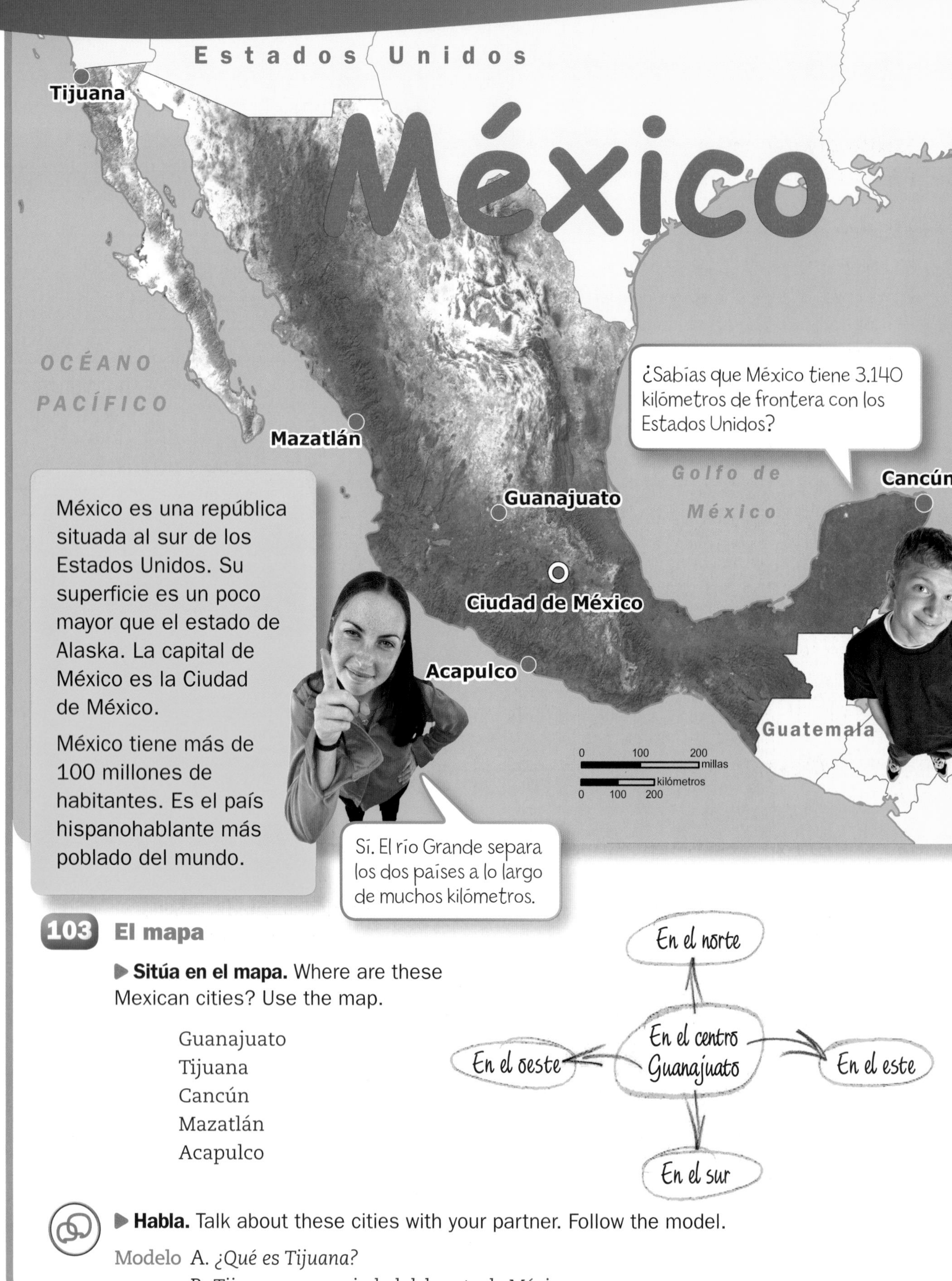

México es una república situada al sur de los Estados Unidos. Su superficie es un poco mayor que el estado de Alaska. La capital de México es la Ciudad de México.

México tiene más de 100 millones de habitantes. Es el país hispanohablante más poblado del mundo.

103 El mapa

▶ **Sitúa en el mapa.** Where are these Mexican cities? Use the map.

Guanajuato
Tijuana
Cancún
Mazatlán
Acapulco

En el norte
En el oeste
En el centro Guanajuato
En el este
En el sur

▶ **Habla.** Talk about these cities with your partner. Follow the model.

Modelo A. *¿Qué es Tijuana?*
B. *Tijuana es una ciudad del norte de México.*

1. La Ciudad de México: la antigua Tenochtitlán

Mexico City, also known as Mexico DF *(México Distrito Federal)*, was built on the ruins of Tenochtitlan, the capital of the Aztec Empire.

The *Museo Nacional de Antropología* houses valuable works of Aztec art, like the altarpiece called *la Piedra del Sol*, the Sun Stone.

2. El sur: la población indígena

Most of Mexico's indigenous population lives in the South. Their clothing, crafts, and customs give the towns in this part of the country a special charm.

Many remains of the ancient Mayan culture can be found in the South—for example, the ancient city of Palenque and the ruins of Chichen Itza.

(1) La Piedra del Sol.

(2) Artesanía indígena.

104 Grandes eventos

Diseña un cartel. Make a poster for one of these events using information from the Internet. Focus on the most important features of each event.

Una visita guiada.

Un concierto de Lila Downs.

Una exposición de bordados indígenas.

Teotihuacán.

Teotihuacán, ciudad de los dioses

READING STRATEGY

Identify cognates

Many words in Spanish resemble words in English. These words are called cognates. Cognates can help you understand the meaning of a text.

Notice, however, that although cognates look alike, they are pronounced differently, and that not all words that sound alike in Spanish and English have the same meaning.

La ciudad de Teotihuacán

Teotihuacán es uno de los lugares arqueológicos más importantes de México. Está situado a veinticinco millas al noreste de la Ciudad de México. Su nombre significa “ciudad de los dioses”.

Teotihuacán es el centro de una misteriosa civilización muy avanzada y poderosa anterior a los aztecas. Hoy tenemos poca información sobre esa civilización.

Un paseo por Teotihuacán

La ciudad de Teotihuacán tiene una avenida principal llamada Calzada de los Muertos *(Avenue of the Dead)*.

A los lados de la avenida hay magníficos edificios religiosos y civiles. Los más importantes son la Pirámide del Sol, la Pirámide de la Luna, el Templo de Quetzalcoatl y el Palacio de Quetzalpapalotl.

ESTRATEGIA Identificar cognados

105 Para comprender

▶ **Escribe.** Make a chart like this one and complete it before using your personal dictionary. You may need to read the text several times.

Words I know	Words I can decipher	Words I need to know

Las pirámides y los templos de Teotihuacán son edificios impresionantes.

¡La Pirámide del Sol tiene 213 pies de altura!

COMPRENSIÓN

106 ¿Está claro?

▶ **Contesta.** Decide whether the following statements are true *(cierto)* or false *(falso)*.

a. Teotihuacán es un lugar arqueológico muy importante.
b. Teotihuacán es una antigua ciudad azteca.
c. La avenida principal de Teotihuacán es la Calzada de los Muertos.
d. Todos los edificios de Teotihuacán son religiosos.

107 La foto y el plano

▶ **Examina y contesta.** Examine the photo on page 78 and this map of Teotihuacan. Where was the photo taken from? With the help of the map and the texts, identify the places and the buildings you see in the photo.

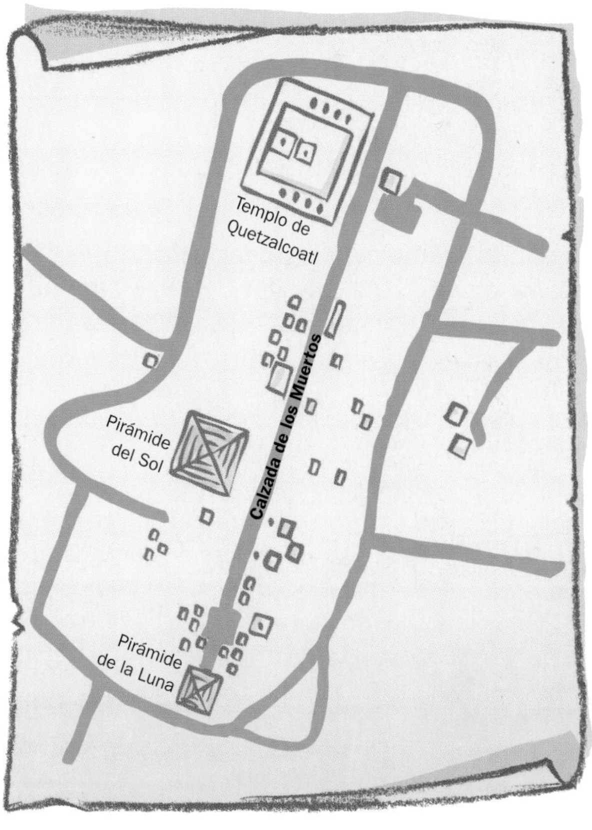

Earn points for your own challenge! Visit the website to take a virtual tour around Teotihuacan.

Las personas

el hombre	*man*
la mujer	*woman*
el niño, el chico	*boy*
la niña, la chica	*girl*
el amigo, la amiga	*friend*
el novio	*boyfriend*
la novia	*girlfriend*
los novios	*couple*
el fan, la fan	*fan*

Presentaciones

Este es...	*This is ...*
Esta es...	*This is ...*
Me llamo...	*My name is ...*
Soy...	*I am ...*
Mucho gusto.	*It's a pleasure.*
Encantado(a).	*Nice to meet you.*

La familia

el padre (el papá)	*father*
la madre (la mamá)	*mother*
los padres	*parents*
el hijo	*son*
la hija	*daughter*
los hijos	*children*
el hermano	*brother*
la hermana	*sister*
los hermanos	*siblings*
el abuelo	*grandfather*
la abuela	*grandmother*
los abuelos	*grandparents*
el nieto	*grandson*
la nieta	*grandaughter*
el tío	*uncle*
la tía	*aunt*
el sobrino	*nephew*
la sobrina	*niece*
el primo, la prima	*cousin*

Las mascotas

la mascota	*pet*
el gato	*cat*
el perro	*dog*

Características físicas

Aspecto

alto(a)	*tall*
bajo(a)	*short*
delgado(a)	*thin*
gordo(a)	*fat*
atlético(a)	*athletic*
bonita	*pretty*
guapo(a)	*handsome, pretty*
feo(a)	*ugly*

Color de pelo

moreno(a)	*brunet(te)*
rubio(a)	*blond(e)*
pelirrojo(a)	*red-haired*

Edad

joven	*young*
mayor	*old, older*
viejo(a)	*old*

Estados y sensaciones

Preguntar cómo está alguien

¿Cómo estás? / ¿Qué tal estás?	*How are you? / How are you feeling?*
¿Cómo está? / ¿Qué tal está?	*How are you? / How are you feeling?*
¿Cómo están? / ¿Qué tal están?	*How are you? / How are you feeling?*

Decir cómo estás

excelente	*excellent*
muy bien	*very well*
bien	*well*
así así	*so-so*
mal	*bad*
muy mal	*very bad*
aburrido(a)	*bored*
cansado(a)	*tired*
contento(a)	*happy*
emocionado(a)	*excited*
enfermo(a)	*sick*
enojado(a)	*angry*
nervioso(a)	*nervous*
triste	*sad*

Sensaciones

Tengo hambre.	*I'm hungry.*
Tengo sed.	*I'm thirsty.*
Tengo miedo.	*I'm afraid.*
Tengo calor.	*I'm hot.*
Tengo frío.	*I'm cold.*

Rasgos de personalidad

simpático(a)	*friendly*
antipático(a)	*unfriendly*
gracioso(a)	*funny*
serio(a)	*serious*
tímido(a)	*shy*
atrevido(a)	*daring*
espontáneo(a)	*spontaneous*
estudioso(a)	*studious*
inteligente	*intelligent*
creativo(a)	*creative*

DESAFÍO 1

1 **Asociaciones.** For each word in column A, write the most logical word from column B.

(A)	(B)
1. la nieta	a. una niña
2. la novia	b. unos chicos
3. el abuelo	c. unas mujeres
4. los hijos	d. un hombre
5. las abuelas	e. una chica

DESAFÍO 2

2 **Antónimos.** Fill in each blank with the most logical answer. Watch the agreement!

1. Yo no soy alta, soy ______
2. Mis amigos no son rubios, son ______
3. Los abuelos no son jóvenes, son ______
4. El perro no es gordo, es ______
5. Las niñas no son antipáticas, son ______
6. Mi amiga no es fea, es ______

DESAFÍO 3

3 **La familia de Kat.** Look at the family tree and answer the questions.

1. ¿Cómo se llama el abuelo de Kat?
2. ¿Cómo se llama la prima de Kat?
3. ¿Cómo se llaman los tíos de Kat?
4. ¿Cómo se llama la abuela de Kat?
5. ¿Cómo se llaman los padres de Kat?
6. ¿Cuántos hermanos tiene Kat?

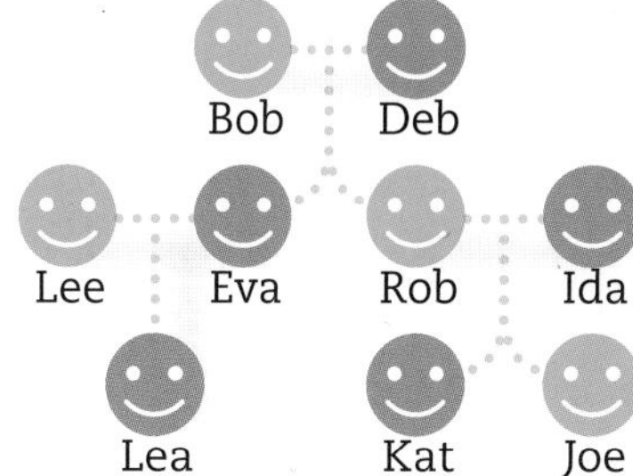

DESAFÍO 4

4 **¿Cierto o falso?** Decide whether each statement is true or false according to the photo. Correct the false statements to make them true.

1. Las chicas están contentas.

3. La mujer está enojada.

5. Yo estoy cansado.

2. Elena está enferma.

4. Los niños están muy mal.

6. Los abuelos están nerviosos.

Los pronombres personales sujeto (pág. 40)

yo	*I*	nosotros nosotras	*we*
tú	*you (informal)*	vosotros vosotras	*you (informal)*
usted él ella	*you (formal)* *he* *she*	ustedes ellos ellas	*you* *they* *they*

El verbo *ser* (pág. 42)

yo	soy	nosotros nosotras	somos
tú	eres	vosotros vosotras	sois
usted él ella	es	ustedes ellos ellas	son

Los adjetivos (pág. 50)

Spanish adjectives can be masculine or feminine, singular or plural.

- The feminine of an adjective is formed this way:

Masculine form	Feminine form
Ends in -o.	Changes -o to -a. simpático → simpática
Ends in -e or in a consonant.	Does not change. inteligente → inteligente joven → joven

- The plural form is developed from the singular form:

Singular form	Plural form
Ends in a vowel.	Adds -s. simpática → simpáticas
Ends in a consonant.	Adds -es. joven → jóvenes

El verbo *tener* (pág. 58)

yo	tengo	nosotros nosotras	tenemos
tú	tienes	vosotros vosotras	tenéis
usted él ella	tiene	ustedes ellos ellas	tienen

Los adjetivos posesivos (pág. 60)

mi mis	*my*	nuestro, nuestra nuestros, nuestras	*our*
tu tus	*your (inf.)*	vuestro, vuestra vuestros, vuestras	*your (inf.)*
su sus	*his, her, your*	su sus	*their, your*

El verbo *estar* (pág. 68)

yo	estoy	nosotros nosotras	estamos
tú	estás	vosotros vosotras	estáis
usted él ella	está	ustedes ellos ellas	están

DESAFÍO 1

5 Tim se presenta. Fill in the correct forms of the verb *ser*.

> Hola, mucho gusto. Yo ___1___ Tim. Tengo quince años. Mi abuelo, Mack, ___2___ mayor. Él ___3___ un hombre inteligente. Él y yo ___4___ atrevidos, pero mis hermanos ___5___ tímidos. Y tú, ¿cómo ___6___?

DESAFÍO 2

6 Concordancia. Choose the correct form of the adjective to complete each sentence.

	a.	b.	c.
1. Las mujeres son...	a. altas.	b. alta.	c. altos.
2. Mi hermano es...	a. atrevido.	b. atrevidos.	c. atrevidas.
3. Los abuelos son...	a. viejo.	b. mayor.	c. mayores.
4. La estudiante es...	a. atléticas.	b. inteligente.	c. inteligentes.

DESAFÍO 3

7 En tu vida. Answer the questions in complete sentences.

1. ¿Cuántos años tienes?
2. ¿Cuántos hermanos tienes?
3. ¿Tienes mascotas?
4. ¿Tienen mascotas tus amigos?

DESAFÍO 4

8 Emociones. Write four sentences about how these people feel.

1 
Elena

2 
Luis y Juan

3 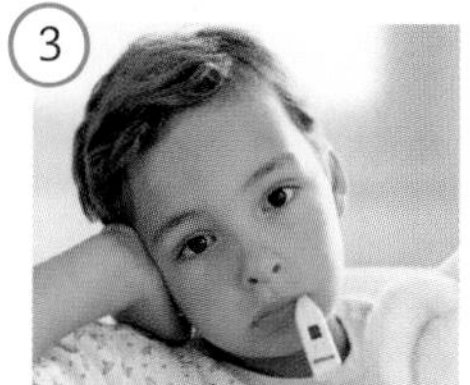
Carlos

4 
Ana y su mamá

CULTURA

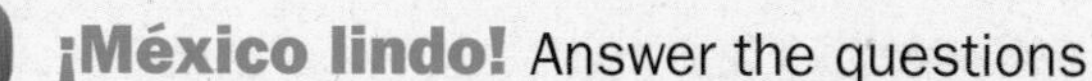

9 ¡México lindo! Answer the questions.

1. What is a *quinceañera*?
2. Who is Frida Kahlo? Why is she important in Mexico?
3. Which is the most important sport in Mexico?
4. What do the *voladores de Papantla* do?
5. What place would you like to visit in Mexico? Why?

Una presentación sobre

Diego Rivera

Diego Rivera is one of Mexico's most important artists. He painted large-scale murals about the history and people of Mexico.

Diego Rivera. *Autorretrato.*

This self-portrait shows the artist against a rural background.

PASO 1 **Investiga sobre Diego Rivera**

- Find out about Diego Rivera. Look for information to answer these questions:
  - When and where was he born? When and where did he die?
  - What are the names of his most famous works?
  - To whom was he married?
  - Where can you find examples of his work today?

PASO 2 **Busca imágenes de las obras de Diego Rivera**

- Look for examples of his paintings and murals.

Diego Rivera. *Los frutos de la tierra.*

This is a fragment of a painting in which Rivera depicts a typical market scene.

Diego Rivera. *La independencia mexicana.*

In this work, Rivera depicts the Mexican Declaration of Independence on September 10, 1810.

Diego Rivera. *Festival de flores.*
Women with flowers appear frequently in Rivera's work.

PASO 3 Elige una obra y habla sobre ella

- Choose an artwork that depicts people. Discuss one of the people in the work. Ask yourself questions like these to help you focus your comments.
  - What is this person like?
    Es moreno, es rubia, es joven, es inteligente...
  - How old do you think this person is?
    Tiene... años.
  - What relationships may exist between the person you selected and the other people in the artwork?
    Es el hijo, es la amiga, es el hermano...
  - How does the person you selected feel?
    Está contento, triste, enojada, cansada...

PASO 4 Organiza tus datos

- Choose an appropriate format for your presentation: poster, PowerPoint presentation, scrapbook, or other.
- Organize all your information to make a presentation. First, present the artist and his or her work. Then present the person you selected.

PASO 5 Comprueba y evalúa

- Proofread your work.
  - Is the cultural information clear and correct?
  - Are the texts correct and complete?

Unidad 1

Autoevaluación

¿Qué has aprendido en esta unidad?

Do these activities to evaluate how well you can manage in Spanish.

a. Can you identify yourself and others?
▶ Introduce yourself and say your first and last names.

b. Can you describe people?
▶ Describe a classmate's physical appearance and personality.
▶ Say how old you and your best friend are.

c. Can you talk about your family?
▶ Say how many siblings and relatives you have.

d. Can you express feelings and sensations?
▶ Say how you usually feel, and if you are tired, hungry, or sleepy today.

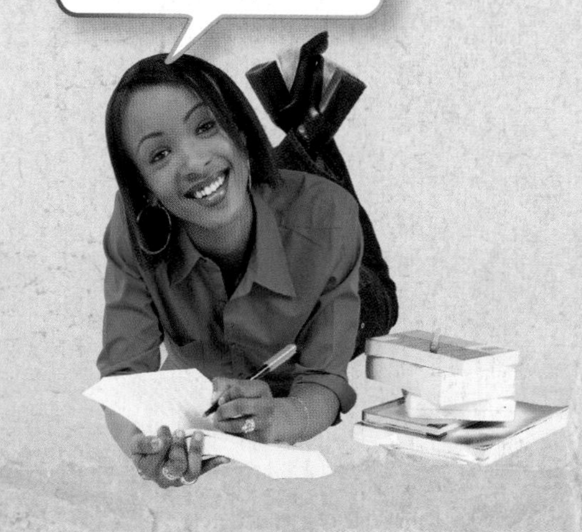
Evaluate your skills.
For each activity, say
Very well, Well,
or I need more practice.

UNIDAD 2

Puerto Rico

Desafíos en el Caribe

▶ **To identify and describe places**

Vocabulario

La vivienda

Gramática

Los nombres

Los artículos. Concordancia del nombre

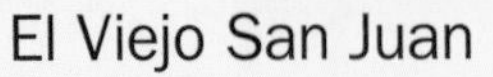

El Viejo San Juan

El coquí

▶ **To express existence and location**

Vocabulario

Muebles y objetos de la casa

Gramática

Expresar existencia. El verbo *haber*

Expresar lugar

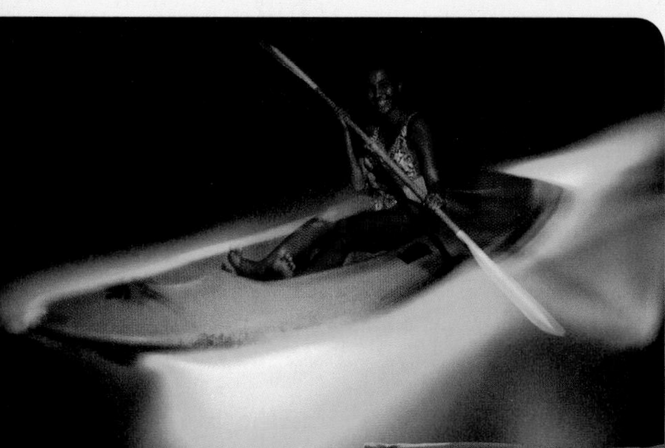

La bahía bioluminiscente

DESAFÍO 3

To express habitual actions

Vocabulario

Las tareas domésticas

Gramática

Verbos regulares en *-ar*

Verbos regulares en *-er* y en *-ir*

DESAFÍO 4

To express obligation or necessity

Vocabulario

Actividades de ocio

Gramática

Expresar obligación:

- *Tener que* + infinitivo
- *Hay que* + infinitivo

Adverbios de frecuencia

Las cuevas de Camuy

En San Juan

The pairs gather at *El Morro*, one of the largest forts built by the Spaniards in the Caribbean. Ana García, their host in Puerto Rico, has information about their next tasks, but they have to find her first! They get clues about her whereabouts from a group of actors re-enacting the defense of the island against a British invasion in 1797.

Tienen que visitar una casa en el Viejo San Juan.

No hay casas en El Morro.

La señora García vive en una casa con jardín. Pasea a su perro todos los días.

¡Atención! La señora García está al lado del coquí.

 **1** **¿Comprendes?**

▶ **Une.** Match each question with the corresponding answer.

 A	 B
1. What place do the characters have to visit?	**a.** Pasea a su perro.
2. Where does Mrs. García live?	**b.** Al lado del coquí.
3. There are none of these in El Morro.	**c.** En una casa con jardín.
4. Where is Mrs. García?	**d.** El Viejo San Juan.
5. Mrs. García does this every day.	**e.** Casas.

EXPRESIONES ÚTILES

To get someone's attention:

Perdón.

To say you are sorry:

Lo siento.

To call attention to something:

Mira.

To warn someone of a danger:

¡Atención!
¡Cuidado!

2 Una conversación

▶ **Escucha y ordena.** Listen to the dialogue and write the letter of the sentences in the order you hear them.

a. Lo siento. Tengo que irme.
b. Adiós, Felipe.
c. Mira, te presento a Felipe.
d. Hola, Juan. ¿Cómo estás?

▶ **Une.** Match the expressions in the columns.

 A	B
1. Lo siento. Tengo que irme.	a. Juan introduces Felipe to Carlos.
2. Adiós, Felipe.	b. Carlos says he's sorry.
3. Mira, te presento a Felipe.	c. Carlos says goodbye.
4. Hola, Juan. ¿Cómo estás?	d. Carlos says hello.

3 Expresiones

▶ **Relaciona.** Match each expression with the corresponding picture.

¡Cuidado! Lo siento. ¡Mira! Perdón.

A 

B 

C 

D 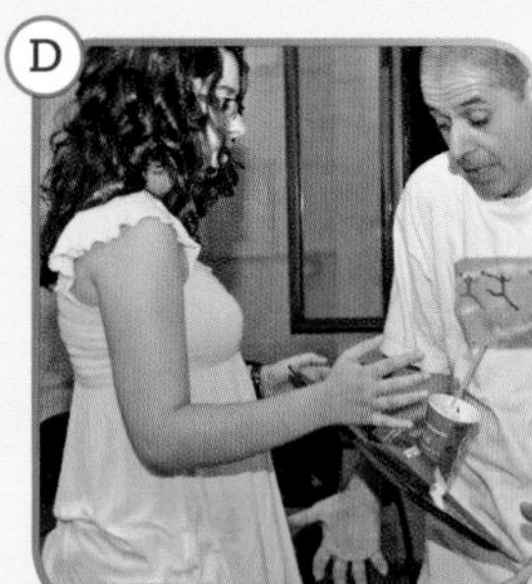

¿Quién ganará?

4 Los desafíos

▶ **Habla.** What will be the challenge for each pair? Think about this question and discuss it with your classmates.

DESAFÍO 2
Los coquíes en la casa
Tim y Mack

DESAFÍO 4

Las cuevas de Camuy

Tess y Patricia

5 Las votaciones

▶ **Decide.** You decide. You will vote to choose the most difficult challenge. Who do you think will win?

La casa más colorida

Andy and Janet are in Old San Juan. Their task is to find the most colorful house in the city and take a photo of themselves in front of it. The old cobblestone streets will slow them down, though!

Mira, Janet, las casas son pequeñas. Tienen tres pisos y muchas ventanas.

¡Cuidado! En el Viejo San Juan las calles son de piedra.

Las casas son bonitas, pero no tienen muchos colores. ¿Dónde está la casa más colorida?

Janet, ¿estás bien?
Sí, ¡pero estoy muy cansada!

¡Otra calle de piedra! ¡Y los edificios tienen muchos colores!

Continuará...

6 Detective de palabras

▶**Completa.** Complete the statements using the *fotonovela* above.

1. Las ___1___ son pequeñas.
2. Tienen tres ___2___ y muchas ___3___.
3. Las ___4___ son de piedra.
4. ¡Los ___5___ tienen muchos colores!

▶**Habla.** Make statements describing houses and streets in your neighborhood. If you like, you can use *no*. Your partner says whether the statements are true or false.

Modelo *Las casas son altas.*

7 Las casas del Viejo San Juan

▶ **Escoge.** Choose the words that best describe the houses in Old San Juan.

feas	pequeñas	coloridas	altas
viejas	bajas	bonitas	grandes

▶ **Escribe.** What are the houses like in Old San Juan? Write four sentences.

Modelo *Las casas del Viejo San Juan son pequeñas.*

8 El Viejo San Juan

▶ **Une y escribe.** Match elements from the columns using the *fotonovela* as a guide, and write sentences.

1. La
2. Las
3. El
4. Los

B

a. Viejo San Juan es bonito.
b. casas son pequeñas.
c. calles son de piedra.
d. edificios tienen muchos colores.
e. casa más colorida está en el Viejo San Juan.

Modelo *Las casas son pequeñas.*

CULTURA

Las calles del Viejo San Juan

El Viejo San Juan tiene calles con bloques de piedra *(stone)*. Los bloques de piedra se llaman adoquines *(cobblestones)* y son de España. Las piedras eran *(were)* necesarias para la estabilidad de los barcos antiguos *(ancient ships)*.

9 Piensa. Why do you think the colonists used stones, rather than sand or dirt, to pave their streets? Are cobblestone streets practical today?

Use the website to learn more about Old San Juan.

Vocabulario

La vivienda

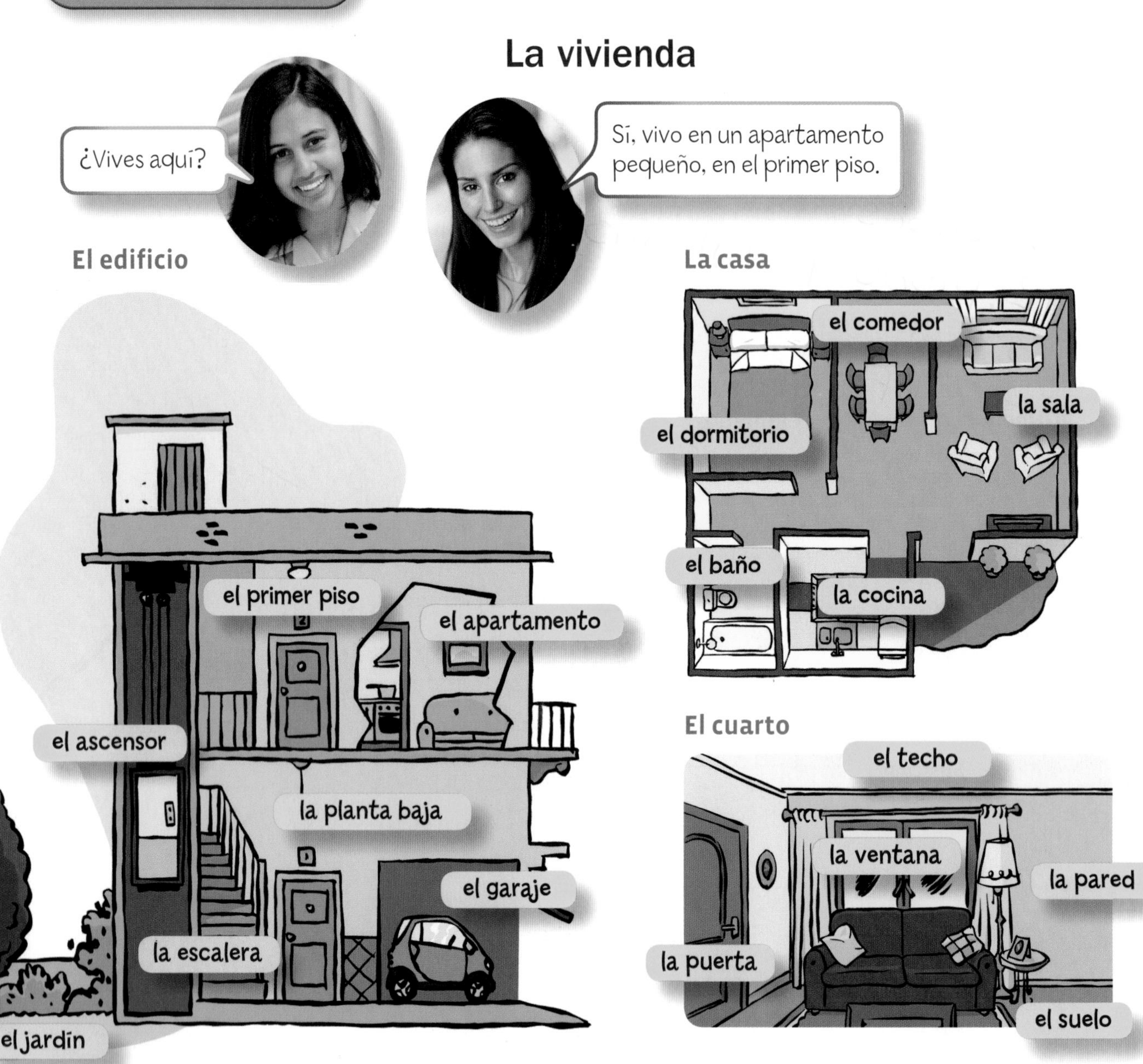

10 **Adivina**

▶ **Escucha y decide.** Listen to the clues and decide in which part of the house we are.

11 **Con tus compañeros**

▶ **Habla.** Talk with a partner about the rooms and other features in your house. Use the verb *tener*.

Modelo *En mi casa tenemos un jardín.*

12 Casas únicas

▶ **Escribe.** Describe these pictures. In each case, use the appropriate form of the verb *ser* and an adjective from the boxes.

pequeño	grande	alto	bajo	feo	bonito

Modelo 1. *Los edificios son bajos.*

1 

2 

3 

4 

5 

6 

COMUNIDADES

APARTAMENTO DISPONIBLE

En Puerto Rico expresan el área de los apartamentos en metros cuadrados (m^2).

13 Describe. How many bedrooms and bathrooms does the apartment in the advertisement *(anuncio)* have? How many square meters does it have?

14 Compara. How are apartments measured in the United States? Select an ad online or in a newspaper to find out.

Use the website to see a chart that converts feet to meters.

ANUNCIO

Rento excelente apartamento totalmente equipado

2 habitaciones,
1 baño, sala y cocina.

Exterior. 65 m^2. $ 500.

Irma: 7X7 675-5XX5

Gramática

Los nombres

- The words amigo, perro, casa, and mochila are nouns. Nouns are words for people, animals, places, and things.

Género de los nombres

- In Spanish, all nouns are either **masculine** or **feminine**, including those that do not refer to living things:
  - Almost all nouns that end in -o are masculine, and those that end in -a are usually feminine:

    Masculine: el piso, el dormitorio   Feminine: la casa, la cocina
  - Nouns that end in -e or in a consonant can be either masculine or feminine:

    Masculine: el garaje, el jardín   Feminine: la calle, la televisión
- **Formación del femenino.** Nouns that refer to people usually have a masculine and a feminine form. The feminine is formed this way:

Masculine form	Feminine form	Examples
Ends in -o.	Changes -o to -a.	el niño → la niña
Ends in a consonant.	Adds -a.	el profesor → la profesora

Número de los nombres

- Nouns can be **singular** (refer to one person, animal, place, or thing) or **plural** (more than one).
- **Formación del plural.** The plural is formed this way:

Singular form	Plural form	Examples
Ends in a vowel.	Adds -s.	el edificio → los edificios
Ends in a consonant.	Adds -es.	el ascensor → los ascensores

15 **Comparación.** Do English nouns have masculine and feminine forms? Do they have singular and plural forms?

16 **¿Cómo es tu casa?**

▶ **Une y escribe.** Match the elements in the two columns and write the questions.

A	B
1. ¿Dónde está la	a. dormitorios?
2. ¿Son grandes los	b. baño?
3. ¿Dónde está el	c. casas de tu barrio?
4. ¿Son bonitas las	d. cocina?

Modelo

¿Dónde está la cocina?

17 ¿Qué ves?

▶ **Escucha y relaciona.** Listen and choose the picture that best represents each sentence.

A
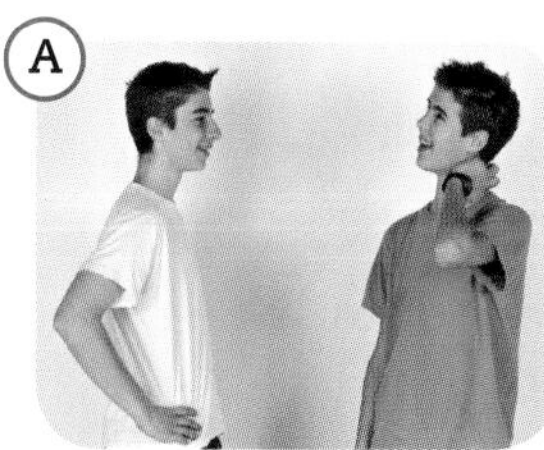

B

C

D

18 Más de uno

▶ **Completa.** Juan has just moved and is describing his new house to a friend. Look at the picture and complete his description.

De:

Para:

Asunto:

Cuerpo del texto | Anchura variable

¡Hola, Tomás! ¿Qué tal? Estoy en mi casa nueva. Es muy bonita. Tiene dos ___1___. En la planta baja tiene una sala grande, un comedor, una ___2___ y un baño. En el primer piso tiene tres ___3___ y dos ___4___. También tenemos un ___5___ muy bonito. ¡Estoy muy contento!

Hasta pronto.

Juan

COMPARACIONES

Los techos tropicales

Muchas casas en Puerto Rico tienen techos planos *(flat)* porque en Puerto Rico no nieva. La isla tiene un clima tropical.

19 Comparación. What features do houses in your community have that are specific to your climate? How would houses be different in another climate?

Visit the website to learn more about Puerto Rican architecture.

Gramática

Los artículos

- Spanish nouns are usually used with an article. Articles can be **definite** (el) or **indefinite** (un).
- Spanish **definite article** is equivalent to *the*.

  La capital de Puerto Rico es San Juan.

EL ARTÍCULO DEFINIDO

SINGULAR		PLURAL	
Masculino	Femenino	Masculino	Femenino
el	la	los	las

- Spanish **indefinite article** is equivalent to *a*, *an* (singular), *some* (plural).

  Vivo en **un** apartamento pequeño.

EL ARTÍCULO INDEFINIDO

SINGULAR		PLURAL	
Masculino	Femenino	Masculino	Femenino
un	una	unos	unas

Concordancia del nombre

- Articles, like adjectives, agree in **gender** and **number** with the noun they accompany. That is, they show the same gender and number as the noun.

  El niño es alt**o**.
  Los niñ**os** son alt**os**.
  Es **una** niñ**a** muy simpátic**a**.
  Son **unas** niñ**as** muy simpátic**as**.

20 **Comparación.** Do English nouns agree in gender or number with the articles and the adjectives that accompany them?

21 **¿Qué sabes de San Juan?**

▶ **Une y escribe.** Match the two columns and write the sentences.

1. San Juan es la
2. En el Viejo San Juan están las
3. El Morro es el
4. Las casas tienen los

a. techos planos.
b. ciudad más importante de Puerto Rico.
c. casas más coloridas.
d. monumento más famoso de San Juan.

22 Fotos

▶ **Escribe.** Here are some photos Janet took in Puerto Rico. Write the captions using the appropriate form of the indefinite article *(un, una, unos, unas)*.

Modelo 1. *Unos edificios.*

23 Las calles del Viejo San Juan

▶ **Completa.** Complete the sentences with the correct definite article *(el, la, los, las)*.

1. Andy y Janet tienen que encontrar ______ casa más colorida del Viejo San Juan.
2. ______ perro de la señora García está en el jardín.
3. ______ casas del Viejo San Juan son muy bonitas.
4. En el Viejo San Juan ______ edificios son altos.
5. ______ ventanas de las casas son amarillas.
6. Las paredes y ______ puertas son muy coloridas.

24 Tu casa

▶ **Escribe.** Describe your house in two or three sentences. Use some of the words in the boxes.

casa apartamento edificio	bajo nuevo	alto bonito	ventana sala jardín	puerta dormitorio garaje

Modelo *Mi casa es baja y muy bonita. Tiene una sala, dos dormitorios y una cocina, y no tiene jardín.*

Comunicación

25 Tiene un garaje...

▶ **Habla.** Look at the pictures and describe them with a partner.

Modelo A. *La casa 1 tiene dos dormitorios.*
B. *Sí, y tiene un garaje.*

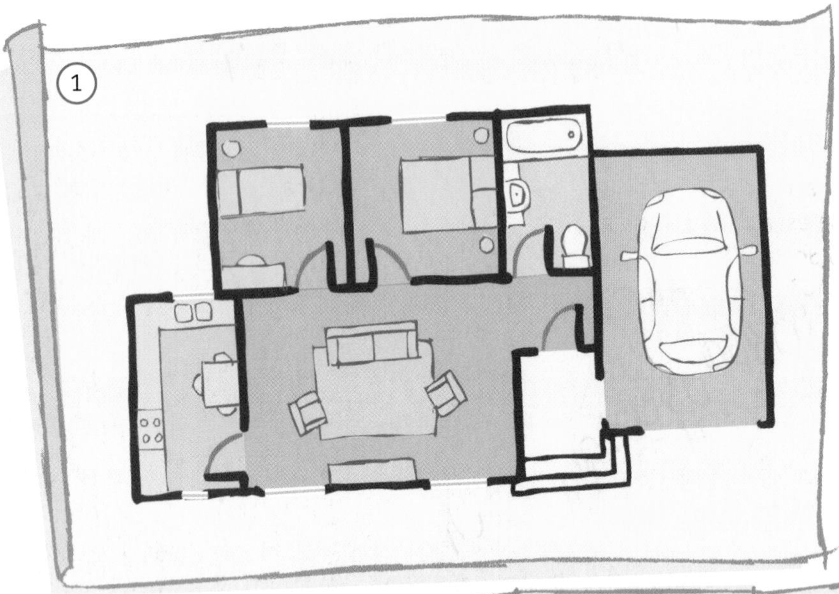

1

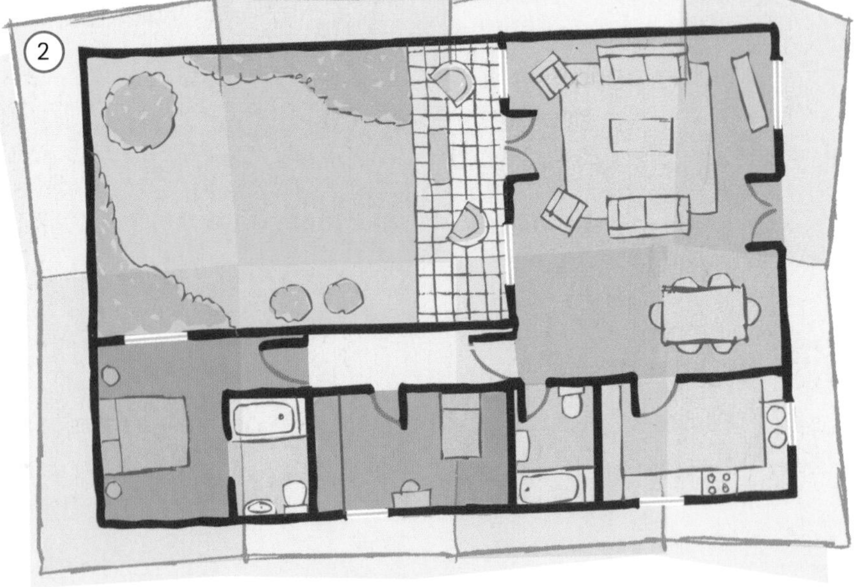

2

▶ **Escucha y decide.** Janet is talking about one of the apartments above, but she makes a mistake. Listen and decide which apartment (1 or 2) she is describing and what is the mistake.

26 Mi casa tiene...

▶ **Habla.** Describe your house in several sentences. Your partner listens and draws a floor plan. How accurate is his or her drawing?

Modelo *Mi casa tiene tres dormitorios. No tiene garaje...*

27 ¿Qué foto es?

▶ **Habla.** Choose one photo from this *Desafío* and describe it to a partner. He or she has to guess which photo it is.

Final del desafío

Andy, estoy muy ___ 1 ___. ¿Dónde está ___ 2 ___ casa más colorida?

¡Mira, Janet! Una ___ 3 ___ muy colorida.

¡Sí, tiene ___ 4 ___ paredes muy coloridas!

¡Es la casa más colorida de San Juan!

28 ¿Qué pasa en la historia?

▶ **Escribe.** Can you figure out what words are missing from the dialogue?

▶ **Representa.** Act out the dialogue. Use the appropriate gestures and tone of voice to express Janet's and Andy's feelings in each scene.

Los coquíes en la casa

Tim and Mack arrive at Ana García's home. There they have to find six *coquíes* hidden throughout the house and take photos of them.

Mira, abuelo, una casa amarilla con jardín. Es la casa de la señora García. ¿Toco a la puerta?
Sí.
Hola, Mack. Hola, Tim. Bienvenidos a mi casa.
Gracias, señora García. Usted tiene una casa muy bonita.

Gracias, Tim. ¡No hay casas feas en el Viejo San Juan!

¿Dónde están los coquíes? ¿Están detrás de la escalera?

¡Abuelo, hay un coquí en la estantería! ¡Está encima de los libros!

Continuará...

29 Detective de palabras

▶ **Completa.** Complete the statements using the *fotonovela* above.

1. No hay casas feas ___1___ el Viejo San Juan.
2. ¿___2___ están los coquíes? ¿Están ___3___ de la escalera?
3. ¡Abuelo, hay un coquí ___4___ la estantería! ¡Está ___5___ de los libros!

30 ¿Comprendes?

▶ **Escucha y decide.** Listen and decide whether the five sentences you hear are true *(cierto)* or false *(falso)*.

Modelo 1. *Cierto.*

31 ¿Dónde están?

▶ **Une.** What is the caption for each photo? Match the phrases in the columns to create the captions.

1

2

3

4

A	B
1. El coquí está	a. al lado de la casa.
2. Los coquíes están	b. en la cocina de Ana García.
3. El jardín está	c. detrás de la escalera.
4. Tim está	d. encima de los libros.

CULTURA

Los coquíes

El coquí es una rana *(frog)* pequeña. Es un símbolo de Puerto Rico. Los coquíes producen un sonido similar a su nombre: "*co-quí*".

32 ¿Cómo son los coquíes?

▶ **Elige.** Choose words to compose an accurate description of a *coquí*.

feo | pequeño | animal | simbólico | bonito | grande

33 Comparación

What animal represents your state or your country? Why do you think it was chosen as a symbol?

Use the website to listen to a *coquí*.

Vocabulario

Muebles y objetos de la casa

En el dormitorio

En el baño

En la sala

En la cocina

34 **Muebles**

▶ **Escribe.** Make a list of four things that could be in each of the following rooms.

1. la sala 2. el dormitorio 3. la cocina 4. el baño

▶ **Habla.** Talk with a partner about your lists, but not in the same order as above! See if your partner can guess which room you are talking about.

Modelo *Este cuarto tiene una mesita de noche, una cama, un armario y una cómoda.*

35 Un hotel bonito

Escucha y decide. Tim is looking at the website of his hotel in San Juan. He is describing the photos aloud to Mack. Listen and decide which one he is describing in each sentence.

36 ¿Dónde está el sofá?

Escribe. Answer the questions by indicating the most logical place for each.

Modelo ¿Dónde está el sofá? ⟶ *El sofá está en la sala.*

1. ¿Dónde está la ducha?
2. ¿Dónde está el refrigerador?
3. ¿Dónde están las camas?
4. ¿Dónde está el carro?
5. ¿Dónde están las sillas y la mesa?
6. ¿Dónde está el microondas?

Habla. Now ask a classmate where five other items are. You should both ask and answer in complete sentences, as in the activity above.

CULTURA

La Casa Blanca

La Casa Blanca de San Juan de Puerto Rico es un monumento histórico. Es la casa de la familia Ponce de León, el explorador español. Hoy, esta mansión es un museo.

37 Comparación. What is one of the oldest buildings in your community? What was it originally used for?

TU DESAFÍO Use the website to learn more about the Casa Blanca.

Gramática

Expresar existencia. El verbo *haber*

La forma verbal *hay*

- In Spanish, the form hay is used to express existence. It is equivalent to *there is/are*.

  Hay un dormitorio en mi casa. **Hay** dos ventanas en la sala.

- The Spanish form equivalent to *there isn't* or *there aren't* is no hay:

  No hay dormitorios grandes. **No hay** jardín en el hotel.

Preguntas con *hay*

- To ask about the existence of something, use hay:

  ¿**Hay** garaje en la casa?

  Answers usually include Sí or No:

  – Affirmative: **Sí, hay** un garaje pequeño.

  – Negative: **No, no hay** garaje en la casa.

- To ask how many people, animals, or things there are, use the question words cuánto, cuánta, cuántos, or cuántas followed by a noun and hay.

  ¿**Cuántos** dormitori**os** hay en la casa? ¿**Cuántas** sal**as** hay en la casa?

  Notice that the question word agrees in number and gender with the noun.

- To ask where something can be found, use the question word dónde followed by hay:

  ¿**Dónde hay** un garaje?

Note: In Spanish, questions are punctuated with a question mark at the beginning (¿) and at the end (?) of the sentence.

38 **Piensa.** How are questions punctuated in English? Which punctuation marks are used at the beginning and end of English sentences?

39 **En la foto...**

▶ **Escribe.** Write two sentences for each photo. In the first, write about one thing that appears in the photo; in the second, write about one thing that does not appear.

1 
armario - cómoda

2 
escalera - ascensor

3 
lavaplatos - microondas

4 
sofá - mesa

Modelo 1. *Hay una cómoda. No hay armario.*

40 La casa del abuelo Mack

▶ Escucha. Mack is describing his house. Listen and say whether these statements are true *(cierto)* or false *(falso)*.

1. Hay tres dormitorios.
2. Hay tres baños.
3. Hay un jardín con muchas flores.
4. En la sala, hay un sofá muy bonito.
5. Hay un garaje grande.

41 En tu casa

▶ Habla. With a partner, write what is in this house, using complete sentences. Say how many there are of each thing. Can you list everything?

Modelo *Hay dos dormitorios y una sala.*

42 En tu salón de clase

▶ Habla. Choose four of the words in the box to describe your classroom, and ask a partner how many of them there are. Your partner will ask you about the remaining four. Answer in complete sentences.

sillas	relojes
televisores	profesores
puertas	chicas
chicos	ventanas

¿Cuántas pizarras hay en el salón de clase?
Hay dos pizarras.

Gramática

Expresar lugar

La construcción *estar en*

- To say where things are, use the verb estar followed by words that express place.

  El coquí **está en** el jardín.

- The preposition en expresses location. It is equivalent to the English words *at*, *in*, *on*, and *inside*.

  El coquí está **en** la sala. El coquí está **en** la estantería.

Adverbios y expresiones de lugar

- Many other words and phrases are used to show location.

¿Dónde están los coquíes?

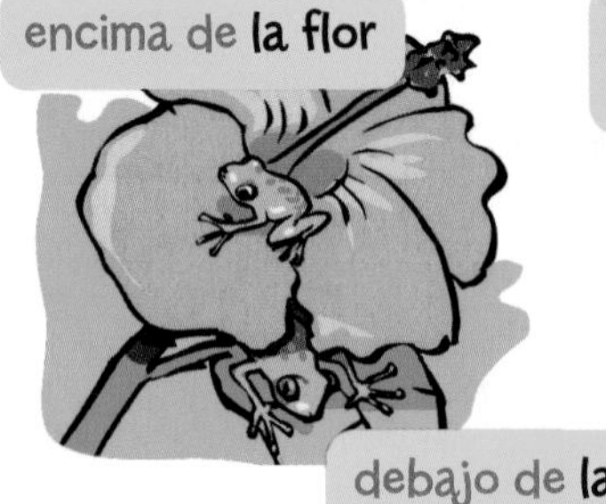

Remember these contractions:

a + el = **al**	El coquí está **al lado de** la flor.
de + el = **del**	El coquí está **encima del** libro.

43 Comparación. What contractions are there in English? Are they optional or not?

¿Dónde está el gato?

▶ **Habla.** Ask a partner where the cat is in each picture.

Modelo A. *¿Dónde está el gato en el dibujo 1?*
B. *El gato está a la izquierda de la silla.*

45

¿Qué hay y dónde está?

▶ **Escribe.** Choose five things you see in this photo and write sentences indicating where each one is. Use the verb *estar*.

Modelo *El televisor está lejos del sofá.*

46

¿Dónde está ahora?

▶ **Escribe.** Say where these things are right now. Be very specific.

Modelo mi CD favorito
→ *Mi CD favorito está en mi cuarto, encima de mi mesita de noche.*

1. mi libro favorito
2. mi cama
3. mi cómoda
4. mi armario
5. mi mesita de noche
6. mis lápices
7. mis cuadernos
8. mis bolígrafos

CONEXIONES: CIENCIAS

El Yunque

En el nordeste *(northeast)* de Puerto Rico está El Yunque, el único bosque *(forest)* tropical en los parques nacionales de los Estados Unidos. Allí viven muchos coquíes y muchos animales y plantas diferentes.

Piensa. What kinds of animals might you find in a tropical rainforest? What conditions do they need to survive?

Visit the website to view the flora and fauna in El Yunque.

Comunicación

48 La cocina de Ana García

▶ **Escucha.** Tim is talking to Andy about Ana García's kitchen. Listen to the five statements and decide whether each one is true *(cierto)* or false *(falso)*.

49 En el hotel

▶ **Lee y dibuja.** Tess is describing her hotel room in Puerto Rico to Marisa. Read her description and use it to draw a picture or a floor plan of the room.

¡Hola, Marisa! ¿Cómo estás?

Mi hotel aquí en Puerto Rico está muy bien. Mi cuarto está en el primer piso. Tiene una cama grande y un sofá cerca de la ventana. El televisor está encima de una mesa pequeña, delante del sofá. El baño es magnífico: el inodoro, la bañera y el lavabo son muy modernos. No tengo cocina, pero hay una mesa y un pequeño refrigerador.

Detrás del hotel, hay un jardín grande con mesas y sillas. ¡Hay coquíes en el jardín! ¡Los coquíes son muy graciosos!

Hasta pronto.

Tess

Marisa Pérez
Avenida Morelia 23
Colonia Centro
Ciudad de México
México 45230

▶ **Escribe.** Now write a postcard to Marisa and describe a room in your home. Describe everything it has and where each item is located. Include a photo or make a drawing on the back.

▶ **Presenta.** Present your description to your classmates.

Modelo

Mi casa está en...
Tiene...

50 Diferencias

▶ **Habla y escribe.** With a partner, find four differences between the rooms below. Say and write the differences in Spanish.

Modelo A. *En el dibujo 1, hay dos sofás.*
B. *Y en el dibujo 2, hay uno.*

Final del desafío

¿Dónde ___1___ el coquí?
Aquí ___2___ uno. Está ___3___ lavabo. ¿Hay más?

Sí. Ahí hay uno, ___4___ la ducha.

No hay coquíes ___5___ la sala.
Hay uno ___6___ la puerta del ___7___.

¡Hay un coquí en el ___8___!

51 ¿Qué pasa en la historia?

▶ **Escribe y representa.** Fill in Tim and Mack's dialogue for these scenes. Some blanks may require more than one word. Then act out the dialogue.

¿Quién prende la luz?

Diana and Rita are at the Mosquito Bay, a bioluminescent bay in Vieques, Puerto Rico. There they have to solve a riddle: "*¿Quién prende la luz por la noche en la Bahía de Mosquito?*" Will their guide be able to help?

Tía Rita, no comprendo el enigma. ¿Quién prende la luz en la Bahía de Mosquito?

No sé, Diana. No hay luces en la bahía...

Hay luces en las casas, pero están lejos de la bahía.

La luz está dentro de la bahía.

¿Hay luz dentro del agua de la bahía?
¿Toco el agua?

Continuará...

52 Detective de palabras

▶ **Elige.** Complete the sentences with an appropriate word from the box.

está están Toco comprendo prende

1. Yo no ______ el enigma.
2. ¿Quién ______ la luz en la Bahía de Mosquito?
3. Las luces ______ lejos de la bahía.
4. La luz ______ dentro de la bahía.
5. ¿______ el agua?

53 ¿Comprendes?

▶ **Contesta.** Diana's father wants to know about her adventure at the *bahía*. Answer his questions.

1. ¿Cómo se llama la bahía?
2. ¿Dónde están las casas?
3. ¿Dónde está la luz de la bahía?
4. ¿Quién prende la luz de la bahía?

54 Fotos de la bahía

▶ **Escucha y completa.** Listen and complete the sentences with the missing words.

1. Diana no ______ el enigma.
2. Las casas ______ lejos de la bahía.
3. Rita ______ el agua.
4. La luz ______ dentro del agua.

▶ **Escucha y relaciona.** Listen again and match each sentence with the correct photo.

A
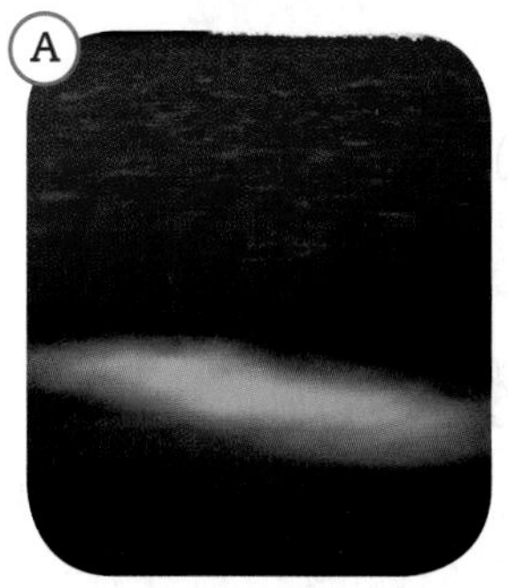

B

C
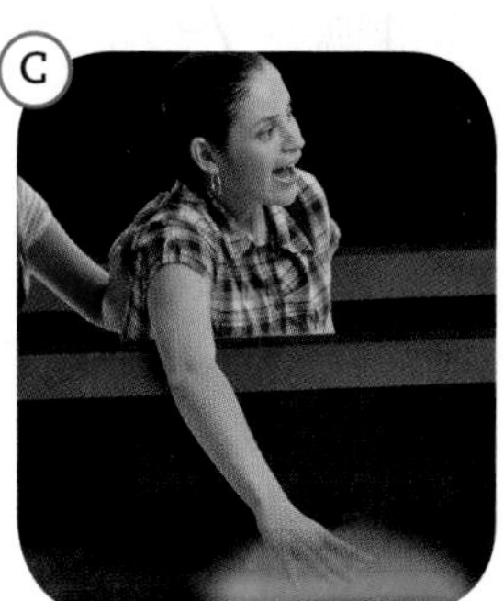

D

La Bahía de Mosquito

En Puerto Rico hay una bahía bioluminiscente considerada reserva ecológica. Se llama Bahía de Mosquito y está en la isla de Vieques, al este de Puerto Rico.

La Bahía de Mosquito tiene la mayor concentración de organismos bioluminiscentes del mundo.

55 Piensa. What does the word *bioluminescent* mean? Can you think of any other creatures that are bioluminescent?

Use the website to learn more about this fascinating natural phenomenon.

Vocabulario

Las tareas domésticas

limpiar el baño

ordenar la casa

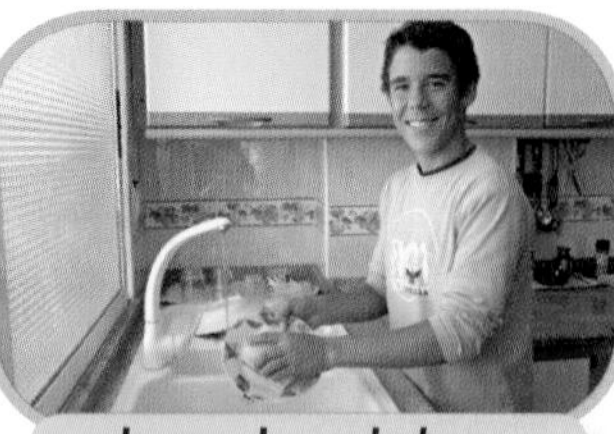
lavar los platos

pasar la aspiradora

barrer el suelo

sacudir los muebles

sacar la basura

pasear al perro

cortar el césped

Acciones habituales en la casa

prender la luz

apagar la luz

abrir la ventana

56 Tareas en la casa

▶ **Actúa.** Mime each of the chores above. Your partner guesses what you are doing. Take turns.

Modelo A. *Limpiar el baño.*
B. *¡Sí!*

57 Pistas

▶ **Escucha y decide.** Listen to what Ana García tells her daughter and decide which of the chores she is talking about.

Modelo 1. *Sacar la basura.*

58 ¡Prepara la casa!

▶ **Escribe.** Look at the photos and write a list of the chores Ana García has to do today.

Modelo 1. *Lavar los platos.*

1

2
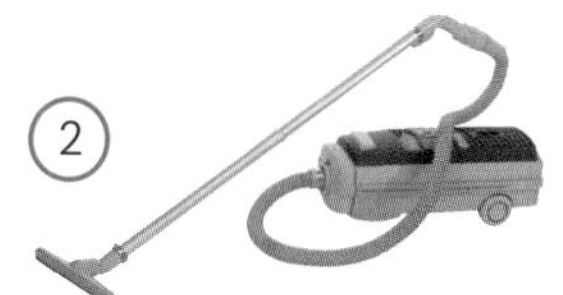

3
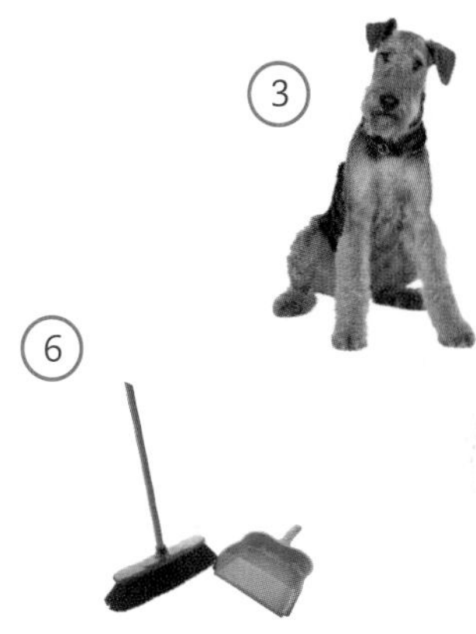

4

5

6

59 Tareas preferidas

▶ **Escribe y habla.** Rank the chores on page 114 from 1 (your least favorite) to 4 (your favorite). Then compare your answers with a partner's.

▶ **Escribe.** Answer the questions about the chores you listed.

1. ¿Cuáles son tus tareas favoritas?
2. ¿Qué tareas tienes dentro de la casa?
3. ¿Qué tareas tienes fuera de la casa?

CONEXIONES: MATEMÁTICAS

Una encuesta

60 Un gráfico

▶ **Habla y escribe.** Take a poll in class to see which chores rank highest and lowest in activity 59. Record your classmates' answers.

▶ **Presenta.** Make a bar graph to show your results. Write the numbers under each bar in the chart. Be prepared to present your graph to the class.

Gramática

Verbos regulares en *-ar*. Presente

Los verbos regulares. El infinitivo

- In English, an infinitive is the verb form that uses the word *to*: *to wash*, *to cook*. In Spanish, the infinitive always ends in -ar, -er, or -ir:

  -AR lavar -ER prender -IR abrir

- Regular verbs have a stem that is used with all subjects. They also have a set of endings that are added to the stem to identify the subject.

  To find the stem of a verb, remove the -ar, -er or -ir ending.

  lav -~~ar~~ prend -~~er~~ abr -~~ir~~

Verbos en *-ar*

- Regular -ar verbs are conjugated this way:

VERBO LAVAR (TO WASH). PRESENTE

Singular			Plural		
yo	**lav**o	*I wash*	nosotros nosotras	**lav**amos	*we wash*
tú	**lav**as	*you wash*	vosotros vosotras	**lav**áis	*you wash*
usted él ella	**lav**a	*you wash* *he washes* *she washes*	ustedes ellos ellas	**lav**an	*you wash* *they wash* *they wash*

61 **Comparación.** Are there three distinct types of infinitives in English?

62 **Una familia muy ocupada**

▶ **Une y escribe.** Diana's house is a mess. Match the two columns to discover what each person is doing and where, and write the sentences.

(A)	(B)
1. Diana	a. ordenamos el garaje.
2. Tú	b. ordenan el dormitorio.
3. Los niños	c. ordena la cocina.
4. Rita y yo	d. ordenas la sala.
5. Yo	e. ordeno el baño.

Modelo *Diana ordena la cocina.*

63 Gente limpia

▶ **Completa.** Everyone has a chore to do in Puerto Rico. Use the information in the list and the verb *limpiar* to write complete sentences about what each person does.

Modelo Diana - la cocina ⟶ *Diana limpia la cocina.*

Tareas para hoy	
1. Mack – el baño	4. Rita y Tim – la estufa
2. Patricia y Tess – la sala	5. ustedes – el suelo
3. Andy y yo – el refrigerador	6. tú – el dormitorio

64 ¿Qué hacen?

▶ **Habla y escribe.** With a partner, describe what each person is doing and where they are.

Modelo 1. *El hombre lava los platos en la cocina.*

1 

2 

3 

4 

Asopao

Una comida típica de Puerto Rico es el asopao. Es una sopa inspirada en la paella española. El asopao y la paella son platos tradicionales. Tienen arroz *(rice)*, carne *(meat)* y verduras *(vegetables)* cocinados juntos.

65 Comparación. Can you think of any dishes in your culture or in others that combine different food groups?

Use the website to read an *asopao* recipe.

Gramática

Verbos regulares en *-er* y en *-ir*. Presente

Verbos en *-er*

Regular -er verbs are conjugated this way:

VERBO PRENDER (*TO SWITCH ON*). PRESENTE

Singular			Plural		
yo	**prend**o	*I switch on*	nosotros nosotras	**prend**emos	*we switch on*
tú	**prend**es	*you switch on*	vosotros vosotras	**prend**éis	*you switch on*
usted él ella	**prend**e	*you switch on* *he switches on* *she switches on*	ustedes ellos ellas	**prend**en	*you switch on* *they switch on* *they switch on*

Verbos en *-ir*

Regular -ir verbs are conjugated this way:

VERBO ABRIR (*TO OPEN*). PRESENTE

Singular			Plural		
yo	**abr**o	*I open*	nosotros nosotras	**abr**imos	*we open*
tú	**abr**es	*you open*	vosotros vosotras	**abr**ís	*you open*
usted él ella	**abr**e	*you open* *he opens* *she opens*	ustedes ellos ellas	**abr**en	*you open* *they open* *they open*

66 **Comparación.** What differences do you notice between the pattern of English and Spanish verbs?

67 **¿Quién barre?**

Nosotras
Tú
Ellos
Él

Escribe. Complete the sentences with the appropiate word from the box.

1. ______ barre el suelo.
2. ______ prendemos la luz.
3. ______ sacuden los muebles.
4. ______ abres las ventanas.

68 Andy en casa

Escucha y relaciona. Andy does a lot of chores at home! Listen to his usual schedule for Saturday. Then match each chore with the time he does it.

69 Mucho que hacer

Completa. The staff at the hotel is busy, too. Complete the sentences with verbs to make a conversation.

Modelo El hombre mayor ____ las ventanas.
→ *El hombre mayor abre las ventanas.*

1. Juan, usted ____ los muebles hoy, ¿no?
2. Sí, y ____ la aspiradora.
3. Bien. ¿Y las jóvenes? ¿____ los baños?
4. No. La chica morena ____ la cocina.
5. Juan y yo ____ el comedor también.
6. Bien. Ahora yo ____ la basura.

70 Tareas comunes

Habla. Talk with a partner to find out if he or she does these chores at home.

Modelo

¿Tú barres el suelo?
No, yo no barro el suelo.

1. sacudir los muebles
2. ordenar la casa
3. limpiar el inodoro
4. cortar el césped
5. lavar los platos
6. ordenar el dormitorio

Escribe. Report on your conversation. Say what you and your partner do and don't do.

Modelo *Elena barre el suelo, pero yo no barro. / Elena y yo barremos el suelo.*

Comunicación

71 ¿Quién pasea al perro?

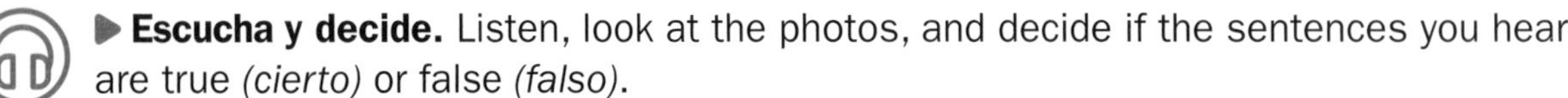

▶ **Escucha y decide.** Listen, look at the photos, and decide if the sentences you hear are true *(cierto)* or false *(falso)*.

1

Tim y Andy

2

Rita

3

Diana

4

Ana García y Tess

5
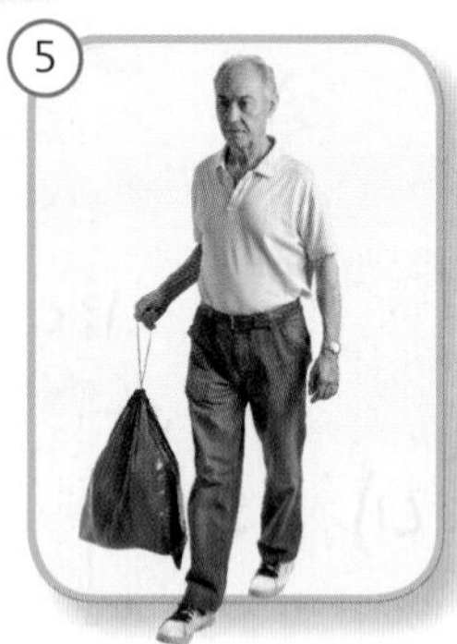
Mack

▶ **Escribe.** Correct the false statements.

72 ¿Quién?

▶ **Escribe.** Who in your household does these chores? Copy the table and fill it in. Then add three more activities to the list.

sacudir los muebles	yo
ordenar el garaje	mi padre
lavar el carro	
barrer el suelo	
limpiar el baño	

▶ **Escribe.** Explain what each person in your family does around the house. Make sure to conjugate the verbs correctly.

Modelo *Yo sacudo los muebles y mi padre ordena el garaje.*

73 Una carta

▶ **Escribe.** You are in Puerto Rico with your class. Write a letter to your parents describing the chores you do.

Modelo

Queridos padres:
Tengo muchas tareas...

Final del desafío

¿Qué ___1___ esa luz?

Es la luz de las bacterias. Nosotras ___2___ el agua y ellas ___3___ la luz.

¡Fantástico! ¡Mira! ___4___ mucha luz. ¡Es posible leer un libro!

¡Nosotras ___5___ la luz de la bahía!

74 ¿Qué pasa en la historia?

▶ **Escribe y representa.** Complete Diana and Rita's conversation on the bay. Then act it out.

Listen to the questions for your *Minientrevista Desafío 3* on the website and write your answers.

Las cuevas de Camuy

Tess and Patricia have to hike the Camuy Caves in northern Puerto Rico. They have to find a rare species of blind fish while they are there and take a photo. There are a lot of preparations for this excursion!

Tenemos que llevar la cámara y una linterna, ¿no?
Sí, y hay que preparar unos sándwiches para el almuerzo.
Yo preparo los sándwiches. ¿Hay que llevar botas?
No sé. ¿Leo la guía de turismo?

Ooooh, ¡qué bonita! La cueva es muy grande.

Estoy nerviosa. ¿El río está en la cueva?
Sí, tienes que entrar en la cueva para ver los peces.

Continuará...

75 Detective de palabras

▶ **Adivina.** Use the *fotonovela* above to guess the meanings of the following words.

1. llevar
2. cámara
3. linterna
4. preparar
5. botas
6. cueva
7. entrar
8. peces (pez)

▶ **Comprueba.** Now look up each word in the *Glosario español-inglés* to check your guesses.

▶ **Habla.** With a partner, make a list of the things you probably need to do before or during such an adventurous excursion. Use the words above and others you know.

Modelo *Preparar la linterna.*

76 ¿Comprendes?

▶ **Escribe.** The guide wants to know about Tess and Patricia's excursion. Answer his questions.

1. ¿Quién lleva la cámara?
2. ¿Quién prepara los sándwiches?
3. ¿Quién lleva la mochila?
4. ¿Quién lleva botas?
5. ¿Quién lleva la linterna?

77 Actividades de preparación

▶ **Escucha y ordena.** Tess is talking about the preparations for the excursion. Listen and put the images in order based on what you hear.

A 

B 

C 

D 

▶ **Escribe.** What phrase did you hear in all the sentences? What do you think it means?

Las cuevas de Camuy

En el norte de Puerto Rico están las cuevas de Camuy. Es uno de los sistemas de cuevas más grandes del mundo (*world*). Allí viven muchos animales raros.

En las cuevas hay un río, el río Camuy. Es el tercer (*third*) río subterráneo más grande del mundo.

78 Piensa y habla. Would you like to explore the caves of Camuy? Why or why not? What kind of animals do you think live in the caves?

Use the website to plan your adventure in the *cuevas de Camuy*.

Vocabulario

Actividades de ocio

escuchar música

usar la computadora

ver la televisión

¡Tengo ganas de preparar un sándwich de tres pisos!

escribir un correo electrónico

hablar por teléfono

leer una revista

cuidar a la mascota

79 Preferencias

▶ Escucha y decide. Diana and Tess are comparing their free-time activities. Listen and decide whether you agree or disagree with each.

80 Fotos del viaje

▶ Escribe. Patricia took these photos in Puerto Rico. Caption each according to the subject.

Modelo 1. *Ana habla por teléfono.*

1 Ana

2 Marta

3 las niñas

4 Luisa y Paula

5 María

81 Conclusiones lógicas

Escucha. Tess is talking about her friends. Listen and choose the most logical conclusion.

a. Ella tiene hambre.
b. Ellos son muy atléticos.
c. Él es muy sociable.
d. Ella es muy responsable.

82 Los planes de Mónica

Lee, escucha y escribe. Mónica, Ana García's daughter, has over planned her weekend activities. Read her notes and then listen as she talks about them. Is she going to do these things alone or with someone?

sábado 12

1. Escribir correos electrónicos a Juan y a Carmen.
2. Escuchar el CD de Beyoncé.
3. Ver la televisión a las ocho. ¡La máscara del Zorro!
4. Cuidar a mi gato.
5. Leer la revista Tiempo.

domingo 13

1. Preparar los sándwiches para el picnic.
2. Hablar por teléfono con el tío Carlos.
3. Usar la computadora: ¡las tareas de Ciencias!

Modelo *Escribe correos electrónicos sola.*

83 ¿Qué prefieres?

Habla. Talk with a partner about each pair of activities. Say which one you do more.

Modelo A. *¿Ves la televisión o usas la computadora?*
B. *Veo la televisión.* (The *yo* form of *ver* is **veo**.)

1. ¿Sacudes los muebles o cuidas a la mascota?
2. ¿Hablas por teléfono o escribes correos electrónicos?
3. ¿Preparas sándwiches o preparas sopas?
4. ¿Lees revistas o hablas por teléfono?
5. ¿Ordenas la casa o escuchas música?

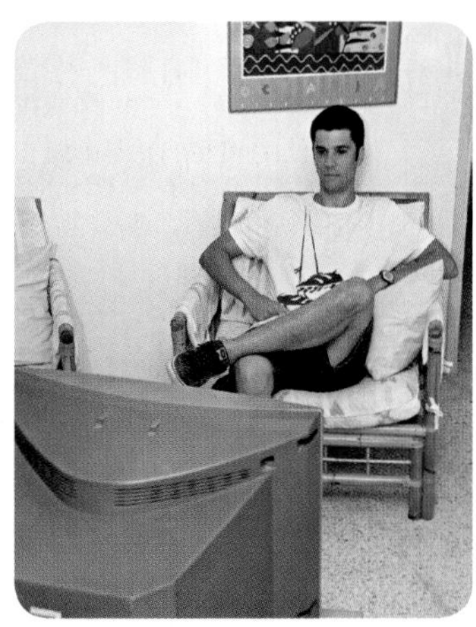

Gramática

Expresar obligación

Tener que (*to have to*)

- To express an obligation that somebody has, use this formula:

Tener que + infinitivo	Yo **tengo que** barrer.	Nosotros **tenemos que** leer.
	Tú **tienes que** lavar.	Vosotros **tenéis que** escribir.
	Él **tiene que** limpiar.	Ellos **tienen que** cuidar al gato.

Hay que (*to have to*)

- To express a general obligation without mentioning who must do it, use this formula:

Hay que + infinitivo	**Hay que** pasar la aspiradora.

Adverbios de frecuencia

- These adverbs and adverbial phrases express how often something is done.

Adverbios de frecuencia

nunca · casi nunca · rara vez · a veces · muchas veces · casi siempre · siempre · todos los días

0 días al año → **365 días al año**

- To ask when something is done, use the question word cuándo.

–¿**Cuándo** ves la televisión?
–Todos los días.

84 **Piensa.** How would tener que and hay que be expressed in English?

85 El fin de semana

▶ **Escucha.** The García family is busy. Listen to Ana García's daughter and write who has to do each activity or write nothing if nobody is specified.

1. usar la computadora
2. preparar el almuerzo
3. cortar el césped
4. cuidar a la mascota
5. ordenar la casa
6. limpiar la cocina

▶ **Escribe.** Summarize the García family's weekend activities in complete sentences.

Modelo *Ana y Mónica García tienen que usar la computadora.*

86 Las reglas de la casa

Habla y escribe. What chores need to be done frequently to keep a household running smoothly? With a partner, make a list of ten chores.

Modelo *Hay que cuidar a la mascota todos los días.*

87 Las obligaciones

Habla. With a partner, take turns saying what these people have to do today. Use *tener que*.

Modelo 1. *Patricia tiene que preparar los sándwiches.*

1. Patricia
2. Rita
3. Janet
4. Mack y Andy
5. Tim
6. Andy

88 ¿Más o menos frecuente?

Escribe. Classify your daily activities in a Venn diagram: those you have to do and those you feel like doing. Which activities fall into both categories?

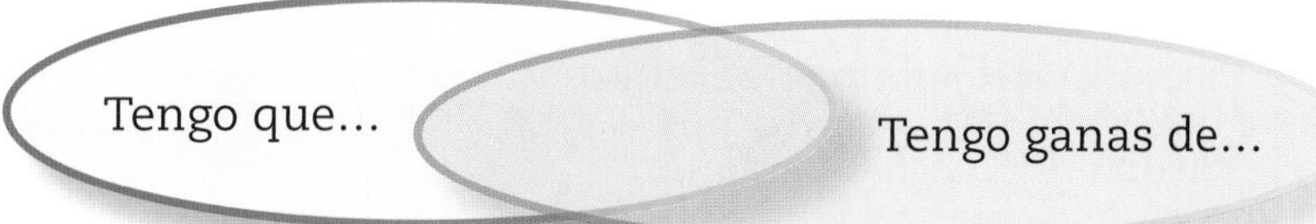
Tengo que...
Tengo ganas de...

Escribe. Now write a short paragraph about what you have to do and what you feel like doing. Indicate the frequency of each activity. Use your diagram and this model.

Modelo

Mis actividades

Casi siempre tengo que hablar por teléfono.
Rara vez tengo ganas de preparar sándwiches.

Habla. Now talk with a partner about your paragraph. What activities and chores do you have in common? When do you do these chores?

Comunicación

89 Patricia y Tess no tienen tareas

▶ **Escucha y completa.** While Patricia and Tess are away, their family is doing their chores for them. Listen to Patricia and her husband talk about these chores. Complete the table using information from their conversation.

Bill	Cortar el césped.
Karen	
David	

▶ **Escribe.** Say what each person has to do. Expand the information in your table.

Modelo *Bill tiene que cortar el césped.*

90 ¿Con qué frecuencia?

▶ **Habla.** Find out which of the following activities two of your classmates do most often, and which they hardly ever do. Share the same information about your own activities.

Modelo A. *¿Cuándo escribes poemas?*
B. *A veces.*

escribir correos electrónicos	leer revistas en el baño
usar la computadora en casa	cuidar a la mascota
hablar por teléfono en mi cuarto	lavar la ropa
escuchar música en el jardín	ver la televisión

▶ **Escribe.** Write a short paragraph to summarize your conversation.

Modelo

Nuestras actividades

Ana casi nunca escribe correos electrónicos. Usa la computadora en casa y ve la televisión todos los días.

91 La nota de Teresa

▶ **Lee y escribe.** Mónica García's friend Teresa sent her this note. Reply to Teresa, introducing yourself and answering her questions.

Querida Mónica:

Tenemos muchas tareas en casa. ¡Qué aburrido! Yo siempre ordeno la cocina. Mi madre barre el suelo y mi padre lava los platos. Yo nunca tengo ganas de lavar los platos, ¿y tú? Mis hermanos rara vez pasan la aspiradora. ¿Quién hace las tareas de casa en tu familia?

También tenemos muchas actividades de ocio. Mi tío Pepe vive en un apartamento al lado de mi casa y cuida a nuestra mascota. ¡Es muy simpático! Mi padre casi siempre lee revistas o ve la televisión y mi madre escucha música. ¿Qué actividades de ocio tienen ustedes?

Hasta pronto.

Teresa

Final del desafío

___1___ prender la luz. No ___2___ mucha luz en las cuevas.
¡Mira! ___3___ peces en el río.
¡Sí! ___4___ hacer una foto.

92 ¿Qué pasa en la historia?

▶ **Escribe y representa.** Fill in Tess and Patricia's dialogue for these scenes. Some blanks may require more than one word. Then act out the dialogue.

ESCUCHAR

93 El fin de semana de Janet y Tim

▶ **Escucha y decide.** Listen to Janet and Tim talking about what they do on the weekends at home and decide who does each of these activities.

	Janet	Tim
1. Pasar la aspiradora.		
2. Lavar los platos.		
3. Cortar el césped.		
4. Cuidar a la mascota.		
5. Escribir correos electrónicos a los amigos.		
6. Hablar por teléfono con los amigos.		

LEER Y ESCRIBIR

94 Una página misteriosa

▶ **Lee y escribe.** Diana found this page from an old diary in an antique shop in Old San Juan. Read it, and answer the questions.

1. ¿Quién escribe el diario?
2. ¿Cómo es la casa?
3. ¿Dónde está la casa?
4. ¿Qué tareas realizan estas personas?

25 de octubre de 1518

Mi casa de Caparra es bonita. Mi madre y yo estamos muy bien aquí. La sala y la cocina son muy grandes. Casi siempre tenemos que abrir las ventanas y las puertas porque aquí hace calor. Mi dormitorio es pequeño. Hay una cama y una mesita de noche.

Mi madre y yo tenemos muchas tareas. Todos los días ella barre el suelo. A veces yo preparo un plato con arroz, carne y verduras. Aquí se llama asopao. También lavo los platos y limpio la casa.

Tengo ganas de visitar la bahía, pero está muy lejos de aquí. Mi tío Juan Ponce de León tiene una casa allí. Sus cartas son muy interesantes.

HABLAR Y ESCRIBIR

95 Un diario en fotos

▶ **Escribe.** Make a list of the activities you and your family do at home over three days.

▶ **Escribe.** Use photos or draw pictures of the most common activities, and write a caption for each one. The caption should introduce the people in the photos, and say how often each activity is done.

Modelo

Mi madre y mi hermana lavan el carro muchas veces.

Yo paseo a mi perro todos los días.

▶ **Presenta.** Assemble the photos into a diary. Be creative! Share your diary with your classmates in an oral presentation.

CONEXIONES: ARQUITECTURA

Las casas de los indígenas de Puerto Rico

En Puerto Rico hay dos tipos de casas indígenas: el *bohío* y el *caney*.

El *bohío* es de forma circular y tiene un techo cónico. No tiene ventanas. Tiene un suelo de tierra y pocos muebles.

El *caney* es más grande y de forma rectangular. Tiene ventanas y más muebles que el *bohío*. El *caney* es la casa del cacique, el jefe de la comunidad (*chief*).

96 Piensa y contesta. Answer the questions.

1. ¿Esta foto es de un bohío o de un caney? ¿Cómo lo sabes? (*How can you tell?*)
2. ¿Qué crees que hay dentro de esta casa? ¿Quién vive allí?
3. Imagina que vives en un bohío. ¿Qué tareas tienes?

Listen to the questions for your *Minientrevista Desafío 4* on the website.

En el Viejo San Juan

The four pairs return to Old San Juan. They all bring the proof of their completed tasks. Who will win the challenge in Puerto Rico?

En la foto estamos al lado de la casa más colorida del Viejo San Juan. Sus paredes son de muchos colores.

Tenemos fotos de coquíes en la casa de la señora García. Están encima, al lado y debajo de los muebles.

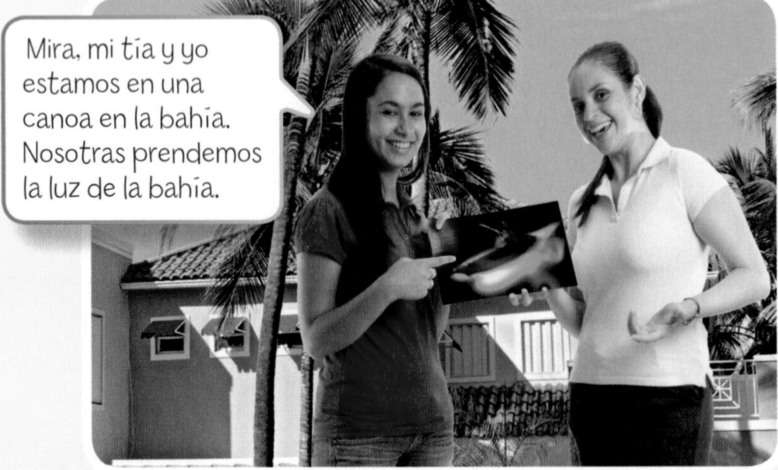

Mira, mi tía y yo estamos en una canoa en la bahía. Nosotras prendemos la luz de la bahía.

Aquí estamos en la cueva. ¡Hay peces en las cuevas de Camuy!

97 Al llegar

▶ **Escribe.** As each pair reaches the finish line, local journalists are waiting to interview them. Write questions for the journalists to ask. Be sure to mention:

- The names of each pair and a brief description of each person.
- Where each pair is from, and what each person often has to do and feels like doing at home.
- Where items or people are in the photo of the task.
- How often the people do activities similar to the ones for their task.

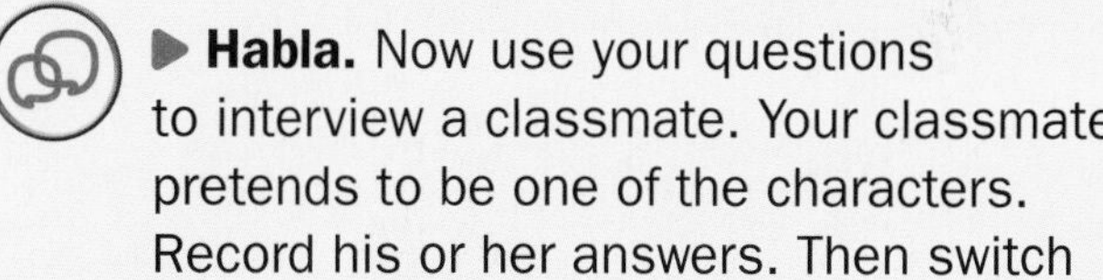

▶ **Habla.** Now use your questions to interview a classmate. Your classmate pretends to be one of the characters. Record his or her answers. Then switch roles.

Modelo A. *¿Cómo te llamas?*
B. *Me llamo Patricia.*
A. *¿Y de dónde eres?*

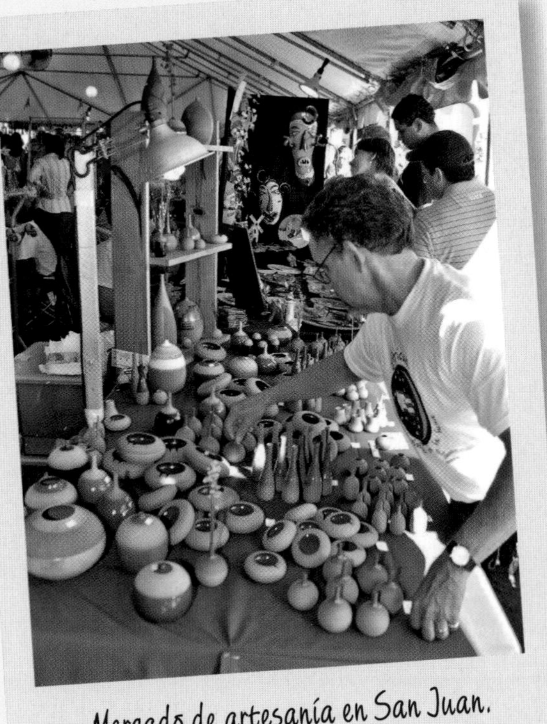

Mercado de artesanía en San Juan.

98 Las votaciones

▶ **Decide.** Which pair has done the most difficult challenge? Take a vote to decide.

Puerto Rico

Puerto Rico está en las islas Antillas. El archipiélago de las Antillas está situado al sur de Florida, entre el mar Caribe y el océano Atlántico.

El territorio de Puerto Rico está formado por tres islas principales: Puerto Rico, Vieques y Culebra.

La capital de Puerto Rico es San Juan.

99 ¿Dónde?

Lee y escribe. Read the sentences and say which country each one refers to.

- Está al sur de Nicaragua.
- Está al oeste de Haití.
- Está al este de República Dominicana.

Habla. Play a guessing game with a partner. Choose a place on the map, then give your partner a clue. He or she asks questions to find out where you are. Take turns.

Modelo A. *Estoy al norte de El Salvador.*
B. *¿Estás en Guatemala?*
A. *Sí.*

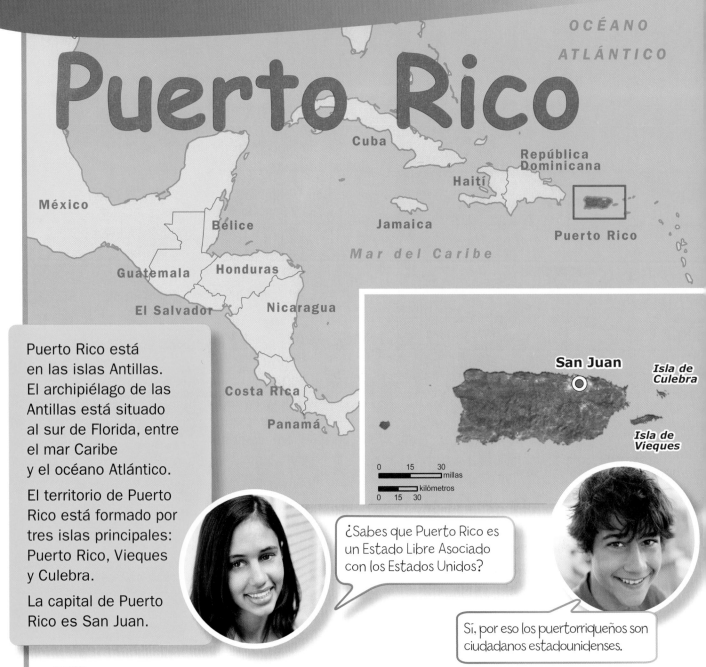

1. El Viejo San Juan

Old San Juan is the traditional center of the capital of Puerto Rico. It is surrounded by historic walls, and is full of cafés, art galleries, squares, and churches.

(1) El Viejo San Juan.

(2) Festival de salsa en Puerto Rico.

2. La salsa, la esencia de Puerto Rico

Salsa is a style of Latin music that is very popular both in Puerto Rico and in the United States. Important salsa bands from Puerto Rico include *El gran combo de Puerto Rico* and *La sonora ponceña*. These bands mix Caribbean and African rhythms with American jazz music.

100 Puertorriqueños famosos

▶ **Escribe.** Many Puerto Ricans have had an impact on popular U.S. culture. Find more information on these famous Puerto Ricans. Use the questions below to guide your research.

Jennifer López	Willie Colón	Ricky Martin	Benicio del Toro
Roberto Clemente	Hiram Bithorn	Luis Muñoz Marín	Giannina Braschi

- Where were they born? What is their background?
- Why are they famous?
- What are their most important contributions to Puerto Rican culture?

▶ **Habla.** Present one of these people to the class. Use the information you found.

Vista aérea del Morro.

Garita.

> READING STRATEGY
> ### Key concept synthesis
> As you go through a reading, look for clues that will help you identify key concepts.
>
> Key concepts are the most important ideas that you would talk about when explaining a text to someone who has not read it.
>
> Clues that may help you identify key concepts are the title, the illustrations, words that stand out because of their color or the thickness of the line (bold type), the topic sentence in each paragraph, summary statements, and the conclusions.

El Morro

Blog de viajes

El castillo de San Felipe del Morro

Puerto Rico, 22 de enero de 2010

Mi nombre es Ricky, tengo 16 años y soy de Puerto Rico. Mi lugar favorito en San Juan es el **castillo de San Felipe del Morro**.

El Morro es uno de los fuertes más antiguos de América. Es un castillo del siglo XVI. Los españoles hacen el castillo para defender la ciudad de los ataques por mar.

Dentro del Morro hay un laberinto de túneles, pasajes y rampas y unas torres llamadas garitas.

¡Tienes que visitar el castillo! ¡Imagina el fuego de los cañones y el asalto de los piratas! Además, desde El Morro hay unas vistas fantásticas.

Hoy El Morro da la bienvenida a los barcos que entran en la bahía de San Juan y ofrece a sus visitantes casi 500 años de historia.

ESTRATEGIA **Sintetizar los conceptos clave**

101 Conceptos clave

▶ **Lee, habla y escribe.** Read the blog, and discuss El Morro. Then use the most important ideas in the text to complete this table. Use the column on the left for the important concepts from the reading and the one on the right to note connections with other parts of the text.

Key concepts	Supporting details in the text
1. El Morro es un fuerte muy antiguo.	1. El Morro tiene casi 500 años de historia.

COMPRENSIÓN

102 ¿Qué sabes sobre El Morro?

▶ **Elige.** Read the sentences and say which ones are true *(ciertas)*.

1. El Morro es el fuerte más antiguo del Nuevo Mundo.
2. El Morro está en la bahía de San Juan.
3. El Morro es un edificio defensivo.
4. En Puerto Rico hay piratas.

103 Un monumento histórico

▶ **Escribe.** Write a short text describing a famous historic monument. Include these points:

- Cuál es su nombre.
- Dónde está.
- Cómo es.
- Qué cosas hay.

Fuerte de San Jerónimo (San Juan).

Earn points for your own challenge! Visit the website to learn more about *El Morro*.

La vivienda

El edificio

el apartamento *apartment*
el ascensor *elevator*
la escalera *stairs*
el garaje *garage*
el jardín *yard*
la planta baja *ground floor*
el primer piso *first floor*

La casa

el baño *bathroom*
la cocina *kitchen*
el comedor *dining room*
el dormitorio *bedroom*
la sala *living room*

El cuarto

la pared *wall*
la puerta *door*
el suelo *floor*
el techo *ceiling*
la ventana *window*

Muebles y objetos de la casa

En el dormitorio

el armario *closet*
la cama *bed*
la cómoda *dresser*
la mesita de noche *nightstand*

En la sala

la estantería *bookcase*
la mesa *table*
la silla *chair*
el sofá *sofa*
el televisor *television set*

En el baño

la bañera *bathtub*
la ducha *shower*
el inodoro *toilet*
el lavabo *sink*

En la cocina

la estufa *stove*
el lavaplatos *dishwasher*
el microondas *microwave oven*
el refrigerador *refrigerator*

Las tareas domésticas

barrer el suelo *to sweep the floor*
cortar el césped *to cut the grass*
lavar los platos *to wash the dishes*
limpiar el baño *to clean the bathroom*
ordenar la casa *to straighten up the house*
pasar la aspiradora *to vacuum*
pasear al perro *to walk the dog*
sacar la basura *to take the trash out*
sacudir los muebles *to dust the furniture*

Acciones habituales en la casa

abrir la ventana *to open the window*
apagar la luz *to turn the light off*
prender la luz *to turn the light on*

Actividades de ocio

cuidar a la mascota *to take care of a pet*
escuchar música *to listen to music*
escribir un correo electrónico *to write an e-mail*
hablar por teléfono *to talk on the phone*
leer una revista *to read a magazine*
usar la computadora *to use the computer*
ver la televisión *to watch TV*

tener ganas de *to feel like*

DESAFÍO 1

1 **¿Dónde están?** Where is it? Match each item in column A with a place in column B.

A	B
1. la estufa	a. el jardín
2. la cama	b. el baño
3. la ducha	c. la sala
4. el césped	d. la cocina
5. el sofá	e. el dormitorio

DESAFÍO 2

2 **Mi dormitorio.** Look at the photo and write six sentences. Use these phrases:

Modelo *La silla está delante de la mesa.*

1. delante de
2. detrás de
3. a la izquierda de
4. a la derecha de
5. encima de
6. al lado de

DESAFÍO 3

3 **Actividades y lugares.** Complete each sentence with the logical option.

1. En una cocina...
   a. cortamos el césped. b. paseamos al perro. c. preparamos sándwiches.
2. En tu dormitorio...
   a. lavas los platos. b. sacas la basura. c. usas la computadora.
3. En el jardín...
   a. corto el césped. b. sacudo los muebles. c. limpio el baño.
4. En el baño...
   a. limpio el inodoro. b. veo la televisión. c. paso la aspiradora.
5. En la sala...
   a. cuidas a las mascotas. b. lavas los platos. c. lees una revista.

DESAFÍO 4

4 **Fin de semana.** Look at the pictures and say what Roberto is doing this weekend.

El sábado

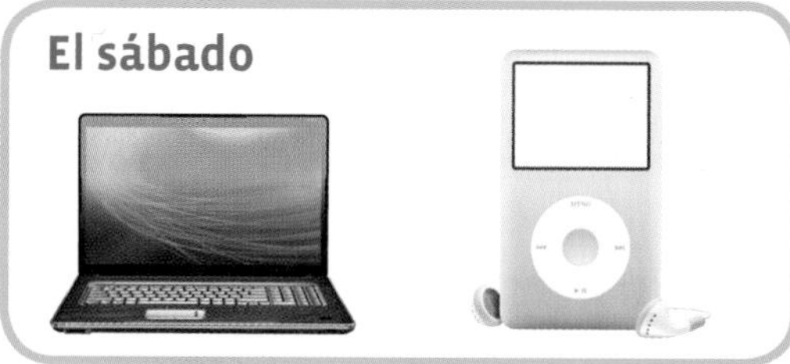

El domingo

Los nombres: género y número (pág. 96)

Formación del femenino

Masculine form	Feminine form
Ends in -o.	Changes -o to -a. el niño → la niña
Ends in a consonant.	Adds -a. el profesor → la profesora

Formación del plural

Singular form	Plural form
Ends in a vowel.	Adds -s. el edificio → los edificios
Ends in a consonant.	Adds -es. el ascensor → los ascensores

Expresar lugar (pág. 108)

estar en	*to be at/in/on/inside*
aquí	*here*
ahí	*there*
allí	*over there*
al lado de	*next to*
a la derecha de	*to the right of*
a la izquierda de	*to the left of*
cerca de	*near, close to*
lejos de	*far from*
debajo de	*under*
encima de	*on, on top of*
delante de	*in front of*
detrás de	*behind*
en	*at, in, on, inside*

Los artículos (pág. 98)

	singular		plural	
	mascul.	femen.	mascul.	femen.
definidos	el	la	los	las
indefinidos	un	una	unos	unas

Adverbios de frecuencia (pág. 126)

nunca	*never*
casi nunca	*almost never*
rara vez	*seldom, rarely*
a veces	*sometimes*
muchas veces	*many times, often*
casi siempre	*most of the time*
siempre	*always*
todos los días	*every day*

Expresar existencia. El verbo *haber* (pág. 106)

hay + noun	*there is/are*
no hay + noun	*there is not/are not*

Verbos regulares. Presente de indicativo (págs. 116 y 118)

Lavar		Prender		Abrir	
lavo	lavamos	prendo	prendemos	abro	abrimos
lavas	laváis	prendes	prendéis	abres	abrís
lava	lavan	prende	prenden	abre	abren

Expresar obligación (pág. 126)

tener que + infinitivo

An obligation somebody has:

Él tiene que cortar el césped.

hay que + infinitivo

General obligations, rules, or norms:

Hay que lavar los platos.

DESAFÍO 1

5 La casa. Choose the article that best accompanies each noun.

1. Ellos cuidan ______ jardines. a. el b. los c. unas
2. Hay ______ coquí en el jardín. a. la b. una c. un
3. ______ paredes son altas. a. Las b. Unos c. Los
4. ______ profesores son serios. a. Unas b. Los c. Las

DESAFÍO 2

Los muebles. Write four sentences describing the position of the things in this picture.

1. delante de
2. detrás de
3. al lado de
4. cerca de

Modelo *Las sillas están delante de la ventana.*

DESAFÍO 3

Tareas domésticas. Say what each person or group usually does on the weekend.

Modelo Juan - cortar el césped ⟶ *Juan corta el césped.*

1. Ellos - sacar la basura
2. Ustedes - pasear al perro
3. Nosotros - sacudir los muebles
4. Yo - barrer el suelo

DESAFÍO 4

¿Qué tienes que hacer? Write sentences about your obligations.

EN CLASE...	
	Estudiar.
	Hablar español.
	Usar el diccionario.

Modelo *En clase hay que estudiar.*

EN CASA...	
	Usar la computadora.
	Hacer las tareas.
	Ordenar mi cuarto.

Modelo *En casa tengo que usar la computadora.*

CULTURA

¡Viva Puerto Rico! Answer the questions.

1. ¿Qué es El Morro?
2. ¿Cuál es la música típica de Puerto Rico?
3. ¿Por qué es importante la Bahía de Mosquito?
4. ¿Qué es el Viejo San Juan? ¿Cómo son sus calles?

Una visita guiada por

la Casa Blanca

The directors of the Casa Blanca museum want to create a living exhibit of the Ponce de León family home. A tour guide will lead visitors through the Casa Blanca describing each part of the house and gardens. In each part, visitors will meet costumed actors representing the Ponce de León family. The actors will answer visitors' questions and explain what the family normally does there.

Your project involves writing the guide's commentary and a bank of questions and answers to prepare the actors for their role.

El explorador Juan Ponce de León.

PASO 1 **Investiga sobre la Casa Blanca**

- Get information about this famous house. For example:
  - Where is the museum located?
  - What areas and rooms does it have?
- Search for photos of the house and its surroundings.
- Research clothing typical of the period so you can provide some appropriate articles of clothing for the actors.

En el jardín hay muchas fuentes.

Interior de la Casa Blanca.

Un dormitorio.

PASO 2 Prepara el material para el guía y los actores

- Prepare a script for the guide. Remember to include information for each place visited on your tour. For example, identify each place and describe it.

  Modelo *Ahora estamos en la cocina. La estufa es grande.*

La cocina de la Casa Blanca.

- Prepare the questions that tourists will probably want to ask the actors. Write the answers, too!

  Modelo A. *¿Preparan ustedes el desayuno aquí?*
  B. *Sí. Preparamos el desayuno, el almuerzo y la cena. También barremos el suelo y lavamos los platos.*

PASO 3 Comprueba y evalúa

- Check your work:
  – Is the cultural information clear and correct?
  – Are the texts correct and complete?
- Proofread your work carefully.

PASO 4 Ensaya tu guión y actúa

- Practice your scripts: take turns being the guide, the actors, and the tourists.
- If possible, prepare costumes and simple props.

Unidad 2

Autoevaluación

¿Qué has aprendido en esta unidad?

Do these activities to evaluate how well you can manage in Spanish.

a. Can you identify and describe places?
▶ Describe your house, a room, or some furniture.

b. Can you say where people or things are?
▶ Talk about your kitchen: say where the appliances are.
▶ Ask a friend to describe his or her room and to draw a floor plan of it.

c. Can you talk about household chores?
▶ Say what chores you and your siblings have to do, and how often you do them.

d. Can you talk about your free-time activities?
▶ Ask two classmates what they do at home on the weekend.

Evaluate your skills. For each activity, say Very well, Well, or I need more practice.

UNIDAD 3

Guatemala

Desafíos en Centroamérica

To talk about shopping

Vocabulario

El centro comercial

Gramática

Verbos con raíz irregular *(e > ie)*

El verbo *ir*

La moda en Guatemala

DESAFÍO 2

To express likes

Vocabulario

La ropa y el calzado

Gramática

El verbo *gustar*

Antigua

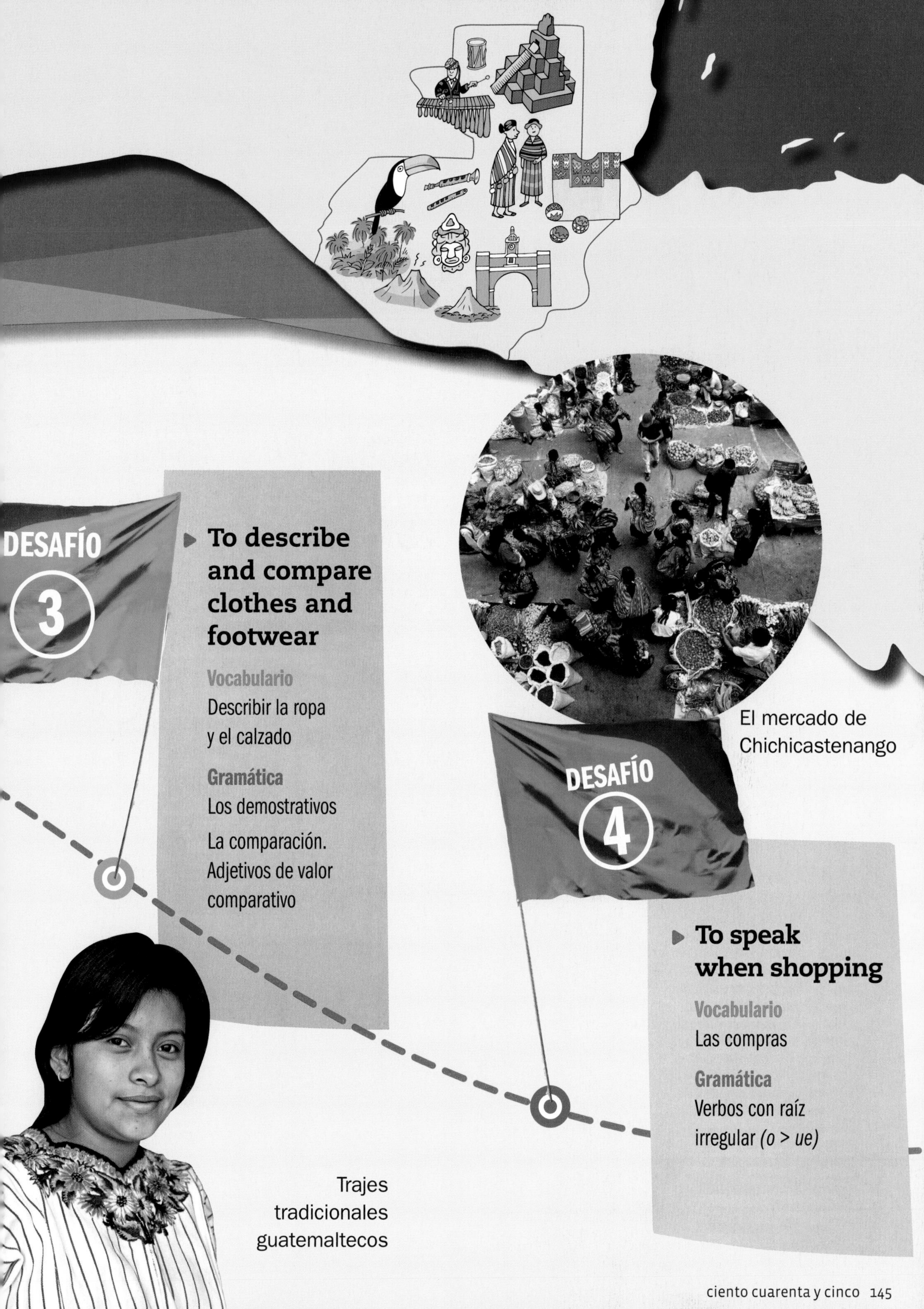

El mercado de Chichicastenango

DESAFÍO 3

To describe and compare clothes and footwear

Vocabulario

Describir la ropa y el calzado

Gramática

Los demostrativos

La comparación. Adjetivos de valor comparativo

DESAFÍO 4

To speak when shopping

Vocabulario

Las compras

Gramática

Verbos con raíz irregular *(o > ue)*

Trajes tradicionales guatemaltecos

En Antigua

The four pairs gather in Antigua, a beautiful colonial city in Guatemala. There they will receive their tasks from Rolando Boj, a young Guatemalan clothing designer. But before, they are going to buy some traditional Guatemalan-style clothes.

Este sombrero es bonito, abuelo. ¿Cuánto cuesta?
Es barato. Cuesta 30 quetzales.
Me gusta. Es cómodo.
A mí también me gusta.
Guatemala

¿Les gusta este vestido? Es de algodón y está en oferta.
Prefiero la blusa blanca.

¿Vamos al centro comercial o al mercado?
Yo voy al centro comercial. Tú vas al mercado.
CHAPIN 100%

 1 ¿Comprendes?

Une. Match each question with the corresponding answer.

 A

1. How much is the hat?
2. What does Mack say about the hat?
3. What does Rita prefer instead of the cotton dress?
4. Why does Andy wear sandals?
5. Where is Tess going shopping?

 B

a. Porque son más auténticas.
b. Una blusa blanca.
c. Cuesta 30 quetzales.
d. Al centro comercial.
e. A mí también me gusta.

EXPRESIONES ÚTILES

To ask for prices:
¿Cuánto cuesta(n)?

To give prices:
Cuesta(n) diez quetzales.

To ask for and give reasons:
¿**Por qué** no llevas zapatos?
Porque las sandalias son más auténticas.

To say something is (not) in style:
(No) Está de moda.

To say something is (not) on sale:
(No) Está en oferta.

To ask at what time a store opens / closes:
¿A qué hora abre / cierra la tienda?

¡Las sandalias están en oferta!

2 En la tienda de turistas

▶ **Escucha.** The pairs are at the market in Antigua. Listen and write true sentences.

	A	B
1. La tienda...	abre a las nueve.	cierra a las nueve.
2. Este vestido...	no está de moda.	está de moda.
3. La blusa...	no está en oferta.	está en oferta.
4. Me gusta...	la blusa.	el sombrero.

3 ¿Cuánto cuesta?

▶ **Habla.** Talk about the prices of the following items. Take turns asking the price and answering with a partner.

¿Cuánto cuesta el sombrero?

El sombrero cuesta cinco dólares.

1 
el muñeco - 5 dólares

2 
el vestido - 18 dólares

3 
la blusa - 14 dólares

4 
el textil - 29 dólares

¿Quién ganará?

4 Los desafíos

▶ **Habla.** What will be the challenge for each pair? Think about this question and discuss it with your classmates.

5 Las votaciones

▶ **Decide.** You decide. You will vote to choose the most interesting challenge. Who do you think will win?

La máscara de jade

Diana and Rita are in Antigua, where they must find a Mayan jade mask. Rolando Boj, their Guatemalan host, has given them a picture. They must visit stores, show the picture of the mask, and ask questions! Will they find it?

¡Son las nueve de la mañana!
¿A qué hora abre esa tienda?
Esta es la foto de la máscara.
Es una máscara maya y es de jade.
Nosotros no tenemos máscaras de jade. ¿Por qué no preguntan en el mercado?

¡Claro, el mercado! Podemos ir allí, hay muchas personas.

¡Ah, sí, hay una máscara así en el Museo del Jade!

Continuará...

6 Detective de palabras

Completa. Based on the *fotonovela* above, choose the word from column A or B that completes each sentence correctly.

	A	B
1. ¡______ las nueve de la mañana!	Es	Son
2. ¿A qué hora ______ esa tienda?	abre	abren
3. Nosotros no ______ máscaras de jade.	tengo	tenemos
4. ¿Por qué no ______ en el mercado?	pregunta	preguntan

7 Predicción

Escoge. Where will Diana and Rita go next? Choose one of these options.

1. A la tienda de regalos.
2. Al mercado.
3. Al Museo del Jade.

8 La vendedora informa

Escucha y ordena. Diana and Rita are asking a market salesperson questions. Listen and number the questions in the order you hear them.

a. ¿Cuánto cuesta esa máscara?
b. Perdón, ¿usted vende objetos de jade?
c. ¿A qué hora abre el Museo del Jade?
d. ¿Y tiene máscaras de jade?

Relaciona. Match each question above with an answer below.

1. Sí, vendo objetos de jade.
2. Tengo tres máscaras, pero no son de jade.
3. El Museo del Jade abre a las once.
4. Esta máscara está en oferta.

CULTURA

Antigua

Antigua es una ciudad de la región central de Guatemala. Está rodeada por tres volcanes: Agua, Fuego y Acatenango. Es famosa por sus edificios del siglo XVII. Antigua es también una ciudad moderna y multicultural.

9 Comparación. What is odd about this statement?

Antigua es una ciudad moderna.

Look up the meaning of the word *antigua* to help you answer.

TU DESAFÍO Use the website to learn more about Antigua.

Vocabulario

El centro comercial

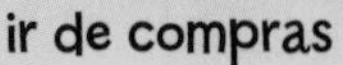
ir de compras

la tienda

de ropa

de regalos

de música

mirar vitrinas

la zapatería

la papelería

la vendedora

la clienta

vender

comprar

CERRADO

ABIERTO

Esta tienda está cerrada. Cierra los domingos.

Esta tienda está abierta. Abre todos los días.

10 ¿A qué hora...?

Habla. Talk with your partner about the hours for three of the stores above. Your partner will ask you at what time they open and close.

Modelo Centro comercial. 8:00 a. m.–8:00 p. m.

A. *¿A qué hora abre el centro comercial?*
B. *El centro comercial abre a las ocho de la mañana.*
A. *¿A qué hora cierra?*
B. *Cierra a las ocho de la tarde.*

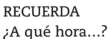

RECUERDA
¿A qué hora...?
6:00 = A las seis
6:15 = A las seis y cuarto
6:30 = A las seis y media
6:45 = A las siete menos cuarto

1. 8:30 a. m.-6:30 p. m.

2. 10:00 a. m.-9:00 p. m.

3. 9:15 a. m.-4:45 p. m.

11 Las recomendaciones de Rolando Boj

Escucha y escribe. Rita can't understand Rolando Boj's voice mail. Help her! Listen to the message and write down this information about the three stores he mentions.

¿Qué tienda es?	¿A qué hora abre?	¿Qué venden allí?

12 Habla Diana

Completa. Diana is talking about her shopping experiences. Complete each sentence with the most appropriate word.

1. Compro zapatos en la ______.
2. En la ______ venden blusas de Guatemala.
3. En esta tienda de regalos hay una ______ simpática.
4. Son las nueve. La tienda abre a las diez. ¡Ahora está ______!

13 En Antigua

Habla. There are many stores in downtown Antigua. Tell your partner the ones you see.

Modelo *Hay* ***un mercado*** *en la* ***Alameda de Santa Lucía****.*

El jade

El jade es una piedra *(stone)* preciosa. Esta piedra era *(was)* sagrada para los mayas. En Antigua hay un importante Museo del Jade y muchas tiendas de regalos venden objetos de jade.

14 Piensa y explica. Why do you think jade was important for the Mayas?

Use the website to watch a documentary on jade.

Gramática

Verbos con raíz irregular *(e > ie)*

Verbos irregulares

- Irregular verbs do not follow typical conjugation patterns. Ser and tener, for example, are irregular verbs.

  ser → yo soy, tú eres... tener → yo tengo, tú tienes...

- Irregular verbs may change the stem or the endings.

  Remember: To identify the stem of a verb, delete the -ar, -er, -ir endings from the infinitive form.

  lav -~~ar~~ prend -~~er~~ abr -~~ir~~

Verbos con raíz irregular (*e* > *ie*)

- Some verbs, like cerrar *(to close)*, require a stem change from e to ie.

VERBO CERRAR (TO CLOSE). PRESENTE

Singular		Plural	
yo	**cierro**	nosotros nosotras	**cerramos**
tú	**cierras**	vosotros vosotras	**cerráis**
usted él ella	**cierra**	ustedes ellos ellas	**cierran**

Note: The e > ie stem change affects all the present tense forms except nosotros, nosotras and vosotros, vosotras. This is why these verbs are called "boot or shoe verbs."

- Other verbs like cerrar are:

  empezar *(to begin)* → yo empiezo
  entender *(to understand)* → yo entiendo
  pensar *(to think)* → yo pienso
  preferir *(to prefer)* → yo prefiero
  querer *(to want)* → yo quiero

15 **Comparación.** What irregular English verbs do you know? Give three examples and explain why they are irregular.

16 En Guatemala

▶ **Completa.** Complete the sentences with the appropriate form of the verbs.

1. "Tía Rita, nosotras ______ (empezar) el desafío ahora."
2. Diana y Rita ______ (pensar) en la máscara de jade.
3. Rita no ______ (entender) el mensaje de Rolando Boj.
4. La vendedora ______ (cerrar) la tienda a las dos de la tarde.

17 ¿Qué piensan hacer?

Escucha y relaciona. Diana is telling Rita what their friends are planning to do. Listen and match each plan with a destination.

Modelo 1. *Tess* ⟶ *A*

A 

B 

C 

D 

E 

18 Hacemos planes

Lee y escribe. These are Diana's notes about what the characters want to do in Guatemala. Read and transform them into an e-mail. Use *querer* + infinitive.

- Tess. Comprar ropa típica.
- Andy y yo. Visitar el Museo del Jade.
- Tim y Mack. Ir de compras.
- Yo. Investigar la cultura maya.
- Todos. Hablar mucho español.

Modelo

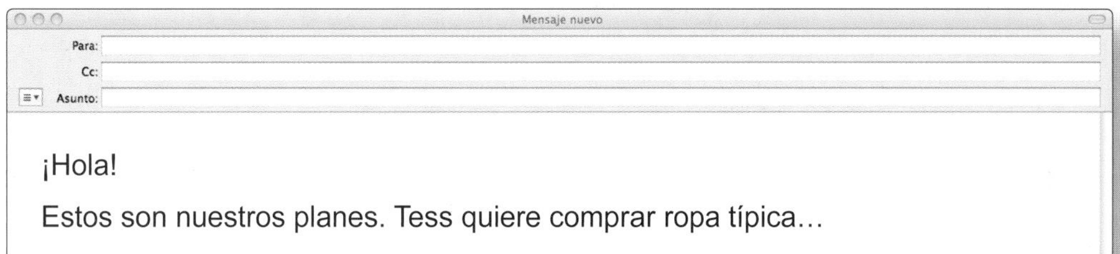

Mensaje nuevo
Para:
Cc:
Asunto:
¡Hola!
Estos son nuestros planes. Tess quiere comprar ropa típica…

CONEXIONES: CIENCIAS SOCIALES

¿Dónde empieza Centroamérica?

Guatemala está en América Central. Este país y Belice marcan la transición entre Norteamérica y Centroamérica.

19 Investiga y escribe. Besides Guatemala and Belize, what countries make up Central America? Write their names.

Use the website to investigate about countries of Central America.

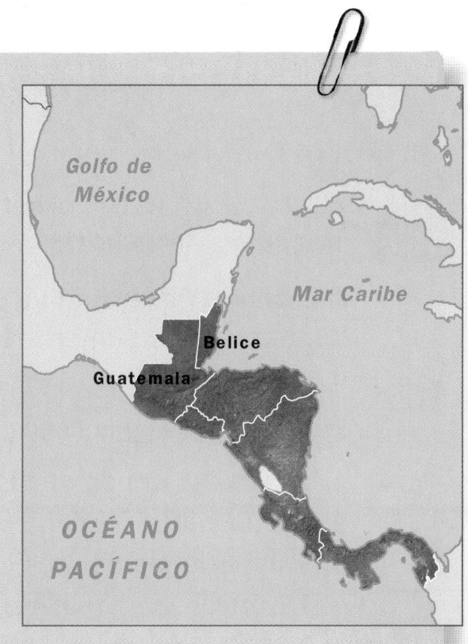

Gramática

El verbo *ir*

- To say where someone is going, use ir *(to go)* and this formula:

ir a + *place*	**Voy a** la zapatería.	**Vamos al** centro comercial.

Remember: a + el = al.

- Ir is an irregular verb. These are the present tense forms.

VERBO *IR* (*TO GO*). PRESENTE

Singular		Plural	
yo	voy	nosotros nosotras	vamos
tú	vas	vosotros vosotras	vais
usted él ella	va	ustedes ellos ellas	van

- The verb ir is commonly used in combination with other verbs.

  Tengo que ir a la tienda. **Quiero ir** a México.

Preguntas con *ir*

- To ask where someone is going, use:

¿Adónde + ir?	¿Adónde vas?	¿Adónde van las chicas?

20 Comparación. How is a destination indicated in Spanish? And in English?

21 Vamos de compras

▶ **Escribe.** Where are these people going? Write complete sentences with *ir*. Add other words if necessary.

Modelo *Rita va a la tienda de ropa.*

1. Diana - la tienda de regalos
2. Diana y Rita - el centro comercial
3. Tú - la tienda de música
4. Nosotros - la papelería
5. Ustedes - la zapatería

22 ¿Adónde van?

Escucha y escribe. Listen to the pairs' activities for today and write where each one is planning to go.

1. Diana y Rita
2. Tess y Patricia
3. Mack y Tim
4. Andy y Janet

23 ¿Obligaciones o deseos?

Escribe. Sometimes you go places because you want to, at other times because you have to. In a group, make a list of five destinations of each type.

Modelo

Quiero ir...	Tengo que ir...
1. A la tienda de videos.	1. A la zapatería.

24 Nuestra rutina

Escribe. Where do you and the members of your family household go during a typical week? Write a paragraph describing where each person goes.

Modelo

Los lunes yo voy a la escuela y mis padres van a la oficina. Los martes...

RECUERDA
To say that you usually do something on a particular day, use *los lunes, los martes,* etc.

CONEXIONES: MATEMÁTICAS

Una entrevista

25 Pregunta. Ask your classmates these questions:

1. ¿Vas al centro comercial los sábados por la mañana?
2. ¿Tienes que ir a un campamento *(camp)* este verano?
3. ¿Quieres ir a Guatemala en el futuro?

Calcula los porcentajes. Use what you know about percentages to report your findings in a pie chart.

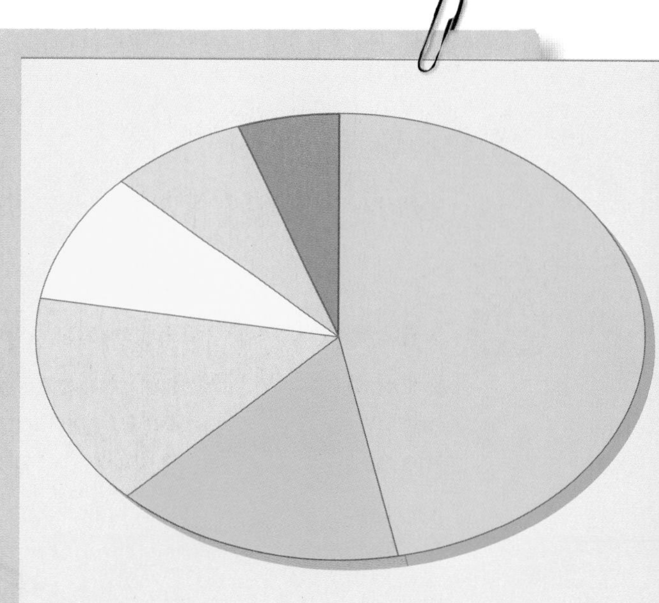

Comunicación

26 Un día de compras

Escucha y contesta. Diana and Rita are planning a day of shopping in Guatemala. Listen, and then say whether the following statements are true *(cierto)* or false *(falso)*.

1. Rita no quiere ir de compras.
2. Diana tiene que comprar un suéter.
3. Rita está cansada: no quiere mirar vitrinas.
4. La tienda de ropa está cerrada hoy.

27 ¿Con qué frecuencia?

Habla. How often do you go to these five places? With a partner, take turns asking the questions. Ask for and give the reasons behind each answer, using *¿por qué?* (why) and *porque* (because).

Modelo A. *¿Vas a la zapatería todos los días?*
B. *No. Voy a veces.*
A. *¿Por qué?*
B. *Porque no compro zapatos todos los días.*

1. la tienda de ropa
2. la tienda de música
3. la tienda de regalos
4. el centro comercial
5. la papelería

28 En tu agenda

Escribe. Where do you want to go this weekend? Where do you have to go? Write a paragraph that includes the following information:

- When you plan to go.
- Where and why you want to go or have to go.
- Who is going with you.

Modelo *Este fin de semana quiero ir de compras con mi hermano. Tengo que ir al centro comercial…*

29 Una escena en el centro comercial

Escribe y representa. Imagine you and a friend are meeting at the mall to go shopping. Create the scene with a partner. Then act it out for the class.

Modelo A. *Tengo que ir al centro comercial.*
B. *¿Qué quieres comprar?*
A. *Quiero comprar unos tenis.*

30 ¿Qué tienda es?

▶ **Escribe y habla.** Think of a store in a local mall. Write a description and read it to a partner. Can he or she guess what type of store it is?

Modelo

En esta tienda venden bolígrafos.
¡Es la papelería!

Final del desafío

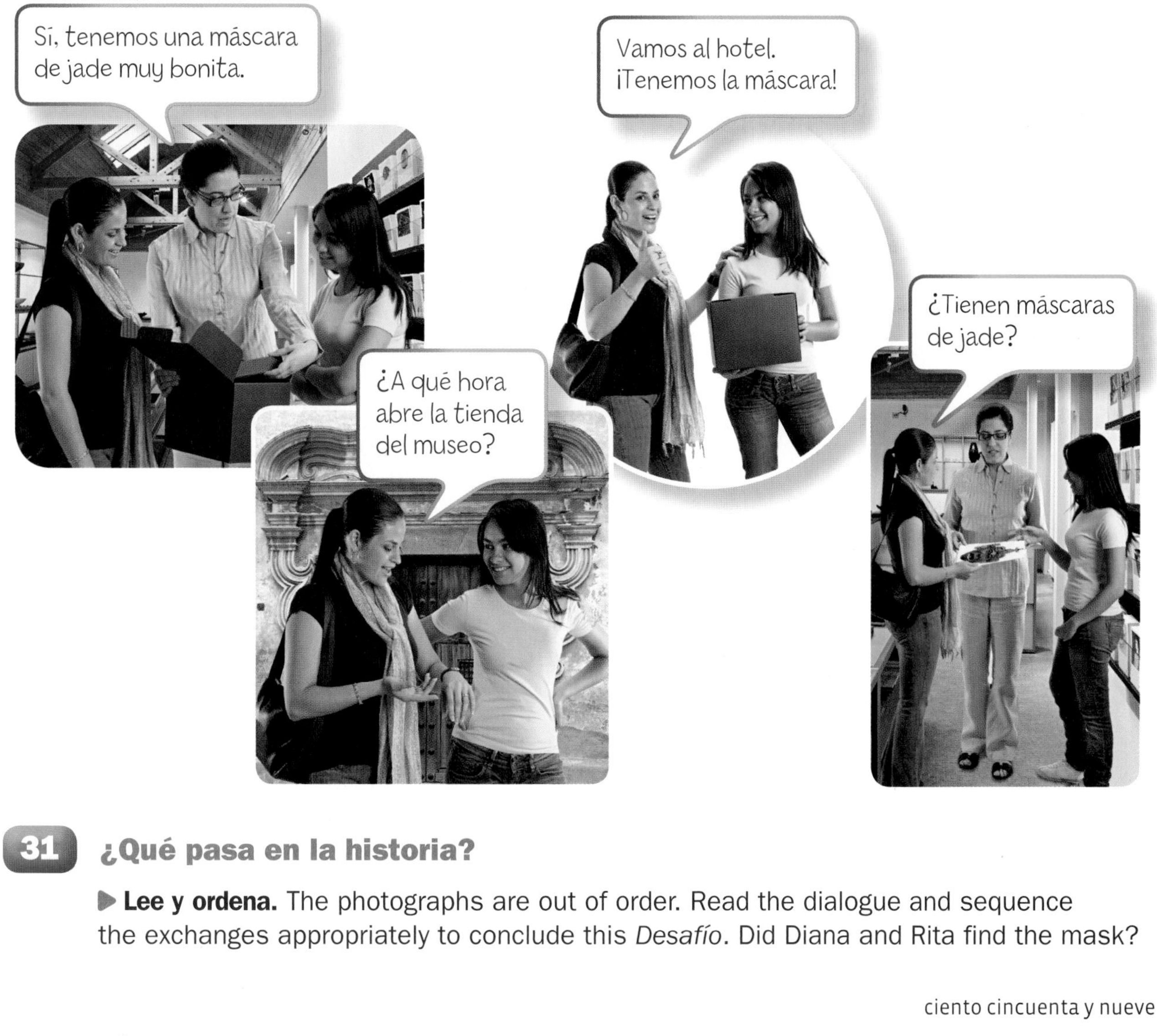

Sí, tenemos una máscara de jade muy bonita.

Vamos al hotel. ¡Tenemos la máscara!

¿Tienen máscaras de jade?

¿A qué hora abre la tienda del museo?

31 ¿Qué pasa en la historia?

▶ **Lee y ordena.** The photographs are out of order. Read the dialogue and sequence the exchanges appropriately to conclude this *Desafío*. Did Diana and Rita find the mask?

Vamos de compras

Tess and Patricia are in the *Centro comercial Miraflores*, a mall in Guatemala City. Their task is to buy an item for each of the characters. Each item, however, must match something he or she already has and cost less than 30 dollars!

¡Me gusta esta bufanda para Mack! Mack tiene un suéter azul, ¿cierto?
¿Te gusta este vestido para Diana? ¿Qué opinas?
A mí no me gusta. El vestido es lindo, pero prefiero esta blusa para Diana.
Tienes razón, mamá. Diana tiene unos zapatos que van con esta blusa.
Mira, el maniquí lleva un sombrero. ¿Te gusta para Andy?
¡Qué moderno! Me gusta mucho. ¿Dónde está el vendedor?

Continuará...

32 Detective de palabras

Completa y une. Complete the statements in column A. Then match each one with a statement in column B to indicate what you think it means in English.

A	B
1. ¡_____ esta bufanda para Mack!	a. I don't like it.
2. ¿_____ este vestido para Diana?	b. Do you like this dress for Diana?
3. A mí no _____.	c. I like this scarf for Mack.
4. Mack _____ un suéter azul.	d. Diana has shoes that go with this blouse.
5. Diana _____ unos zapatos que van con esta blusa.	e. Mack has a blue sweater.

33 Instrucciones para las compras

▶ **Escucha y contesta.** Rolando Boj is giving Tess and Patricia some information. Listen and say if the following statements are true *(cierto)* or false *(falso)*.

1. La tienda abre a las nueve.
2. La tienda está en el centro comercial Miraflores.
3. En la tienda hay ropa barata.
4. La tienda tiene ropa moderna.

34 Un regalo

▶ **Habla y escribe.** Imagine you are in Guatemala. With your partner, choose a gift for one of your classmates. In which of these places would you buy it? Why?

a. En un centro comercial. **b.** En una tienda de artesanía. **c.** En un mercado.

Tienda de artesanía en Antigua Guatemala.

Modelo
Nosotros compramos un sombrero para Peter en un mercado porque allí son más auténticos.

La moda en Guatemala

En Guatemala usan ropas tradicionales y ropas modernas. Hay pequeñas tiendas artesanales y grandes centros comerciales. En el Centro comercial Miraflores, por ejemplo, hay grandes tiendas internacionales y venden ropa de jóvenes diseñadores, como Manuel de la Cruz, Paola Alfaro, Guillermo Jo, Denicely Méndez y Juan Carlos Quintana.

35 Piensa y explica. Answer the questions.

1. What kind of clothing do you prefer? Why?
2. What can these young designers do to promote their clothes?

Use the website to learn more about Guatemalan designers.

Vocabulario

La ropa y el calzado

El chico lleva una chaqueta (1), una camisa (2) y unos pantalones (3).

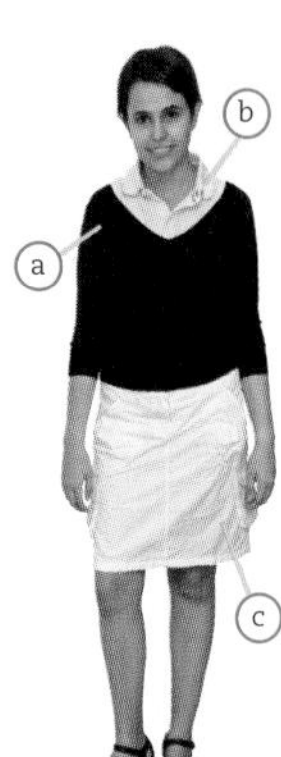

La chica lleva un suéter (a), una blusa (b) y una falda (c).

La ropa de invierno

El chico lleva una bufanda (1), un gorro (2) y unos guantes (3).

La ropa de verano

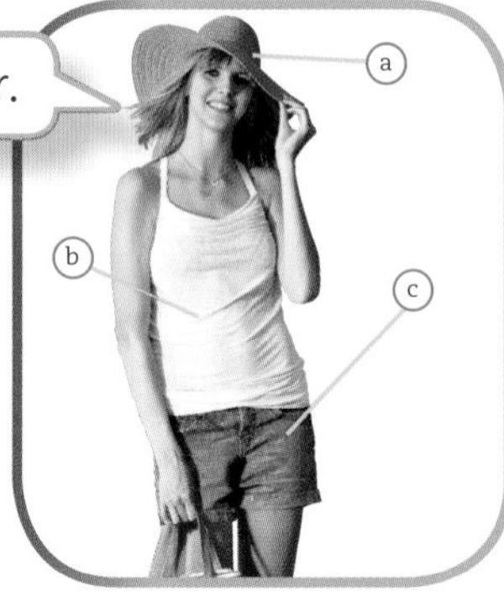

La chica lleva un sombrero (a), una camiseta (b) y unos pantalones cortos (c).

El calzado

los zapatos

los tenis

las botas

las sandalias

los calcetines

36 Categorías

▶ **Escribe.** What would you normally wear in these situations? List two different items for each situation. Be creative!

1. En verano
2. En invierno
3. En el gimnasio
4. En la escuela

▶ **Habla.** Use your list to tell a partner what you would wear in each situation.

Modelo *En verano llevo camisetas y pantalones cortos. ¿Y tú qué llevas?*

En el mercado

Habla. Choose a person from the picture. Describe what this person is like and what he or she is wearing. Your partner guesses who it is.

Modelo

Es un hombre. Es bajo. Lleva un sombrero…

38 En el salón de clase

Escribe. Choose one classmate and describe the clothes he or she is wearing.

Modelo *Cathy lleva una camiseta, unos zapatos y unos pantalones.*

COMUNIDADES

MODA Y CULTURA

Los trajes tradicionales y los textiles representan la cultura de un país. En Guatemala y en otros países las mujeres usan una especie de blusa larga: el *huipil*. Es una prenda *(garment)* común a muchas comunidades indígenas de Latinoamérica.

Piensa y explica. Answer the questions.

1. Is there a typical attire that exemplifies your country or your state?
2. How do these clothes reflect the cultural heritage of your community?

Use the website to watch how *huipiles* are made.

Gramática

El verbo *gustar*

- To express likes or dislikes, Spanish uses the verb gustar *(to like)*.

  Me gusta la camiseta. **No me gusta** comprar ropa.

- The verb gustar is a regular verb, but usually only two of its forms are used: the singular gusta and the plural gustan.
- The verb gustar does not require a subject pronoun. Instead these object pronouns are used: me, te, le, nos, os, les.

VERBO GUSTAR (TO LIKE). PRESENTE

	Singular	Plural	
(A mí)	**me gusta**	**me gustan**	*I like*
(A ti)	**te gusta**	**te gustan**	*you like*
(A usted) (A él/a ella)	**le gusta**	**le gustan**	*you like* *he/she likes*
(A nosotros/as)	**nos gusta**	**nos gustan**	*we like*
(A vosotros/as)	**os gusta**	**os gustan**	*you like*
(A ustedes) (A ellos/a ellas)	**les gusta**	**les gustan**	*you like* *they like*

Note: The meaning of the pronouns can be clarified with the prepositional phrases a mí, a ti, a usted, a él, a ella, a nosotros, a nosotras, a vosotros, a vosotras, a ustedes, a ellos, a ellas.

Singular o plural

- To speak about one thing (noun) or about an action (infinitive), use gusta (singular).

  ¿A Juan **le gusta** la camisa? No **nos gusta** ir de compras.

- To speak about two or more things, use gustan (plural).

  ¿A ti **te gustan** los guantes? **Nos gustan** los vestidos.

40 **Comparación.** Which English expression is more like gustar: *to like* or *to be pleasing to*? Explain your answer.

41 **¿Te gusta llevar bufanda?**

▶ **Habla.** Talk to a partner about your likes and dislikes. Take turns asking and answering questions.

Modelo A. *¿A ti te gusta comprar zapatos?*
B. *Sí, me gusta comprar zapatos. / No, no me gusta comprar zapatos.*

1. mirar vitrinas
2. comprar regalos
3. ir de compras
4. usar guantes
5. llevar tenis
6. llevar pantalones cortos

42 ¿Qué ropa les gusta?

▶ Escucha y completa. The characters are talking about the clothes they like to wear. Listen and complete the sentences. Write the correct form of the verb and the name of the clothing items they refer to.

Modelo A Diana le gustan (gusta / gustan) los zapatos.

1. A Tim y a su abuelo les ______ (gusta / gustan) ______
2. A Rita y a Diana les ______ (gusta / gustan) ______
3. A Andy le ______ (gusta / gustan) ______
4. A Janet le ______ (gusta / gustan) ______

43 Los gustos de la clase

▶ Habla. What clothes do your classmates like? Ask four people and tally their responses.

Modelo 

A. *¿Te gustan las bufandas?*

B. *Sí, me gustan las bufandas. / No, no me gustan las bufandas.*

1 

2 

3 

4 

▶ Escribe. Write the results of your interview.

Modelo

A Juan y a Amalia les gustan las bufandas.
A Ana y a Eduardo no les gustan.

CONEXIONES: INGLÉS

Palabras prestadas

Muchas palabras pasan de una lengua a otra. *Suéter* es una palabra española procedente del inglés, igual que las palabras *jersey* y *pijama*.

Investiga. Find the Spanish names of these articles of clothing.

1. anorak 2. bikini 3. moccasin 4. pullover 5. uniform

Comunicación

45 De compras en Guatemala

▶ Escucha y escribe. Patricia and Tess are talking to Rolando Boj about shopping opportunities in Guatemala. Copy and complete the table to say where *(lugar)*, when *(horario)*, and what *(productos)* they can buy.

Compras en Guatemala			
Lugar			
Horario			
Productos			

▶ Habla. Tell a partner what Patricia and Tess are planning to do at the times above.

Modelo *A las diez de la noche compran ropa en la tienda del hotel.*

46 Vendedores por un día

▶ Escribe. With a partner, write a radio advertisement for one item of clothing. Then read your advertisement to the class.

Modelo

Nuestras chaquetas son muy bonitas.
Los jóvenes modernos llevan chaquetas para ir a clase y a pasear. ¿Quieres una chaqueta?
¡En la tienda QUETZAL hay muchas!

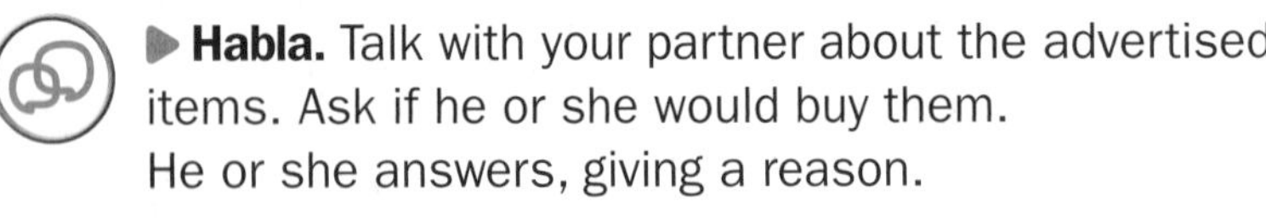

▶ Habla. Talk with your partner about the advertised items. Ask if he or she would buy them. He or she answers, giving a reason.

Modelo A. *¿Compras la chaqueta?*
B. *No, no me gustan las chaquetas.*

47 En un mercado de Guatemala

▶ Escribe. This is a popular market. Describe what you can buy here.

Modelo *Hay regalos de muchos colores.*

48 Actividades favoritas

▶ **Escribe.** Write five things you like to do with your family.

Modelo *Nos gusta escuchar música.*

▶ **Habla.** What does your family have in common with your classmates' families? Interview classmates to find out. Take notes in a table.

Modelo A. *A nosotros nos gusta escuchar música. ¿Y a tu familia?*
B. *Sí, a nosotros también nos gusta escuchar música.*
C. *No, a nosotros no nos gusta escuchar música.*

A mí y a mi familia	A Mark y a su familia	A Chin y a su familia	A Jennifer y a su familia
1. Escuchar música.	Les gusta.	No les gusta.	Les gusta.

Final del desafío

49 ¿Qué pasa en la historia?

▶ **Habla.** Talk about the end of the story.

1. Describe what the characters are wearing in these photos.
2. Judging from their expressions, do you think they like the item they were given? Why?
3. Did Tess and Patricia complete their task? How do you know? Explain.

Earn points for your own challenge! Listen to the questions for your *Minientrevista Desafío 2* on the website and write your answers.

Tres trajes típicos

Tim and Mack are in Tikal. Their task is to find three traditional costumes worn by indigenous peoples of Guatemala. The Spanish phrase for regional attire is *traje típico*.

¡Tres trajes típicos!
Es una tarea difícil, abuelo.
Sí, pero tengo una idea. Escucha...
Me gusta la idea. Hay que buscar prendas básicas. Por ejemplo, el huipil de esa mujer.
Esta camisa es de algodón. Es muy cómoda.
Esa falda es típica de la ciudad de Nahualá. Allí, los hombres y las mujeres llevan esas faldas.
Aquel huipil tiene muchos colores: rojo, morado, amarillo, azul...

Continuará...

50 Detective de palabras

▶ **Completa.** The missing words are important in this *Desafío*. Refer to the *fotonovela* and choose the appropriate word to complete each sentence correctly.

	A	B
1. _____ camisa es de algodón.	Esta	Estas
2. _____ falda es muy típica.	Esa	Aquel
3. Allí, los hombres y las mujeres llevan _____ faldas.	esas	aquellas
4. _____ huipil tiene muchos colores.	Aquel	Este

51 Los diseños de Rolando Boj

Escucha y decide. Rolando Boj is talking about clothing with Tim and Mack. Listen and say if the statements are true *(cierto)* or false *(falso)*.

1. Hay muchos trajes típicos de Guatemala.
2. A Rolando Boj le gusta diseñar ropa moderna.
3. Rolando Boj hace siempre ropa cómoda.
4. Rolando Boj vende su ropa en tiendas y mercados.

52 En la vitrina

Lee y escribe. Look at this store window in Guatemala City. Then complete the description Tim started to write.

> En la vitrina hay dos maniquíes.
> Los dos llevan...
> y uno lleva...

53 Opiniones

Habla. Ask your partner his or her opinion about each item below.

Modelo 1. *¿Te gusta esta falda?*

CULTURA

La ropa tradicional

Los trajes de origen indígena son muy populares en Guatemala. Muchos hombres y muchas mujeres llevan ropa tradicional. Pero en las grandes ciudades es más común llevar ropa moderna.

54 Piensa y contesta. Why do you think people in cities prefer not to dress *a la manera tradicional*?

TU DESAFÍO View Guatemalan attire on the website.

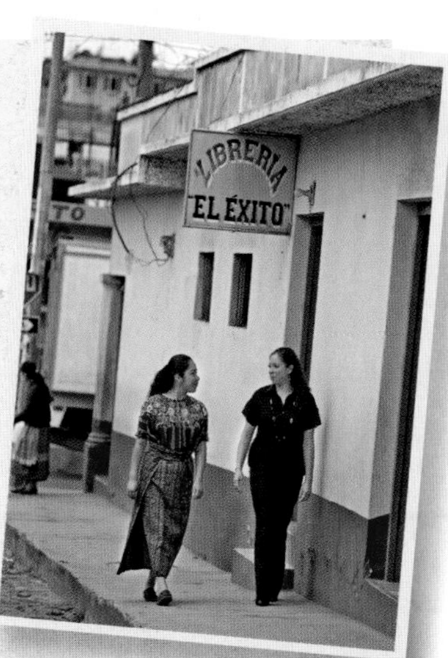

Vocabulario

Describir la ropa y el calzado

Características

Llevo una falda **larga**. Tess prefiere las faldas **cortas**.

¿De qué son los zapatos?

Son **de cuero**.

Materiales

Colores

rojo, amarillo, azul, morado, anaranjado, blanco, verde, rosado, negro

55 La ropa de Antonio

▶ **Escribe.** Use the vocabulary above to describe Antonio's clothes.

Modelo *Antonio lleva unos pantalones de algodón.*

1. zapatos
2. camisa
3. chaqueta
4. suéter

56 En los armarios

▶ **Escucha y escribe.** Tim and Mack are talking about clothes. Listen and match the phrases in columns A, B, and C to summarize what they say.

Ⓐ	Ⓑ	Ⓒ
A Mack	le gustan	los pantalones anchos.
A Tim	no le gustan	las camisas de algodón.
		las sandalias cómodas.
		los tenis de algodón.
		las chaquetas de cuero.

57 Su ropa favorita

▶ **Habla.** What clothing does your classmate like? Ask him or her about these items.

1. las camisas blancas
2. los zapatos de cuero
3. los vestidos anchos
4. los jeans cortos

¿Te gustan los pantalones cortos?
No, no me gustan. Prefiero los pantalones largos.

58 ¿Qué llevan tus compañeros de clase?

▶ **Escribe y habla.** Play a guessing game. Choose a classmate and write a description of what he or she is wearing. Do not mention his or her name. Read your description to a partner. Can he or she guess which classmate you are describing?

Modelo A. *Lleva unos pantalones cortos, una camiseta anaranjada y sandalias.*
B. *¡Es Alexa!*

CULTURA

No más preocupaciones

Los muñecos quitapenas *(worry dolls)* son típicos de Guatemala. Estos muñecos resuelven *(solve)* tus problemas. Habla de tus preocupaciones *(worried)* con ellos por las noches, en tu cama. Por la mañana, tus problemas estarán resueltos *(will be solved)*.

59 Compara. Are there similar beliefs in your culture? Explain.

Gramática

Me gusta **esta** camisa y **esa** falda.

Los demostrativos

- To indicate where something or someone is located in relation to the person speaking, use demonstratives.
- Demonstratives indicate the relative distance from the speaker.

Formas de los demostrativos

- Spanish demonstratives show gender and number.

  Esa chica es Carmen y **aquella** es María.

  Aquellos chic**os** están content**os**.

DEMOSTRATIVOS

	SINGULAR		PLURAL	
Distance from speaker	Masculino	Femenino	Masculino	Femenino
Near	este	esta	estos	estas
At a distance	ese	esa	esos	esas
Far away	aquel	aquella	aquellos	aquellas

- Esto, eso, and aquello are demonstratives, too. Use them to refer to unidentified objects.

  ¿Qué es **esto**?

60 **Comparación.** Point out one difference and one similarity between the demonstratives in English and in Spanish.

61 Me gustan estos tenis

▶ **Escucha y escribe.** Mack is telling Tim what he finds at the market. Listen and indicate the distance of each item from Mack. Be sure to write the appropriate demonstrative.

Modelo 1. *estos*

1. 
2. 
3. 
4. 
5. 

62 De compras

Lee. Read the dialogues and decide which one corresponds to the picture.

1

CLIENTE: ¿Cuánto cuesta esa chaqueta?
VENDEDORA: ¿Esta?
CLIENTE: Sí, esa.
VENDEDORA: Cuesta treinta dólares.
CLIENTE: Gracias.

2

CLIENTE: ¿Cuánto cuesta esta chaqueta?
VENDEDORA: ¿Aquella?
CLIENTE: Sí, aquella.
VENDEDORA: Cuesta treinta dólares.
CLIENTE: Gracias.

Representa. With a partner, act out the scene for the class.

63 Decisiones de Tim

Escribe. Tim is thinking about presents for his family. Using the photo, write sentences with the appropriate form of *este*, *ese*, or *aquel* to express his decisions.

Modelo falda para mi hermana
→ *Compro esa falda para mi hermana.*

1. pantalones para mi padre
2. blusa para la abuela
3. chaqueta de lana para mi madre
4. camiseta para mi hermano

CONEXIONES: ARTE

La perspectiva

Los artistas usan la perspectiva para representar en un cuadro la posición de los objetos. Los objetos más grandes parecen *(appear)* estar cerca y los objetos pequeños parecen estar lejos.

Alfredo Gálvez. *Tejedoras de Atitlán.*

64 Dibuja. Draw three objects in perspective to illustrate the concept of demonstratives.

Gramática

La comparación

Comparar objetos

- Two or more things can be the same (iguales) or different (diferentes).

  Estas camisas son **iguales**.　　Estos sombreros son **diferentes**.

Comparar cualidades

- Comparisons can also be made with other adjectives.
  - To express inequality regarding one characteristic, use más... que *(more ... than)* or menos... que *(less ... than)*:

más + adjetivo + **que**	La camisa es **más bonita que** la blusa.
menos + adjetivo + **que**	La falda es **menos cómoda que** los pantalones.

  - To express equality, use tan... como *(as ... as)*:

tan + adjetivo + **como**	La camisa es **tan estrecha como** la blusa.

Adjetivos de valor comparativo

- The adjectives bueno *(good)* and malo *(bad)* have their own comparative forms: mejor, mejores *(better)* and peor, peores *(worse)*.

  Este vestido es **mejor que** esa falda.　　Esa falda es **peor que** este vestido.

65 **Comparación.** Do the English adjectives *good* and *bad* have their own comparative forms?

66 **En tu opinión**

▶ **Escribe.** Give your opinion about these items using the adjectives provided.

Modelo las botas - cómodas - las sandalias
⟶ *Las botas son tan cómodas como las sandalias.*

1. el centro comercial - bonito - el mercado
2. los zapatos del número 8 - grandes - los zapatos del número 5
3. la tienda de música - pequeña - la tienda de ropa
4. el sombrero - barato - el gorro
5. las sandalias - anchas - las botas

67 Las preferencias de Tim

Escucha y escribe. Listen to Tim talk about clothing. Indicate his preferences in a table like the one below, and take notes about his reasons.

Preferencias				Razones
1. camisa azul		camisa negra	✔	más elegante
2. pantalones cortos		pantalones largos		
3. chaqueta de lana		chaqueta de cuero		
4. pantalones anchos		pantalones estrechos		

Escribe. Use your notes to explain Tim's preferences.

Modelo *Tim prefiere la camisa negra porque es más elegante.*

68 ¿Estás de acuerdo?

Habla. Talk to your partner comparing the items below. Your partner agrees or disagrees with your opinion, and elaborates with a contrasting statement.

Modelo ropa de invierno / ropa de verano

1. pantalones / faldas
2. ropa tradicional / ropa moderna
3. gorros / sombreros
4. tenis / zapatos

La ropa de verano es más cómoda que la ropa de invierno.
Sí, pero la ropa de verano es menos formal que la ropa de invierno.

Una persona mayor

En la cultura hispana, para expresar que una persona tiene muchos años usamos normalmente la palabra *mayor*: *Mi abuelo es mayor.*

Mayor también es un comparativo. En ese caso, *mayor* significa "older": *Mi primo Manuel es mayor que yo.*

69 Piensa. Are there other words or phrases in English to express that someone is old?

Comunicación

70 Recuerdos de Guatemala

Escucha y decide. Tim and Mack are talking about what they bought in Guatemala. Listen and say if the following statements are true *(cierto)* or false *(falso)*.

1. El traje maya es más ancho que la ropa moderna.
2. El huipil es menos cómodo que la blusa de algodón.
3. A Tim no le gustan los pantalones cortos.
4. En los mercados la ropa es más barata que en las tiendas.

71 La opinión del cliente es importante

Escribe y representa. With a classmate, role-play a customer and a salesperson. Write a conversation in which one asks and the other expresses his or her opinion about five articles of clothing.

Modelo A. *¿Te gusta este huipil o aquel?*
B. *Me gusta este huipil rojo.*
A. *¿Por qué?*
B. *Porque me gusta el color rojo.*

72 ¡En oferta!

Escribe. Are you a good salesperson? Write a radio ad for each item below. Include demonstratives and comparisons, and add details to make each item appealing.

Modelo *Estas botas están en oferta. ¡Son buenas, bonitas y muy baratas! Son de cuero. Son más cómodas que los zapatos.*

1 

2 

3 

Habla. Choose one of your ads and present it to your classmates.

73 La ropa apropiada

▶ **Escribe.** What type of clothing would you wear in each place? Explain your choices in complete sentences.

Modelo *En invierno llevo un gorro de lana...*

En invierno

En verano

Final del desafío

Necesitamos unos trajes tradicionales. ¿Cuánto cuestan?
Aquí están los trajes típicos.
Muchas gracias.
Ah, ¡qué bien! ¡Tienen los trajes típicos! ¿Cómo son?

74 ¿Cómo son los trajes?

▶ **Escribe.** Mack and Tim decide to buy the three *trajes*. Use what you know to answer Rolando Boj's question: what are the *trajes* like? Make sure to describe each article of clothing in terms of colors, size, fabric, and other characteristics.

Un mercado especial

Andy and Janet are at the famous Chichicastenango market. There they must find a bag of worry dolls. To do that, they have to locate the right vendor among the hundreds at this amazing market!

¡Este mercado es enorme!
¿Preguntamos a esa señora?

Perdón, ¿tiene muñecos quitapenas?
No, yo vendo textiles. Este textil cuesta diez dólares. Es de lana. ¿Le gusta?

Yo vendo cerámica.
No es cara. Un plato grande cuesta cuarenta dólares.

Sí, tengo muñecos quitapenas. También tengo blusas. Pueden pagar con tarjeta de crédito.

¡Me queda muy bien! ¿Cuánto cuesta?
¡Janet!

Continuará...

75 Detective de palabras

▶ **Completa y une.** Complete the statements using the *fotonovela*. Then match each one with the sentence in column B that is its equivalent in English.

A	B
1. Este textil ______ diez dólares.	a. A big plate costs forty dollars.
2. Un plato grande ______ cuarenta dólares.	b. You can pay with a credit card.
3. ______ pagar con tarjeta de crédito.	c. How much is it?
4. ¿Cuánto ______?	d. This textile costs ten dollars.

76 Me gusta el huipil morado

Escucha y escribe. Janet is talking to the vendor at the market. Listen and then answer the questions.

1. ¿A Janet le gusta la blusa azul?
2. ¿Cómo le queda la blusa roja?
3. ¿Cuánto cuesta el huipil morado?
4. ¿Para quién compra Janet el huipil?

77 Un puesto barato

Habla. With a partner, ask and say how much each of these items costs.

Modelo A. *¿Cuánto cuesta la camisa amarilla?*
B. *Cuesta veintinueve dólares.*

Chichicastenango

El mercado de Chichicastenango está abierto los jueves y los domingos. Allí puedes comprar ropa, comida, utensilios de cocina, animales y otras muchas cosas. Los precios son bajos, pero tienes que pagar con dinero. Las tarjetas de crédito no son muy populares.

78 Piensa y explica. Answer the questions.

1. Have you ever been to a place like this? Where?
2. Did you like the experience? How is shopping at a market like Chichicastenango different from shopping at a mall?

Use the website to learn more about Chichicastenango, its market, and its people.

Vocabulario

Las compras

Este suéter **me queda grande. Me queda mal.**

Este suéter **me queda pequeño.** No es de mi **talla.**

Este suéter **me queda bien.** Es de mi talla: la talla 38.

¿**Cuánto cuestan** estos pantalones?

Cuestan diez dólares. Están **en oferta.**

¡Son baratos! No quiero **gastar** mucho dinero. ¿Puedo **pagar** con tarjeta?

la tarjeta

el dinero

el precio

100 quetzales

caro

barato

Los números

31	32	40	50	60	70	80	90	100
treinta y uno	treinta y dos	cuarenta	cincuenta	sesenta	setenta	ochenta	noventa	cien

79 Las compras de Janet

▶ **Habla.** With a partner, ask and say how much Janet is spending and where.

Modelo A. *¿Cuánto gasta en la tienda de ropa?*
B. *Treinta y cuatro quetzales.*

1. la tienda de música 98 quetzales
2. la tienda de regalos 100 quetzales
3. la papelería 47 quetzales
4. la zapatería 83 quetzales

80 ¿Cómo me queda?

Escucha y escribe. Janet is telling Andy how everything fits her. Listen and write her comments in a table like the one below.

el suéter	pequeño
los pantalones	
la camiseta	
los zapatos	
el vestido	

Habla. Now use your table to check your information with a classmate.

Modelo A. *¿Cómo le queda el suéter azul?*
B. *El suéter azul le queda pequeño.*

81 El buen consumidor

Escribe. How much do these items cost? Write a list ordering them from the least expensive to the most expensive.

1 
objetos de cerámica

2 
muñecos quitapenas

3 
huipil

4 
máscara de jade

Escucha y escribe. Listen and write the prices you hear. How accurate was your list?

CONEXIONES: MATEMÁTICAS

El dinero de Guatemala

La moneda oficial de Guatemala es el quetzal. El nombre de la moneda tiene origen en el quetzal, un ave *(bird)* sagrada para los mayas. El dólar americano también es aceptado en todo el país.

82 Investiga. Find out the current exchange rate of the quetzal. Then convert the prices in activity 79 to dollars.

Gramática

Verbos con raíz irregular *(o > ue)*

- In some verbs like poder *(to be able to)*, the o in the stem changes to ue in the present tense.

  o > ue   poder → puedo

- These stem-changing verbs are conjugated as follows.

  VERBO PODER (TO BE ABLE TO). PRESENTE

Singular		Plural	
yo	**puedo**	nosotros nosotras	**podemos**
tú	**puedes**	vosotros vosotras	**podéis**
usted él ella	**puede**	ustedes ellos ellas	**pueden**

Note: The o > ue stem change affects all forms of the present except nosotros, nosotras and vosotros, vosotras.

- Other stem-changing verbs like poder are:

  contar *(to count)* → yo cuento
  recordar *(to remember)* → yo recuerdo
  volar *(to fly)* → yo vuelo
  volver *(to come back)* → yo vuelvo

El verbo *costar*

- The verb costar *(to cost)* belongs to the o > ue family. Only the third-person forms are commonly used.

  –¿Cuánto **cuesta** el vestido?
  –El vestido **cuesta** 100 dólares.
  –¿Y los zapatos?
  –Los zapatos **cuestan** 50 dólares.

83 **Comparación.** In which persons are costar and *to cost* generally used? Why do you think this is?

84 En un mercado de Guatemala

▶ **Escribe.** Write Tim a note to tell him how much each of these items costs.

Modelo 1. *Los pantalones cuestan setenta y ocho quetzales.*

1. pantalones **78 quetzales**
2. suéter **82 quetzales**
3. huipil **95 quetzales**
4. bufanda **29 quetzales**
5. zapatos **100 quetzales**

85 Habilidades

▶ **Lee.** Andy has written about himself. Take turns reading the list aloud with a partner.

1. Puedo limpiar un carro en treinta minutos.
2. Recuerdo siempre los nombres de las personas.
3. Vuelvo a casa de mis abuelos todos los veranos.
4. A veces vuelo a Europa.

▶ **Habla.** Now compare yourself or someone you know to Andy.

Modelo *Yo no puedo limpiar un carro en treinta minutos, pero mi primo Juan sí.*

86 Hábitos de consumo

▶ **Habla.** Interview your classmates. Find out the prices of three items they regularly buy.

Modelo A. *¿Qué compras?*
B. *Compro cuadernos.*
A. *¿Cuánto cuesta un cuaderno?*
B. *Cuesta cuatro dólares.*

▶ **Habla.** Organize the results of your survey in a table like this and present them to the class.

Nombre	Artículo	Precio

COMPARACIONES

El costo de la vida

El costo de la vida se refiere a cuánto cuesta vivir en una ciudad o en un país.
¿Son iguales los precios en todas las tiendas de tu ciudad? ¿Qué tiendas son más caras, las grandes o las pequeñas? ¿Son más caras las tiendas de los centros comerciales o las tiendas de los barrios *(neighborhoods)*?

87 Investiga. Find out the price of three articles of clothing at a mall and at a smaller shop. Which store is more expensive? Why do you think this is the case?

Use the website to check prices at a store in Guatemala.

Comunicación

88 Una tienda especial

Escucha y escribe. Two students are talking about donations to the school yard sale. Listen and complete a table including the item, the price suggested by the donor, and the sale price.

Artículo	Precio sugerido	Precio de oferta

89 ¿Tienen chaquetas negras?

Habla. With a partner, act out a conversation between a salesperson and a customer. Follow these steps.

- Ask for the item.
- Ask for the size: P *(pequeña)*, M *(mediana)* or G *(grande)*.
- Ask for the price.
- React to the information.

Modelo A. *Buenos días, ¿tiene chaquetas negras?*
B. *Sí. Están en oferta.*
A. *¿Tiene la talla M?*
B. *Sí. Tenemos la talla M y la G.*
A. *¿Cuánto cuestan?*
B. *Treinta y ocho dólares.*
A. *No son caras.*

1

2

3

90 ¿Cómo les queda?

Escribe. How do these clothes fit? Suggest how to fix any problems. Follow the model and be creative!

Modelo

Los pantalones le quedan grandes. Puede comprar una talla más pequeña.

1

2

3

4

91 Rutina de compras

▶ **Habla.** Each household usually has a shopping routine. Interview three classmates about theirs. Report their responses in a table.

1. ¿En tu casa van de compras todos los días?
2. ¿A qué hora van de compras normalmente?
3. ¿Pagan con dinero o con tarjeta de crédito?
4. ¿Cuál es la tienda favorita de tu familia?
5. ¿A ustedes les gusta comprar ropa en oferta?

▶ **Escribe.** Add more questions to the table and continue the interview.

Final del desafío

1

2

3

4

92 ¿Qué pasa en la historia?

▶ **Ordena y representa.** Reorder the dialogue to make a conversation that corresponds to the pictures. Then, in a group, act out the conversation.

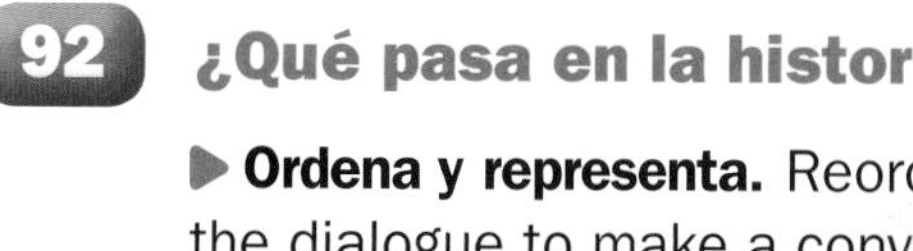

a. JANET: ¡Me gusta ese huipil! 2

b. JANET: No hay problema. Tengo dinero.

c. VENDEDORA: Los muñecos cuestan 12 quetzales. No pueden pagar con tarjeta de crédito.

d. ANDY: ¡Vamos Janet! Tenemos que encontrar los muñecos. 1

e. ANDY: Perdón, señora, ¿cuánto cuestan los muñecos quitapenas?

f. ANDY: ¡Janet, no hay tiempo para comprar huipiles!

g. ANDY: ¡Aquí están los muñecos quitapenas!

Earn points for your own challenge! Listen to the questions for your *Minientrevista Desafío 4* on the website and write your answers.

ESCUCHAR Y ESCRIBIR

93 Itinerario de compras

Escucha y escribe. Andy is talking about the shopping plans of the group. Listen and write the store each one goes to.

Modelo Tim → *zapatería*

1. Mack
2. Diana y Rita
3. Patricia y Tess
4. Andy y Janet

Escribe. Write what the characters want to buy and where they go.

Modelo *Tim quiere unos tenis nuevos. Va a la zapatería.*

Habla y escribe. With three classmates, discuss your own shopping itinerary. Then write it down.

Modelo *Andrea quiere un regalo para su amigo. Va a la tienda de regalos.*
Andrea y David quieren comprar unos cuadernos. Van a la papelería.

ESCRIBIR Y HABLAR

94 El desfile de moda escolar

▶ **Escribe.** Your school has decided to put on a benefit fashion show. Describe the articles of clothing that will be shown. Use demonstratives and comparisons and say how much the items cost.

Modelo *Esta blusa verde es de algodón. Cuesta veinte dólares.*
Aquellas sandalias son más caras que estos zapatos.

▶ **Habla.** Talk with your partner about the clothes in the picture. Say which of them you like, you dislike or you prefer, and why.

Modelo *Me gusta la blusa verde. Me gusta mucho el color verde y no es cara.*
Me gustan las camisas, pero no me gusta el color anaranjado.

HABLAR Y ESCRIBIR

95 Tus gustos

▶ **Habla.** Look at the picture and talk about it with a partner.

1. Describe la ropa.
2. ¿Te gusta esta ropa? ¿Por qué?

▶ **Escribe y representa.** A man and a woman are talking with a clothes vendor in Chichicastenango. Write their conversation and act it out.

En la ciudad maya de Tikal

The four pairs are in the Temple of the Grand Jaguar, Tikal. Rolando Boj is there to greet them. They have all completed their tasks. Who will win?

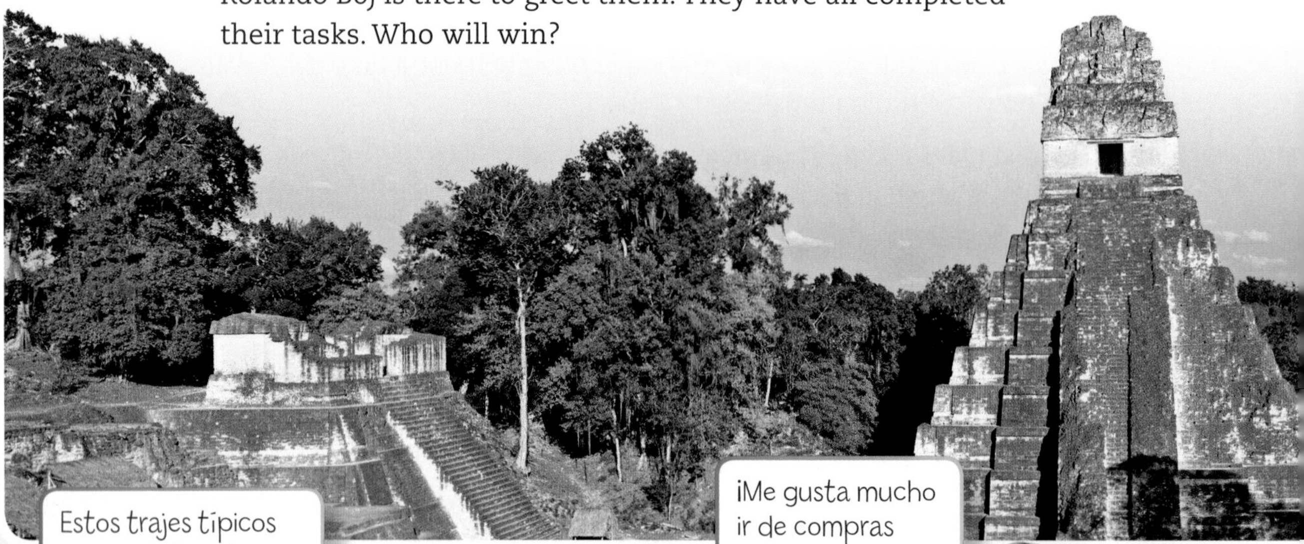

Estos trajes típicos son mas cómodos que la ropa moderna.

¡Me gusta mucho ir de compras en Guatemala!

¡Es una máscara preciosa! Quiero comprar un objeto de jade para mi mamá.
Los muñecos quitapenas son bonitos y baratos. ¡Puedo comprar muñecos para mis amigos!

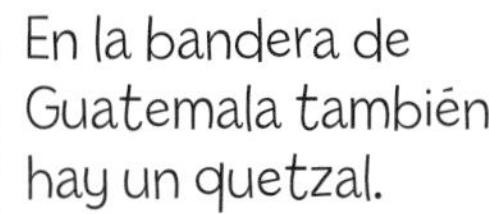

En la bandera de
Guatemala también
hay un quetzal.

96 Al llegar

Escribe. Write a script for Rolando Boj and the four pairs at the finish line. Be sure to …

- Indicate destinations.

> JANET: Vamos a Tikal.

- Describe clothes and shoes.

> TIM: Llevo un traje de algodón y sandalias de cuero.

- Express likes and dislikes.

> TESS: Me gusta el huipil de Janet. Me gustan los pantalones de Andy.

- Ask and answer questions about clothing and prices.

> ANDY: ¿Cuánto cuesta tu blusa?
> DIANA: ¡Cuesta veinte quetzales y me queda grande!

Representa. In groups, act out your script.

97 Las votaciones

Decide. Which pair had the most interesting challenge? Take a vote to decide!

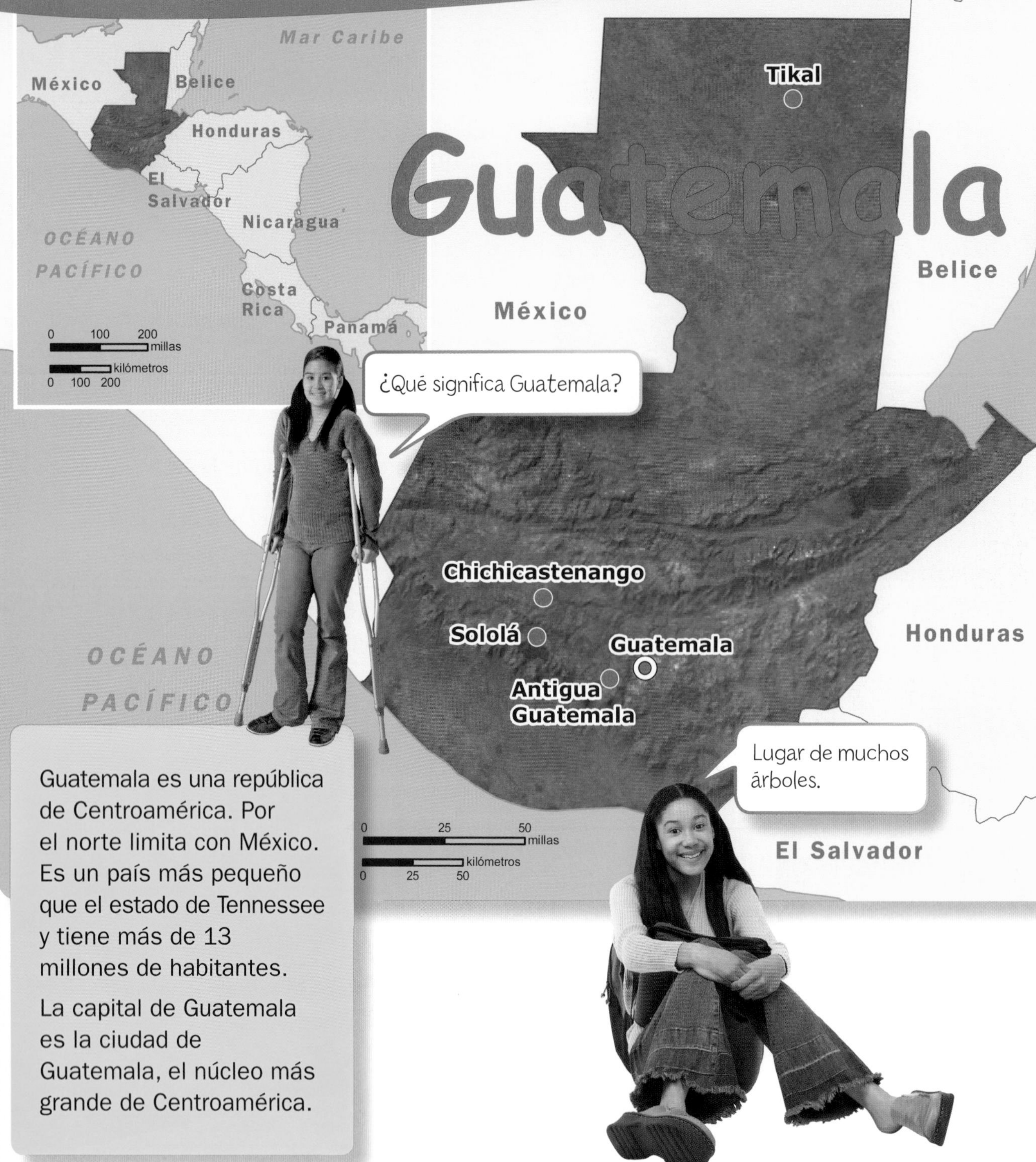

Guatemala es una república de Centroamérica. Por el norte limita con México. Es un país más pequeño que el estado de Tennessee y tiene más de 13 millones de habitantes.

La capital de Guatemala es la ciudad de Guatemala, el núcleo más grande de Centroamérica.

98 Proporciones

▶ **Escribe.** Use the map to correct these sentences.

1. México es un país menos ancho que Guatemala.
2. Honduras es un país más estrecho que Belice.
3. Guatemala es un país más grande que Nicaragua.
4. Guatemala es un país más pequeño que Belice.

1. La gran ciudad maya de Tikal

The region of flatlands in the northern part of Guatemala is called Peten. Here is located Tikal, an immense Mayan city. The Tikal National Park covers an area of 576 km^2 (222 square miles). This is equivalent to the area occupied by the city of Chicago, Illinois.

(1) Ruinas de la ciudad de Tikal (Petén).

(2) Un quetzal.

2. El quetzal: el ave de Guatemala

The quetzal is the bird represented on the Guatemalan flag. It symbolizes freedom. Because the quetzal is in danger of extinction, it has been declared a protected species.

The quetzal played an important role in many Mayan myths.

99 Mensajes desde Guatemala

▶ **Investiga y escribe.** Choose one of these topics to research.

1. **El centro histórico.** Describe the buildings (size, color) and the types of shops.
2. **El cantante.** Describe his appearance. Compare him with a singer you like.
3. ***La Quema del Diablo.*** Compare this festival with one you know.

1

El centro histórico de la ciudad de Guatemala.

2

El cantante Ricardo Arjona.

3

La tradición de la Quema del Diablo.

▶ **Escribe.** Use two of the most important facts to write an e-mail to a friend.

Desde Chichicastenango

> **READING STRATEGY**
> ## Visualizing images from text
> Creating pictures in your mind as you read will improve your comprehension and can make reading more enjoyable.
>
> Visualizing will also help you connect what you are reading to what you know and will help you summarize the text.

Chichicastenango, 10 de enero de 2010

Hola, Nicole. ¿Cómo estás?

Yo estoy muy contenta. ¡Me gusta mucho Guatemala!

Te escribo desde Chichicastenango, una ciudad pequeña a 145 kilómetros de la capital. "Chichi" es parte de la región maya y muchas mujeres llevan vestidos tradicionales mayas con colores y bordados[1] muy lindos.

Este es el vestido de las mujeres:

1. **Tun o cinta.** Representa una serpiente.
2. **Huipil.** Es una blusa tradicional de algodón con bordados.
3. **Cinturón** bordado.
4. **Corte.** Es una falda larga y estrecha.

En Chichicastenango hay un mercado muy famoso. ¡Es como un centro comercial enorme! Hay muchos productos de artesanía indígena. A mí me gustan las máscaras y los textiles.

La cultura maya es realmente fascinante. La próxima vez[2] podemos visitar Guatemala juntas[3] ☺.

Hasta pronto. Besos.

Beth

---

1. embroidery 2. Next time 3. together

ESTRATEGIA **Visualizar imágenes del texto**

100 Tus imágenes

▶ **Dibuja.** Which pictures came into your mind as you read *Desde Chichicastenango*? Draw or sketch the most vivid ones. Then compare your pictures with your partner's.

▶ **Escribe y habla.** Choose the pictures you relate to the text and point out the sentences or ideas in the text that they refer to. Are these pictures similar to your own images? Explain your answer.

1

2

3

4

COMPRENSIÓN

101 ¿Está claro?

▶ **Decide.** Decide whether each of the statements is true *(cierto)* or false *(falso)*.

1. Chichicastenango es una ciudad pequeña.
2. El mercado de Chichicastenango es enorme.
3. En el mercado de Chichicastenango no hay artesanía indígena.
4. A Beth no le gustan los vestidos tradicionales de las mujeres mayas.

102 Los trajes tradicionales mayas

▶ **Elige y escribe.** Which of the following are typical of a traditional Mayan costume? Make a list.

1. falda estrecha y corta
2. cinturón negro
3. cinta para el pelo
4. sombrero con forma de serpiente
5. falda larga y ancha
6. blusa de algodón con bordados
7. falda estrecha y larga
8. blusa de lana blanca
9. cinturón con bordados

Watch the video about Chichicastenango and describe the market in a letter to a friend.

El centro comercial

ir de compras	*to go shopping*
mirar vitrinas	*to window-shop*
comprar	*to buy*
vender	*to sell*
el cliente / la clienta	*customer*
el vendedor / la vendedora	*salesperson*
¿A qué hora abre...?	*At what time does ... open?*
¿A qué hora cierra...?	*At what time does ... close?*

Las tiendas

la papelería	*stationery store*
la tienda de música	*music store*
la tienda de regalos	*gift shop*
la tienda de ropa	*clothing store*
la zapatería	*shoe store*
abierto(a)	*open*
cerrado(a)	*closed*

La ropa

la blusa	*blouse*
la camisa	*shirt*
la camiseta	*T-shirt*
la chaqueta	*jacket*
la falda	*skirt*
los pantalones	*pants*
los pantalones cortos	*shorts*
el suéter	*sweater*
el vestido	*dress*
la bufanda	*scarf*
el gorro	*cap*
los guantes	*gloves*
el sombrero	*hat*

El calzado

las botas	*boots*
las sandalias	*sandals*
los tenis	*sneakers*
los zapatos	*shoes*
los calcetines	*socks*

Describir la ropa y el calzado

Características

ancho(a)	*wide*
estrecho(a)	*tight*
corto(a)	*short*
largo(a)	*long*
cómodo(a)	*comfortable*

Materiales

el algodón	*cotton*
el cuero	*leather*
la lana	*wool*

Colores

amarillo(a)	*yellow*
anaranjado(a)	*orange*
azul	*blue*
blanco(a)	*white*
morado(a)	*purple*
negro(a)	*black*
rojo(a)	*red*
rosado(a)	*pink*
verde	*green*

Las compras

barato(a)	*cheap, inexpensive*
caro(a)	*expensive*
el precio	*price*
el dinero	*money*
la tarjeta	*credit card*
costar	*to cost*
gastar	*to spend*
pagar	*to pay*
el número	*shoe size*
la talla	*size*

Expresiones

¿Cuánto cuesta(n)...?	*How much does ... cost?*
estar en oferta	*to be on sale*
estar de moda	*to be in fashion*
quedar bien	*to fit well*
quedar mal	*to fit badly*
quedar grande	*to be too big*
quedar pequeño	*to be too small*
ser de (mi) talla	*to be (my) size*

Los números

treinta y uno	*thirty-one*
treinta y dos	*thirty-two*
cuarenta	*forty*
cincuenta	*fifty*
sesenta	*sixty*
setenta	*seventy*
ochenta	*eighty*
noventa	*ninety*
cien	*one hundred*

DESAFÍO 1

1 **En la tienda.** Match each question in column A with the corresponding answer in column B.

A	B
1. ¿Dónde puedo comprar unas sandalias?	a. A las nueve de la noche.
2. ¿Dónde venden cuadernos y lápices?	b. En la tienda de música.
3. ¿A qué hora cierran esta tienda?	c. En una zapatería.
4. ¿Dónde venden discos compactos?	d. En esa tienda de ropa.
5. ¿Dónde están en oferta estas blusas?	e. En la papelería.

DESAFÍO 2

¿Qué llevo? Write the most appropriate clothing for each place or event.

1. Nosotros vamos de picnic.
2. Ana tiene que ir a una fiesta de quinceañera.
3. Hace frío, pero tengo que pasear al perro.
4. Juan va a la clase de español.
5. El padre de Tess va a una cena formal.
6. Yo voy al gimnasio.

DESAFÍO 3

Tu ropa favorita. Answer each question giving your own opinion.

Modelo A. *¿Te gustan los pantalones de algodón?*
B. *No, prefiero los jeans.*

1. ¿Te gustan las faldas largas?
2. ¿Te gustan las blusas anchas?
3. ¿Te gustan las camisas negras?
4. ¿Te gustan los pantalones cortos?
5. ¿Te gustan los tenis de cuero?

DESAFÍO 4

¡Están en oferta! Write a conversation with a partner. Follow the guidelines below.

- YOU: Ask if they have colorful sneakers.
- SALESPERSON: Say yes and that they are on sale.
- YOU: Ask how much they cost.
- SALESPERSON: State the price and ask what size and color the customer wants.
- YOU: Give your size and color preferences.
- SALESPERSON: Ask how the customer is going to pay.
- YOU: Say you are going to pay with credit card.

Verbos con raíz irregular (*e > ie*)

(pág. 154)

CERRAR

yo	cierro	nosotros nosotras	cerramos
tú	cierras	vosotros vosotras	cerráis
usted él ella	cierra	ustedes ellos ellas	cierran

Other verbs like *cerrar*: *empezar*, *entender*, *pensar*, *preferir*, *querer*.

La comparación (pág. 174)

más	+ adjetivo +	que	*(more … than)*
menos	+ adjetivo +	que	*(less … than)*
tan	+ adjetivo +	como	*(as … as)*

Special forms:

mejor	*(better)*
peor	*(worse)*

El verbo *ir* (pág. 156)

yo	voy	nosotros nosotras	vamos
tú	vas	vosotros vosotras	vais
usted él ella	va	ustedes ellos ellas	van

Los demostrativos (pág. 172)

	singular		plural	
Distance	masculino	femenino	masculino	femenino
Near	este	esta	estos	estas
At a distance	ese	esa	esos	esas
Far away	aquel	aquella	aquellos	aquellas

El verbo *gustar* (pág. 164)

	singular	plural
A mí	me gusta	me gustan
A ti	te gusta	te gustan
A usted A él A ella	le gusta	le gustan
A nosotros A nosotras	nos gusta	nos gustan
A vosotros A vosotras	os gusta	os gustan
A ustedes A ellos A ellas	les gusta	les gustan

Verbos con raíz irregular (*o > ue*)

(pág. 182)

PODER

yo	puedo	nosotros nosotras	podemos
tú	puedes	vosotros vosotras	podéis
usted él ella	puede	ustedes ellos ellas	pueden

Other verbs like *poder*: *contar, volar, recordar, volver.*

DESAFÍO 1

5 **¿A qué hora?** Answer each question with a complete sentence.

Modelo ¿A qué hora abre usted la tienda? (9:00 a. m.)
⟶ *Yo abro la tienda a las nueve de la mañana.*

1. ¿Cuándo cierran ustedes la tienda? (8:30 p. m.)
2. ¿A qué hora empiezan las clases? (8:00 a. m.)
3. ¿A qué hora vas de compras? (5:00 p. m.)
4. ¿Cuándo piensan ustedes volver? (10:00 p. m.)

DESAFÍO 2

Gustos. What do these people like? Write sentences with the appropriate form of the verb *gustar*.

Modelo blusa blanca - ella ⟶ *A ella le gusta la blusa blanca.*

1. pantalones azules - yo
2. sandalias negras - nosotros
3. sombrero verde - ellos
4. vestido rojo - usted

DESAFÍO 3

Comparaciones. Compare the price or size of the clothing below. Remember to make the gender and number of the adjective agree with the noun it describes.

Modelo *Esta camisa es más cara que aquella camisa.*

1. Estos guantes (10 dólares) - aquellos guantes (5 dólares) - barato
2. Esos pantalones (G) - estos pantalones (P) - ancho
3. Estos zapatos (10) - esos zapatos (10) - grande
4. Esa camiseta (P) - esta camiseta (G) - pequeño

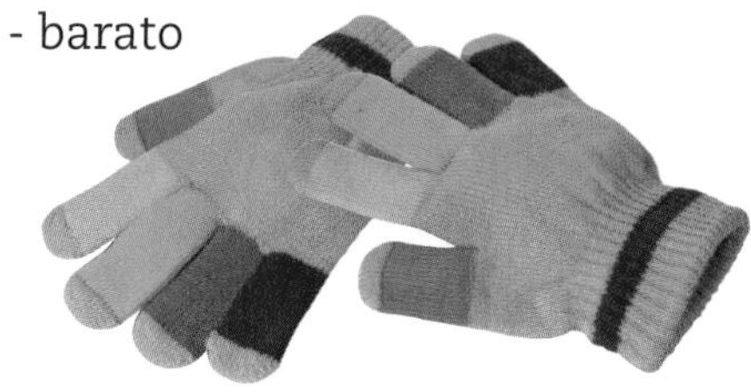

DESAFÍO 4

Haz la pregunta. Write the question that corresponds to each answer.

1. Esta blusa cuesta quince dólares.
2. Yo vuelvo a casa a las tres y media.
3. No, no recuerdo el precio de la camiseta.
4. Aquel gorro cuesta cinco dólares.

Guatemala maya. Answer the questions.

1. ¿Qué país está al norte de Guatemala?
2. ¿Qué representa el quetzal para los habitantes de Guatemala?
3. ¿Qué prendas son típicas de Guatemala?

Una exposición de

muñecos quitapenas

Guatemalan children use *muñecos quitapenas* to deal with worries and stress. In this project, you will make a doll for a class display, and do a role play to buy and sell dolls at a class market.

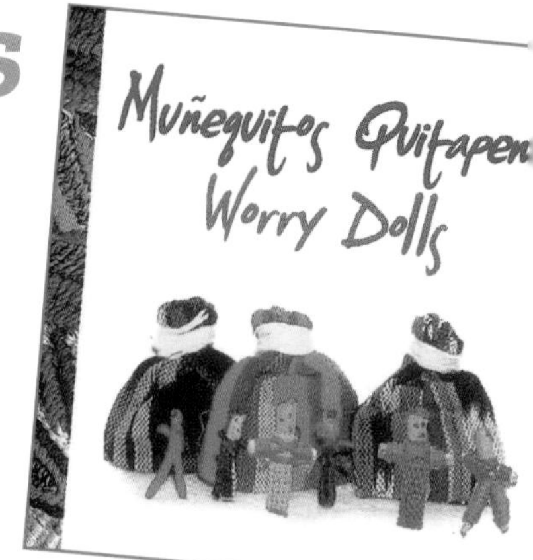

PASO 1 **Crea tus muñecos quitapenas**

- Study these worry dolls. Then describe what they look like and how they are dressed.

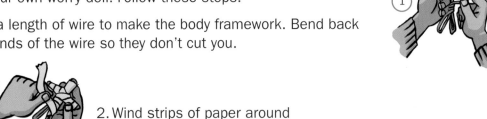

Estos muñecos son pequeños. Llevan...

- Make your own worry doll. Follow these steps:

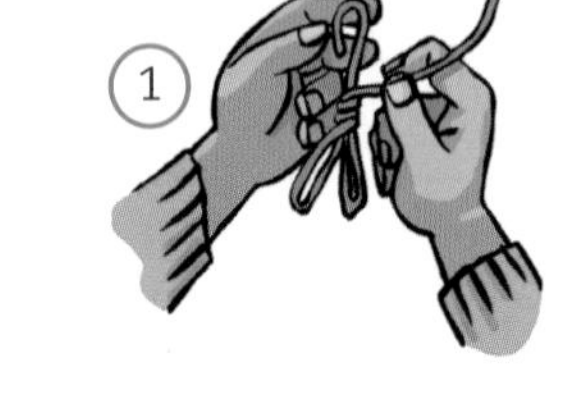

1. Use a length of wire to make the body framework. Bend back the ends of the wire so they don't cut you.

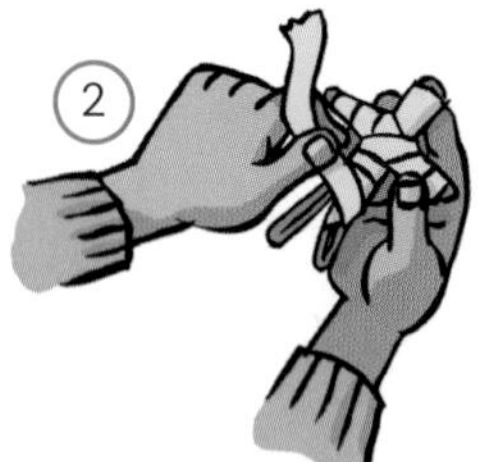

2. Wind strips of paper around the framework to make the body.

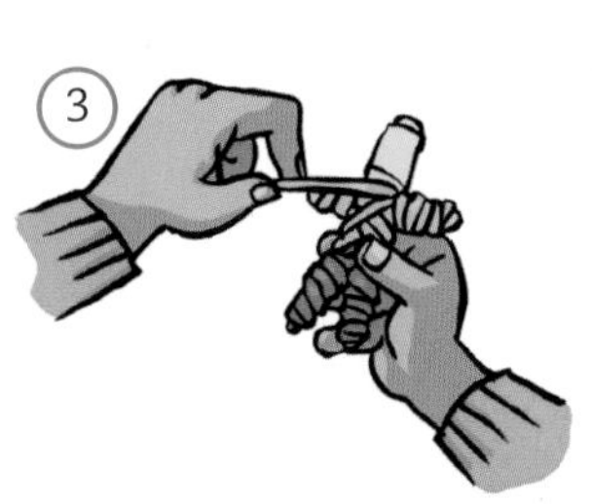

3. Dress your doll with pieces of brightly colored fabric or yarn.

4. Color the head and hair and draw the mouth and eyes.

- Make a list in Spanish of the materials you have used. Use a dictionary if necessary.

PASO 2 Prepara una exposición de muñecos

- Display the dolls as Andy and Janet have done.

- Write an advertisement to place alongside your doll.

> **¿Estás triste? Este muñeco quita las penas. Está en oferta.**

PASO 3 Dramatiza la compra y venta de muñecos

- Prepare a shopping dialogue with a partner. Use this outline:

  A. Ask what the doll is made of.
  B. Describe it in detail.
  A. Ask how much the doll costs.
  B. Give the price.
  A. Say how many you want. Pay and say thank you.

- Optional: Decide what you can do with your doll. For example:
  - Un regalo para tu madre.
  - Un regalo para un(a) niño(a) enfermo(a).

Unidad 3

Autoevaluación

¿Qué has aprendido en esta unidad?

Do these activities to evaluate how well you can manage in Spanish.

a. Can you talk about store hours and shopping?
- ▶ Ask what time the gift shop opens and closes.
- ▶ Say what you want to buy there.

b. Can you say where someone is going?
- ▶ Tell your partner where you go after school.

c. Can you say that you like something?
- ▶ Ask a classmate if he or she likes your shoes.

d. Can you direct attention to things around you?
- ▶ Tell a classmate which book is yours: the one next to you or the one ten feet away.

e. Can you compare things?
- ▶ Compare the price of two articles of clothing.
- ▶ Ask a classmate to compare the quality of two pairs of jeans.

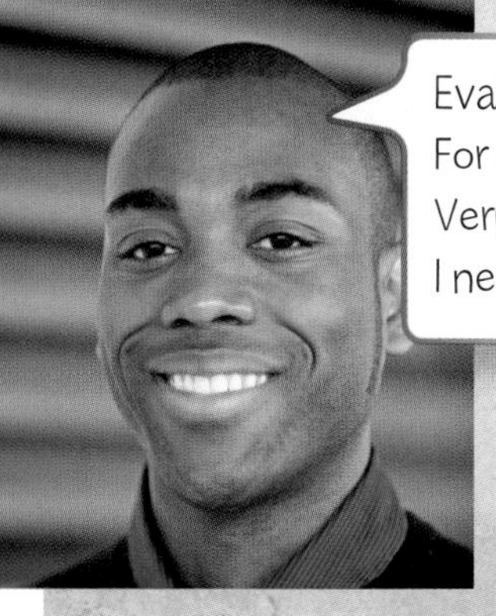

Evaluate your skills. For each activity, say Very well, Well or I need more practice.

UNIDAD 4

Perú

Desafíos en los Andes

To express preferences and likes by degrees

Vocabulario

Comidas y bebidas

Gramática

Adverbios de cantidad

Expresar deseo y preferencia: los verbos *querer* y *preferir (e > ie).*

Expresar rechazo

El seco de carne

To express necessity

Vocabulario

Tiendas de alimentos

Gramática

Pronombres de objeto directo

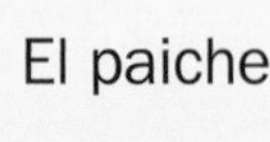

El paiche

▸ **To express actions**

Vocabulario
En la mesa

Gramática
Verbos irregulares en la primera persona
Pronombres de objeto indirecto

El suspiro limeño

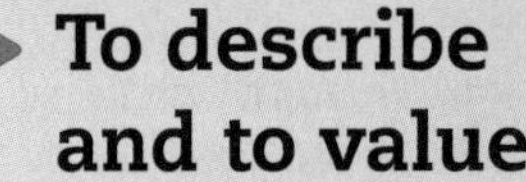

▸ **To describe and to value**

Vocabulario
¿Cómo está la comida?

Gramática
Verbos con raíz irregular *(e > i)*

El ceviche

La llegada

En Lima

The pairs meet in Lima, Peru. Chef Ayaca, their host, will help them with their next task: to cook a typical Peruvian dish. But before heading to different regions of the country, they have to find the best recipe in Lima for *sancochado*.

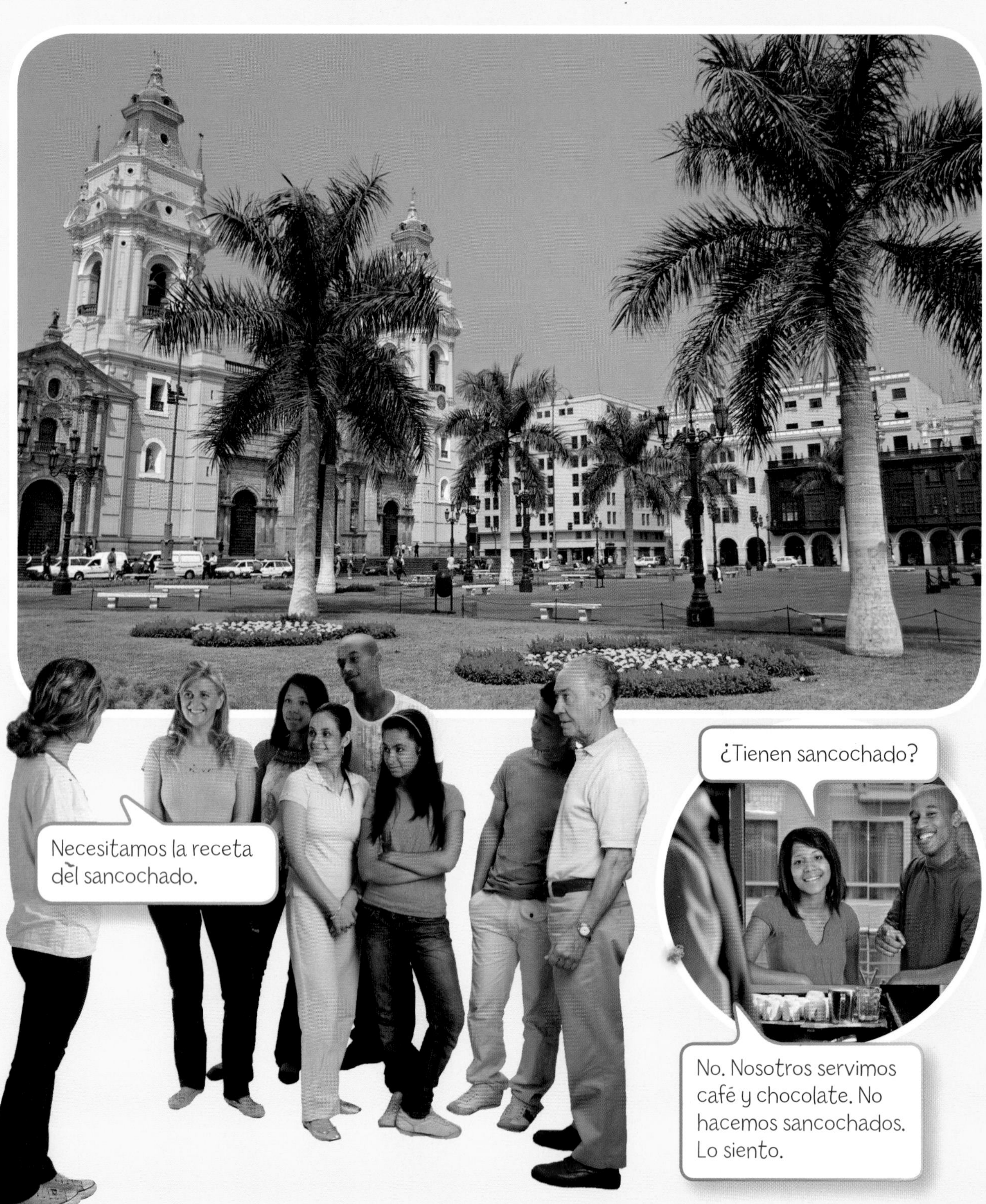

Necesitamos la receta del sancochado.
¿Tienen sancochado?
No. Nosotros servimos café y chocolate. No hacemos sancochados. Lo siento.

¿Qué lleva el sancochado?
El sancochado es una sopa. Contiene verduras y carne o pescado.
A mí me gusta mucho el sancochado de carne. Lo hago en mi casa a veces. Necesitan carne.
Yo prefiero el sancochado de pescado. A nosotros nos gusta bastante el pescado.

En este restaurante tienen la receta más famosa de Lima. ¡Qué inteligente eres, Diana!
Este plato está listo para poner en la mesa. ¡Buen provecho!

1 ¿Comprendes?

▶ **Une.** Match each question with the corresponding answer.

A	B
1. ¿Qué necesitan las parejas?	a. Les gusta bastante el pescado.
2. ¿Qué es el sancochado?	b. La receta del sancochado.
3. ¿Qué contiene el sancochado?	c. Verduras y carne o pescado.
4. ¿Qué les gusta comer a Tim y a su abuelo?	d. Es una sopa.

▶ **Elige y escribe.** Write which of these ingredients the characters need to make *sancochado*.

a. carne **b.** pescado **c.** café **d.** chocolate **e.** verduras

Modelo *Los personajes necesitan carne.*

EXPRESIONES ÚTILES

To ask about ingredients:
¿Qué lleva?

To say that something is tasty:
¡Qué rico! / ¡Qué rica!
¡Qué delicioso! / ¡Qué deliciosa!

To say that a dish is healthy or not healthy:
Es saludable. / No es saludable.

To wish someone an enjoyable meal:
¡Buen provecho!

¡Qué rico está este sancochado!

2 ¿Les gusta o no?

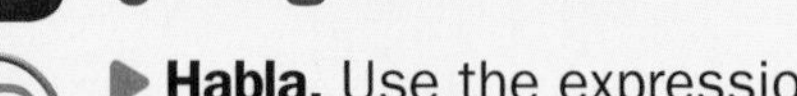

Habla. Use the expressions above to talk about your likes and dislikes with a partner. Explain your opinions.

Modelo A. *¿Te gustan las hamburguesas?*
B. *Sí, me gustan las hamburguesas. ¡Qué ricas!*
B. *No, no me gustan las hamburguesas. No son saludables.*

1 
el pescado

2 
las verduras

3 
la carne

4 
el chocolate

3 Expresiones

Escucha y completa. Listen to a conversation between a server and a customer and write the missing words.

CLIENTE: Perdón, ¿qué ___1___ el sancochado?
MESERO: Es una sopa. Lleva verduras y carne o pescado.
[...]
MESERO: Aquí tiene el sancochado, señor. Buen ___2___.
CLIENTE: Muchas gracias.
MESERO: ¿Qué tal? ¿Le gusta?
CLIENTE: ¡Hummm! ¡Qué ___3___!

¿Quién ganará?

4 Los desafíos

▶ **Habla.** What will be the challenge for each pair? Think about this question and discuss it with your classmates.

DESAFÍO 1

¡A cocinar pescado!

DESAFÍO 2

Seco de carne

DESAFÍO 3

Un ceviche para todos

DESAFÍO 4

Suspiro limeño

5 Las votaciones

▶ **Decide.** You decide. You will vote to choose the most original challenge. Who do you think will win?

¡A cocinar pescado!

Tim and Mack are in Iquitos, the capital of the Peruvian Amazon. There, people will show them how to make a typical meal. Some of the ingredients are familiar to Tim and Mack, but many are new to them. Which ones do you recognize?

¿Qué preparamos para el plato principal?

Tenemos que preparar una comida completa, con bebidas de frutas.

El paiche es un pescado del Amazonas. Es muy típico.

El jugo de maracuyá es muy popular. Es ideal para acompañar una comida típica.

También podemos hacer un jugo de naranja.

¡Abuelo! ¿Qué tal un helado de postre? ¡Qué rico!

A mí me gusta más terminar la comida con un café.

Continuará...

6 Detective de palabras

Completa. Using the *fotonovela*, choose the word that best completes each sentence.

1. Una ______ completa tiene bebidas.	helado	comida
2. El paiche es un tipo de ______.	pescado	fruta
3. El ______ de maracuyá es una bebida.	postre	jugo
4. La comida termina con un ______.	postre	pescado
5. A Mack le gusta más el ______ que los postres.	jugo	café

7 ¿Qué te gusta más?

▶ **Habla.** Share opinions about foods and drinks with a partner. Ask and answer questions using the words in the boxes.

Modelo A. *¿Qué te gusta más? ¿La carne o el pescado?*
B. *A mí me gusta más el pescado.*

la carne | el pescado | el helado | las frutas | el café | el jugo

8 Tim y Mack en un restaurante

▶ **Clasifica y escribe.** Tim and Mack are trying to decide what to have for lunch. Classify the photos as main courses *(platos principales)*, desserts and fruits *(postres y frutas)*, or drinks *(bebidas)*. Then copy and complete the menu.

Iquitos

Iquitos es la capital de la zona amazónica de Perú. Es una ciudad grande, pero está aislada. Solo puedes ir en barco o en avión. El río Amazonas pasa por la ciudad. Las comidas más típicas son platos de pescado.

9 Piensa. Why do you think motorcycles are a popular form of transportation in Iquitos?

Use the website to learn more about this city.

Vocabulario

Comidas y bebidas

Para desayunar

el desayuno

Para almorzar

el almuerzo

Para cenar

el pan

la salsa

la cena

Bebidas

el agua

la leche

el jugo de naranja

el refresco

Primeros platos

la sopa

las verduras

los frijoles

los huevos

Platos principales

el pollo con papas

la carne con arroz

el pescado con maíz

Postres

el helado

la torta

las frutas

10 ¿Qué comemos?

▶ **Habla.** In groups, say one thing you like to eat. Your classmate repeats what you said, and adds something that he or she likes. Go around in a circle, adding foods. How many rounds can your group go?

Modelo

Huevos.

Huevos y pan.

Huevos, pan y pescado.

11 La lista de Tim

▶ **Escucha y escribe.** Mack left a shopping list on Tim's voice mail. Listen and write the list for Tim.

Para desayunar	Para almorzar	Para cenar
leche		

▶ **Habla.** Discuss your favorite food with a partner.

Modelo A. *¿Qué te gusta para desayunar?*
B. *A mí me gusta el jugo de naranja.*

12 ¿Cuánto cuestan las naranjas?

▶ **Representa.** You are shopping at a local market in Iquitos. With a partner, write a conversation between you and a salesperson, and act it out. Give the prices in Peruvian soles ($1 = 3 soles).

¿Cuánto cuestan dos naranjas?
Cuestan tres soles.

CULTURA

El maíz

Un alimento tradicional en la dieta de Latinoamérica es el maíz *(corn)*. ¡El maíz se cultiva en Perú desde hace 3.000 años! Hay muchos platos típicos con maíz. La cancha, un alimento similar a las palomitas *(popcorn)*, es muy popular.

13 Piensa. Corn is also the main ingredient of *chicha morada*, a very popular drink. What characteristic of this variety of corn gives this drink its name?

TU DESAFÍO

Visit the website to read more about *chicha morada*.

Gramática

Adverbios de cantidad

- Some verbs can be modified by a word that expresses quantity. These words are called **adverbs of quantity**. Here are some examples with the verb gustar:

–¿Te gustan las naranjas?
–Sí, me gustan **mucho**.

–¿Te gustan las bananas?
–No, no me gustan **nada**.

- Here are the most commonly used adverbs of quantity:

nada

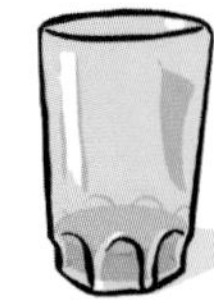
poco

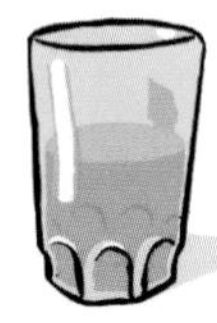
bastante

mucho

Uso de los adverbios de cantidad

- Adverbs of quantity do not change according to gender and number, and they are usually placed after the verb.

Me gusta **mucho** el maíz.
Le gustan **poco** las sopas.
Me gusta **bastante** el maracuyá.

- The word nada accompanies the verb in the negative form.

No me gusta **nada** la carne.

14 **Comparación.** In the sentence No me gusta nada la carne, there are two negative words–*no* and *nada*. How many negative words would its English equivalent have?

15 **¿Conoces sus gustos?**

▶ **Contesta.** Answer the questions using adverbs of quantity. Express your own opinion in number 5.

Modelo ¿A Mack le gusta el café? (mucho)
⟶ *Sí, a Mack le gusta mucho el café.*

1. ¿A Mack le gusta el jugo de maracuyá? (poco)
2. ¿A tus amigos les gusta el pescado? (bastante)
3. ¿A Tess le gusta el helado de chocolate? (nada)
4. ¿A Janet y Andy les gustan las frutas tropicales? (mucho)
5. ¿A ti te gustan las verduras?

16 Me gusta... No me gusta...

▶ **Escucha y completa.** Mack and Tim are talking about the foods they like and dislike. Fill in a chart like this one with the four foods they talk about.

	☺	☹
Mack		
Tim		

▶ **Une y escribe.** Write four true statements based on the conversation you just heard. Match items from all four columns.

A	B	C	D
A Mack	le gusta	bastante	los maracuyás.
A Tim	le gustan	mucho	las papas.
	no le gusta	poco	el arroz.
	no le gustan	nada	el maíz.

17 ¿Cuánto les gusta...?

▶ **Escribe.** Mr. Ayaca has ranked the foods the pairs have tried in Peru. Read the notes he has taken, and summarize the opinions of these characters.

Modelo *A Mack no le gustan nada los postres.*

Opiniones sobre la comida:

	las frutas	los pescados	los postres
Mack	♥♥	♥♥♥	×
Tess	♥♥♥	×	♥
Andy	♥♥♥	♥♥	♥♥

♥♥♥ Mucho ♥ Poco
♥♥ Bastante × Nada

18 ¿Cuánto te gusta?

▶ **Habla.** Interview three classmates to find out how much they like these foods.

Modelo A. *¿Te gusta la leche?*
B. *Sí, me gusta mucho.*

1. los huevos 2. el jugo de naranja 3. el pescado 4. la carne

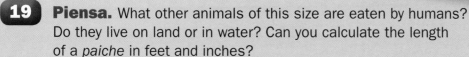

CONEXIONES: CIENCIAS

El paiche

El paiche es un pez que vive en el río Amazonas. Es muy grande, puede medir *(to measure)* 3 metros. El paiche come otros peces y pequeños animales.

19 Piensa. What other animals of this size are eaten by humans? Do they live on land or in water? Can you calculate the length of a *paiche* in feet and inches?

Gramática

Expresar deseo, preferencia y rechazo

Expresar deseo y preferencia. Los verbos *querer* y *preferir*

- In Spanish, the verb querer *(to want)* is used to express desire, and the verb preferir *(to prefer)* is used to express preference.

  Él **quiere** una naranja. Yo **prefiero** una manzana.
  Él **quiere** cenar. Yo **prefiero** preparar pescado.

  Note: Both verbs can be followed either by a noun (una naranja) or by a verb in the infinitive form (preparar).

- The verbs querer and preferir have the same stem change as the verb cerrar (e > ie).

VERBO QUERER (TO WANT). PRESENTE

Singular		Plural	
yo	**quiero**	nosotros nosotras	**queremos**
tú	**quieres**	vosotros vosotras	**queréis**
usted él ella	**quiere**	ustedes ellos ellas	**quieren**

VERBO PREFERIR (TO PREFER). PRESENTE

Singular		Plural	
yo	**prefiero**	nosotros nosotras	**preferimos**
tú	**prefieres**	vosotros vosotras	**preferís**
usted él ella	**prefiere**	ustedes ellos ellas	**prefieren**

Expresar rechazo

- To say that you do not like something, you can use gustar in the negative form.

  No me gusta el café. **No me gusta** cenar a las diez de la noche.

20 Comparación. How do you express desire, preference, and dislike in English?

21 Nuestras preferencias

▶ **Escribe.** Use *querer* or *preferir* and adverbs of quantity to explain the choices the people are making.

Modelo Yo ♥pescado ×carne → *Yo quiero pescado porque no me gusta nada la carne.*

1. Andy y Janet	2. Tess y yo	3. tú	4. Rita	5. Mack
♥jugo	♥manzanas	♥leche	♥arroz	♥papas
×café	×bananas	×refrescos	×verduras	×maíz

22 ¿Qué comen?

▶ **Escucha y responde.** The pairs are at a Peruvian buffet. Listen and answer the questions in complete sentences.

Modelo ¿Quién prefiere comer arroz con pollo?
→ *Andy. Andy prefiere comer arroz con pollo.*

1. ¿Quién quiere sancochado de carne?
2. ¿Quiénes quieren sopa?
3. ¿Quién no puede comer helado?
4. ¿Quiénes comen pollo con papas?

▶ **Escribe.** Do your answers to the questions above apply to you? Revise them to express your own preferences.

Modelo *Yo prefiero comer arroz con pollo.*

23 La comida y tu salud

▶ **Habla.** In a group, find out five things you have to eat and five things you prefer to eat. Are they the same? You can refer to the Peruvian buffet.

Modelo
***Tengo que comer** verduras, pero **prefiero comer** postres.*

CONEXIONES: ARTE

Arte vegetal

En Perú hay artesanía popular hecha *(made)* con calabazas *(gourds)*. En la foto puedes ver muchos diseños bonitos y originales.

24 Piensa. Do you know of any other art that is made with food?

TU DESAFÍO Visit the website to learn more about Peruvian handicrafts.

Comunicación

25 A preparar paiche

▶ **Escucha y elige.** Mack and Tim are talking about the ingredients for one of the Peruvian dishes they are making for their task. Listen and select the ingredients that they will *not* use in their dish.

▶ **Compara.** Compare your answers with a partner's. Explain why the ingredients were omitted.

Modelo *Mack no quiere frijoles porque el paiche no lleva frijoles.*

26 ¿Qué hacen estas personas?

▶ **Escribe.** What do these people eat or drink every day? Write a description.

Modelo Alejandro - frutas
⟶ *Alejandro desayuna frutas.*

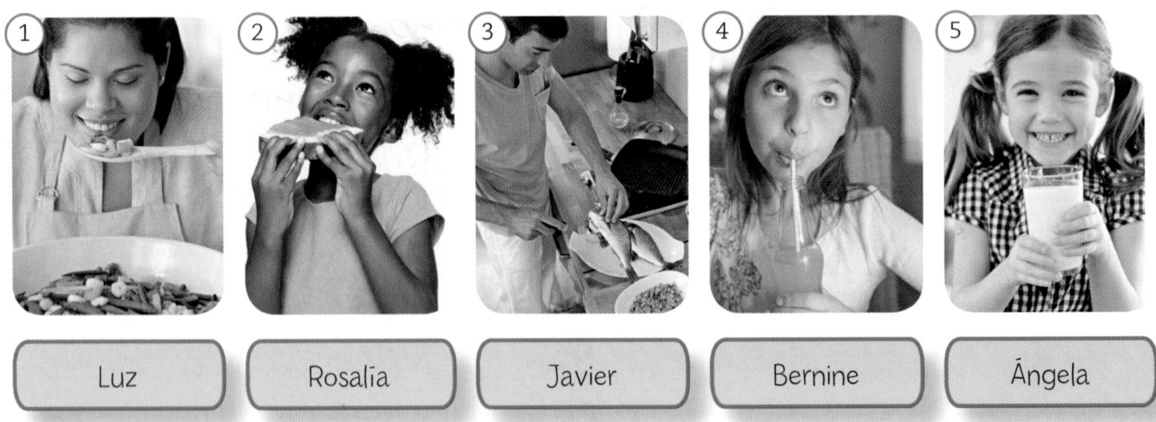

27 ¿Qué te gusta comer?

▶ **Escribe.** What do you like to eat during a typical day? Write a paragraph to describe your preferences for breakfast, lunch, and dinner. Include things that you do not like to eat, too.

Modelo

Mis preferencias

Para desayunar me gustan los huevos. Prefiero el jugo de naranja porque me gusta poco la leche.

28 Una comida en mi casa

▶ **Escribe.** You are planning a dinner party for your friends. Write a menu.

▶ **Habla.** Tell your partner what you want to prepare and ask them if they like the menu. Do you think your menu was a good choice?

Modelo

Quiero preparar arroz con carne. ¿Te gusta?

Prefiero almorzar verduras porque soy vegetariana.

Final del desafío

¡Sí! Me gusta ___1___ el pescado.
¿Compramos paiche?
¡Ya tenemos la cena completa! Hay ___4___, ___5___ de naranja y ___6___ de maracuyá. ¡Qué rico!

¿Prefieres servir el paiche con arroz o con papas?
___2___ las papas. No me gusta ___3___ el arroz.

29 ¿Qué pasa en la historia?

▶ **Escribe.** The marketplace was loud, and some words were lost during the recording of this dialogue. Fill in the missing words.

▶ **Representa.** Now act out the scene you just completed.

TU DESAFÍO Earn points for your own challenge! Listen to the questions for your *Minientrevista Desafío 1* on the website and write your answers.

Seco de carne

Tess and Patricia are in Cuzco, a city in the southern part of Peru. Their task is to gather the ingredients to make *seco de carne*. The trick? They can buy only one ingredient at each store they visit!

¡Esta receta tiene muchos ingredientes! ¿Dónde los compramos?

Compramos la carne en la carnicería. La queremos de la mejor calidad.

En la frutería compramos las verduras. Las tienen en oferta.

¿El arroz? Lo compramos en el supermercado.

Ya tenemos todos los ingredientes para el seco de carne. ¡Ahora tenemos que prepararlo! ¡Qué tarea!

Continuará...

30 Detective de palabras

▶ **Completa.** Complete the sentences using the *fotonovela*.

1. ¿Dónde ______ compramos?
2. ______ queremos de la mejor calidad.
3. ______ tienen en oferta.
4. ______ compramos en el supermercado.

▶ **Escribe.** Which noun does each of the missing words refer to?

Modelo ¿Dónde los compramos? ⟶ *Los* refers to *ingredientes*.

31 El supermercado

Lee y habla. Read the flyer below. Then tell a partner five things you want to buy from this supermarket.

Modelo

Quiero comprar pan para el desayuno.

Y yo quiero comprar leche y yogures para el desayuno.

El Rincón
Leche Fresca
Gloria
Súper Light
1 litro
sin tarjeta S/.3.29
S/.2.99 con tarjeta
Leche Entera
Laive
1 litro
sin tarjeta S/.3.09
S/.2.55 con tarjeta
Yogur con Cereal
Laive Mix
125 ml
sin tarjeta S/.3.79
S/.2.69 c/u con tarjeta
Yogur Bebible
Entero / Light
Yoleit
1 litro
sin tarjeta S/.4.79
S/.4.49 c/u con tarjeta
Huevos de Codorniz
con Omega
Pecuaria
18 unidades
sin tarjeta S/.4.39
S/.3.99 con tarjeta
Tostadas
Bauducco
sabores variados
140 gramos
sin tarjeta S/.3.69
S/.3.19 c/u con tarjeta
Kekes
Kunchen Meister Cake
sabores variados
400 gramos
sin tarjeta S/.11.59
S/.9.99 c/u con tarjeta
Pan de Molde
sin Corteza
Don Mamino
blanco / marmoleado
560 gramos
sin tarjeta S/.9.89
S/.8.99 con tarjeta
Margarina
Hy Top
original
453 gramos
sin tarjeta S/.6.79
S/.5.99 con tarjeta

La comida rápida

En Perú hay muchos restaurantes, pero mucha gente prefiere comprar comida rápida *(fast food)* en la calle. Los vendedores ambulantes tienen maíz, papas, jugos de frutas y platos preparados.

32 Piensa. Answer the questions.

1. Have you ever eaten at an outdoor food stand? What did you eat?
2. Why would you choose to eat on the street rather than at a restaurant?

See how Peruvians prepare *seco de carne* on the website.

Vocabulario

Prefiero comprar los alimentos en el **supermercado** porque es más rápido.

Tiendas de alimentos

la panadería

la pescadería

la frutería

la carnicería

Acciones en la cocina

cortar las verduras

mezclar la ensalada

cocinar

probar la comida

33 Las tiendas de Cuzco

▶ **Escucha y decide.** Chef Ayaca is telling Tess and Patricia what ingredients they have to buy. He mentions three stores they need to go to. Listen and decide which store they won't go to.

1 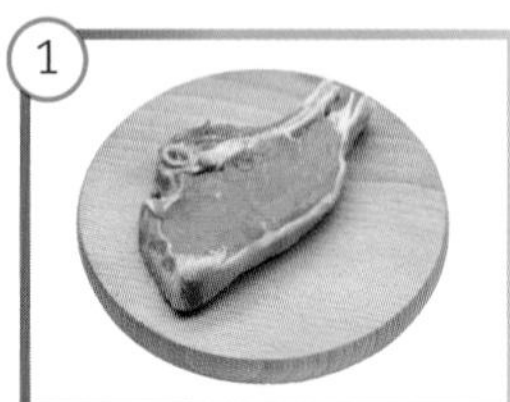

la carnicería

2 
la frutería

3 
la pescadería

4 
la panadería

▶ **Escribe.** Write three sentences to summarize what Tess and Patricia have to do.

Modelo *Tess tiene que comprar la carne en la carnicería.*

34 Adivinanzas

Escribe y habla. In which store can you buy the ingredients below? Write a sentence for each one. Your partner guesses the ingredient.

Modelo A. *Puedes comprar este ingrediente en la frutería.*
B. *¿Son las manzanas?*

1 
el pollo

2 
el pescado

3 
las frutas y verduras

4 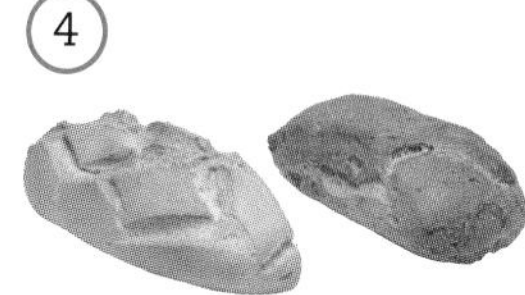
el pan

35 ¿Qué tenemos que hacer?

Escucha y escribe. Mr. Ayaca, the chef of Restaurante Cuzco, is talking with Tess and Patricia. Listen and write what they have to do in his kitchen.

Modelo 1. *Tienen que cortar las verduras.*

1 
cortar

2 
cocinar

3 
probar

4 
mezclar

COMUNIDADES

TIENDAS DE ESPECIALIDADES

En muchos lugares del mundo hispano hay supermercados y también hay tiendas especializadas para cada tipo de comida. Por ejemplo, hay carnicerías para comprar la carne y fruterías para comprar las frutas y verduras.

36 Describe. Do many "mom-and-pop" stores still exist in your neighborhood? Where are they located? What do they sell?

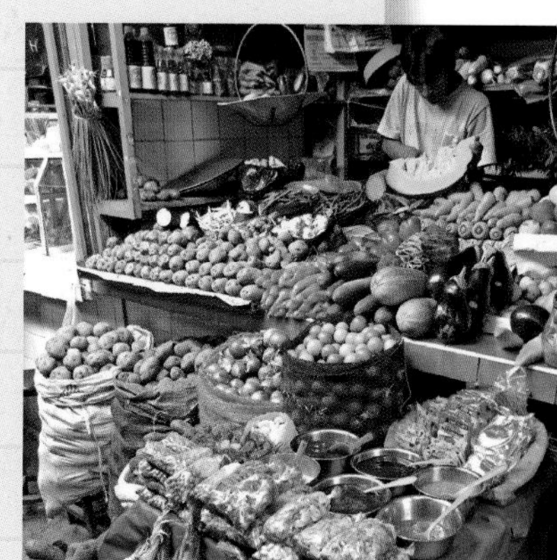

Gramática

Pronombres de objeto directo

El objeto directo

- Many verbs are followed by a complement that indicates who or what receives the action of the verb. This complement is called the **direct object** (DO).

  Juan prepara una pizza. (DO: una pizza) Yo como un helado. (DO: un helado)

- When the direct object refers to people or pets, it is preceded by the "personal a":

  Yo quiero a mi madre. (DO: a mi madre) María pasea a su perro. (DO: a su perro)

Pronombres de objeto directo

- A pronoun can take the place of a direct object that has already been mentioned to avoid repeating the entire complement.

–¿Compras tú **el pan**?
–Sí, yo **lo** compro.

–¿Ves **a Tess y a Patricia**?
–No, no **las** veo.

PRONOMBRES DE OBJETO DIRECTO

SINGULAR		PLURAL	
Masculino	Femenino	Masculino	Femenino
lo *him, it*	la *her, it*	los *them*	las *them*

- The direct object pronoun is placed before the conjugated verb. If the direct object goes with an infinitive, the pronoun can be attached to the end of the infinitive.

  Quiero comprar **un helado**. ⟶ **Lo** quiero comprar. / Quiero comprar**lo**.

37 **Comparación.** What are the direct object pronouns in English? Is there an English equivalent to the "personal a"?

38 **Confusiones**

▶ **Habla.** Tess is confused today. With a partner, correct her statements, expressing the direct objects with pronouns.

Modelo A. ¿Tú y yo compramos **los frijoles**?
B. *No. Tú* ***los*** *compras.*

1. ¿Andy y Mack preparan **el almuerzo** hoy?
   No. Tú y yo ______ preparamos hoy.
2. ¿Yo mezclo **las verduras**?
   No. Rita y Diana ______ mezclan.
3. ¿Tú compras **los huevos**?
   No. Tú ______ compras.
4. ¿El chef prueba **las recetas**?
   No. El chef no ______ prueba.

39 ¡Lo necesitamos!

▶ **Escucha y elige.** Chef Ayaca is handing out ingredients to each pair for their Peruvian recipes. According to what they tell him, can you figure out which of the two items each character is referring to?

TIM:	las papas/el arroz	DIANA:	el pescado/las verduras
TESS:	la carne/las frutas	ANDY:	los huevos/la sal

40 Predicciones

▶ **Escribe y habla.** Look at the pictures and write a question about what each person is doing and why. Then ask your partner, who will say what each one is doing with the ingredients. Use a direct object pronoun.

Modelo A. *¿Por qué compra Andy seis huevos?*
B. *Los compra porque tiene que preparar el desayuno.*

1	2	3	4
comprar pan **sándwiches**	cortar verduras **sopa**	mezclar leche y azúcar **postre**	cocinar carne **seco de carne**

CONEXIONES: CIENCIAS

¿Textiles o plástico?

Las bolsas de plástico de los supermercados causan problemas ambientales. En los Estados Unidos botamos *(throw away)* más de 100.000 millones de bolsas de plástico al año. Las bolsas textiles son mejores para el medio ambiente; puedes usarlas muchas veces.

41 **Investiga.** Use the Internet to find out how plastic bags harm the environment. Write your opinion about how to avoid these problems.

Comunicación

42 El seco de carne

▶ **Lee y responde.** These are the ingredients for *seco de carne*. Read the list and answer the questions.

Seco de carne peruano

INGREDIENTES

- un kilo de carne
- dos ajos
- un vaso de agua
- el jugo de un limón
- un vaso de arroz
- medio vaso de guisantes
- un tomate
- cilantro
- una cebolla
- tres papas
- medio vaso de aceite
- sal y pimienta

1. ¿Cuánta carne necesitas?
2. ¿Cuánta agua necesitas?
3. ¿Qué ingredientes tienes que comprar?
4. ¿Dónde los puedes comprar?

43 Una mañana de compras

▶ **Piensa y escribe.** Where should Tess and Patricia go in Cuzco to buy the ingredients they need for *seco de carne*? Complete this e-mail.

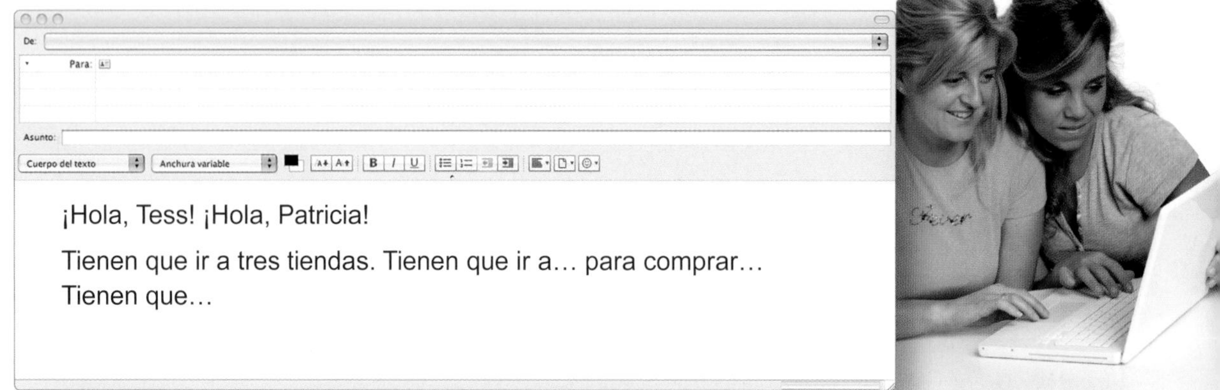

De:
Para:
Asunto:
Cuerpo del texto
Anchura variable
¡Hola, Tess! ¡Hola, Patricia!
Tienen que ir a tres tiendas. Tienen que ir a… para comprar…
Tienen que…

44 Encuestas

▶ **Habla.** Interview two classmates about their shopping preferences for the items below. Summarize what they say.

Modelo el pescado ⟶ *¿Dónde compran el pescado?*
Luis lo compra en el supermercado y María lo compra en la pescadería.

1. las hamburguesas 2. las manzanas 3. la leche 4. las frutas 5. el pan

Final del desafío

1
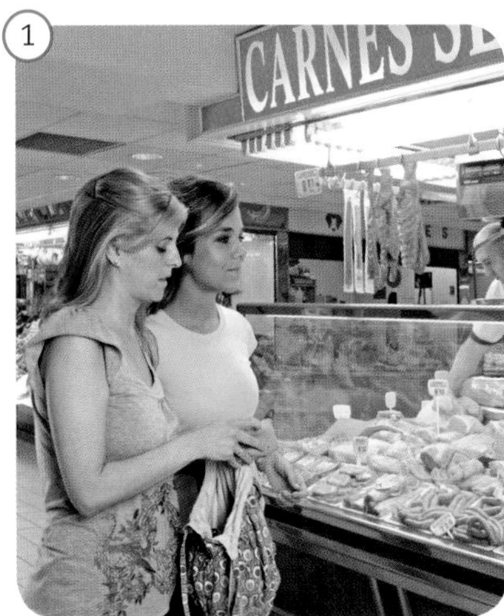

2

3

4

a. Yo corto la carne y tú pones la sal.

b. Lo servimos con arroz y papas.

c. ¡Ya está listo! ¿Quieres probarlo?

d. Queremos preparar un seco de carne.

e. ¡Está delicioso!

f. La cocino con ajo y cebolla.

45 ¿Qué pasa en la historia?

▶ **Organiza y habla.** Match each speech bubble with the corresponding scene. Compare your version with your partner's.

▶ **Presenta.** Find your own recipe for *seco de carne*, and present it to the class. Who found the easiest recipe?

Un ceviche para todos

Andy and Janet are in Chiclayo, a city in northern Peru. Their challenge is to make a famous Peruvian dish: *el ceviche*. *Ceviche* is seafood that is cooked using the juice from citrus fruits like limes.

¿Cocinamos el pescado sin ponerlo en la estufa? ¿Cómo? ¡Tengo que verlo para creerlo!

Le ponemos jugo de limón o de lima y también un poco de sal.

¿Necesitas pimienta?

Sí, la ponemos al final.

Muy bien. Ahora corto el pescado y lo pongo en el jugo. ¿Por qué no pones la mesa?

¿Le ponemos un plato a Mack?

Sí. Mack come con nosotros.

Continuará...

46 Detective de palabras

▶**Completa.** Use words from the *fotonovela* to complete these sentences.

1. ¿Cocinamos el pescado sin ___1___ en la estufa?
2. Tengo que ___2___ para ___3___.
3. ___4___ ponemos jugo de limón o de lima y también un poco de sal.
4. Sí, ___5___ ponemos al final.
5. Ahora corto el pescado y ___6___ pongo en el jugo.
6. ¿___7___ ponemos un plato a Mack?

47 Un ceviche clásico

Escucha y ordena. Chef Ayaca is explaining to Andy and Janet how to make *ceviche*. Listen and number the pictures in the order your hear them.

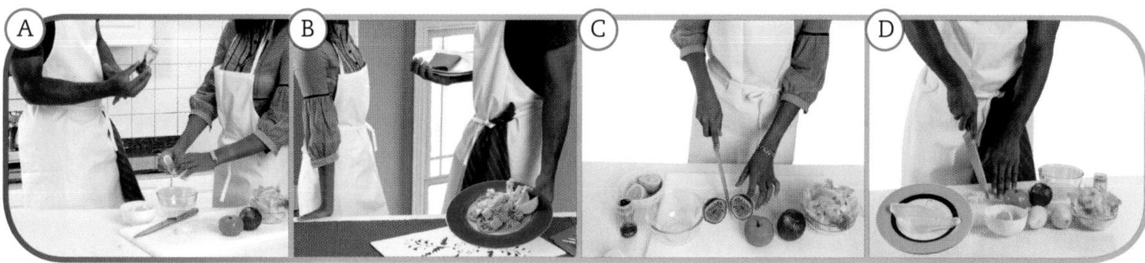

A	B	C	D
mezclar el ceviche	ponerlo en la mesa	cortarlos	preparar los ingredientes

48 ¿Dónde están, qué hacen, para quién?

Escribe. Four people are buying or using ingredients to prepare a dish for their partner. Look at the photos and write three sentences for each one. Say

- Where the character is.
- What he or she is doing.
- For whom.

Modelo *Andy está en una cocina.*
Él prepara ceviche.
Lo prepara para Janet.

1 
preparar

2 
comprar

3 
cortar

4 
seleccionar

Ceviche para la cena

Normalmente los peruanos cenan sobre *(about)* las nueve de la noche. La comida principal es a las dos de la tarde. El ceviche es ideal para una cena saludable.

49 Compara. Why do you think some people eat dinner late in the evening? What are your eating habits? What are the typical meal times in the United States and why?

Visit the website to watch a complete *ceviche* experience.

Vocabulario

En la mesa

Acciones y estados

50 ¡A la mesa!

▶ **Escribe.** Andy is having something to eat. Describe what he is eating or drinking and what utensils he is using.

Modelo *Andy come* ***ceviche*** *en un plato.* ***Lo*** *come con un tenedor.*

① 

② 

③ 

④ 

51 Listos para la comida

Escucha y escribe. The characters are eating lunch together. Listen to the statements and combine the elements below to express what they need for each food or drink.

Modelo *Mack y Tim necesitan un vaso para beber el jugo de naranja.*

1. Mack		un tenedor			el seco de carne.
2. Tess		una cuchara			la hamburguesa.
3. Patricia	necesita	un cuchillo		comer	el ceviche.
4. Diana y Rita	necesitan	una taza	para	beber	el jugo de maracuyá.
5. Janet y Andy		un plato			el sancochado.
6. Tim		un vaso			el café.

52 Celebraciones

Habla. Talk with a classmate about what you and your family eat or drink during these times of the year.

en invierno | en verano | en Navidad

el día de Año Nuevo | el día de Acción de Gracias | el día de tu cumpleaños

Modelo A. *¿Qué comes el día de tu cumpleaños?*
B. *El día de mi cumpleaños como helado. Me gusta el helado de chocolate.*

El cuy peruano

Una comida típica de Perú es el cuy *(guinea pig)*. Es un plato popular de la región de los Andes. Los peruanos lo comen frito *(fried)* o asado *(roasted)*.

Para los incas, el cuy era *(was)* un alimento típico en las fiestas religiosas.

53 Compara. Why do you think that some foods taste delicious to some people, but seem strange to others? Are there things that you eat in your culture that could seem odd to others?

Visit the website to learn more about *cuy* and other Peruvian specialty dishes

Gramática

Verbos irregulares en la primera persona

- Some verbs are irregular in the present tense only in the first person (the yo form): for example, hacer *(to make/to do)*, poner *(to put)*, traer *(to bring)*, and salir *(to leave)*.

VERBOS HACER, PONER, TRAER Y SALIR. PRESENTE

		Hacer	Poner	Traer	Salir
Singular	yo tú usted, él, ella	hago **haces** **hace**	pongo **pones** **pone**	traigo **traes** **trae**	salgo **sales** **sale**
Plural	nosotros, nosotras vosotros, vosotras ustedes, ellos, ellas	**hacemos** **hacéis** **hacen**	**ponemos** **ponéis** **ponen**	**traemos** **traéis** **traen**	**salimos** **salís** **salen**

- These verbs are also irregular only in the first person:
  conocer *(to know)* ⟶ yo **conozco**, tú conoces, él conoce…
  saber *(to know)* ⟶ yo **sé**, tú sabes, él sabe…
  ver *(to see)* ⟶ yo **veo**, tú ves, él ve…

Uso de los verbos *hacer*, *salir* y *saber*

- The verb hacer is used to talk about what you usually make or do.
  Juan **hace** ensalada los martes.
- The verb salir is usually followed by the preposition de when it means *to leave a place*.
  Ellos **salen de** la escuela.
- The verb saber preceding an infinitive means *to know how (to do something)*.
  Nosotros **sabemos poner** la mesa.

54 **Piensa.** Think about all the irregular conjugations you know. Which person seems to have the most irregular forms: yo, nosotros, or ellos?

55 **¿Andy es perfecto?**

▶ **Escribe.** Tim thinks Andy does everything right. Janet disagrees. Rewrite the sentences to reflect what Janet would say.

Modelo Andy sabe hacer dos platos peruanos.
⟶ *¡No, yo sé hacer dos platos peruanos!*

1. Andy siempre hace la comida.
2. Andy pone la mesa todos los días.
3. Andy sabe preparar ceviche.
4. Andy no sale nunca de la cocina.
5. Andy conoce buenas recetas peruanas.
6. Andy ve programas de cocina en la televisión.

56 Así se pone la mesa

▶ **Escribe.** Write a list of the steps you take to set the table. Use the verb *poner* in the *yo* form.

Modelo *Pongo el tenedor a la izquierda del plato.*

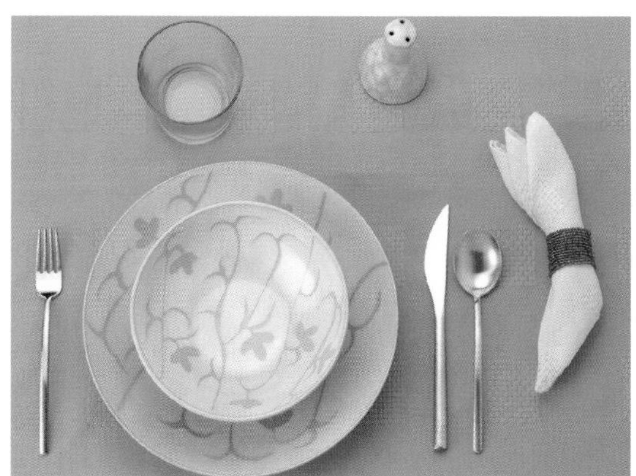

57 Un almuerzo en el parque

▶ **Escucha y escribe.** Andy and his Peruvian friend Reina are going to have lunch in the park. Listen to their conversation and write what each person is bringing.

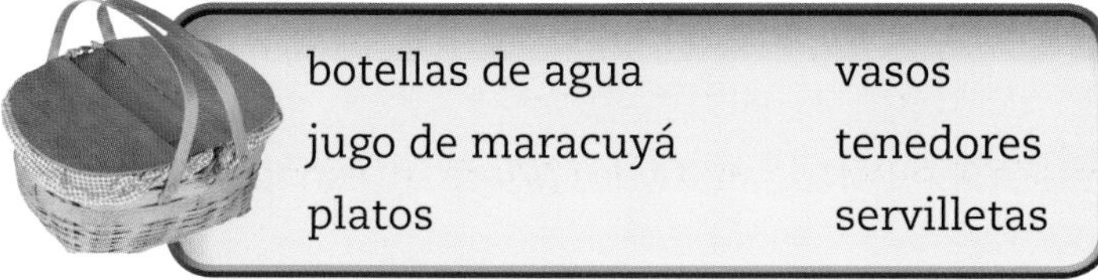

botellas de agua	vasos
jugo de maracuyá	tenedores
platos	servilletas

Modelo *Reina trae las botellas de agua.*

58 ¿Comparten las tareas domésticas?

▶ **Habla.** Which of these chores do you do at home? And your partner? Tell each other what you do or don't do.

1. poner la mesa
2. sacar la basura
3. cortar el pan
4. hacer la ensalada
5. traer los vasos
6. lavar los platos

Modelo A. *Yo pongo la mesa todos los días.*
B. *Yo también pongo la mesa.*

▶ **Habla y escribe.** Now go around the classroom and interview three classmates. Tally their answers in your notebook. How many people do each chore?

Modelo *Tres chicos ponen la mesa.*

Los modales en la mesa en Perú

Los peruanos comen con el tenedor en la mano izquierda *(left hand)* y el cuchillo en la mano derecha *(right hand)*. No cambian el tenedor de mano como en los Estados Unidos.

59 **Compara.** Answer the questions.

1. What are proper table manners in the United States?
2. How do they compare with table manners in Peru and in other countries you know about?

Gramática

Pronombres de objeto indirecto

El objeto indirecto

- Many verbs with a direct object have a complement that indicates for whom the action is performed or who benefits from it. This complement is the **indirect object** (IO). The indirect object can be a noun with the preposition a (a Juan) or a pronoun (nos).

  Ana compra una camisa (DO) **a Juan** (IO). El chef **nos** (IOP) prepara la comida (DO).

- Sometimes for emphasis or for clarification, we use two indirect objects in the same sentence–an expression with the preposition a (*a mí*, *a Carlos*) and the pronoun.

  A mí (IO) **me** (IOP) gusta mucho el ceviche. **A Carlos** (IO) **le** (IOP) gusta el jugo de naranja.

Pronombres de objeto indirecto

- Indirect object pronouns are the same as those used with the verb gustar:

PRONOMBRES DE OBJETO INDIRECTO

Singular		Plural	
me	*to me*	nos	*to us*
te	*to you* (informal)	os	*to you* (informal)
le	*to him, to her, to you* (formal)	les	*to them, to you*

- Indirect object pronouns are placed before the conjugated verb or are attached to the infinitive, like the direct object pronouns.

  Carlos **me** trae el desayuno. ¿Puedes traer**nos** la carta, por favor?

60 **Piensa.** Why do you think that in Spanish you can sometimes use two indirect objects–a pronoun and an expression with the preposition a? Can you do the same in English?

61 **Un buen amigo**

Escucha y une. Mr. Ayaca is cooking breakfast for his friends. Listen and match elements from columns A, B, and C to summarize what you hear.

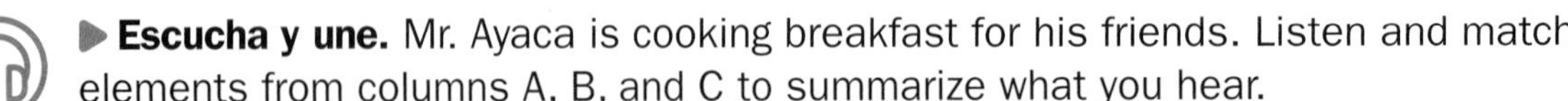

A	B	C
1. A todos sus amigos	le prepara	un desayuno peruano.
2. A Janet	nos prepara	unos frijoles.
3. A nosotros	les prepara	un vaso de leche con chocolates.
4. A Mack		una sopa caliente.

62 ¡Cuántas tareas!

Completa. Andy's text message is missing some words. Complete each sentence with an indirect object pronoun.

1. Nosotros __le__ compramos un postre a Tim.
2. Yo ______ preparo unos sándwiches a Tess y a Patricia.
3. Yo ______ compro unas manzanas a Mack.
4. Nosotros ______ preparamos ceviche a Diana y a Rita.
5. Papá siempre ______ prepara sus platos favoritos a Tess.

63 ¿Qué necesitan?

Escribe. Everyone needs something passed to them during lunch. Rewrite the sentences using an indirect object pronoun and the verb *pasar*.

Modelo Diana y Rita necesitan la sal. (yo) → *Yo les paso la sal.*

1. Arnoldo necesita un tenedor nuevo. (Tess)
2. Yo necesito unas servilletas. (Mack y Andy)
3. Ana y yo necesitamos una taza pequeña. (Rita)
4. Ellas necesitan un plato limpio. (Patricia)
5. Miguel necesita unos vasos grandes. (Janet y Andy)

64 ¿Y tú?

Escribe. What about you? Answer the questions. Include how often you do each activity.

Modelo ¿Escribes cartas a tus abuelos?
→ *No. No* ***les*** *escribo cartas* ***casi nunca****.*

1. ¿Haces la tarea a tus hermanos?
2. ¿Preparas el desayuno a tu familia?
3. ¿Escribes correos electrónicos a tus amigos?
4. ¿Haces regalos a tu padre?

CONEXIONES: MATEMÁTICAS

Una mesa formal

Mucha gente hace cenas formales en casa para celebrar cumpleaños o fiestas importantes con su familia y sus amigos.

65 Pregunta. Use these questions to interview your classmates. Make a bar graph to represent the results.

1. ¿Hace tu familia cenas formales en tu casa? ¿Qué comen?
2. ¿Ponen mantel? ¿Invitan a amigos?

66 Piensa. Are some utensils not commonly used in some cultures? Why?

Comunicación

67 Una comida formal

▶ **Escucha y elige.** Janet is going to cook some Peruvian food for her friends. Listen and say which of these dishes she is preparing for her menu.

1. jugo de frutas
2. arroz con pollo
3. café
4. seco de carne
5. postre de chocolate
6. ceviche

▶ **Habla.** Now tell a partner what utensils she needs for each dish.

Modelo 1. Jugo de frutas ⟶ *Para el jugo de frutas Janet necesita un vaso.*

68 ¿Qué ves?

▶ **Escribe.** What do you see in this picture? What do you think these people are saying? Write a paragraph describing what you think is happening at the table.

Modelo

Hay cuatro personas en un restaurante. En la mesa hay cuatro platos…

69 Restaurante típico El Inca

▶ **Escucha y escribe.** Mr. Ayaca is reviewing his notes about the favorite foods of his guests. Take notes on their preferences.

1. Mack 2. Patricia y Tess 3. Andy 4. Janet 5. Diana y Rita 6. Tim 7. Mr. Ayaca

▶ **Habla.** Now tell a partner which day of the week each person or pair is going to visit the restaurant below. Explain your reasons.

Modelo Mack ⟶ *Mack va al restaurante el jueves porque le gusta el cuy.*

El Inca

Las comidas de esta semana:

LUNES	➤ *Arroz con pollo, ensalada y jugo de maracuyá*	30 soles
MARTES	➤ *Ceviche, sopa del día y refresco*	28 soles
MIÉRCOLES	➤ *Seco de carne, ensalada y refresco*	33 soles
JUEVES	➤ *Cuy asado, sopa y limonada*	45 soles
VIERNES	➤ *Pescado, papas y refresco*	39 soles

70 Comidas especiales

Habla. Special foods are often associated with a holiday or a celebration. Choose one of the photos, identify the occasion, and describe the foods you would serve your guests.

Modelo 1. *Es un cumpleaños. A los invitados les preparamos hamburguesas, una torta…*

1

2

3

Final del desafío

Por la mañana

ANDY: Janet, tenemos que preparar el ceviche.
JANET: Sí. Y hay que comprar los ingredientes.

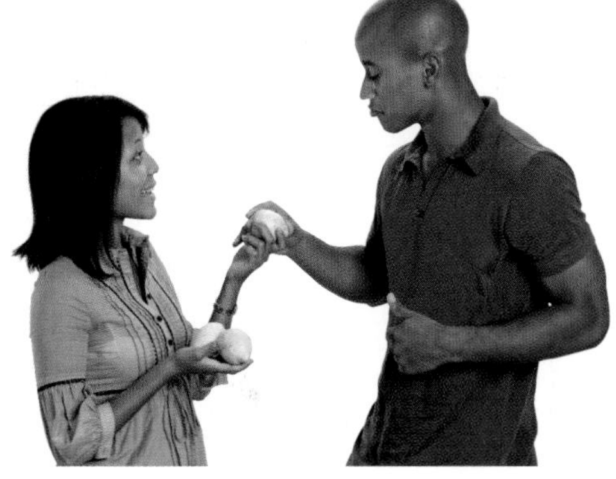

JANET: ¿ ___1___ yo el jugo?
ANDY: Sí, y yo ___2___ la mesa.

Por la tarde

ANDY: ___3___
JANET: ___4___

Por la noche

ANDY: Traemos un ceviche delicioso. ¿Le gusta?
CHEF: Gracias, Andy y Janet. El plato es muy bonito.

71 ¿Qué pasa en la historia?

Escribe. Andy and Janet waited until the last minute to prepare their dish. Read their dialogue for the whole day and fill in the blanks.

Suspiro limeño

Diana and Rita are in Lima, Peru. They are searching for a *chifa*, a Peruvian-Chinese restaurant. This *chifa* is famous for its *suspiro limeño*. Diana and Rita have to try it and discover the secret ingredient.

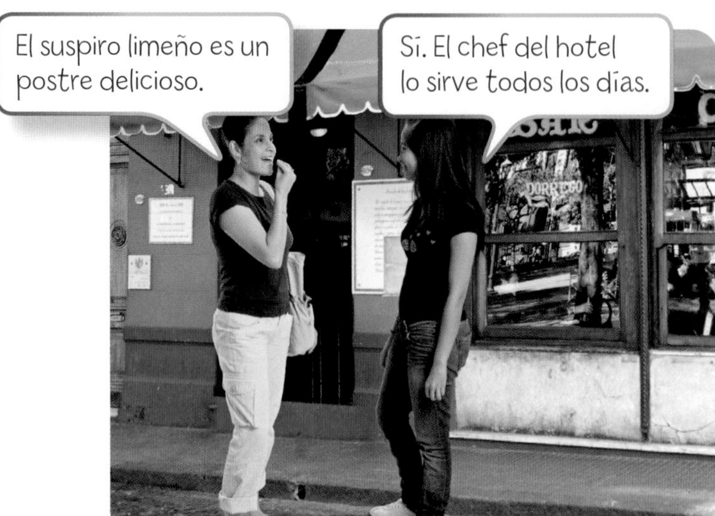

El suspiro limeño es un postre delicioso.
Sí. El chef del hotel lo sirve todos los días.
Pero nosotras tenemos que preparar una receta especial. No podemos servir la receta del hotel.

Tía, ¿por qué se llama suspiro? ¿Lo sabes?
Porque es dulce como el suspiro de una mujer.
¡Qué romántico!

Mesero, perdón, ¿podemos pedir un suspiro?
Sí, señora. ¿Les traigo la carta? ¿Les sirvo agua?

Continuará...

72 Detective de palabras

▶ **Completa.** Using the *fotonovela*, find the word that completes each statement.

1. El chef lo ______ todos los días.
2. No podemos ______ la receta del hotel.
3. ¿Les ______ agua?

▶ **Decide.** The verb *servir* is irregular. How do the forms you used above reflect that?

73 ¡Mesero, por favor!

Escucha y escoge. Diana and Rita are talking to the server about their lunch. Listen and choose the word that best completes each statement.

1. Rita pide la **carta/comida** al mesero.
2. A Diana, la sopa le parece **bastante/poco** salada.
3. El refresco de Rita está poco **frío/dulce**.
4. A Diana le gustan mucho las comidas **saladas/picantes**.
5. El suspiro es muy dulce. Tiene mucho **azúcar/limón**.

74 ¡Qué hambre!

Habla. The pairs are at a restaurant. Read what each person feels or wants. Then talk to a partner about what each one could order.

Modelo Janet tiene mucha hambre.
A. *¿Qué puede pedir Janet?*
B. *Janet puede pedir un almuerzo grande porque tiene mucha hambre.*

un plato vegetariano
un sancochado
un almuerzo pequeño
un ceviche
un jugo de maracuyá

1. Diana tiene sed.
2. Mack no tiene mucha hambre.
3. Rita no quiere comer carne hoy.
4. Tim prefiere un plato típico peruano.
5. Andy tiene ganas de comer pescado.

CULTURA

Las chifas

Las chifas son restaurantes de origen chino. Muchos chinos emigraron *(emigrated)* a Perú entre 1849 y 1874 y combinaron *(combined)* sus platos con los platos tradicionales de Perú.

El puerco agridulce *(sweet-and-sour pork)*, el arroz chaufa y las sopas chinas son los platos favoritos de muchos peruanos.

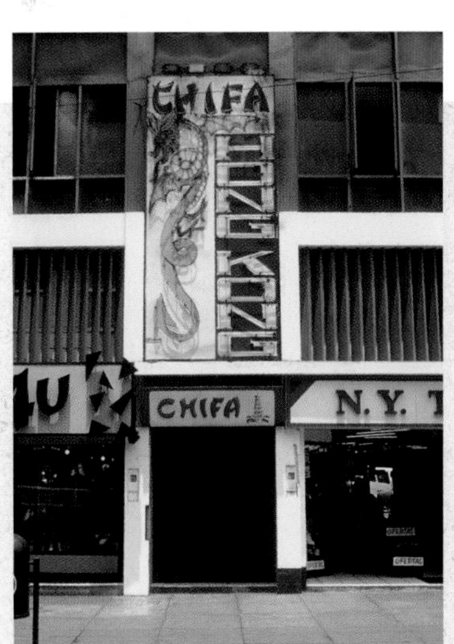

75 Piensa. Have you ever eaten food from other countries? Which ones? Talk about your experience.

Learn more about the *chifas* on the website.

Vocabulario

¿Cómo está la comida?

La temperatura

El helado frío

La sopa caliente

Los sabores

dulce

salado

picante

agrio

amargo

¿Te gusta?

Está malo.

Está bueno.

Está delicioso.

76 ¿Cómo está la comida hoy?

▶ **Escribe.** Describe these foods and drinks.

Modelo *El jugo de maracuyá está frío.*

1.  el chocolate
2.  las papas
3.  el refresco
4.  la torta
5. 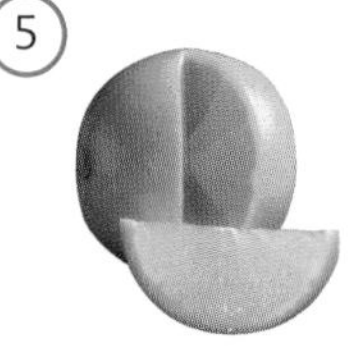 la naranja

77 Quiero probar ese plato

▶ **Escucha y decide.** Diana is talking to Tess about her recent visit to a Peruvian restaurant. Listen and say if each statement is true *(cierto)* or false *(falso)*.

1. El restaurante es una chifa.
2. Los meseros son muy elegantes.
3. La carta tiene muchos platos.
4. Las mesas están sucias.
5. La comida está muy picante.
6. El suspiro está muy dulce.

78 Mis alimentos preferidos

▶ **Habla.** Talk to your partner about your favorite meals. Include drinks, main courses, and desserts. Write a list and comment on each item.

Modelo *Me gustan los refrescos fríos.*

▶ **Escribe.** Create a Venn diagram as you share your information.

Modelo

Fran y Mike

Fran

postres dulces

papas saladas

arroz picante

agua fría

Mike

verduras calientes

manzanas dulces

79 ¿Cómo está tu plato?

▶ **Representa.** You are having lunch at a Peruvian restaurant with a friend. Write a dialogue evaluating the dishes and act it out.

Modelo A. *¿Cómo está el paiche?*

B. *Está muy bueno, pero un poco salado. ¿Y el arroz?*

CONEXIONES: CIENCIAS

El sentido del gusto

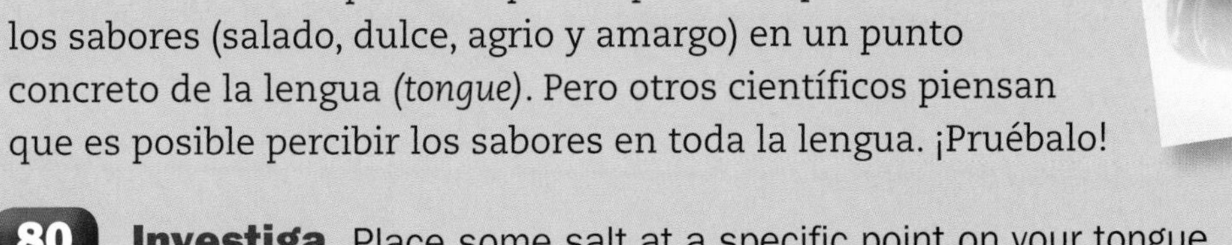

Muchos científicos piensan que las personas percibimos los sabores (salado, dulce, agrio y amargo) en un punto concreto de la lengua *(tongue)*. Pero otros científicos piensan que es posible percibir los sabores en toda la lengua. ¡Pruébalo!

80 Investiga. Place some salt at a specific point on your tongue. Do you taste the salt? Try it with other locations and with other flavors.

Gramática

Verbos con raíz irregular *(e > i)*

- Some irregular verbs like pedir *(to ask for)* require an e to i stem change in the present tense.

  e > i → pedir → pido

- Verbs with this irregularity are conjugated as follows:

  VERBO *PEDIR* (TO ASK FOR). PRESENTE

Singular		Plural	
yo	**pido**	nosotros nosotras	**pedimos**
tú	**pides**	vosotros vosotras	**pedís**
usted él ella	**pide**	ustedes ellos ellas	**piden**

Note: The e > i stem change affects all subjects except nosotros, nosotras and vosotros, vosotras.

- Other verbs conjugated like pedir are:

  competir *(to compete)* → yo compito, tú compites, él compite...
  medir *(to measure)* → yo mido, tú mides, él mide...
  repetir *(to repeat)* → yo repito, tú repites, él repite...
  servir *(to serve)* → yo sirvo, tú sirves, él sirve...

81 **Piensa.** Look at the light-colored sections in the conjugation box. Why do you think that these verbs are often called "boot or shoe verbs"?

82 **Los desafíos en Perú**

▶ **Completa.** These are the things Diana says about the challenges in Peru. Complete and write the sentences.

Modelo El chef mide (medir) los ingredientes varias veces.

1. Yo ______ (competir) para tener el mejor plato.
2. Mis amigos ______ (pedir) ayuda con sus recetas.
3. El chef ______ (repetir) la receta.
4. Yo ______ (medir) el azúcar en una taza.

83 ¿Qué piden?

▶ **Escribe.** You and your friends are at a restaurant. Write what each person orders for dinner.

Modelo Yesenia - una sopa ⟶ *Yesenia pide una sopa.*

1. Teresa y Octavio - unas verduras
2. Tú - arroz con pollo
3. Paco - un pescado
4. Yo - papas fritas
5. Diego y yo - un huevo con maíz
6. Todos - un postre

84 Minientrevistas

▶ **Habla.** Talk to a partner about your family's eating habits. Say whether your family normally serves these foods at dinner. Explain why or why not.

Modelo *No servimos pollo porque a mis padres no les gusta nada el pollo.*

1 

2 

3 

4 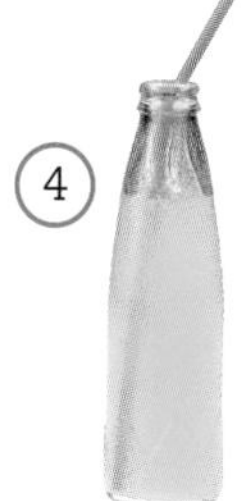

85 Una gran sorpresa

▶ **Escucha y escribe.** Listen and match elements from columns A, B, and C to indicate what each person does for Patricia's birthday party. Then write complete sentences.

A	B	C
1. Tim y Mack	compramos	un CD con música típica de Perú.
2. Tess	sirven	las sillas para la fiesta.
3. Diana y Rita	mide	la mesa para comprar el mantel.
4. Andy y Janet	piden	el regalo para Patricia.
5. Todos nosotros	traen	los refrescos y el café.

COMUNIDADES

LA PESCA EN PERÚ

La pesca es una industria muy importante en Perú. Por esta razón, hay muchos restaurantes especializados en platos de pescado.

86 Compara. Is the fishing industry big in your area? Why or why not? Which industries are important in your community and why?

Comunicación

87 La cocina peruana

▶ **Lee y corrige.** Rita has received an e-mail from a friend who knows little about Peruvian food. Read it and correct the two mistakes she makes.

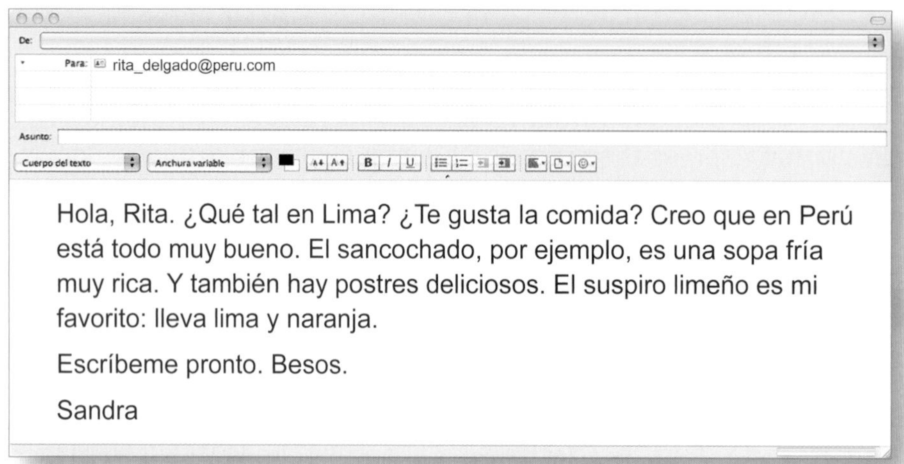
De:
Para: rita_delgado@peru.com
Asunto:

Hola, Rita. ¿Qué tal en Lima? ¿Te gusta la comida? Creo que en Perú está todo muy bueno. El sancochado, por ejemplo, es una sopa fría muy rica. Y también hay postres deliciosos. El suspiro limeño es mi favorito: lleva lima y naranja.

Escríbeme pronto. Besos.

Sandra

88 Unas sugerencias

▶ **Escucha y escribe.** A server is taking an order from his customers. Listen and take notes about each order and how each person wants the dish prepared.

Modelo 1. Rita ⟶ *un ceviche picante*

1. Rita **2.** Diana **3.** Patricia **4.** Rita, Diana y Patricia

Mesa 6

Un ceviche picante.

▶ **Habla.** Now compare notes with a partner.

Modelo A. *Rita pide ceviche.*
B. *Sí. Lo quiere picante.*

89 ¿Qué piden?

▶ **Habla.** Ask a partner what everyone is ordering. Take turns.

Modelo mamá
A. *¿Qué pide mamá?*
B. *Mamá pide arroz con pescado.*

1. 
papá

2. 
la tía

3. 
el abuelo

4. 
las primas

5. 
el primo

90 ¿Está rico?

▶ **Escribe.** Describe these foods as to temperature and flavor. Would you order these dishes in a restaurant? Explain your answer.

Modelo El sushi → *El sushi es un plato frío y salado. Nunca pido sushi en los restaurantes porque no me gusta.*

1 

la hamburguesa

2 

la ensalada

3 

el pollo con arroz

4 

el helado

Final del desafío

91 ¿Qué pasa en la historia?

▶ **Escribe y representa.** Write a script for these scenes. Do you think Rita and Diana will get the *suspiro limeño* right? With your classmates, select the best script and act it out.

Earn points for your own challenge! Listen to the questions for your *Minientrevista Desafío 4* on the website and write your answers.

HABLAR

92 Un día de campo

▶ **Habla y completa.** You are planning an all-day excursion to the countryside for you and your friends. Talk to a partner and fill in each column with the foods, drinks, and utensils each person has to bring.

Modelo

Andrea	José	Jill	Mónica	Mario
pan	refrescos	platos		

▶ **Habla.** Using the information above, talk to your classmates about your plan. Do they like it?

ESCUCHAR Y ESCRIBIR

93 Una receta peruana

▶ **Escucha y escribe.** Diana phones her cousins to share her recipe for *suspiro limeño*. Listen to the message and complete the list of ingredients.

SUSPIRO LIMEÑO

INGREDIENTES

- Dos tazas de __1__ evaporada.
- __2__ tazas de leche condensada.
- Cinco __3__ .
- Una taza de __4__ .
- Esencia de vainilla.
- Canela.

▶ **Elige.** Look at the pictures and choose the ingredient you do not need to prepare *suspiro limeño*.

1. 

2. 
3. 
4. 

▶ **Escribe.** Write the ingredients you need to prepare your favorite dessert.

LEER Y HABLAR

94 La crítica

▶ **Lee y decide.** The pairs found these restaurant reviews in a tour guide. Read them and decide which restaurant they should go to.

Restaurantes recomendados

Restaurante El Inca

Aquí encuentras los platos típicos del norte. Siempre pido los frijoles con carne. Son deliciosos. Y los postres son muy ricos. Mi favorito es el suspiro limeño.

Hay un problema: los meseros son muy antipáticos.

La nueva chifa

El cuy asado es la especialidad de la casa. Puedes comerlo con papas o con arroz. Normalmente está bien, pero a veces lo sirven muy salado.

No tienen muchos postres, pero sí buen café. Los meseros son muy amables.

Nuestra opinión

	Restaurante El Inca	La nueva chifa
Comida	9	6
Postres	7	0
Café	5	8
Atención	3	8

▶ **Habla.** Explain your answers using *pero* (but) or *porque* (because).

Modelo *El Inca tiene mejor comida, pero los meseros son antipáticos.*

El encuentro

En la Plaza de Armas de Lima

The pairs are in Lima. They have all completed their cooking task, and their dishes are ready for tasting. You are the judge! Decide who has prepared the best dish.

Nosotros traemos paiche y jugo de maracuyá.

El seco de carne está delicioso. ¿Quieren probarlo?

Yo traigo un plato de ceviche.

95 Al llegar

▶ **Escribe.** Write a presentation of one of the Peruvian dishes. Use these questions to guide you.

- ¿Cómo se llama el plato y qué ingredientes tiene?
- ¿En qué tipo de tienda hay que comprar los ingredientes?
- ¿Cómo es el plato: sabor, temperatura?
- ¿Qué utensilios hay que usar para comer este plato?
- ¿Por qué crees que es el mejor plato?

Modelo

El plato es de Janet y Andy. Se llama ceviche.
El ceviche lleva pescado, jugo de limón…

▶ **Habla.** Present your text to the class.

96 Las votaciones

▶ **Decide.** Who are the winners? Which pair has done the most original challenge in Peru? Take a vote to decide!

MAPA CULTURAL

Perú es un paraíso de la naturaleza.

¡Es cierto! En Perú hay 84 ecosistemas diferentes.

Colombia
Ecuador
Iquitos
Perú
Chiclayo
Brasil
Trujillo
Lima
Cuzco
Bolivia
OCÉANO PACÍFICO
Arequipa
0 50 100 millas
0 50 100 kilómetros
Chile

Perú está situado en América del Sur, en la costa del océano Pacífico. Su capital es Lima. La ciudad de Lima está en la costa, en el centro del país.

Perú está lleno de restos de culturas anteriores a la llegada de los españoles. Los sitios arqueológicos de la cultura inca son muy importantes.

97 Un nuevo lugar para vivir

Lee y habla. Look at the map. What place or city would be the most suitable for the people featured in these sentences?

a. Un habitante de Cuzco prefiere vivir en la costa *(coast)*.
b. A una persona de Lima no le gusta el mar *(sea)*.
c. A una persona de Cuzco le gusta la selva *(forest)*.
d. Un habitante de Iquitos prefiere las montañas *(mountains)*.

1. Los incas, reyes de las montañas

There are many ruins of ancient Incan cities and sanctuaries in the Andes. Near Cuzco lies Machu Picchu, the capital of the Incan Empire. This city is a well-preserved Incan city located on top of the mountains.

The Inti Raymi, an Incan festival honoring the sun, is celebrated every year on June 24.

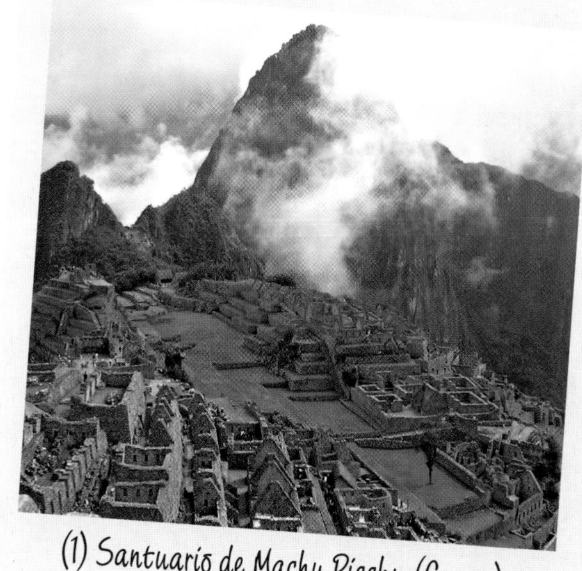

(1) Santuario de Machu Picchu (Cuzco).

(2) Desierto de Nazca.

2. Las líneas de Nazca

In the Nazca Desert, south of Lima, there are strange pictures of humans, animals, and geometric figures made with lines, which can be seen only from the air. Some people believe that these lines form an astronomic calendar of the Nazcas, a culture that existed before the Incas.

98 Visitas en Perú

▶ **Investiga y escribe.** Find more information on one of the topics below and write a short summary about it.

- ¿Dónde está este lugar?
- ¿Cómo es?
- ¿Por qué es famoso?

La ciudad inca de Machu Picchu.

El misterio de las líneas de Nazca.

Celebración del Inti Raymi.

READING STRATEGY

Making inferences

Making inferences is a key strategy for effective comprehension. We make inferences every day.

Inferring when reading means figuring out things not directly stated in the text, or making a logical guess based on what you read.

To make inferences about a word or a topic, you can use clues from the text, the images, and your prior knowledge.

Festividad inca del Inti Raymi

Lugar y fecha

Región: Cuzco. Ubicación: explanada de Sacsayhuaman, a 1 km de la ciudad de Cuzco.

Fecha: 24 de junio.

Descripción

El Inti Raymi es un rito inca en honor del Sol. Coincide con el solsticio de invierno.

El rito se representa en Cuzco el 24 de junio y participan miles de cuzqueños y turistas. El Inca, hijo del Sol, preside la ceremonia.

Primero, el Inca invoca al Sol en el templo de Qorikancha, y en la Plaza de Armas comienza un colorido desfile (*parade*). La representación continúa en Sacsayhuaman. Allí, el Inca ofrece un vaso de chicha al Sol y los actores representan varios ritos tradicionales. Hay bailes y cantos durante todo el día.

Información útil

Clima:	Frío y seco. Temperatura media: 12 °C (54 °F)
Cómo llegar:	Lima–Cuzco (1 hora), vuelos diarios.
	Lima–Cuzco, vía Arequipa, 1.650 km.

ESTRATEGIA **Hacer inferencias**

99 Buscando pistas

▶ **Escribe.** Reread the text on the Inti Raymi festival and select sentences that support the inferences.

Inferencias	Pistas del texto
1. El Sol es sagrado para los incas.	
2. El Inca tiene mucho poder. Es el emperador.	
3. La chicha es una bebida muy antigua.	
4. El Inti Raymi es una fiesta muy popular en Perú.	

▶ **Escribe.** What were three important parts of the ancient Incan ceremony? Copy words, phrases, or sentences from the reading.

COMPRENSIÓN

100 El Inti Raymi

▶ **Completa.** Complete the sentences with words or phrases from the reading.

a. El Inti Raymi es ___1___ y se celebra ___2___.

b. Preside la ceremonia ___3___.

c. En el templo de Qorikancha ___4___.

d. En la fortaleza de Sacsayhuaman ___5___.

e. Durante todo el día ___6___.

El Inca.

Earn points for your own challenge! Visit the website to learn more about this festival and Incan culture.

REPASO Vocabulario

Comidas y bebidas

Las comidas

el desayuno	*breakfast*
el almuerzo	*lunch*
la cena	*dinner*

Los alimentos

el arroz	*rice*
la carne	*meat*
el chocolate	*chocolate*
la ensalada	*salad*
los frijoles	*beans*
el huevo	*egg*
el maíz	*corn*
la mantequilla	*butter*
el pan	*bread*
la papa	*potato*
el pescado	*fish*
el pollo	*chicken*
la salsa	*sauce*
la sopa	*soup*
las verduras	*vegetables*

Los postres

el helado	*ice cream*
la torta	*cake*

Las frutas

la banana	*banana*
la manzana	*apple*
el maracuyá	*passion fruit*
la naranja	*orange*

Las bebidas

el agua	*water*
el café	*coffee*
el jugo	*juice*
la leche	*milk*
el refresco	*soda*

Acciones

comer	*to eat*
beber	*to drink*
desayunar	*to have breakfast*
almorzar	*to have lunch*
cenar	*to have dinner*

Tiendas de alimentos

la carnicería	*butcher's shop*
la frutería	*fruit and vegetable store*
la panadería	*bakery*
la pescadería	*fish market*
el supermercado	*supermarket*

Acciones en la cocina

cocinar	*to cook*
cortar	*to cut*
mezclar	*to mix*
preparar	*to prepare*
probar	*to taste*

En la mesa

la mesa	*table*
el mantel	*tablecloth*
la servilleta	*napkin*
la cuchara	*spoon*
el cuchillo	*knife*
el tenedor	*fork*
el plato	*dish*
la taza	*cup*
el vaso	*glass*
la botella	*bottle*

Acciones

poner la mesa	*to set the table*
limpiar la mesa	*to clear the table*

Los condimentos

el azúcar	*sugar*
la pimienta	*peppe*
la sal	*salt*

En el restaurante

el mesero / la mesera	*server*
la carta	*menu*

Estados

limpio	*clean*
sucio	*dirty*

Describir y valorar la comida

Los sabores

agrio(a)	*sour*
amargo(a)	*bitter*
dulce	*sweet*
picante	*hot* (spicy)
salado(a)	*salty*

La temperatura

caliente	*hot*
frío(a)	*cold*

¿Te gusta?

Está malo.	*It's bad.*
Está bueno.	*It's good.*
Está delicioso.	*It's delicious.*

DESAFÍO 1

1 **Comidas y bebidas.** Complete each sentence with the logical choice.

1. Para el desayuno mucha gente come...
   a. pescado. b. huevos. c. sopa de verduras.
2. Para beber yo prefiero...
   a. helado. b. arroz. c. jugo de naranja.
3. Por la noche ellos...
   a. almuerzan. b. desayunan. c. cenan.
4. Me gusta comerlo con sal y mantequilla. Es...
   a. el maíz. b. el postre. c. el limón.

DESAFÍO 2

2 **¿Dónde lo compro?** Match each item with the corresponding picture.

pescadería | panadería | carnicería | frutería

1 2 3 4

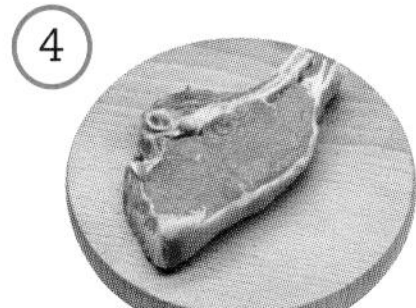

DESAFÍO 3

3 **En la mesa.** Answer the questions, correcting the mistakes.

Modelo ¿Como la sopa con el tenedor?
→ *No, la como con la cuchara.*

1. ¿Pongo la ensalada en el vaso?
2. ¿Corto la carne con el tenedor?
3. ¿Tomo el helado con el cuchillo?
4. ¿Sirvo el café en el plato?
5. ¿Sirvo las verduras en la taza?

DESAFÍO 4

4 **Tus gustos.** Describe the foods according to their flavor (*salado, dulce, agrio, amargo, picante*) and their temperature (*frío, caliente*). Say how much you like each one.

Modelo sushi → *Está frío y es salado. Me gusta mucho.*

1. el jugo de limón
2. la sopa de verduras
3. el helado
4. la banana

Adverbios de cantidad (pág. 210)

nada	*not at all*	bastante	*quite, enough*
poco	*little, not much*	mucho	*a lot, much*

Pronombres de objeto directo (pág. 220)

singular		plural	
lo	*him, it*	los	*them*
la	*her, it*	las	*them*

Pronombres de objeto indirecto (pág. 230)

singular		plural	
me	*to me*	nos	*to us*
te	*to you* (informal)	os	*to you* (informal)
le	*to him, to her, to you* (formal)	les	*to them, to you*

Los verbos *querer* y *preferir* (*e* > *ie*) (pág. 212)

QUERER

yo	quiero	nosotros nosotras	queremos
tú	quieres	vosotros vosotras	queréis
usted él ella	quiere	ustedes ellos ellas	quieren

PREFERIR

yo	prefiero	nosotros nosotras	preferimos
tú	prefieres	vosotros vosotras	preferís
usted él ella	prefiere	ustedes ellos ellas	prefieren

Verbos irregulares en la primera persona (pág. 228)

	HACER	PONER	TRAER	SALIR
yo	hago	pongo	traigo	salgo
tú	haces	pones	traes	sales
usted, él, ella	hace	pone	trae	sale
nosotros(as)	hacemos	ponemos	traemos	salimos
vosotros(as)	hacéis	ponéis	traéis	salís
ustedes, ellos(as)	hacen	ponen	traen	salen

Other verbs with irregular first-person forms: *conocer* (*yo conozco*), *saber* (*yo sé*), *ver* (*yo veo*).

Verbos con raíz irregular (*e* > *i*) (pág. 238)

PEDIR

yo	pido	nosotros nosotras	pedimos
tú	pides	vosotros vosotras	pedís
usted él ella	pide	ustedes ellos ellas	piden

Other verbs like *pedir*: *competir*, *medir*, *repetir*, *servir*.

DESAFÍO 1

5 **Preferencias.** Answer the questions with the correct form of the verb *preferir* and the word or phrase in parentheses.

Modelo ¿Quieren ustedes arroz? (papas) ⟶ *No, gracias. Preferimos papas.*

1. ¿Quiere usted sopa? (ensalada)
2. ¿Quiere ella pescado? (carne)
3. ¿Quieren ellos café? (jugo de manzana)
4. ¿Quieres frijoles? (maíz)

DESAFÍO 2

6 **Tareas.** Who has to do each job? Use the words below to write complete sentences. Remember to use the appropriate pronoun.

Modelo Comprar **el pescado** - Pedro
⟶ *Pedro* **lo** *compra. Pedro tiene que comprar***lo**.

1. Mezclar **las verduras** - yo
2. Cortar **la carne** - mi madre
3. Preparar **la salsa** - ustedes
4. Limpiar **las tazas** - tú

DESAFÍO 3

7 **¿A quién?** In each sentence, replace the underlined words with the appropriate indirect object pronoun.

Modelo Pido la carta al mesero ⟶ *Le pido la carta.*

1. El mesero trae una pizza a ti.
2. Nosotros pedimos un café a la mesera.
3. Yo preparo el desayuno a mis padres.
4. El mesero sirve el postre a mí.

DESAFÍO 4

8 **¿Qué pide?** Write four sentences with the correct form of the verbs.

Modelo Ella - pedir una sopa ⟶ *Ella pide una sopa.*

1. Yo - medir los ingredientes
2. Ellos - repetir la receta
3. Tú - servir el postre
4. Nosotros - pedir un refresco

CULTURA

9 **Perú inca.** Answer the questions.

1. Why was Cuzco so important in the past? What famous ruins are nearby?
2. How did the Incas honor the sun?
3. What are some typical Peruvian foods?
4. What are the Nazca lines?

Nuestros restaurantes

In this project, you will use your ideas to set up a restaurant, write the menu, and role-play a dialogue with your customers. You will also visit your classmates' restaurants and order food there. Finally, you will write a restaurant review to summarize your opinions of all the restaurants.

PASO 1 **Decide el tipo de restaurante y la comida**

- With a group, decide what type of restaurant you will have and what food you will serve. These questions will help you.
  - –¿Qué tipos de restaurantes conoces?

  peruano | italiano | mexicano | americano | comida rápida

  - –¿Cuál prefiere tu grupo?
  - –¿Qué comidas vas a ofrecer: el desayuno, el almuerzo, la cena?
  - –Escribe una lista de los platos, bebidas y postres para cada comida.

PASO 2 **Prepara el menú**

- Classify the foods on your list. You can use these criteria or others:
  - –Tipo de alimento: frutas, verduras, carnes.
  - –Desayuno, almuerzo, cena.
  - –Saludables para gente con dietas especiales.
- Find photos to illustrate each dish you will serve.
- Write a brief description of each dish. Include some information from this list:
  - –nombre del plato
  - –forma de preparación
  - –sabores
  - –ingredientes
  - –precio
  - –...

Deliciosas papas con queso

Papas asadas con una salsa de queso peruano.
11 soles

PASO 3 **Exposición de cartas y dramatización**

- Display all the menus. Then visit another restaurant.
- Use their menu to order food and drinks from the server. Ask questions to find out what characteristics each food or drink has.

Modelo A. *¿Qué quiere beber?*
B. *Un jugo de maracuyá. Es dulce, ¿verdad?*
C. *Sí. Es dulce. ¿Lo quiere frío?*

PASO 4 **Escribe una crítica**

- Take notes on each restaurant you visit. Use these criteria to guide your note taking:

Nombre y tipo de restaurante	Tip y Tap. Chifa
Especialidades	carnes
Precios: ¿caro? ¿normal? ¿barato?	
El servicio: ¿malo? ¿regular? ¿bueno? ¿excepcional?	
Los meseros: ¿simpáticos? ¿antipáticos?	

- Write a review of one restaurant, using your notes.

Modelo

El restaurante Tip y Tap es una chifa. Las especialidades son las carnes y el arroz. La comida no es cara. El servicio es bastante bueno. Los meseros son simpáticos y amables.

Unidad 4

Autoevaluación

¿Qué has aprendido en esta unidad?

Do these activities to evaluate how well you can manage in Spanish.

Evaluate your skills. For each item, say Very well, Well, or I need more practice.

a. Can you talk about your food preferences?

▶ Ask your partner what he or she prefers for lunch or dinner.

▶ Say what you have for breakfast and how much you like each food.

▶ Ask your partner how he or she likes three foods: refer to the taste and/or the temperature.

b. Can you say where to buy food?

▶ Tell your partner in which stores you can buy fruit, bread, and meat.

c. Can you explain how to prepare a dish?

▶ Say how you prepare a dish you know. Use words like *cortar*, *mezclar*, and *probar*.

▶ Draw a picture of the table setting you need to eat your lunch. Say where each item goes: *Pones el tenedor a la izquierda.*

d. Can you talk about Peruvian restaurants?

▶ Name three Peruvian cities and say one dish that restaurants serve there.

UNIDAD 5

España

Al otro lado del Atlántico

To talk about the body and the senses

Vocabulario

Partes del cuerpo

Gramática

Los verbos *ver*, *oír*, *oler* y *decir*

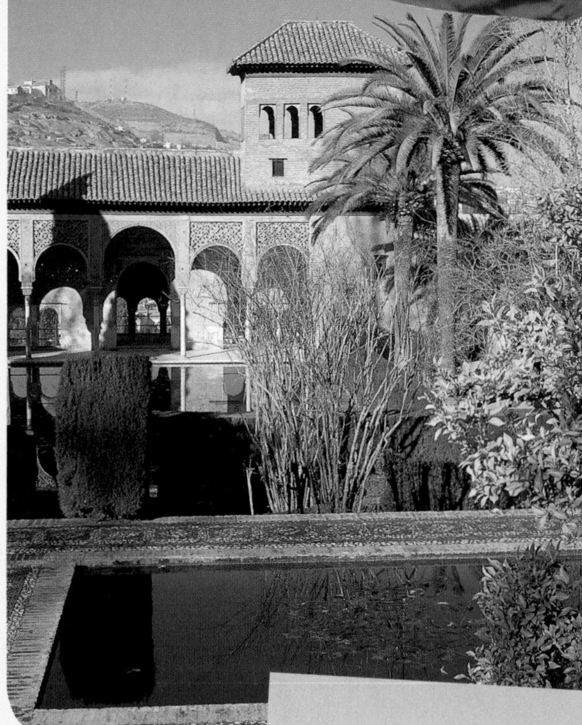

La Alhambra

La Vuelta Ciclista a España

To express daily routine

Vocabulario

La higiene personal

Gramática

Los verbos reflexivos

DESAFÍO 3

To express physical conditions

Vocabulario

Síntomas y enfermedades

Gramática

El verbo *doler*

El verbo *sentirse*

El monasterio de Silos

El Hostal de los Reyes Católicos

DESAFÍO 4

To give commands and advice

Vocabulario

Remedios básicos

Hábitos saludables

Gramática

El imperativo afirmativo de *tú*. Verbos regulares

En Madrid

The four pairs meet in Madrid. They visit a hospital to find Dr. Galdón, their Spanish host. Dr. Galdón will assign a task to each pair. But they are in for a surprise!

Tienen que pensar con la cabeza...

La doctora se maquilla para entretener a sus pacientes.

Los pacientes de la doctora son niños.

La doctora es muy graciosa.

123456 LPLP012345678910 1234567890
123456789101
12345678L F.NORMAL CADUCA 01/23
MARIA LOPEZ LOPEZ
AB1 2345678 09
RECETA ORDINARIA / PENSIONISTA
Perdón, señora. ¿Es usted la doctora Galdón?
No. Yo trabajo en el hospital, pero no soy la doctora Galdón. Soy enfermera. ¿Te sientes mal?
Yo soy médica, pero no soy la doctora Galdón. ¡Lo siento!
Sí. Yo soy la doctora Galdón. Espera un minuto... ¿Te duele la cabeza, mi amor?

1 ¿Comprendes?

▶ **Escoge y escribe.** Choose the correct answer for the questions, then write a complete sentence for each.

1. ¿Dónde están las parejas? — **a.** En un parque. — (**b.**) En un hospital.
2. ¿Dónde trabaja la doctora Galdón? — **a.** En un hospital. — **b.** En una escuela.
3. ¿Cómo es la doctora Galdón? — **a.** Es muy tímida. — **b.** Es muy graciosa.
4. ¿Qué hace la doctora? — **a.** Se afeita. — **b.** Se maquilla.
5. ¿A quién le duele la cabeza? — **a.** A Diana. — **b.** A la niña.

Modelo 1. *Las parejas están en un hospital.*

EXPRESIONES ÚTILES

To ask how someone feels:

¿Cómo estás?
¿Qué te pasa?
¿Cómo te sientes?
¿Te sientes bien / mal?

To say how you feel:

Me siento bien / mal.
Estoy enfermo(a).

To wish someone to feel better:

Que te mejores.
Cuídate.

To say where something hurts:

Me duele la cabeza.
Me duelen los pies.

2 ¿Cómo se sienten?

▶ **Escucha y une.** Listen to the dialogue between Dr. Galdón and her patients. Match the people (column A) with how they feel (column B).

A	B
1. A María	a. se siente bien.
2. A Javier	b. le duele la cabeza.
3. Pedro	c. está enferma.
4. Rosalía	d. le duelen los pies.

3 ¿Qué dicen?

▶ **Elige.** Choose the right expression for each picture.

a. ¿Cómo se siente? **b.** Cuídate. **c.** Me duelen los pies. **d.** Me duele la cabeza.

1 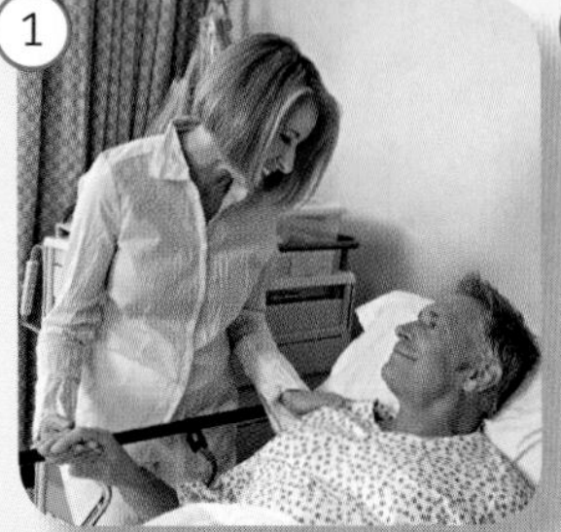

2 

3 

4 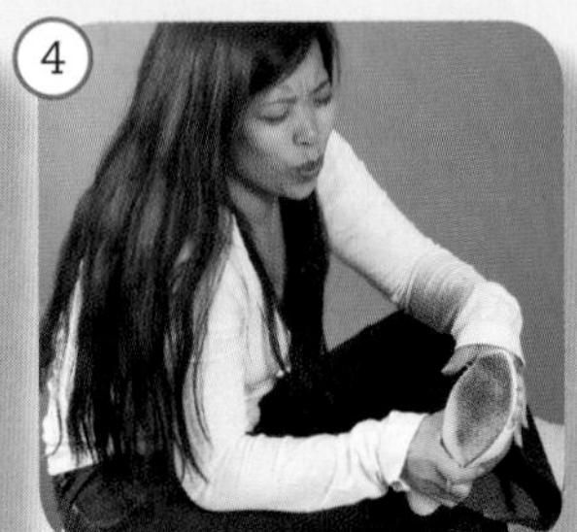

¿Quién ganará?

4 Los desafíos

▶ **Habla.** What will be the challenge for each pair? Think about this question and discuss it with your classmates.

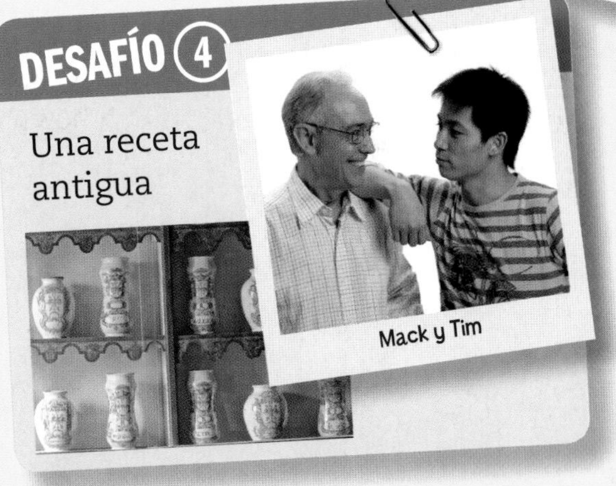

5 Las votaciones

▶ **Decide.** You decide. You will vote to choose the most exciting challenge. Who do you think will win?

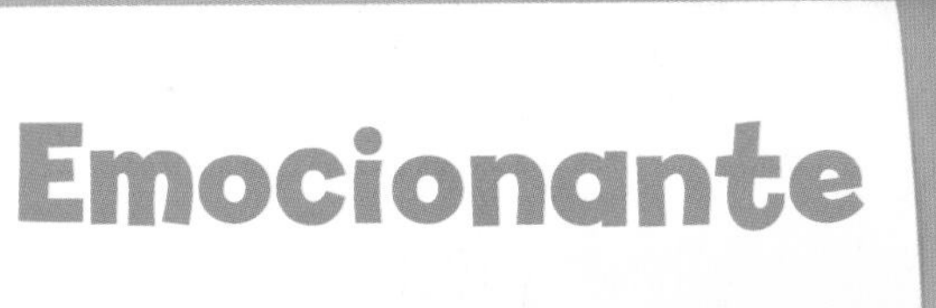

Una vuelta ciclista

Tess and Patricia are at the Asturias stage of the *Vuelta Ciclista a España* (Bicycle Tour of Spain). Their task is to get an autographed T-shirt from the leader of the race. First, they have to figure out who he is!

¿Quién gana la etapa, Tess? No puedo ver nada.

Yo tampoco veo nada y no oigo al comentarista.

Mira, el líder tiene problemas. Le duele la pierna izquierda.

¡Cuidado! ¡Un accidente!

Un golpe fuerte en la cabeza. ¿Puede ver? ¿Me oye?

Me duele la cabeza. ¡Qué dolor!

Continuará...

6 Detective de palabras

▶ **Completa.** Use words from the *fotonovela* to complete these sentences.

1. ¿Quién ________ la etapa, Tess?
2. Yo tampoco ________ nada.
3. Le ________ la pierna izquierda.
4. ¿Puede ver? ¿Me ________?
5. Me ________ la cabeza.

▶ **Habla y representa.** With a partner, decide who said each line and act out the dialogue.

7 ¿Comprendes?

▶ **Escribe.** Answer the questions in complete sentences.

1. ¿Qué problema tiene Patricia?
2. ¿Qué problema tiene Tess?
3. ¿Qué problema tiene el líder?
4. ¿Qué le duele al ciclista del accidente?

8 ¿Qué ves?

▶ **Habla.** Patricia took these photos in Spain. Take turns describing the people, their physical characteristics, and their clothes.

Modelo A. *¿Qué ves?*
B. *Veo a un ciclista. Lleva una camiseta amarilla y unos zapatos amarilllos.*

1 

2 

3 

4 

CULTURA

La Vuelta Ciclista a España

La Vuelta Ciclista a España es una carrera por etapas (*stages*). Durante tres semanas, ciclistas internacionales participan en una carrera por las ciudades, los campos y las montañas de España. El líder lleva un jersey rojo.

La Vuelta Ciclista a España es una competición tan importante como el *Tour de France* y el *Giro d'Italia*.

Piensa. Why do you think the leader wears a red jersey?

Visit the website to learn more about the *Vuelta Ciclista a España*.

Vocabulario

Partes del cuerpo

la cabeza
el cuello
el brazo
la mano
los dedos
la pierna
el pie
los dedos

el pelo
los ojos
las orejas
la nariz
la cara
la boca
los dientes

Acciones

ver
oír
oler
saborear
tocar

10 Acciones habituales

▶ **Completa.** What do these people enjoy doing? Complete the captions with the appropiate infinitive.

oír
oler
saborear
ver
tocar

1. ________ una comida.
2. ________ un perfume.
3. ________ un cuadro.
4. ________ música.
5. ________ un instrumento.

11 Características físicas

Habla. With a partner, describe this character. Use the words in the boxes.

Modelo *Tiene las orejas grandes.*

piernas	pies
brazos	nariz
cabeza	ojos
manos	orejas

largo	corto
grande	pequeño
alto	bajo
gordo	delgado

12 ¿Fátima, Armando o la doctora Galdón?

Escucha y escribe. Patricia meets three special people in Spain. Listen and write the name of the person who has each of these physical traits.

1. ojos azules
2. nariz grande
3. pelo negro
4. piernas largas
5. cara bonita
6. cuerpo delgado
7. pelo rubio
8. cuello largo

13 Autorretrato

Escribe. Write a paragraph describing at least three of your physical characteristics and the things you like to see, hear, smell, and touch.

Modelo *Soy alta, morena y tengo los ojos negros. Me gusta oír música pop.*

CULTURA

El Angliru

El Angliru es un puerto de montaña muy alto. Está en el norte de España, en Asturias. La Vuelta Ciclista a España pasa a veces por El Angliru. El Angliru es una de las etapas más difíciles de la carrera, pero también es una zona natural muy bonita.

14 Piensa. What body parts would need to be very strong in order to bicycle up a mountain like *El Angliru*?

Visit the website to learn more about the Asturias region.

Gramática

Los verbos *ver, oír, oler* y *decir*

- The verbs ver *(to see)*, oír *(to hear)*, oler *(to smell)*, and decir *(to say, to tell)* express actions that our senses perform. All four verbs are irregular.

VERBO VER (TO SEE). PRESENTE

Singular		Plural	
yo	veo	nosotros nosotras	**vemos**
tú	**ves**	vosotros vosotras	**veis**
usted él ella	**ve**	ustedes ellos ellas	**ven**

VERBO OÍR (TO HEAR). PRESENTE

Singular		Plural	
yo	oigo	nosotros nosotras	**oímos**
tú	oyes	vosotros vosotras	**oís**
usted él ella	oye	ustedes ellos ellas	oyen

VERBO OLER (TO SMELL). PRESENTE

Singular		Plural	
yo	huelo	nosotros nosotras	**olemos**
tú	hueles	vosotros vosotras	**oléis**
usted él ella	huele	ustedes ellos ellas	huelen

VERBO DECIR (TO SAY, TO TELL). PRESENTE

Singular		Plural	
yo	digo	nosotros nosotras	**decimos**
tú	dices	vosotros vosotras	**decís**
usted él ella	dice	ustedes ellos ellas	dicen

Note:
1. In Spanish, the letter h is always silent. Do not pronounce it in the irregular forms of oler.
2. Spanish words that start with the sound ue are spelled hue.

15 **Piensa.** Although the verbs tocar *(to touch)* and saborear *(to taste)* refer to the senses, they are not included here. Why do you think that is?

16 **¿Qué haces?**

▶ **Habla.** What do you do with these things? Ask your partner using direct object pronouns in your responses.

Modelo
A. *¿Qué haces con una flor?*
B. *La veo, la huelo, la toco.*

1. una televisión
2. una radio
3. una guitarra
4. un perfume
5. un trabalenguas *(tongue twister)*
6. un perro

17 ¿Qué hacen los participantes?

▶ **Escucha y contesta.** Tess and Patricia are talking about their experiences in Spain. Listen and answer the questions in complete sentences.

1. ¿Quién no puede oler ni oír bien? ¿Por qué?
2. ¿Por qué apaga la radio Patricia?
3. ¿Adónde va Patricia?
4. ¿Quién quiere ver un espectáculo de flamenco?

18 Un día difícil

▶ **Completa.** Tess is not having a great day. Fill in the blanks with the appropriate form of the verbs *oler*, *oír*, *ver*, and *decir*.

Un mal día

Estamos en un restaurante típico, pero no me siento bien. No ___1___ la carta porque tengo los ojos irritados, y no ___2___ al mesero porque la música está muy alta. Además, no ___3___ la comida porque tengo la nariz roja. Mamá me ___4___: «No estás enferma». Pero yo me siento mal.

19 Una encuesta

▶ **Escribe.** Write five questions using the sense verbs.

Modelo *¿Qué programas de televisión ves?*

▶ **Habla.** Use your questions to interview five classmates. Report your findings to the class.

¿Lo ves o no lo ves?

El cubismo es un estilo artístico de principios del siglo XX. Los artistas cubistas representan los objetos desde distintas perspectivas. El español Pablo Picasso es un famoso pintor cubista. Fíjate en el cuadro de la fotografía. ¿Qué ves en él?

Pablo Ruiz Picasso.
Retrato de Dora Maar.

20 Dibuja y habla. Draw a picture of a partner using Picasso's cubist style. Compare your picture with your partner's. Talk about what you see in each drawing.

Use the website to learn more about Pablo Picasso.

Comunicación

21 El ciclista Antonio López

▶ **Lee y escribe.** In his blog, Antonio López wrote about his experiences during the *Vuelta Ciclista a España*. Read the text and list his problems.

> La etapa de El Angliru
>
> 22 de septiembre. Asturias
>
> Hoy es un día difícil. Desde mi cuarto veo El Angliru y, lo confieso, estoy nervioso. Tengo los ojos rojos, me duele el cuello, tengo las piernas y los pies cansados... Pero hoy es un día importante. ¡Quiero ganar esta etapa! Gracias a todos los fans por sus mensajes electrónicos. ¡Nos vemos en la carrera!

▶ **Escucha y escribe.** An organizer of the *Vuelta* is describing services available for cyclists. Listen and take notes about the services that Antonio López could use.

▶ **Escribe.** Using the blog entry and the listening activity above, write an e-mail to Antonio López. Suggest services that could help him.

22 Personaliza tus sentidos

▶ **Escribe.** Write an e-mail describing things you like to do with your five senses. Write a sentence for each one and explain your reasons.

Modelo

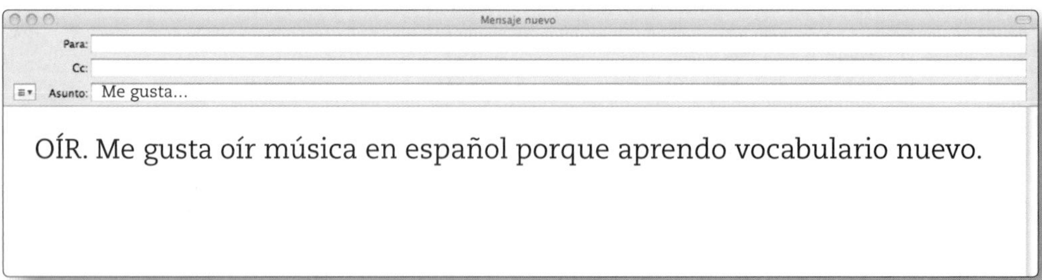
Mensaje nuevo
Para:
Cc:
Asunto: Me gusta...

OÍR. Me gusta oír música en español porque aprendo vocabulario nuevo.

▶ **Habla.** Read your e-mail to several classmates. Fill in a chart like the one below to compare your likes.

Modelo

A tus compañeros	A ti
A César le gusta oír música en español.	A mí también me gusta. / A mí no me gusta.

23 Adivinanzas con sentido

▶ **Crea y escribe.** Create a monster by drawing or making a collage. Then write a paragraph to describe your monster's body and how it sees, hears, smells, tastes, touches, and walks. Notice that Spanish does not use possessive adjectives with body parts.

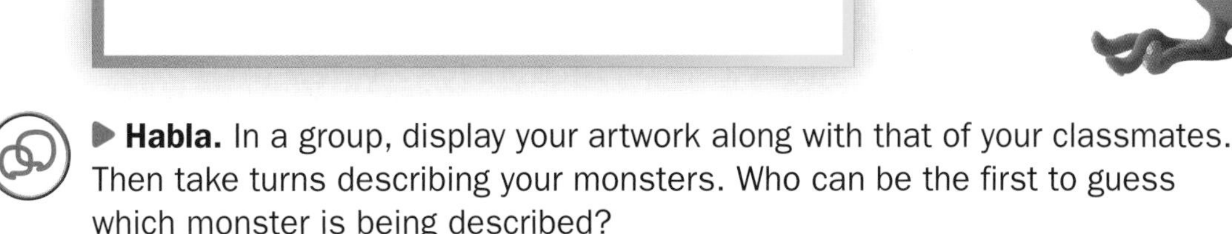

Mi monstruo
El monstruo tiene tres ojos. Tiene tres dedos en las manos...

▶ **Habla.** In a group, display your artwork along with that of your classmates. Then take turns describing your monsters. Who can be the first to guess which monster is being described?

Final del desafío

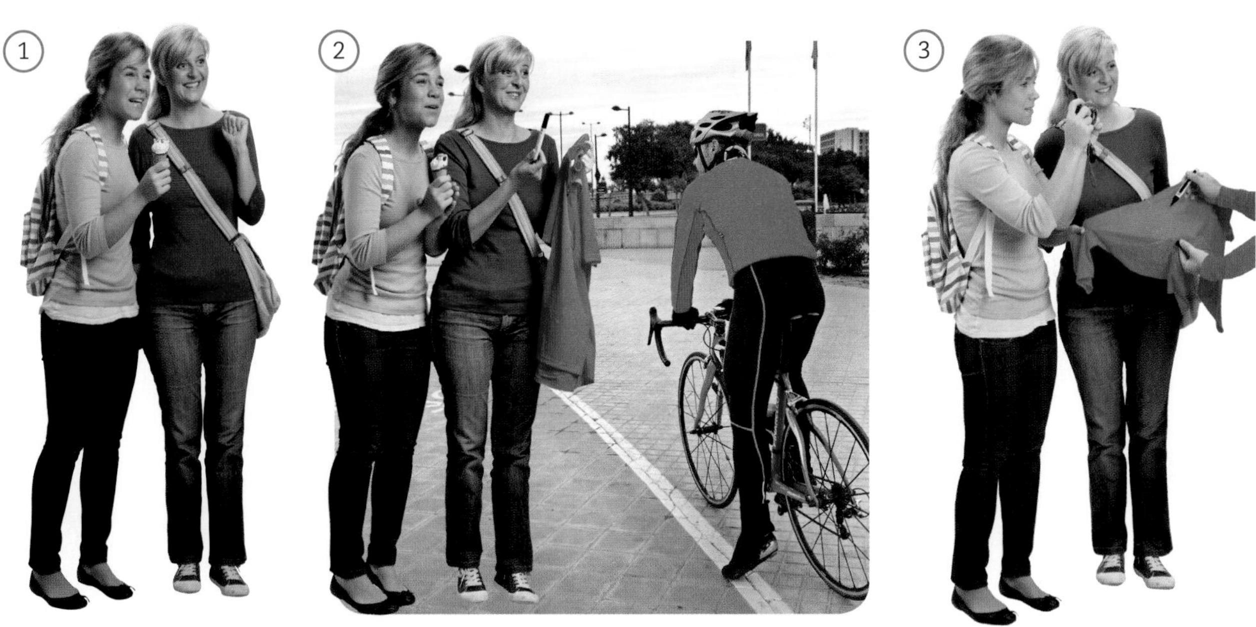

24 ¿Qué pasa en la historia?

▶ **Escribe.** Write a caption for each photograph using the five senses. Include details about what the participants hear from the crowd, see, smell, taste, and touch, and what the people are wearing.

Modelo 1. *Patricia y Tess buscan al ciclista con el jersey rojo.*

Earn points for your own challenge! Listen to the questions for your *Minientrevista Desafío 1* on the website and write your answers.

El azulejo perdido

Andy and Janet are at the Alhambra in Granada, Spain. Their task is to find an *azulejo* (tile) among the hundreds of tiles that decorate this fortress. Where will they find it?

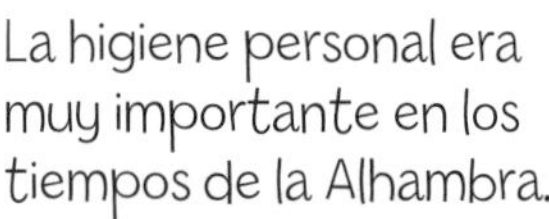

La higiene personal era muy importante en los tiempos de la Alhambra.

Sí, Andy, en esa época los baños eran un evento social.

¿Afeitarte? Tú no tienes pelo en la cara.
Lo sé. Es una broma. Pero necesito lavarme las manos.
Yo tengo jabón, pasta de dientes y desodorante en mi mochila. ¿Los necesitas?

Mira, los baños de la Alhambra. ¿Ves un azulejo similar a este?

Continuará...

25 ¿Comprendes?

▶ **Completa.** Look at the *fotonovela* to choose the best option to complete the sentences.

1. Andy dice que necesita ______ a. afeitarse b. bañarse
2. Andy quiere ______ a. lavarse las manos b. lavarse los pies
3. Janet tiene en su mochila ______ a. jabón b. champú
4. Janet tiene que encontrar ______ a. un baño b. un azulejo

26 Hotel Baños Reales

▶ **Escucha y escribe.** Andy and Janet are staying at the *Hotel Baños Reales*. Listen to the radio advertisement and combine phrases from columns A and B to write true statements.

 A	 B
1. El hotel	a. hay jabón gratis.
2. Para la higiene personal	b. huele muy bien.
3. En los baños	c. el hotel tiene un *spa*.
4. La crema de afeitar	d. hay productos en las habitaciones.
5. Para relajarse	e. está cerca de la Alhambra.

27 La mochila de Janet

▶ **Habla.** With your partner, say what Janet has in her bag. Take turns.

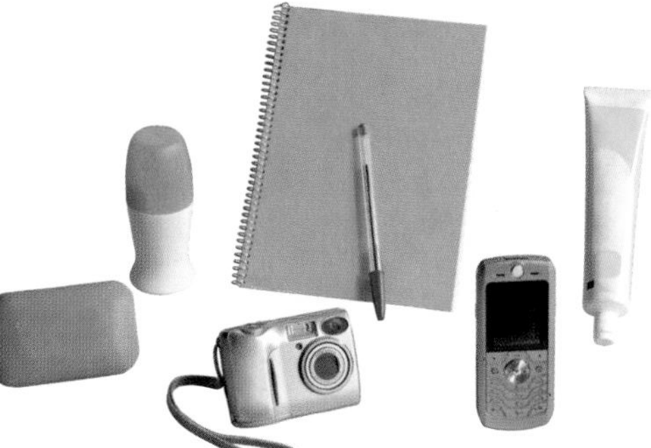

Modelo

Tiene jabón.

Sí. Y tiene desodorante.

CULTURA

La Alhambra

La Alhambra es una fortaleza *(fortress)* árabe. Está en la ciudad de Granada, en el sur de España. Tiene más de 700 años. La fortaleza tiene varios edificios y grandes jardines. Los edificios están decorados con diseños geométricos.

En los palacios árabes los baños eran *(were)* muy importantes. Como en las termas romanas *(roman baths)*, los baños de la Alhambra tienen una zona fría, una zona caliente y salas de descanso.

28 Piensa y compara. What do you think are the similarities and differences between the personal-hygiene habits of the 1300s and those of today?

Learn more about the Alhambra on the website.

Vocabulario

La higiene personal

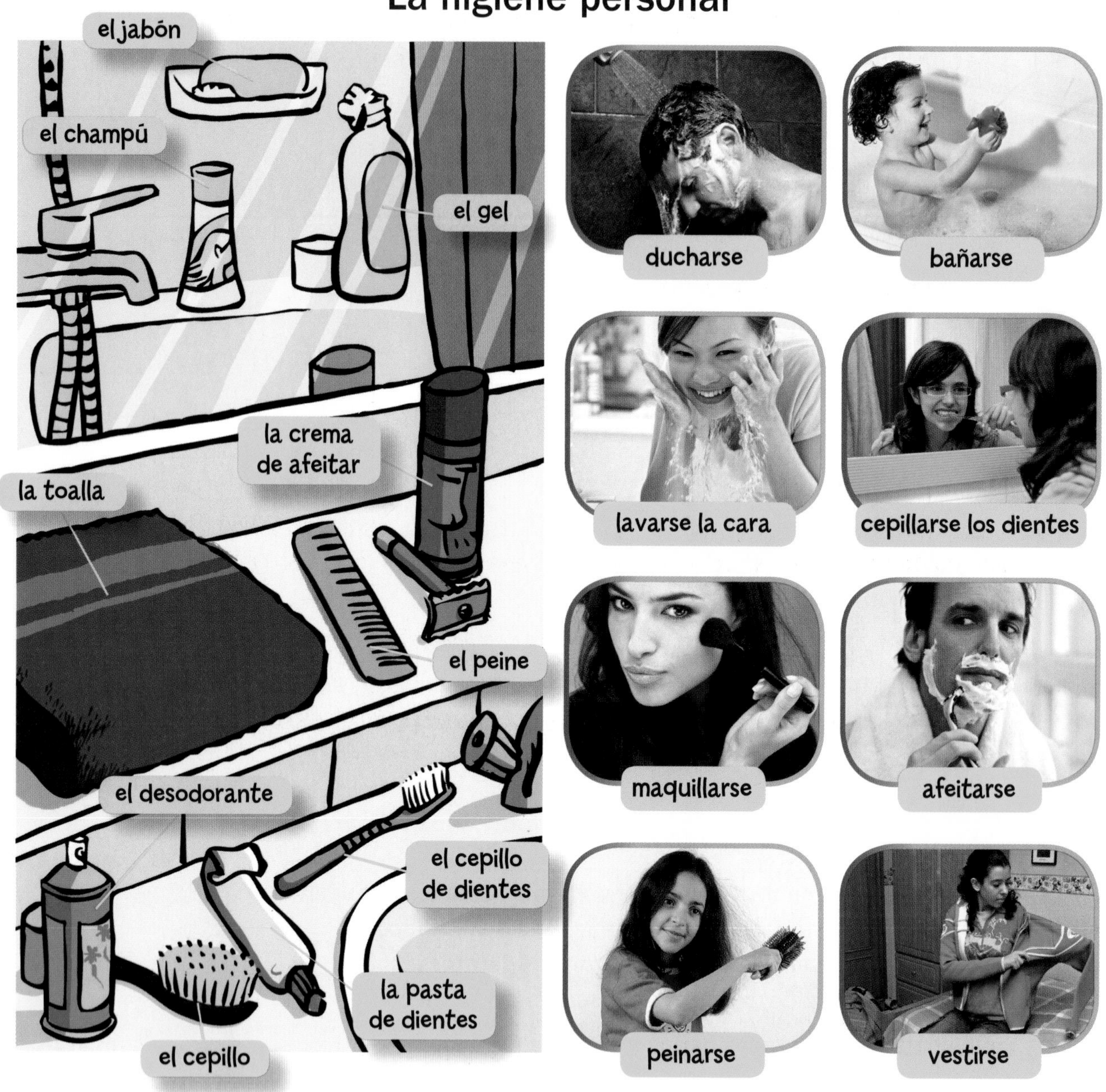

29 La rutina de Janet

▶ **Escucha y escribe.** Andy is describing Janet's daily routine. Listen and put her routine in order. Then write sentences.

Modelo 1. *Janet tiene que levantarse antes de las ocho.*

a. vestirse para la excursión
b. cepillarse los dientes
c. ponerse desodorante
d. peinarse
e. maquillarse
f. ducharse

30 En el *spa* del hotel

▶ **Escribe.** Janet has answered this survey requested by the hotel. Write a note saying which of the options she prefers.

Modelo *Para ducharse prefiere…*

Su opinión es importante

HOTEL BAÑOS REALES
* * * *
GRANADA

Estimado(a) cliente:
Nos gusta conocer sus preferencias.
Gracias por responder a esta encuesta.

1. ¿Qué prefiere para ducharse?	☑ jabón	☐ gel de ducha
2. ¿Qué prefiere para peinarse?	☑ peine	☐ cepillo
3. ¿Qué prefiere para cepillarse los dientes?	☐ pasta de dientes de menta	☑ pasta de dientes de frutas

31 Mis obligaciones durante el día

▶ **Escribe.** What three things do you usually do at each time of day? Copy and complete a chart like the one below. Use the verbs in the vocabulary.

Modelo

7:00 a. m. – 12:00 p. m.	12:00 p. m. – 5:00 p. m.	5:00 p. m. – 9:00 p. m.
Ducharme		

COMPARACIONES

Los productos de higiene personal

Los productos de higiene personal cambian con los tiempos. En la época de la Alhambra, había *(there were)* jabón y perfumes, pero no había desodorante ni pasta de dientes.

Cada cultura tiene una idea diferente de la higiene personal. Por eso, en otras culturas usan productos que nosotros no usamos.

32 Compara. Do you know of any unusual personal-hygiene products or practices from other cultures or other historical periods?

Gramática

Los verbos reflexivos

- Sometimes an action is reflected back onto the subject. In Spanish, this idea is expressed with a reflexive verb.

  Juan se lava. (Juan performs the action, and he receives the effects of the action.)

  The verbs ducharse, bañarse, maquillarse, peinarse, and vestirse are reflexive verbs.

- Reflexive verbs are conjugated with a reflexive pronoun: me, te, se, nos, os, se.
  The pronoun is placed as follows:
  – In front of the conjugated verb: Yo me lavo.
  – Attached to the end of the infinitive: Quiero lavarme.

VERBO LAVARSE (TO WASH ONESELF). PRESENTE

Singular		Plural	
yo	me **lav**o	nosotros nosotras	nos **lav**amos
tú	te **lav**as	vosotros vosotras	os **lav**áis
usted él ella	se **lav**a	ustedes ellos ellas	se **lav**an

- Many verbs related to habits are reflexive verbs.
  – despertarse *(ie)* *(to wake up)* → Yo **me despierto** a las seis de la mañana.
  – levantarse *(to get up)* → Yo **me levanto** a las siete.
  – acostarse *(ue)* *(to go to bed)* → Ellos **se acuestan** muy tarde.
  – dormirse *(ue)* *(to fall asleep)* → Tú **te duermes** pronto.

33 **Piensa.** The verb lavarse means *to wash oneself* while the verb lavar means *to wash*. How can you explain the difference between the two meanings?

34 **Un día para descansar**

▶ **Escucha y escribe.** Andy and Janet are taking a day off to relax. Listen and write who does each of these actions.

1. vestirse con ropa cómoda
2. bañarse en el *jacuzzi*
3. lavarse la cara con agua mineral
4. ducharse con un gel hidratante
5. afeitarse con una crema de maracuyá
6. lavarse las manos con un jabón de frutas

▶ **Escribe.** Write sentences to summarize what Janet and Andy do.

Modelo *Janet se lava la cara.*

35 Rutinas de la mañana

▶ **Habla.** What do the four pairs do each morning? Talk with a partner to compare their morning routines with yours.

Modelo 1. A. *Diana y yo nos levantamos a las siete de la mañana. ¿Y tú?*
B. *Yo me levanto a las siete y media.*

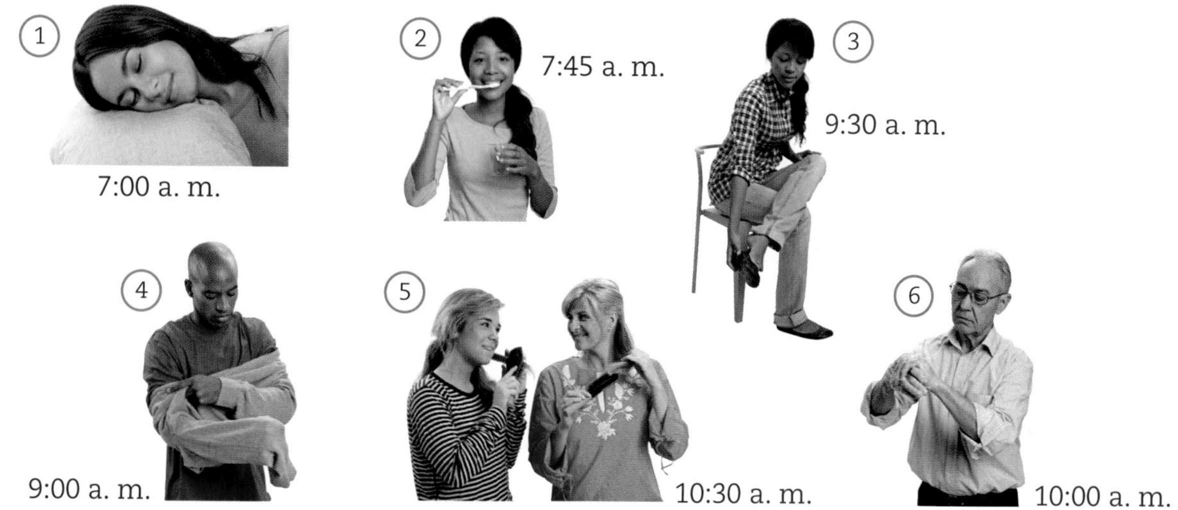

36 Horarios

▶ **Escribe y habla.** Find out about your partner's routine. Write at least four questions and interview him or her.

Modelo *¿A qué hora te lavas la cara?*

▶ **Presenta.** Now present your findings to the class in a timeline.

Modelo

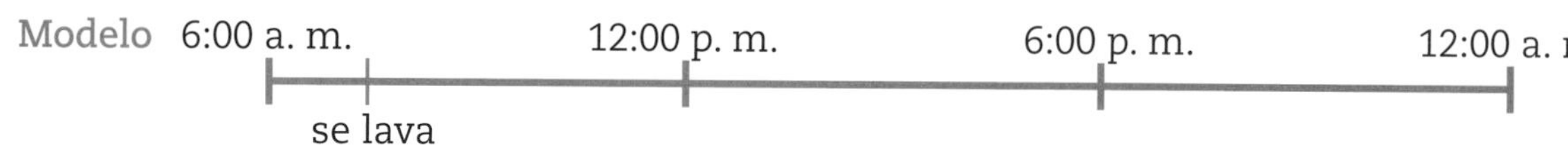

Josefina se lava la cara a las ocho y cuarto.

CONEXIONES: SALUD

La adolescencia

La adolescencia es un período de cambios mentales y físicos. Durante la adolescencia es muy importante mantener una rutina sana. Acostarte y levantarte temprano, comer una dieta equilibrada *(balanced)* y mantener buenos hábitos de higiene puede ayudarte a sentirte bien.

37 **Piensa.** How do you feel when you skip breakfast or when you don't sleep enough? Can you concentrate at school?

Comunicación

38 Una persona organizada

▶ **Habla.** Read the schedule Janet has prepared for tomorrow morning. Tell your partner how this schedule compares with your own daily schedule.

Modelo *Janet se levanta a las siete menos cuarto, pero yo me levanto a las siete.*

6:45 a. m.	7:15 a. m.	7:30 a. m.	7:45 a. m.	7:50 a. m.	8:00 a. m.
Levantarme	Ducharme	Vestirme	Cepillarme los dientes	Peinarme	Maquillarme

39 Para descansar en Granada

▶ **Escucha y escribe.** Lanjarón is a spa resort in the Sierra Nevada. Listen to the spa's radio advertisement and list three special features you would like.

▶ **Escribe.** According to what you heard, write an e-mail to a nearby resort. Ask if they offer the same features.

Modelo

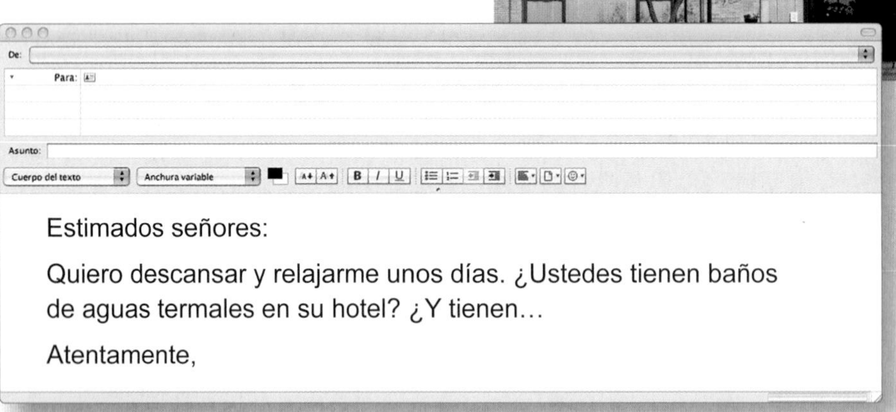

De:

Para:

Asunto:

Cuerpo del texto | Anchura variable

Estimados señores:

Quiero descansar y relajarme unos días. ¿Ustedes tienen baños de aguas termales en su hotel? ¿Y tienen…

Atentamente,

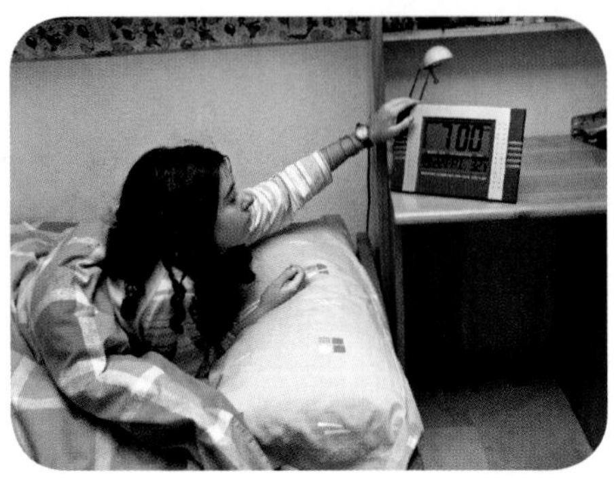

40 Así lo hago yo

▶ **Escribe y habla.** Write your schedule, then compare it with a partner's. Report your findings to the class.

Modelo *Yo me levanto a las siete. Sandra se levanta a las siete y media. Las dos nos duchamos a las ocho.*

41 Tu higiene diaria

▶ **Escribe.** Write sentences describing when you use each item.

Modelo 1. *Uso el desodorante todos los días.*

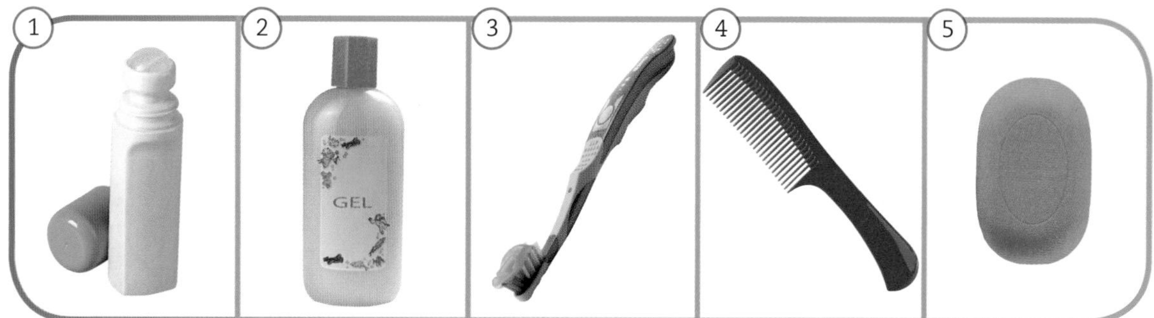

Final del desafío

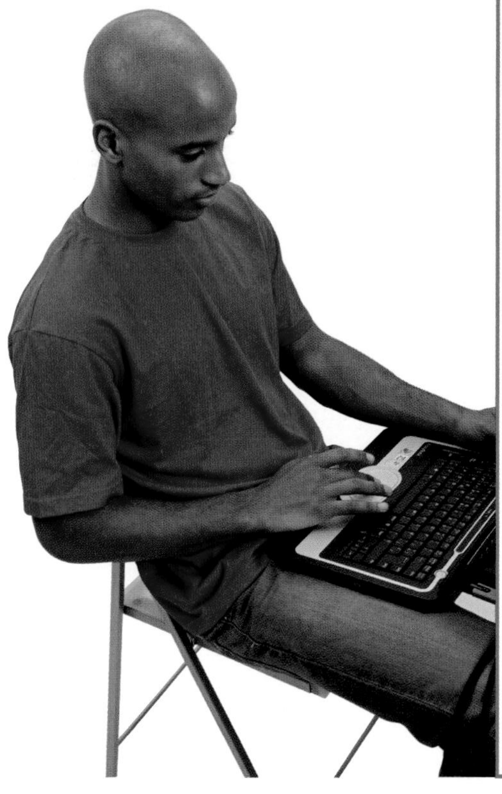

Nuestro desafío en Granada

Lunes

Tenemos un plan: acostarnos a las nueve de la noche para levantarnos a las seis de la mañana. ¡Es un buen plan! No nos duchamos por la mañana porque nos duchamos por la noche. Por la mañana nos lavamos las manos y la cara, nos ponemos desodorante y nos cepillamos los dientes. Después vamos a la Alhambra.

Martes

¿Y nuestro plan? Janet no está en el dormitorio. Tampoco está en el autobús turístico. ¿Dónde está? ¡Está en el *spa* del hotel! ¿Y el azulejo? No lo tenemos. ¡Adiós al desafío en España! Es la primera prueba fallada. ¡Qué mal!

42 ¿Qué pasa en la historia?

▶ **Lee y escribe.** Andy is not very happy with Janet at the end of this challenge. Read his blog for the beginning and end of the *Desafío*, and find out why. Then write Janet's blog entry for the same days.

El escudo de los reyes

Diana and Rita are in Santiago de Compostela at the famous *Hostal de los Reyes Católicos*. Their task is to find the *escudo* (coat of arms) of the royal family on the side of this old hospital. Can they find it?

¿Cómo te sientes, Diana? ¿Estás enferma? ¿Necesitas ir al médico?
No... solo estoy un poco débil y cansada. Y me duelen los pies.

¿Quieres descansar?
No, no es nada serio, no te preocupes. ¡Hay que buscar el escudo!

¿Ves el escudo?
Veo algo en esa pared...

Continuará...

43 Detective de palabras

▶ **Completa.** Complete the questions.

1. ¿Cómo te ______?
2. ¿______ enferma?
3. ¿Necesitas ______ al médico?
4. ¿Quieres ______?

▶ **Escribe.** Write the answers to each question according to the dialogue.

Modelo ¿Estás enferma? ⟶ *No, no estoy enferma.*

44 ¿Comprendes?

▶ **Escribe.** Decide whether each statement is true *(cierto)* or false *(falso)*. If it is false, make it true.

1. Diana se siente bien.
2. A Diana le duele la cabeza.
3. Diana no quiere ir al médico.
4. Diana no quiere descansar.

45 ¡Me duele!

▶ **Habla.** Does it hurt? Look at the pictures and ask a partner. Take turns asking and answering.

Modelo A. *¿Te duele la espalda?*
B. *Sí, me duele la espalda.*

1 
2 
3 
4 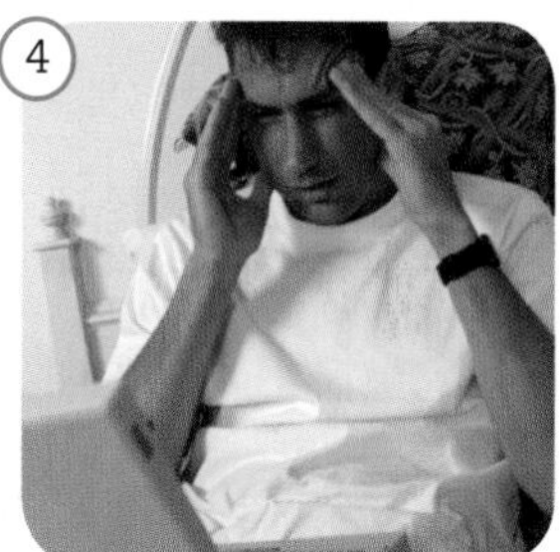

46 Una visita al médico

▶ **Habla.** Imagine you don't feel well and you go to the doctor. With a partner, take turns playing the role of doctor and patient.

Modelo DOCTOR(A): *Buenos días, ¿cómo está?*
PACIENTE: *Buenos días, doctor(a). No me siento bien. Me duele la cabeza.*

CULTURA

El Hostal de los Reyes Católicos

El Hostal de los Reyes Católicos está en Santiago de Compostela, en Galicia, en el noroeste de España. Tiene más de 500 años. Originalmente era *(it was)* un hospital y un parador *(state-run hotel)* para los peregrinos *(pilgrims)* del famoso Camino de Santiago. Hoy muchos peregrinos y turistas descansan allí.

47 Piensa. How do you feel after a long trip? Where do you rest? What do you do to rest?

TU DESAFÍO Visit the website to learn more about the *Hostal*.

Vocabulario

Síntomas y enfermedades

¿Cómo te sientes?

Estoy enfermo, doctora. Me siento débil y cansado.

la enfermera

el enfermo

la médica

la farmacia

¿Qué te pasa?

Tengo **dolor de cabeza** y **fiebre**, y también tengo **tos**.

Tienes un **resfriado**.

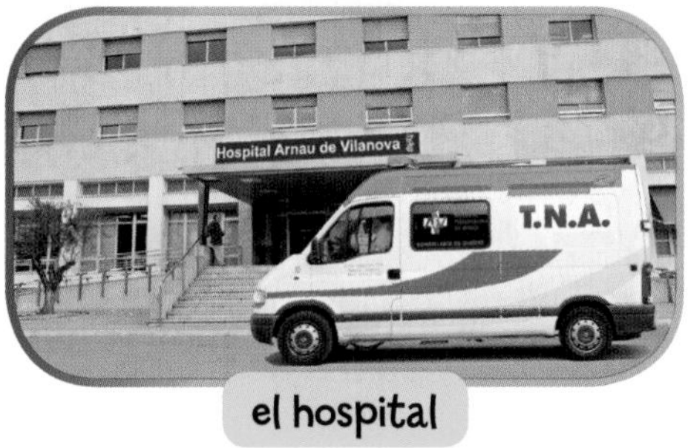

Hospital Arnau de Vilanova

T.N.A.

el hospital

Me duele...

la garganta

el estómago

la espalda

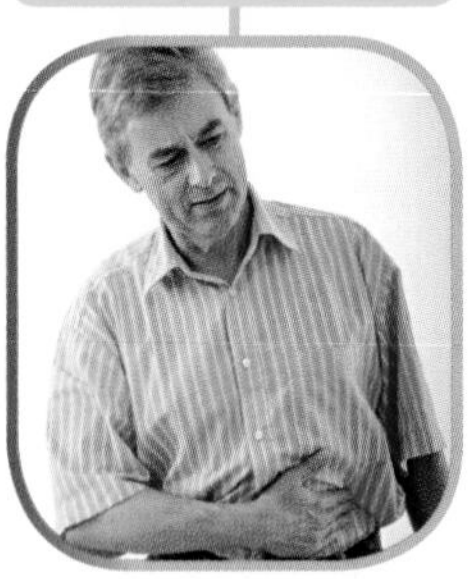

Me duelen...

los oídos

las muelas

48 ¿A la farmacia, al médico o al hospital?

▶ **Escribe.** Decide whether you would go to the pharmacy, to the doctor, or to the hospital for each problem.

Modelo *Voy a la farmacia.*

1. tienes dolor de cabeza
2. tienes tos
3. tienes fiebre
4. te sientes débil
5. tienes un resfriado
6. te duelen los oídos
7. te sientes mal
8. te duele el brazo

49 Los dolores de mi amiga

▶ **Escucha y decide.** Listen to the conversation between Dr. Galdón and her patient. Tell which of these problems the patient has.

1. dolor de cabeza 2. fiebre 3. tos 4. dolor de estómago 5. dolor de espalda

50 Una encuesta de salud

▶ **Escribe.** You are at a doctor's office. Fill out this health survey with information about how you feel today.

Doctor Emilio Guzmán
Medicina General
Madrid

Bienvenido(a) a la oficina del doctor Guzmán. Por favor, responde a nuestra encuesta de salud. ¡Gracias!

1. ¿Cómo te sientes hoy?
2. ¿Estás cansado(a)?
3. ¿Tienes dolor…
   a. de cabeza? **b.** de espalda? **c.** de estómago? **d.** de brazos? **e.** de piernas?
4. ¿Tienes tos o fiebre?
5. ¿Con qué frecuencia vas al médico?
6. ¿Qué haces para mantenerte sano(a)?

51 ¿Qué te pasa?

▶ **Habla.** In pairs, take turns being a doctor and a patient and role-play different health problems. The patient mimes the problem and the doctor guesses.

Modelo A. *[softly coughs]*
B. *Tienes tos.*

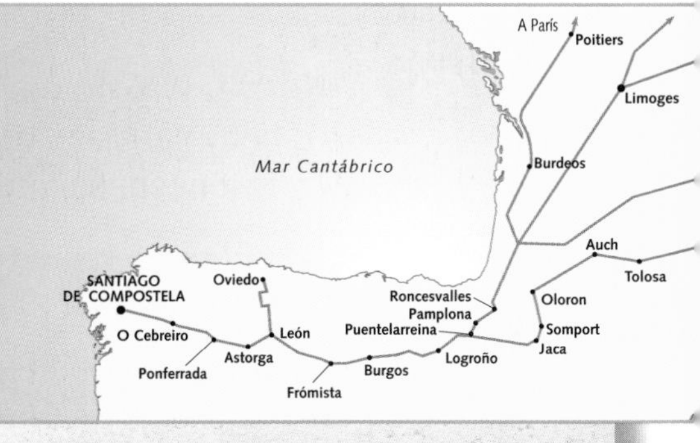

El Camino de Santiago

Desde el siglo X, miles de peregrinos de todo el mundo recorren cada año el Camino de Santiago. El Camino lleva *(leads)* a la catedral de Santiago de Compostela, en el noroeste de España. Santiago de Compostela, Roma y Jerusalén son los principales lugares de peregrinación *(pilgrimage)* para los cristianos.

52 Compara. The *Camino de Santiago* is a Christian pilgrimage. Do you know of any pilgrimage sites from other religions?

Gramática

El verbo *doler*

- To say that something hurts, use the verb doler *(to hurt, to ache)*.

  Me duele la cabeza.

- The verb doler is an irregular verb with an o > ue stem change (like poder).
- Doler follows the same rules as the verb gustar:
  1. It is always paired with an indirect object pronoun: me, te, le, nos, os, les.
  2. Usually only two of its forms are used: the singular duele and the plural duelen.

  Me duele la cabeza. **Me duelen** los pies.

- Sometimes to clarify the meaning of the pronouns, you can include a prepositional phrase.

  A María le duele la mano.

VERBO DOLER (TO HURT, TO ACHE). PRESENTE

	Singular	Plural
(A mí)	me **duel**e	me **duel**en
(A ti)	te **duel**e	te **duel**en
(A usted) (A él/a ella)	le **duel**e	le **duel**en
(A nosotros/as)	nos **duel**e	nos **duel**en
(A vosotros/as)	os **duel**e	os **duel**en
(A ustedes) (A ellos/a ellas)	les **duel**e	les **duel**en

53 **Piensa.** Why do you think Spanish uses a definite article when referring to a body part, and not a possessive adjective like *my* or *his*? Why is it necessary to use the possessive adjective in English?

54 **¡Ay, qué dolor!**

Habla. With a partner, take turns saying what aches and pains each person has.

Modelo Rita - los pies → *A Rita le duelen los pies.*

1. Tim - los brazos
2. Janet y Diana - las piernas
3. Nosotros - el estómago
4. Tú - los ojos
5. Yo - los oídos
6. Ellos - la cabeza
7. Ustedes - la mano
8. Mack - la espalda

55 Una visita al hospital

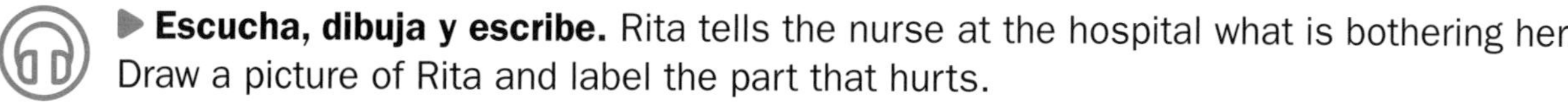

▶ **Escucha, dibuja y escribe.** Rita tells the nurse at the hospital what is bothering her. Draw a picture of Rita and label the part that hurts.

56 ¿A ti qué te duele?

▶ **Escribe.** Write a sentence to say what part of the body hurts each person.

Modelo Carlos → *A Carlos le duelen los pies.*

▶ **Habla.** Now interview a classmate to see if these body parts ache.

Modelo

¿A ti te duelen los pies?

Sí, me duelen los pies.

¿Y la cabeza?

No, no me duele la cabeza.

CONEXIONES: ARTE

El Obradoiro

La fachada *(front)* del Obradoiro es la parte más característica de la catedral de Santiago de Compostela. Está en la Plaza del Obradoiro. Allí llegan *(arrive)* los peregrinos que hacen el Camino de Santiago.

57 Investiga. Use the Internet to find out when the *catedral de Santiago de Compostela* and the *fachada del Obradoiro* were built.

Gramática

El verbo *sentirse*

- In order to express physical and emotional states, use the verb sentirse *(to feel)*.

  Me siento bien. Juanita **se siente** contenta.

- Sentirse is an e > ie stem-changing verb (like cerrar) used with a reflexive pronoun.

VERBO SENTIRSE (TO FEEL). PRESENTE

Singular		Plural	
yo	**me siento**	nosotros nosotras	**nos sentimos**
tú	**te sientes**	vosotros vosotras	**os sentís**
usted él ella	**se siente**	ustedes ellos ellas	**se sienten**

- The verb encontrarse can be used to express the same meaning as sentirse. Encontrarse is an o > ue stem-changing verb (like poder).

  Hoy **me encuentro** muy bien. Patricia **se encuentra** enferma hoy.

Sentences with *si*

- To express what you do if something happens, use this construction:

  Si + condition ... Si me siento enfermo, voy al médico.

58 **Piensa.** What do the words sí and si mean in Spanish? Can you think of any other word pairs that are differentiated by only an accent mark?

59 **¿Cómo se sienten?**

▶ **Escribe.** Write sentences about how these people feel. Use the verb *sentirse* and the words in the boxes.

Modelo *Yo me siento bien.*

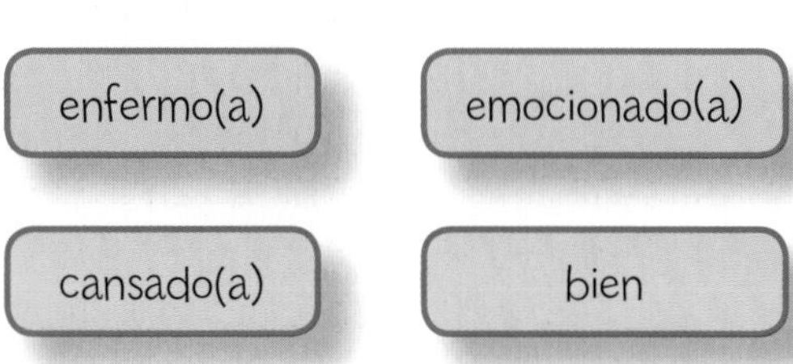

1 
ella

2 
nosotros

3 
ellos

4 
tú

60 ¿Cómo se sienten?

▶ **Escribe.** How do the people below feel if they do the activities indicated?

Modelo Voy al parque.
→ *Si voy al parque, me siento bien.*

1. Mi madre hace deporte. ☺
2. Nosotros visitamos a un amigo. ☺
3. Tú haces un regalo. ☺
4. Tus amigos duermen poco. ☹
5. Ustedes comen mucho. ☹

61 En la consulta de la doctora

▶ **Escucha y elige.** Diana and Rita explain their symptoms to Dr. Galdón. Choose the answer that summarizes the situation at the doctor's office.

1. a. A Diana le duele la cabeza.
   b. Diana tiene un resfriado.
   c. Diana tiene sueño.
2. a. A Rita le duele un brazo.
   b. Rita tiene hambre.
   c. Rita tiene fiebre.
3. a. A Rita le duele el estómago.
   b. A Diana le duele el estómago.
   c. Diana come mucho.
4. a. Tienen un resfriado.
   b. Tienen tos.
   c. Están fuertes.
5. a. Tienen que ir al hospital.
   b. Tienen que beber refrescos.
   c. Tienen que descansar.

▶ **Habla.** In small groups, discuss what the doctor said and say whether you agree or disagree with her.

62 ¿Qué hacer si te encuentras mal?

▶ **Escribe y habla.** With your partner, prepare a presentation about five common health problems and their remedies. Then report your findings to the class.

Modelo *Si tienes fiebre, toma una ducha fría.*

CONEXIONES: CIENCIAS

Los gérmenes y la salud

Vivimos en un mundo lleno de gérmenes (*germs*).
La mejor forma de evitar la gripe (*influenza*) y otras enfermedades es lavarse las manos con frecuencia. Si quieres mantenerte fuerte (*strong*) y sano (*healthy*), tienes que beber mucha agua, comer alimentos saludables y descansar bien.

PROTÉJASE Y PROTEJA A LOS DEMÁS

Medidas de prevención frente a la Nueva Gripe

Al toser, cúbrase la boca

1. Cubra su boca y nariz al toser y estornudar con PAÑUELOS DE PAPEL y tírelos a la BASURA.

2. Si no tiene pañuelo de papel, tosa y estornude SOBRE LA MANGA DE SU CAMISA para no contaminar las manos.

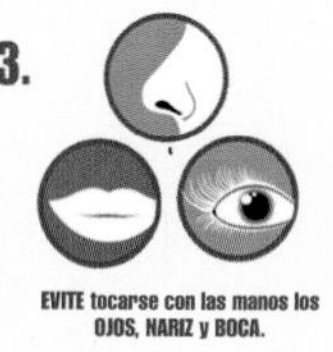

3. EVITE tocarse con las manos los OJOS, NARIZ y BOCA.

Lávese las manos frecuentemente

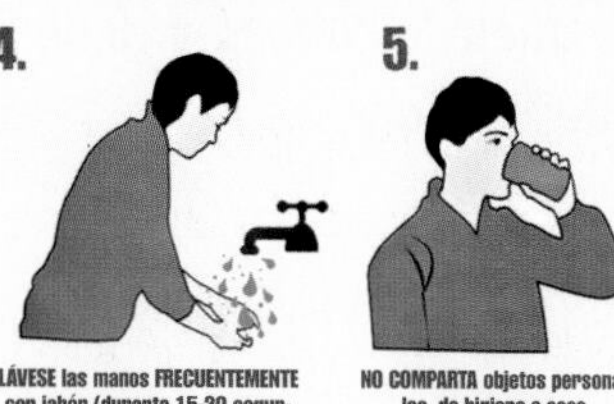

4. LÁVESE las manos FRECUENTEMENTE con jabón (durante 15-20 segundos), y sobre todo después de toser o estornudar.

5. NO COMPARTA objetos personales, de higiene o aseo (vasos, toallas...).

6. VENTILE DIARIAMENTE la casa, habitaciones y espacios comunes.

7. LIMPIE LAS SUPERFICIES Y OBJETOS de uso común con los productos de limpieza habituales (encimeras, baños, manillas, pomos, juguetes, teléfonos).

Comunidad de Madrid SaludMadrid

Mas información: Tfno 012
www.madrid.org

63 Escribe.

What are some ways that you try to keep yourself healthy?
Make a poster to illustrate the benefits of living a healthy life. For example: *Cuando como bien, tengo mucha energía.*

Comunicación

64 ¿Cómo te encuentras?

▶ **Escucha y relaciona.** Some people went to the nurse's office today. Listen and match the statements you hear with the pictures.

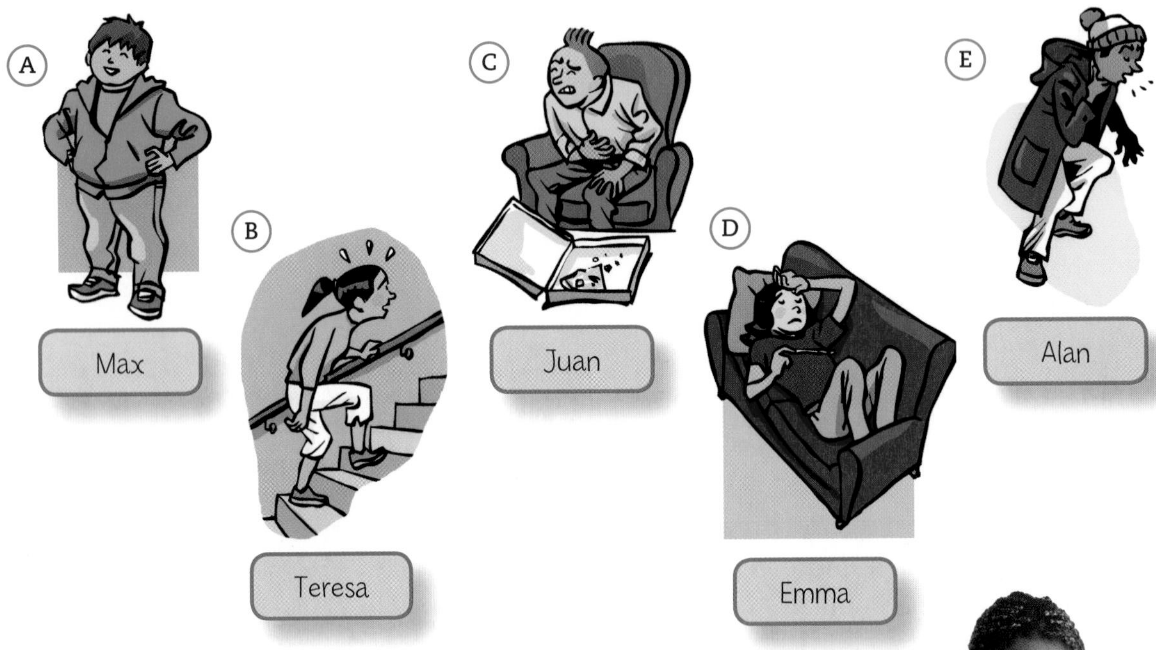

▶ **Escribe.** Write a description, a diagnosis, and a remedy for each picture above.

Modelo *A Emma le duele la cabeza y tiene fiebre. Tiene gripe. Tiene que descansar.*

65 Problemas de salud

▶ **Decide.** The school nurse is collecting information. Answer the questions about yourself to help her.

1. ¿Te duele la cabeza?	**a.** casi siempre	**b.** a veces	**c.** nunca
2. ¿Comes alimentos sanos?	**a.** casi siempre	**b.** a veces	**c.** nunca
3. ¿Vas al médico?	**a.** casi siempre	**b.** a veces	**c.** nunca
4. ¿Haces deporte?	**a.** casi siempre	**b.** a veces	**c.** nunca
5. ¿Te acuestas temprano?	**a.** casi siempre	**b.** a veces	**c.** nunca
6. ¿Bebes más de un litro de agua al día?	**a.** casi siempre	**b.** a veces	**c.** nunca

▶ **Habla.** Compare your responses to the questions with a partner. Do you both have the same answers?

66 El Camino de Santiago

Habla. You and a friend are going to walk the *Camino de Santiago*. With a partner, talk about the possible problems below and suggest solutions.

Modelo A. *¿Qué hacemos si tenemos sed?*
B. *Si tenemos sed, bebemos agua.*

1. tener un resfriado
2. tener frío
3. sentirse mal
4. tener tos
5. doler los pies
6. estar débiles

Final del desafío

¡Ay, tía, ___1___ mucho los pies! Hoy no me encuentro ___2___.
Por allí hay un ___3___. ¿Vamos al ___4___?

¡Tía, mira! ¡El ___5___ está en la otra pared!

67 ¿Qué pasa en la historia?

Escribe y representa. Complete the dialogue above. Then in groups act out the ending of the *Desafío*.

Earn points for your own challenge! Listen to the questions for your *Minientrevista Desafío 3* on the website and write your answers.

Una receta antigua

Tim and Mack are in Silos, in the province of Burgos. They have to find the old pharmacy of the Silos Monastery and ask for a remedy to cure a stomachache. Will they do it?

Mira, abuelo. Aquí está el monasterio de Silos...
Bien. Está lejos, pero estamos en forma, ¿verdad?

Claro. Tú eres una persona muy sana, abuelo. Haces deporte y comes alimentos saludables.
Y tú también. Eres joven, comes bien y te cuidas.

¡Mira, el monasterio! Camina rápido, abuelo. Dentro está la farmacia.

Continuará...

68 Detective de palabras

▶ **Completa.** Using the *fotonovela*, fill in the missing verb to complete each statement.

1. ________, abuelo.	a. Mirar	b. Mira
2. ________ en forma.	a. Estamos	b. Tenemos
3. Tú ________ deporte.	a. hago	b. haces
4. ________ alimentos saludables.	a. Come	b. Comes
5. ________ rápido, abuelo.	a. Camina	b. Caminas

▶ **Habla.** With a partner, take turns asking and answering questions about the healthy lifestyle habits mentioned in the dialogue.

Modelo A. *¿Estás en forma?*
B. *Sí, estoy en forma.*

69 Camino del monasterio

▶ **Completa.** These are signs that Tim and Mack see on the way to the monastery. Complete them with the verbs in the box.

cuida
toma
bebe

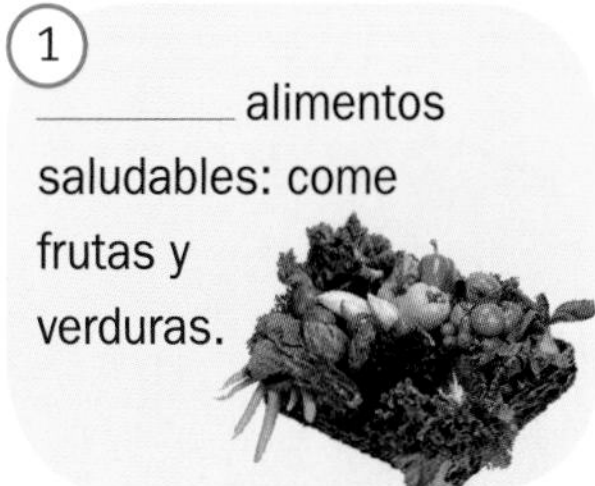
1
________ alimentos saludables: come frutas y verduras.

2
____
agua mineral: sana y natural.

3
____
tu cuerpo: visita al médico regularmente.

70 Una vida sana

▶ **Escucha y elige.** Mack is telling Tim what he must do to stay healthy. Select the recommendations that Mack makes to Tim.

1. Tienes que comer bien.
2. Tienes que acostarte temprano.
3. Tienes que dormir doce horas al día.
4. Tienes que hacer deporte.
5. Tienes que ver poca televisión.

▶ **Habla.** Check off the things that you do to stay healthy and compare your answers with a partner's. Who leads a healthier lifestyle? Explain.

Modelo *Yo estoy sano. Como bien, me acuesto temprano...*

CULTURA

El monasterio de Silos

Thomas Merton

El monasterio de Silos está en Burgos, en el norte de España. Es del siglo XI y es famoso por su arquitectura. Uno de los lugares más interesantes del monasterio es la antigua farmacia.

El coro *(choir)* de los monjes *(monks)* del monasterio es muy famoso.

71 Piensa. How do you think that the concept of health and medicine has changed since the pharmacy of the monastery was built?

TU DESAFÍO

Use the website to learn more about the Benedictine monks of Silos.

Vocabulario

Remedios básicos

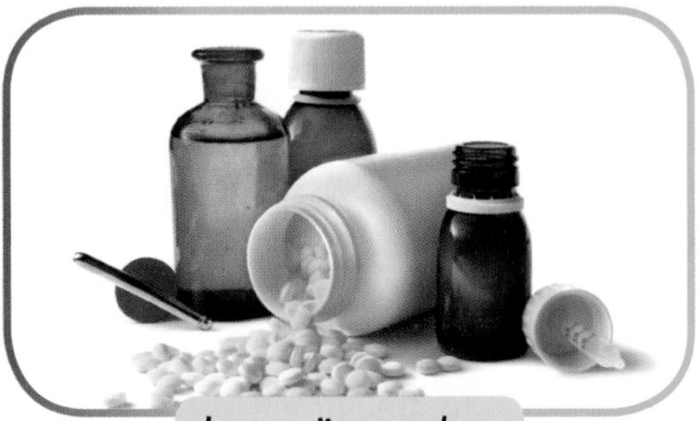
los medicamentos

tomar medicamentos

Hábitos saludables

beber mucha agua

comer bien

descansar

correr

caminar

hacer deporte

¡Estás en forma!
Sí, hago ejercicio y me cuido mucho.

72 Hábitos sanos

▶ **Escribe y habla.** How well do you take care of yourself? Write questions for each answer. Then interview your partner.

Modelo No, no tomo medicamentos. ⟶ *¿Tomas medicamentos?*

1. Sí, como bien.
2. No, no hago deporte.
3. No, no camino.
4. Sí, me cuido mucho.
5. Sí, corro todos los días.
6. No, descanso poco.

73 Un gimnasio nuevo

Escucha y escribe. A new gym is advertising on the radio. Listen and decide whether you can or cannot do these activities there.

Modelo hacer deportes ⟶ *Sí puedo hacer deportes.*

1. llevar a mi perro
2. comer bien
3. beber jugos naturales
4. correr
5. comprar medicamentos
6. caminar

74 Una encuesta

Escribe y habla. Write five questions using words from page 290. Then interview four classmates. Record their answers in a table like the one below. Do they live healthy?

Modelo

	Todos los días	A veces	Casi nunca	Nunca
¿Con qué frecuencia haces deporte?	John	Ellen Brad	Emily	

CONEXIONES: CIENCIA Y SALUD

Mi pirámide, mi plato

Para seguir una dieta balanceada hay que combinar distintos tipos de alimentos: cereales *(grains)*, verduras, frutas, productos lácteos (leche), carnes y legumbres, y aceites. En algunos países se muestra esa idea con un esquema basado en una pirámide o en un plato.

El gobierno de los Estados Unidos tiene una página en Internet donde *(where)* puedes diseñar tu plan (www.choosemyplate.gov). ¡Visítala!

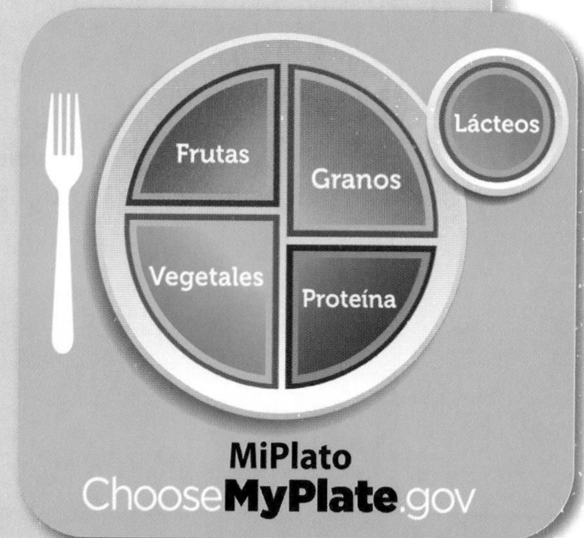

75 Investiga. Create your own personalized food plan online. Does anything surprise you about the recommended daily portions of each food?

Visit the website to learn more about food and health.

Gramática

El imperativo afirmativo de *tú*. Verbos regulares

- To tell someone what to do, use a command.

  Camina más rápido, por favor.

- These are the command forms that we use when talking to one person:

IMPERATIVO AFIRMATIVO. VERBOS REGULARES

Caminar	Comer	Escribir
camina	come	escribe

- Notice that for regular verbs, the tú command is the same as the tú form in the present tense without the final -s.

  tú caminas → camina
  tú comes → come
  tú escribes → escribe

Imperativos y pronombres objeto

- Object and reflexive pronouns are placed attached to the end of the tú command.

  Dame ese libro. Lávate las manos.

76 **Piensa.** Devise a simple rule to form the tú command from the usted form of the present tense.

77 **¿Qué hago?**

▶ **Escribe.** The people below need some directions. Tell them what to do, using the verbs in the boxes.

Modelo 1. *¡Camina más rápido!*

1

caminar

2

comprar

3

beber

4

comer

5
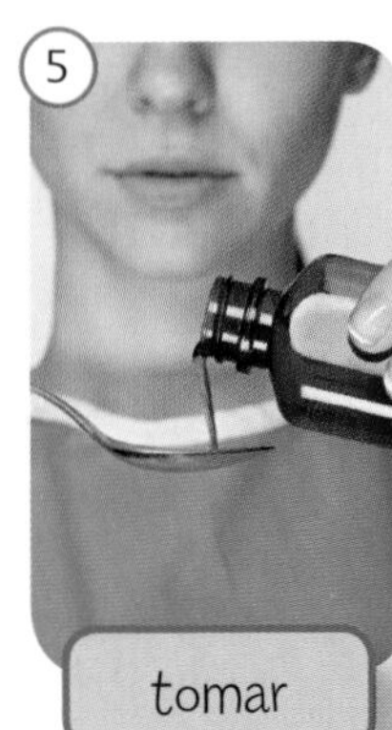
tomar

78 Buenos consejos

▶ **Une y escucha.** Tim and Diana are talking about what they do to lead a healthy life. Match Tim's advice with Diana's excuses. Then listen and check.

CONSEJOS

1. Corre.
2. Camina.
3. Pasea al perro por el parque.
4. Come bien.

EXCUSAS

a. Tengo alergia a las flores.
b. No me gusta caminar.
c. No me gustan las verduras.
d. Es muy aburrido.

79 Para vivir mejor...

▶ **Lee y completa.** Read this poster with tips to living a healthy lifestyle and complete it using the *tú* commands.

cepillarse | beber | practicar | comer | lavarse | cuidarse

HÁBITOS SALUDABLES

1. Las frutas y verduras son muy saludables. Cómelas todos los días.
2. Los jugos naturales tienen muchas vitaminas. ___1___ para desayunar o para almorzar.
3. ___2___ las manos siempre antes de comer.
4. ___3___ los dientes después de comer.
5. El deporte es muy bueno para ti. ___4___ habitualmente.

¡___5___ más y vive mejor!

▶ **Escribe.** With a partner, write three more health tips.

CONEXIONES: ARTE

La belleza física

Las ideas sobre la belleza humana no son iguales para todos. Mira estos dos cuadros. La pintura de la izquierda es la original, del español Diego Velázquez (1599–1660); la pintura de la derecha es del pintor colombiano Fernando Botero (1932). ¿Te parecen bonitas?

Diego Velázquez. *La infanta Margarita de Austria.*

Fernando Botero. *La princesa Margarita.*

80 Piensa. What is considered beautiful in your culture? What do people do to meet that ideal?

Comunicación

81 Los remedios de la abuela

▶ **Escucha y elige.** Tim isn't feeling well, and Mack's feet hurt. Tim decides to call his grandmother. Listen and choose the advice she gives for each problem.

▶ **Habla.** In small groups, discuss the advice that Tim's grandmother gave him. Use the images above to assist you.

Modelo *Si te duele la cabeza, descansa.*

82 Una transformación personal

▶ **Escribe.** While in Burgos, Mack made a new friend: Agustín Ramos. Write a story about Agustín's lifestyle change.

Final del desafío

1

2

3

Para el dolor de estómago bebe té de menta.

a. Perdón, señor, buscamos un remedio para el dolor de estómago.

b. Termina la manzana, abuelo. ¡Ya estamos en el monasterio!

c. ¡Vaya! Té de menta. ¿Es todo?

d. El mejor remedio es el té de menta.

e. Tengo que estar en forma. Comer frutas es bueno para la salud.

83 ¿Qué pasa en la historia?

▶ **Escribe y representa.** Rewrite the speech bubbles in the correct order according to the scenes above. Then act out the ending of the *Desafío* with a partner.

HABLAR

84 Un juego de mesa

▶ **Habla.** You and your partner are playing Operation. Point to different parts of the patient's body and say what hurts or what problem he has. Your partner will "operate" by telling you how to fix or prevent the problem.

Modelo A. *Doctor, me duele el estómago.*
B. *Bebe jugo de frutas.*
A. *También me duele la cabeza.*
B. *Tienes que descansar.*

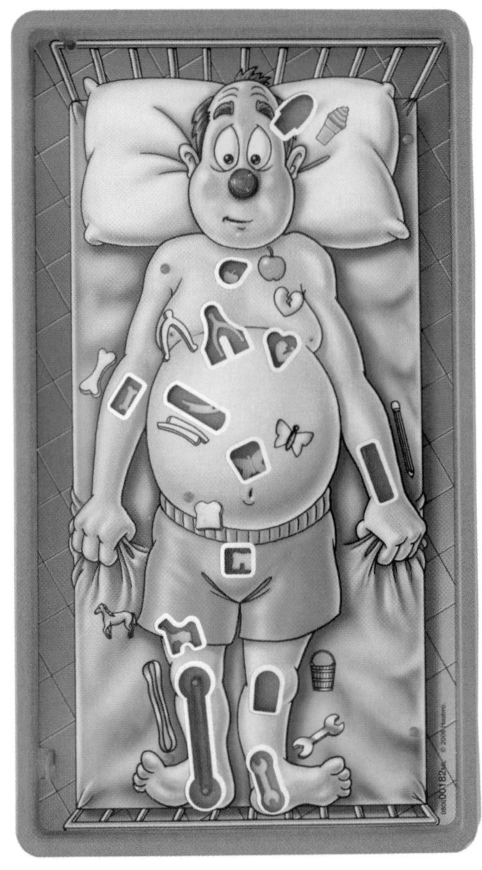

ESCUCHAR Y ESCRIBIR

85 Esmeralda está enferma

▶ **Escucha y escribe.** Esmeralda, the main character from a radio soap opera, is feeling sick today, and her boyfriend, Rodrigo, is trying to find out what's wrong with her. Listen and write Rodrigo's suggestions for each problem.

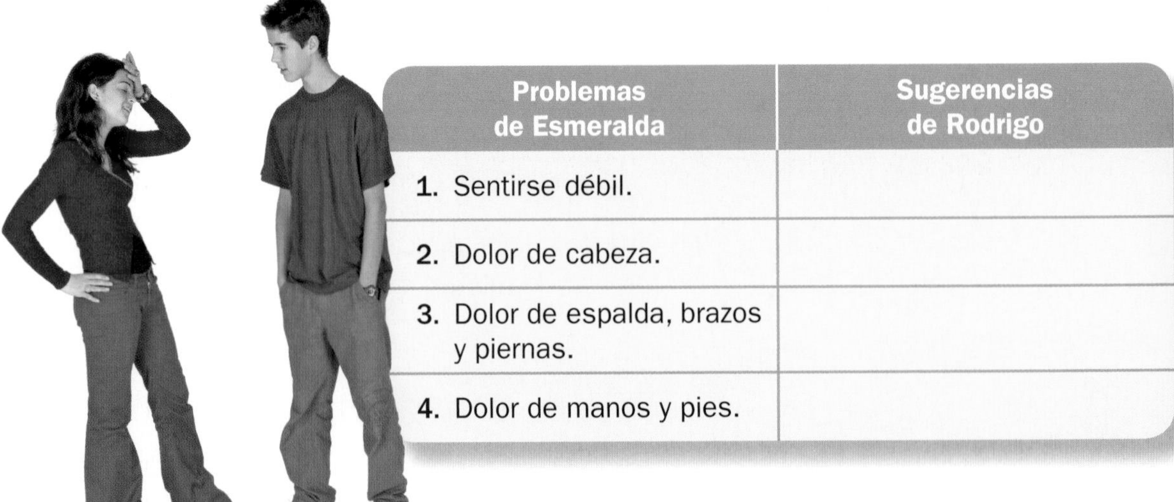

Problemas de Esmeralda	Sugerencias de Rodrigo
1. Sentirse débil.	
2. Dolor de cabeza.	
3. Dolor de espalda, brazos y piernas.	
4. Dolor de manos y pies.	

▶ **Escribe y representa.** According to what you heard, write your own ending to the scene. Perform your original ending for the class.

ESCRIBIR Y HABLAR

86 Mi rutina

▶ **Escribe.** Indicate your daily routine by filling in a chart like this one.

MI HORARIO	
7:00 a. m.	Me levanto.
8:00 a. m.	
_____ a. m.	

▶ **Habla.** Compare your daily routine with your partner's. Then explain the differences.

Modelo

Carlos se levanta a las siete y yo me levanto a las siete y cuarto.

ESCRIBIR Y HABLAR

87 Anuncios

▶ **Escribe.** With your partner, write slogans for these products using the *tú* command.

Modelo *Lávate las manos con el jabón POMPAS.*

lavarse cepillarse bañarse afeitarse

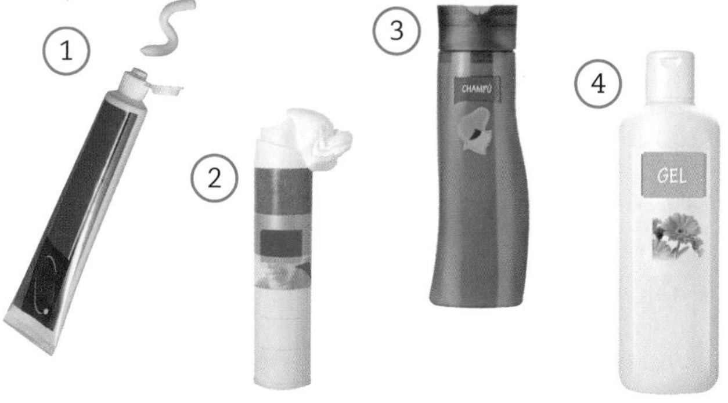

▶ **Habla.** With your classmates, vote to decide the most original slogans.

Los horarios de los españoles

Los horarios de los españoles con frecuencia sorprenden a los visitantes.

En general, los españoles se levantan entre las 7 y las 8 de la mañana, y se acuestan entre las 11 y las 12 de la noche.

Muchas tiendas cierran a mediodía. ¡Pero en España «mediodía» significa las 2 p. m., no las 12 p. m.! Después del descanso para la comida, las tiendas abren a las 5 y cierran sobre *(about)* las 8 de la tarde. Los españoles comen y cenan tarde.

La siesta es una costumbre española muy popular. Pero los españoles no duermen la siesta a diario. ¡Tienen que trabajar y estudiar!

88 Compara. What are the similarities and differences between your community's schedules and Spanish habits?

En la Plaza Mayor

The four pairs meet in Madrid after attempting their individual tasks. Did the characters complete their tasks successfully?

¡Tenemos el jersey del líder de la Vuelta Ciclista!

Perdona, Andy. ¡Me siento muy mal!

Este es el escudo. Está en el Hostal de los Reyes Católicos.

¡El té de menta es el mejor remedio para el dolor de estómago!

89 Al llegar

▶ **Escribe.** At the meeting point in Madrid, the four pairs talk to Dr. Galdón. Choose one of the characters and write a script for their conversation. Be sure to include the following points:

- How he or she feels.

DOCTORA GALDÓN: ¿Cómo te encuentras, Diana?
DIANA: No me siento bien, doctora.

- What body parts hurts him or her.

DOCTORA GALDÓN: ¿Te duele la cabeza?
DIANA: Sí, un poco. Y también me duele la garganta.

- What he or she has to do to feel better.

DOCTORA GALDÓN: Tienes un resfriado, Diana. Tienes que ir a la farmacia y comprar estos medicamentos.
DIANA: Gracias, doctora.

▶ **Representa.** In pairs, act out your script for the class, or videotape it to show to the class.

¿Vamos al Museo del Prado?
¡Sí! ¡Buena idea!

90 Las votaciones

▶ **Decide.** Which pair has done the most exciting challenge? Take a vote to decide.

Emocionante

Mar Cantábrico
Francia
Bilbao
Santiago de Compostela
Burgos
Andorra
Barcelona
España
OCÉANO ATLÁNTICO
Madrid
Portugal
ISLAS BALEARES
Toledo
Valencia
Córdoba
Granada
Mar Mediterráneo
Cádiz
Ceuta
Melilla
0 50 100 millas
0 50 100 kilómetros
OCÉANO ATLÁNTICO
ISLAS CANARIAS

España es una monarquía parlamentaria situada en el sur de Europa. Su territorio comprende la mayor parte de la Península Ibérica, los archipiélagos de Baleares y Canarias, y las ciudades de Ceuta y Melilla, en el norte de África. La capital de España es Madrid.

91 Disfruta España

▶ **Escribe.** Look at the map, read the statements, and write where these people should go. Use affirmative *tú* commands.

Modelo Paula quiere ir a una ciudad de la costa atlántica.
→ *¡Visita Cádiz!*

1. Juan quiere ver una ciudad en la costa del mar Cantábrico.
2. Luis quiere ir a una ciudad de la costa mediterránea.
3. Cristina quiere conocer la capital de España.
4. Susana quiere conocer el centro de España.

España es un país grande, pero es más pequeño que el estado de Texas.

1. Madrid: paraíso de pintores

Madrid, la capital de España, es una ciudad moderna con una intensa vida cultural. En esta ciudad está el **Museo del Prado**, uno de los museos de pintura más importantes del mundo. Aquí hay obras de los más famosos pintores españoles, como **Francisco de Goya** y **Diego Velázquez.**

(1) Fachada del Museo del Prado (Madrid).

(2) Mezquita de Córdoba.

2. El sur: la herencia árabe

En España la influencia árabe es muy importante, especialmente en **Andalucía.** Las construcciones árabes más famosas son los jardines y palacios de la **Alhambra,** en **Granada,** y la **Mezquita de Córdoba.**

92 Investigación: Barcelona

The eastern part of the Iberian Peninsula is the Mediterranean, where there are large cities such as Barcelona and Valencia.

▶ **Lee y completa.** Read the text and complete the graphic organizer by assigning the characteristics that correspond to Madrid, to Barcelona, or to both.

Madrid	Madrid y Barcelona	Barcelona
	gran ciudad	

- ☐ edificios modernistas
- ☐ templo de la Sagrada Familia
- ☐ museo del Prado
- ☐ puerto mediterráneo
- ☐ grandes avenidas
- ☐ capital de España

Barcelona es una gran ciudad situada en la costa mediterránea. Tiene grandes avenidas, bellos edificios modernistas y un templo muy famoso: la Sagrada Familia.

La Casa Batlló (Barcelona).

Pablo Ruiz Picasso. *Guernica*.
Óleo sobre lienzo. 349,3 × 776,6 cm.

Pablo Ruiz Picasso

READING STRATEGY

Ask questions

Asking questions about a text's content, structure, and language helps you understand the text more clearly. It also makes reading fun.

Ask questions before, during, and after reading. Keep in mind the key questions about any matter or story: *who*, *what*, *where*, *when*, and *why*.

El *Guernica*, de Pablo Picasso

El *Guernica*, de Pablo Ruiz Picasso (1881–1973), es un famoso cuadro del Museo Reina Sofía de Madrid.

Picasso pinta esta obra en 1937, durante la Guerra Civil española (1936–1939), cuando los aviones destruyen el pueblo de Guernica. Picasso quiere representar en el cuadro el dolor, la muerte[1] y el horror de la guerra.

El *Guernica* es un cuadro lleno de simbolismo. A la izquierda hay un toro, símbolo de la brutalidad. Debajo del toro, una mujer llora con su hijo muerto en brazos. Más abajo hay un hombre muerto con una espada rota[2] y una flor en la mano como un símbolo de esperanza[3]. En el centro hay un caballo enloquecido[4]. A la derecha hay una mujer desesperada en medio del fuego.

1. death 2. broken sword 3. hope 4. crazy

ESTRATEGIA **Hacer preguntas**

Museo Nacional Centro de Arte Reina Sofía
Santa Isabel,52
28012 Madrid
www.museoreinasofia.es
AMPLIACIÓN:
Pza. Emperador Carlos V s/n
28012 Madrid

¡Cuántas preguntas!

▶ **Responde.**

1. ¿Qué es el *Guernica*?
2. ¿Quién es Pablo Ruiz Picasso?
3. ¿Cuándo pinta Picasso el *Guernica*?
4. ¿Dónde está el *Guernica*?
5. ¿Qué representa el *Guernica*?

COMPRENSIÓN

¿Qué significa?

▶ **Escribe.** What do these *Guernica* fragments represent? Write a sentence that explains the meaning of each one according to the information in the reading.

1

2

3

4
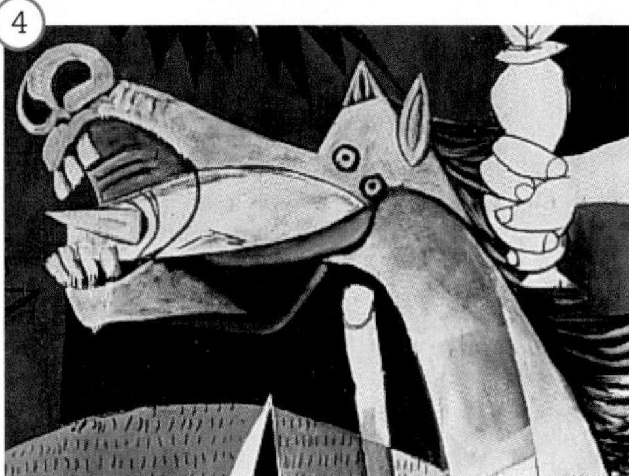

95 ¡Qué gran historia!

▶ **Escribe.** Write another title for the reading. Then compare it with a partner's. Which title is clearer? Which is more original?

Earn points for your own challenge! Visit the website and get information about Picasso's work.

Partes del cuerpo

el brazo	*arm*
el cuerpo	*body*
la cabeza	*head*
el cuello	*neck*
el dedo	*finger, toe*
los dientes	*teeth*
la espalda	*back*
el estómago	*stomach*
la garganta	*throat*
la mano	*hand*
las muelas	*teeth*
los oídos	*ears*
el pie	*foot*
la pierna	*leg*

La cabeza

la boca	*mouth*
la cara	*face*
la nariz	*nose*
los ojos	*eyes*
las orejas	*ears*
el pelo	*hair*

Acciones

oír	*to hear*
oler	*to smell*
saborear	*to taste*
tocar	*to touch*
ver	*to see*

La higiene personal

el cepillo	*hairbrush*
el cepillo de dientes	*toothbrush*
el champú	*shampoo*
la crema de afeitar	*shaving cream*
el desodorante	*deodorant*
el gel	*gel*
el jabón	*soap*
la pasta de dientes	*toothpaste*
el peine	*comb*
la toalla	*towel*

Acciones

acostarse	*to go to bed*
afeitarse	*to shave*
bañarse	*to take a bath*
cepillarse	*to brush (one's hair, teeth)*
ducharse	*to take a shower*
lavarse	*to get washed, wash (up)*
levantarse	*to get up*
maquillarse	*to make (oneself) up*
peinarse	*to comb (one's hair)*
vestirse	*to get dressed*

Síntomas y enfermedades

el dolor	*pain, ache*
la fiebre	*fever*
la gripe	*flu*
el resfriado	*cold*
la tos	*cough*
el hospital	*the hospital*
la farmacia	*the pharmacy*
el/la médico(a)	*doctor*
el/la enfermero(a)	*nurse*
el/la enfermo(a)	*patient*

¿Cómo te sientes?

Estoy enfermo(a).	*I am sick.*
Me siento débil.	*I feel weak.*
Me siento bien.	*I feel fine.*
Me siento mal.	*I don't feel well.*

¿Qué te pasa?

Me duele(n)...	*I have a ... ache.*
Tengo dolor de...	*I have a ... ache.*

Remedios básicos y hábitos saludables

los medicamentos	*medications, medicines*
tomar medicamentos	*to take medicine(s)*
beber mucha agua	*to drink a lot of water*
caminar	*to walk*
comer bien	*to eat well (a healthy diet)*
comer mal	*to eat badly (an unhealthy diet)*
correr	*to run*
cuidarse	*to take care of oneself*
descansar	*to rest*
estar en forma	*to be in shape*
hacer deporte	*to play sports*
hacer ejercicio	*to exercise*

DESAFÍO 1

1 **El cuerpo.** Match each action with the corresponding part of the body.

1. ver	a. las manos
2. tocar	b. la boca
3. oír	c. la nariz
4. saborear	d. los oídos
5. oler	e. los ojos

DESAFÍO 2

2 **La higiene.** What objects do you need to do the actions below? Write sentences.

Modelo *Para ducharte necesitas gel y una toalla.*

1. peinarte 2. lavarte el pelo 3. cepillarte los dientes 4. lavarte las manos

DESAFÍO 3

3 **¿Qué les pasa?** With a partner, take turns asking and answering about each person's problem.

Modelo 1. A. *¿Qué le pasa a Diana?*
B. *Le duele la boca.*

1 
Diana

2 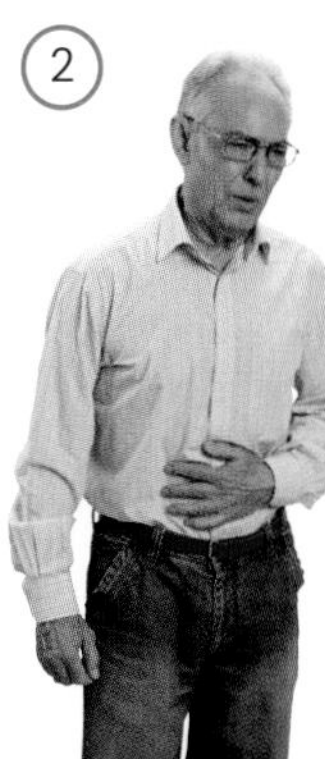
Mack

3 
Tess

4 
Tim

5 
Janet

DESAFÍO 4

4 **Tim está enfermo.** Rita is worried about Tim. Complete their conversation using the words from the box.

RITA: ¿Qué te pasa, Tim? ¿Te ___1___ bien?
TIM: No. Me ___2___ mal. Me ___3___ mucho las piernas y ___4___
RITA: Puede ser la gripe.
TIM: Además estoy ___5___ y no como bien.
RITA: Tienes que ir al ___6___
TIM: Sí, tienes razón. Tengo que ___7___

encuentras
cansado
cuidarme
la cabeza
duelen
médico
siento

Los verbos *ver, oír, oler* y *decir* (pág. 266)

	VER	OÍR	OLER	DECIR
yo	veo	oigo	huelo	digo
tú	ves	oyes	hueles	dices
usted, él, ella	ve	oye	huele	dice
nosotros(as)	vemos	oímos	olemos	decimos
vosotros(as)	veis	oís	oléis	decís
ustedes, ellos(as)	ven	oyen	huelen	dicen

Los verbos reflexivos (pág. 274)

LAVARSE				
yo	me	lavo	nosotros nosotras	nos lavamos
tú	te	lavas	vosotros vosotras	os laváis
usted él ella	se	lava	ustedes ellos ellas	se lavan

El verbo *doler* (pág. 282)

	singular	plural
A mí	me duele	me duelen
A ti	te duele	te duelen
A usted A él A ella	le duele	le duelen
A nosotros A nosotras	nos duele	nos duelen
A vosotros A vosotras	os duele	os duelen
A ustedes A ellos A ellas	les duele	les duelen

El verbo *sentirse (e > ie)* (pág. 284)

SENTIRSE				
yo	me	siento	nosotros nosotras	nos sentimos
tú	te	sientes	vosotros vosotras	os sentís
usted él ella	se	siente	ustedes ellos ellas	se sienten

Oraciones con *si* (pág. 284)

To say what happens if a condition arises, use a clause with si.

Si tengo fiebre, no voy a clase.

El imperativo afirmativo de *tú*. Verbos regulares (pág. 292)

CAMINAR	COMER	ESCRIBIR
camina	come	escribe

DESAFÍO 1

5 **¿La hueles?** Answer the questions using the words in parentheses.

Modelo ¿Hueles la carne? (no - la pizza) → *No, no la huelo. Huelo la pizza.*

1. ¿Ven ustedes los partidos de fútbol? (no - los documentales)
2. ¿Oyes la radio por la noche? (no - mis CD)
3. ¿Hueles la fruta? (no - el café)
4. ¿Dices tu apellido en clase? (no - el nombre)

DESAFÍO 2

6 **Rutinas.** Write sentences using the appropriate form of the verbs.

Modelo tú - cepillarse los dientes con frecuencia
→ *Tú te cepillas los dientes con frecuencia.*

1. Mis padres - levantarse muy temprano siempre
2. Mis hermanos y yo - ducharse por la noche
3. Mi hermana mayor - maquillarse todos los días
4. Mi abuelo - afeitarse cuatro veces por semana

DESAFÍO 3

7 **¿Qué haces si...?** What do you do in these situations? Write sentences.

Modelo sentirse débil → *Si me siento débil, descanso y como bien.*

1. doler la cabeza 2. sentirse enfermo(a) 3. encontrarse mal 4. doler los oídos

DESAFÍO 4

8 **Órdenes.** What would you say to the characters in these situations? Use a verb from the box to write a command. Include a reflexive or direct object pronoun.

ducharse comprar leer acostarse

Modelo Andy tiene un examen a las 9 de la mañana → *¡Levántate!*

1. Mack tiene un correo electrónico de la madre de Tim.
2. Tess tiene mucho sueño.
3. Tim está muy sucio: pelo, cara, manos...
4. Janet necesita unos medicamentos.

CULTURA

9 **Conoce España.** Answer the questions.

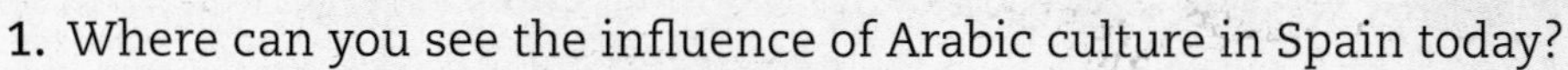

1. Where can you see the influence of Arabic culture in Spain today?
2. What do you know about the *Camino de Santiago?*
3. What historic event did Picasso want to reflect in his painting *Guernica?*

Un póster sobre

hábitos de higiene

In this project you will make a healthy habits poster.

PASO 1 Escribe una lista de los principales hábitos de higiene

Make a chart of your hygiene habits, and indicate how often you practice each one.

PASO 2 Haz una encuesta para conocer los hábitos de higiene de tu grupo

- In a group, interview your classmates about their good hygiene habits *(hábitos de higiene)*. Then make a list of what they do.

  Modelo

  A. *¿Qué hábitos de higiene tienes?*

  B. *Ducharme, lavarme la cara…*

- Interview your classmates again to discover how often they do each activity and complete a chart like the one below. Use frequency expressions from the box.

Hábito de higiene	Frecuencia
Lavarse el pelo	Tres veces a la semana

Expresiones de frecuencia

nunca

a veces

todos los días

una vez a la semana

(dos) veces a la semana

PASO 3 **Analiza los hábitos de tu grupo**

- Find out the recommended frequency for each activity. Consult your school nurse or do research.

  A. *¿Con qué frecuencia hay que cepillarse los dientes?*

  B. *Dos o tres veces al día.*

- How healthy are your habits? Compare the information in your chart with your research to draw conclusions.

  Nosotros nos cepillamos los dientes una vez al día. Eso no está bien. Hay que cepillarse los dientes dos o tres veces al día.

PASO 4 **Crea tu póster: *Diez hábitos de higiene***

- Select the ten most important habits on your chart and illustrate them.
- Express each habit as a command. Include frequency expressions.

DIEZ HÁBITOS DE HIGIENE
1. Lavarse las manos
Lávate las manos antes de comer.
2. Cepillarse los dientes

Unidad 5

Autoevaluación

¿Qué has aprendido en esta unidad?

Complete these activities to evaluate how well you can communicate in Spanish.

Evaluate your skills. For each item, say Very well, Well, or I need more practice.

a. Can you talk about your body?

▶ Ask your partner what part of the body he or she uses to smell a flower, hear a CD, or touch a pet.

▶ Ask your partner to say what body parts are used to eat a sandwich and to get dressed.

b. Can you talk about healthy habits?

▶ Ask your partner how often he or she takes a shower and goes to bed at midnight.

▶ Tell your partner three things he or she should do to stay healthy.

c. Can you report a pain or an ailment?

▶ Role-play with a partner. Pretend to be sick or have a pain in a part of your body.

Look at your partner and ask how he or she feels. Ask what pain(s) or what ailment he or she has.

d. Can you suggest a remedy for common pains or ailments?

▶ Discuss with your partner what you usually do when you have a health problem.

Estados Unidos

Desafíos en casa

To give commands and advice

Vocabulario
El trabajo

Gramática
Imperativo afirmativo. Verbos irregulares

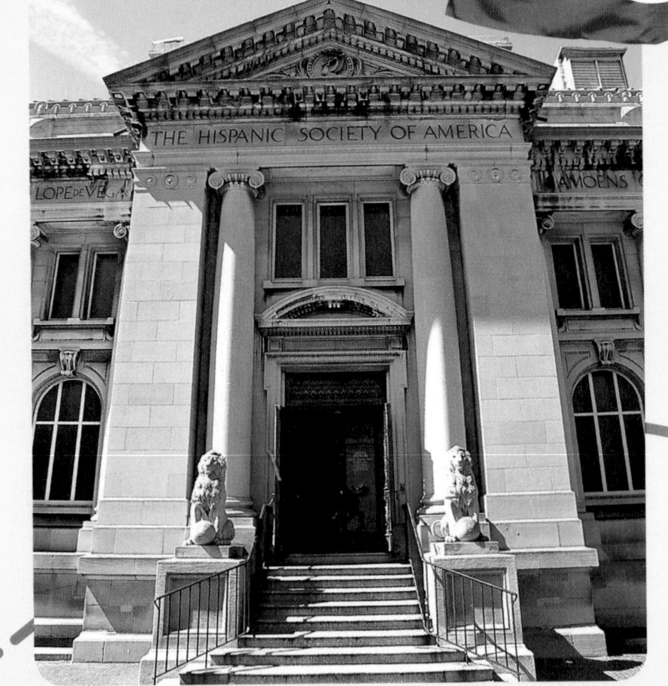

Museo de la Sociedad Hispánica de Nueva York

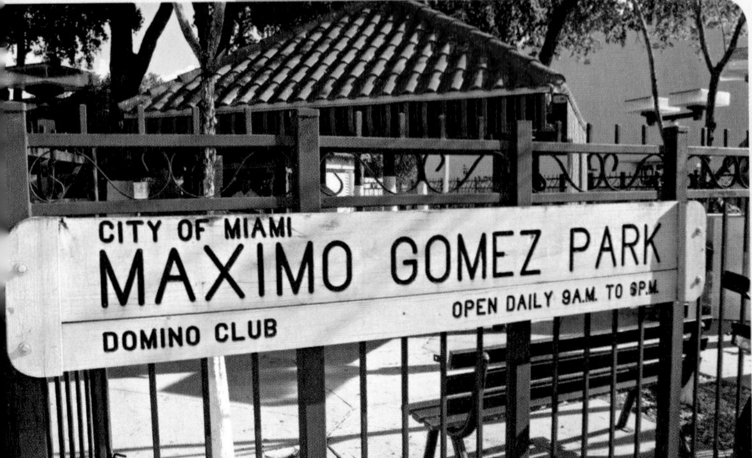

Parque del Dominó de Miami

To express intention

Vocabulario
Los pasatiempos

Gramática
Ir a + infinitivo. Expresiones temporales de futuro

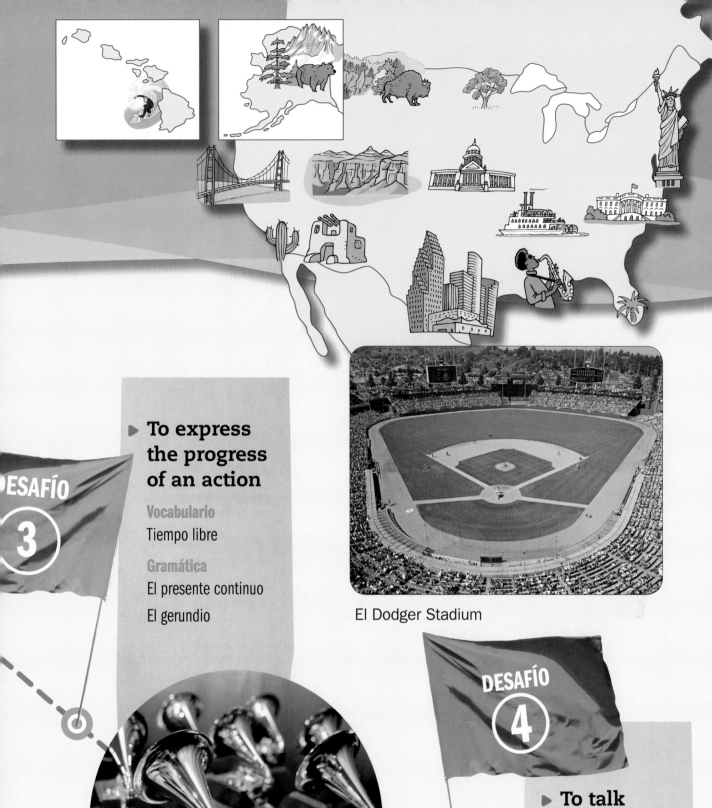

El Dodger Stadium

DESAFÍO 3

To express the progress of an action

Vocabulario

Tiempo libre

Gramática

El presente continuo

El gerundio

Los premios *Grammy* latinos

DESAFÍO 4

To talk about sports

Vocabulario

Los deportes

Gramática

Verbos con raíz irregular (*u* > *ue*)

En Washington DC

The four pairs meet in Washington DC, where they will receive tasks from Mr. and Mrs. Goldberg, their American hosts.

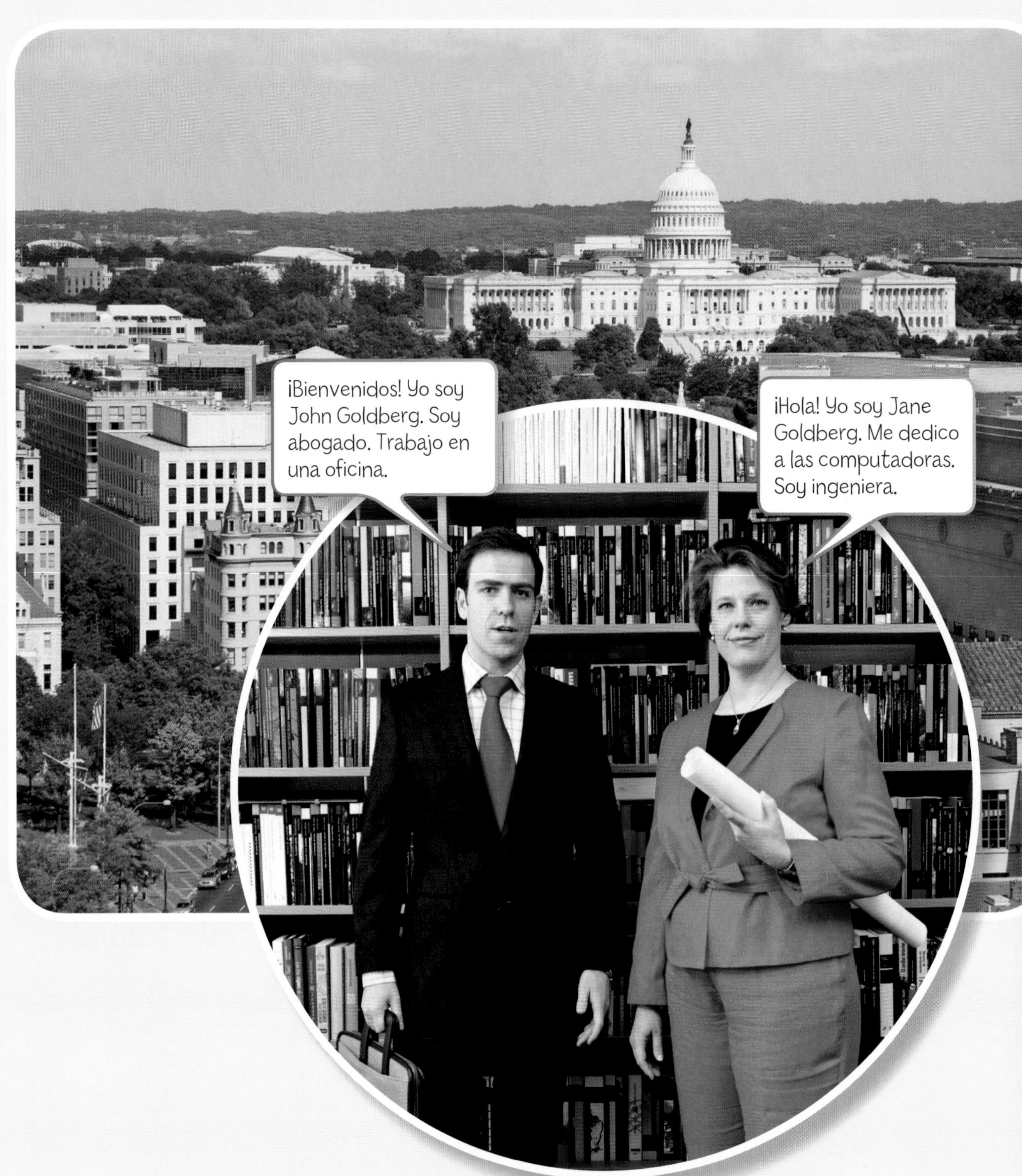

¡Bienvenidos! Yo soy John Goldberg. Soy abogado. Trabajo en una oficina.
¡Hola! Yo soy Jane Goldberg. Me dedico a las computadoras. Soy ingeniera.

Hola. Yo también quiero ser ingeniera.

Yo quiero ser entrenador de fútbol americano y médico.

Diana quiere ser fotógrafa. Nos está tomando fotos.

Una sonrisa, por favor. ¡Perfecto, Tess! ¡Muy bien, Patricia!

Yo quiero jugar al tenis toda mi vida. Voy a ser un jugador profesional.

1 ¿Comprendes?

▶ **Une.** Match each question with the corresponding answer.

 A	 B
1. ¿Qué es el señor Goldberg?	**a.** En una oficina.
2. ¿Dónde trabaja el señor Goldberg?	**b.** A las computadoras.
3. ¿A qué se dedica la señora Goldberg?	**c.** Es abogado.
4. ¿Qué quiere ser Andy?	**d.** Fotógrafa.
5. ¿Qué quiere ser Diana?	**e.** Médico y entrenador.

EXPRESIONES ÚTILES

Quiero jugar al tenis.

To ask and answer what someone does for a living:

–¿A qué te dedicas?
–Me dedico a las computadoras.

–¿En qué trabajas?
–Soy jugador profesional de fútbol.

To express a desire:

–Yo **quiero ser** médica.
–Y yo **quiero estudiar** fotografía.

To express approval:

¡Perfecto!
¡Muy bien!
¡Excelente!

2 ¿Qué expresión usas?

▶ **Completa.** Complete the dialogues with the missing words.

1. –¿A qué te ___1___?
   –Soy ingeniera.
2. –¿En qué ___2___?
   –___3___ entrenador de tenis.
3. –Yo quiero ser ingeniero.
   –Yo también. ___4___ estudiar Ingeniería.
4. –Hablo español, inglés y francés.
   –¡___5___!

3 Mucho gusto, señor Goldberg

▶ **Escribe.** Tim sits down for an interview with Mr. Goldberg. Use the expressions above and the dialogue to create a comic strip with Tim and Mr. Goldberg.

▶ **Representa.** With a partner, perform your comic strip for the class.

¿Qué quieres ser, Tim?

Quiero ser jugador de tenis.

¿Quién ganará?

4 Los desafíos

Habla. What challenge will each pair face? Think about this question and discuss it with your classmates.

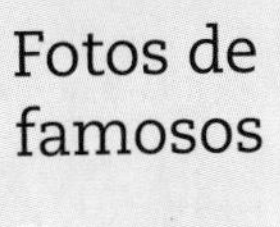

5 Las votaciones

Decide. You decide. You will vote to choose the most multicultural challenge. Who do you think will win?

Una partida de dominó

Tim and Mack are in Miami. Their task is to win a dominoes game in a Little Havana competition. But they don't know most of the players are world-class contenders! What a difficult task!

En Internet hay información sobre la Calle Ocho.
Calle 8
Ven a jugar al dominó con nosotros

Abuelo, pon buena cara. No todos los jugadores son expertos.
Yo soy profesor de Matemáticas. Uso el dominó en mis clases.

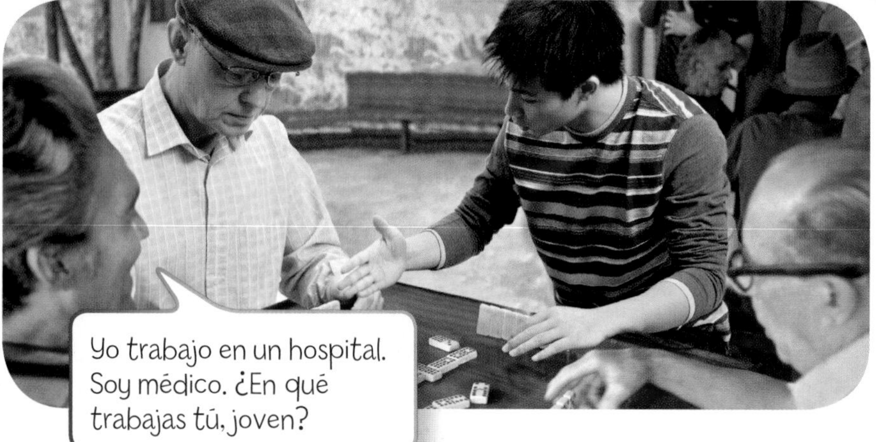

Yo trabajo en un hospital. Soy médico. ¿En qué trabajas tú, joven?

¿Yo?... Yo no trabajo. Soy estudiante de Secundaria.

Continuará...

6 Detective de palabras

▶ **Completa.** Using the *fotonovela*, choose the word that completes each sentence.

1. No todos los ______ son expertos. **a.** jugadores **b.** profesionales
2. Yo soy ______ de Matemáticas. **a.** profesor **b.** estudiante
3. Trabajo en un ______. **a.** hospital **b.** médico
4. Soy ______ de Secundaria. **a.** jugador **b.** estudiante

▶ **Responde.** Answer the questions according to the dialogue.

1. ¿Quién usa el dominó en sus clases?
2. ¿Dónde trabaja el médico de la foto?
3. ¿Quién no trabaja? ¿Por qué?

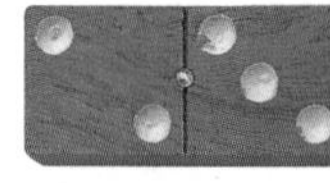
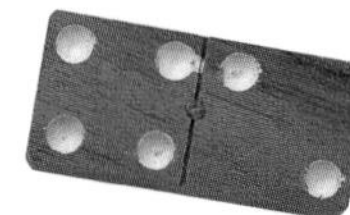
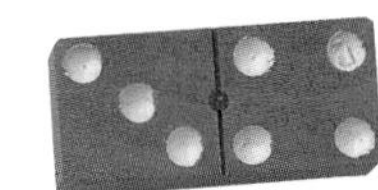

Las mujeres también juegan

Escucha y escribe. In Miami, Tim and Mack meet an interesting group of players. Listen to the conversations and write the name of the person and her profession.

a. mesera de un restaurante cubano

b. profesora de Matemáticas

c. empresaria de una tienda de ropa

d. doctora de Medicina Familiar

8 Ven a la Calle Ocho

Completa. Before the tournament, Tim writes a blog for domino lovers. Complete his text with the appropriate forms of the verb *ser*.

El Parque del Dominó

5 de mayo. Miami

Mi abuelo y yo __1__ de California. Sabemos jugar al dominó, pero no __2__ expertos. El Parque del Dominó __3__ el escenario de nuestra prueba en Miami. Ustedes __4__ muy buenos jugadores y yo no __5__ un jugador profesional, ¡pero vamos a ganar!

La Calle Ocho

La Calle Ocho es la calle principal de la Pequeña Habana, un importante barrio hispano de Miami. En esta calle hay restaurantes, teatros, galerías y negocios de personas de origen cubano. Muchos cubano-americanos se reúnen *(meet)* para conversar *(talk)* y jugar al dominó en el parque Máximo Gómez, conocido como «Parque del Dominó».

Piensa. Why do communities provide public forums for cultural entertainment such as Miami's Maximo Gomez Park?

Vocabulario

El trabajo

¿En qué trabajas?
Soy directora de un hospital. Soy médica.

Lugares de trabajo

Trabajo en una oficina.

Somos empleadas de una fábrica.

Trabajo en una escuela.

Trabajo en una obra.

Las profesiones

la abogada

el secretario

la entrenadora

el maestro

la ingeniera

10 ¿De quién es?

▶ **Habla.** With a partner, take turns asking and answering about the profession with which these items are associated.

Modelo 1. A. *¿De quién es el portafolios?*
B. *Es de la abogada.*

1. 
el portafolios

2. 
la raqueta

3. 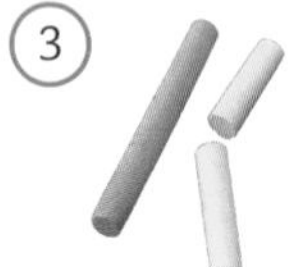
las tizas

4. 
el casco

5. 
los auriculares

▶ **Habla.** Now ask and answer questions with your partner about the places where the professions above are performed.

Modelo A. *¿Dónde trabaja la abogada?*
B. *La abogada trabaja en una oficina.*

11 Futuros profesionales

Escucha y escribe. The characters are talking about their future careers. Listen to their statements and report the information.

Modelo 1. *Janet quiere ser maestra de Música.*

1 Janet

2 Tim

3 Diana

4 Andy

5 Tess

12 Tareas y profesiones

Escribe. Write what professional would do each of the following tasks.

1. dirigir la construcción del aeropuerto
2. enseñar a los estudiantes
3. organizar la agenda del día
4. preparar a los atletas
5. defender a sus clientes
6. curar a los enfermos

Escribe. Write sentences about each professional's job.

Modelo 1. el ingeniero
→ *Los ingenieros dirigen la construcción del aeropuerto.*

Habla. Now talk with a classmate about the professions above. Which would you prefer to have and why? Which would you not like to have?

COMUNIDADES

PROFESIONES BILINGÜES

En muchas profesiones es necesario hablar dos o más lenguas. Abogados, enfermeros, médicos y policías son ejemplos de personas que pueden usar el español en su trabajo diario. Si hablas varias lenguas, puedes tener más y mejores trabajos.

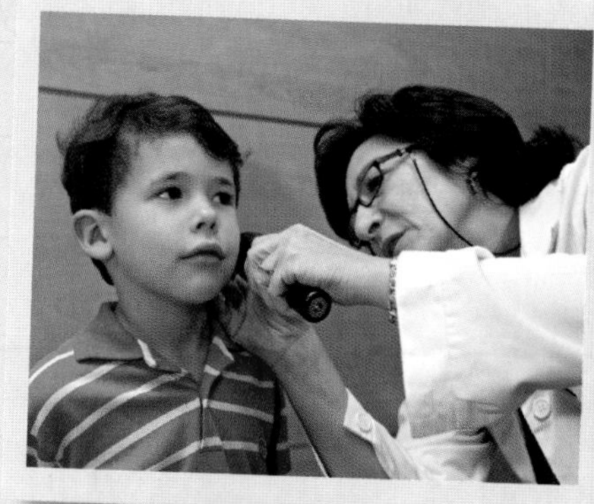

13 Piensa. What jobs in your community require speaking a second language? How might you use Spanish in your future profession?

Gramática

Imperativo afirmativo. Verbos irregulares

- Some common tú commands have irregular conjugations.

VERBOS IRREGULARES. IMPERATIVO

tener (to have)	hacer (to do)	poner (to put)	venir (to come)	salir (to leave)	ser (to be)	decir (to say)	ir (to go)
ten	haz	pon	ven	sal	sé	di	ve

Ten un buen día.
Haz una ensalada.
Pon el libro en la estantería.
Ana, **ven** a la cocina, por favor.

Sal de tu cuarto, por favor.
Sé responsable.
Di la verdad.
Ve a casa de tus abuelos.

- To form the tú command of tener, hacer, poner, venir, and salir, detach the infinitive ending:

ten-~~er~~ → **ten** hac-~~er~~ → **haz** pon-~~er~~ → **pon**
ven-~~ir~~ → **ven** sal-~~ir~~ → **sal**

- If the tú form of a verb is irregular in the present tense, it is also irregular in the tú command.

tú empiezas → empieza tú duermes → duerme

- Remember that object and reflexive pronouns follow and are attached to the command.

Hay que poner la mesa. Pon**la**, por favor. Haz**le** una hamburguesa.

14 **Piensa.** How would you know if someone was using sal to mean *salt* or *leave*?

15 **Consejos de los profesionales**

▶ **Completa.** Using the verbs above, complete these professional recommendations with the appropriate command form.

Para ser un buen maestro, ___1___ paciencia con los estudiantes.

Para saber qué hace un ingeniero, ___3___ a mi fábrica.

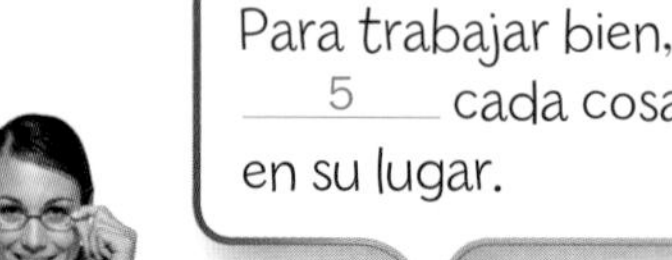

Para trabajar bien, ___5___ cada cosa en su lugar.

Para ser una buena entrenadora, ___2___ ejercicio con tus atletas.

Para ser una buena secretaria, ___4___ ordenada.

16 La jueza Estrella Rodríguez

▶ **Escucha y decide.** Listen to Judge Rodríguez talking to Tim at a school Career Fair, and point out which pieces of advice Tim receives.

1. Sé honesto.
2. Ve a los eventos culturales de la Calle Ocho.
3. Sé una persona responsable.
4. Pon atención a las personas de tu comunidad.
5. Haz tus tareas todos los días.
6. Di siempre la verdad.

17 Consejos para la vida diaria

▶ **Escribe.** Some friends ask you for advice. In each case, answer their question using a command form and an object pronoun.

1. ¿Dónde pongo los libros? - en la estantería
2. ¿Cuándo hago mis tareas? - después de clase
3. ¿Cuándo saco la basura? - antes de cenar
4. ¿Dónde hago deporte? - en el gimnasio de la escuela
5. ¿Dónde compro la ropa? - en el centro comercial
6. ¿Cuándo ordeno mi dormitorio? - durante el fin de semana

CULTURA

Cristina Saralegui

La periodista *(journalist)* Cristina Saralegui es famosa en todo el mundo hispano gracias a su programa de televisión *El show de Cristina*. Cristina es de origen cubano y vive en Miami. Para ella la clave del éxito es «hablar claro, hablar con mi acento, con mi corazón…».

18 Piensa. How does being a talk-show host and a magazine editor contribute to Cristina's influence on Hispanic Americans? Would you like to be in her position?

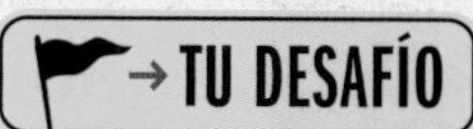

TU DESAFÍO Use the website to learn more about Cristina Saralegui.

Comunicación

Héroes de la comunidad

Lee y habla. A high school in Miami is hosting a Career Day. Read the announcement, then talk with a partner about why you would attend this event. Which professionals would you like to talk to? What questions would you ask?

Modelo A. *¿Quieres asistir al evento?*
B. *Sí, quiero asistir porque quiero hablar con un ingeniero…*

Héroes de la comunidad visitan la escuela

Hoy, martes 23, trabajadores de la comunidad visitan nuestra escuela. El evento «Todos podemos ser héroes» es a las doce del mediodía en el gimnasio. Ven y habla con médicos, enfermeras, ingenieros, secretarios, empresarios y empleados de fábricas. ¡Aprovecha esta oportunidad para empezar a decidir tu futuro!

Escucha y escribe. Some of the guests for this event have left messages for the principal. Listen and note who is attending and who is not.

1. Elena Rosas
2. Fabián Candelas
3. Esperanza Esparza
4. Juan Hernández
5. Cristóbal Barrios
6. Marisa Jiménez

Un estudiante organizado

Escribe. You are organizing a Career Fair in your school. Draw up a schedule for seven community workers.

Modelo

Agenda para el evento

1. Maestro de español. Cafetería, a las 10 de la mañana.
2. Ingeniero. Biblioteca, a las 11:15 de la mañana.

¿Quieres hablar con el maestro de Español?
Sí, quiero trabajar con niños y me gusta el español.
Ve a la cafetería. El maestro habla a las diez de la mañana.

Habla. With a partner, role-play host and student. Use your schedule and make sure to include informal commands in your conversation.

21 El consejero informal

▶ **Lee y escribe.** You write the advice column in your class's newspaper. Read the e-mail that a classmate has sent you and take notes on the student's problems.

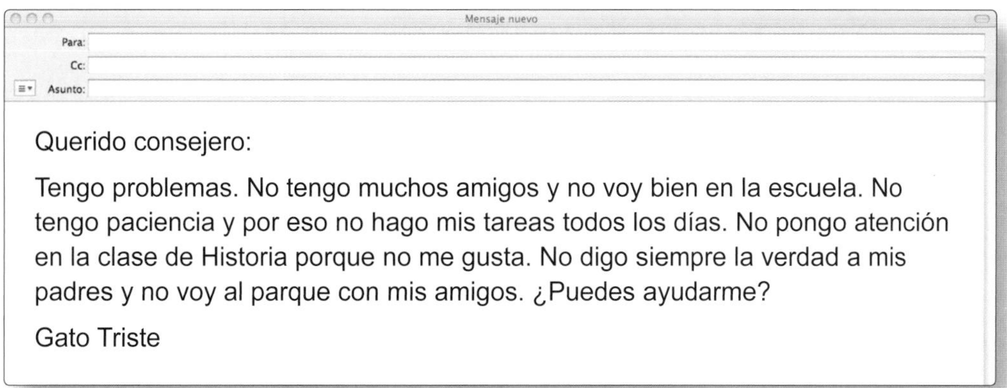

Mensaje nuevo

Para:

Cc:

Asunto:

Querido consejero:

Tengo problemas. No tengo muchos amigos y no voy bien en la escuela. No tengo paciencia y por eso no hago mis tareas todos los días. No pongo atención en la clase de Historia porque no me gusta. No digo siempre la verdad a mis padres y no voy al parque con mis amigos. ¿Puedes ayudarme?

Gato Triste

▶ **Escribe y representa.** Write a response to Gato Triste. Then role-play the situation with a partner using irregular commands.

Modelo A. *No voy bien en la escuela.*
B. *Pon más atención y estudia más.*

Final del desafío

¿Qué hago, Tim? ¿Con qué ficha salgo?
Sal con la ficha nueve y ocho.

22 Juego de dominó

▶ **Crea y escribe.** You have to help Tim and Mack win the dominoes game! Create your own dominoes set, using professions and related words instead of numbers. Write the rules to your new game in Spanish, using the irregular *tú* commands (*pon*, *ten*, *haz*, etc.).

▶ **Juega.** Now play your dominoes game with a partner.

Earn points for your own challenge! Listen to the questions for your *Minientrevista Desafío 1* on the website and write your answers.

Una noche en el museo

Diana and Rita are at The Hispanic Society of America Museum in New York City. Their task is to spend the whole night in the museum. What will they do to pass the time?

¡Toda la noche en el museo!
¡Me gusta la prueba!
¿Qué vamos a hacer?
NIC SOCIETY OF AMERICA

¡Yo voy a ver muchas obras de arte! Mira este cuadro de Joaquín Sorolla.

Yo voy a escribir mensajes a mis amigos y voy a hablar por teléfono con ellos.
¡Pero Diana, no podemos usar el teléfono ni la computadora!

¡¿Qué?! ¿No vamos a poder hablar por teléfono ni usar la computadora durante toda la noche?

Continuará...

23 Detective de palabras

▶ **Completa.** Diana and Rita want to do different things in the museum. What are their plans? Complete their statements.

RITA: Yo voy a ___1___.
DIANA: Yo voy a ___2___ y voy a ___3___.

▶ **Escribe.** What are your plans for today? Write three sentences to express them.

Modelo *Hoy voy a jugar al fútbol con mis amigos.*

24 ¿Qué quieren hacer?

▶ **Escribe.** Using the *fotonovela*, write what Diana and Rita want to do, and tell whether they can do each activity or not.

Modelo *Rita quiere ver obras de arte. Puede ver muchas obras de arte en el museo.*

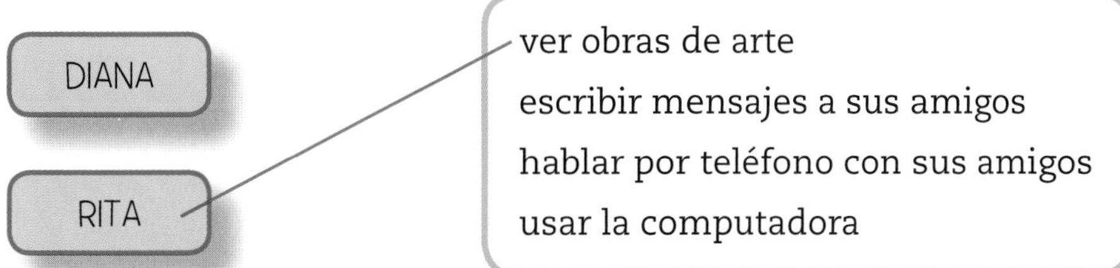

25 Vamos a pasear por Nueva York

▶ **Escucha y une.** Diana and Rita are talking about their plans in New York. Listen and match the people in column A with the actions in column B.

 A	 B
1. Diana y Rita	a. va a tomar muchas fotos.
2. Diana	b. van a ir a Central Park.
3. Rita	c. va a ir a la Estatua de la Libertad.
4. Los padres de Diana	d. va a visitar el Metropolitan Museum.
5. Rita y Patricia	e. van a ir a Nueva York en verano.
6. Tim	f. van a ir de compras a Times Square.

CULTURA

La Sociedad Hispánica de América

La Sociedad Hispánica de América es una organización fundada en 1904 para promover las culturas hispanas. Tiene una importante colección de arte y objetos culturales de España, Portugal, Latinoamérica y las islas Filipinas. Entre los artistas más famosos con obras en el museo están Diego Velázquez, Bartolomé Murillo y Francisco de Goya. También hay libros y manuscritos raros y especiales.

26 Piensa. What items would you choose to put in a museum that promotes American culture, arts, and literature?

Vocabulario

Los pasatiempos

bailar

cantar

tocar el piano

actuar

pintar

caminar

hacer deporte
practicar deportes

montar en bicicleta

nadar

viajar

escuchar música

leer un libro

escribir mensajes

27 Una chica muy interesante

▶ **Escucha y clasifica.** Listen as Diana talks about her likes and dislikes and classify her activities and pastimes in a table like the one below.

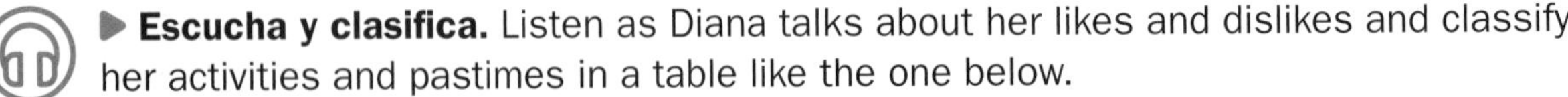

Me gusta mucho	Me gusta	No me gusta	No me gusta nada
	bailar		

▶ **Escribe y habla.** Use a similar table to classify your own likes and dislikes. Then talk with a partner about them.

Modelo *No me gusta nada pintar. ¿A ti te gusta?*

28 ¿Adónde voy?

Habla. Ask your partner about the places below, using the verb *poder*, and say whether you like or don't like the activity mentioned. Take turns.

Modelo A. *¿Qué podemos hacer en el jardín?*
B. *Podemos leer.*
A. *¡Qué bueno! Me gusta mucho leer.*

1. En Times Square...
2. En Central Park...
3. En la Estatua de la Libertad...
4. En la Manhattan Artistic Academy...
5. En el jardín del hotel...

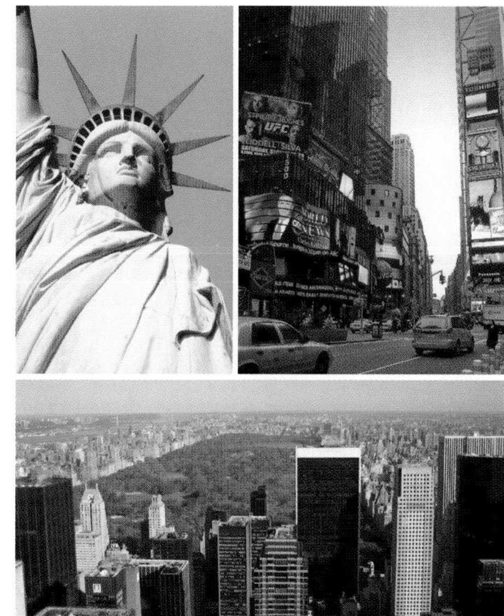

Escribe. When, where, and with whom do you do the activities above in your city? Write sentences.

Modelo *En verano, leo buenos libros en la biblioteca con mis hermanos.*

29 Tu favorito

Escribe. Choose and rank some activities from the *Vocabulario* according to your preference. Write five sentences.

Modelo *Me gusta más bailar que hacer deporte.*

Habla. In a group, talk with your classmates and compare your choices.

Modelo A. *A mí me gusta más bailar que hacer deporte. ¿Y a ustedes?*
B. *A mí me gusta mucho hacer deporte. Me gusta jugar al tenis...*

CONEXIONES: INGLÉS

Las palabras prestadas

El español y el inglés intercambian palabras y expresiones. Por ejemplo, los nombres de algunos deportes, como el *golf*, el *voleibol* y el *fútbol*, vienen del inglés. En cambio, las palabras en inglés *rodeo*, *lasso* y *salsa* tienen su origen en el español.

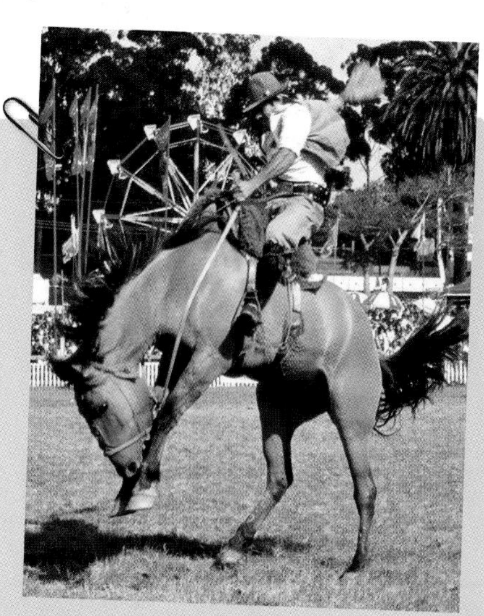

30 Piensa. Do you know any other words in English that come from Spanish? What can we learn about the culture of a place whose words we have borrowed?

Gramática

Ir a + infinitivo

- To express the intention to do something, use this structure:

ir a + infinitivo | Ellos **van a trabajar** en Nueva York. | Yo **voy a viajar** a México.

The structure ***ir a*** + infinitive is one way to express the future.

- Notice that only ir is conjugated; the second verb remains in the infinitive.

Nosotras **vamos a escuchar** música.

Expresiones temporales de futuro

- When you express intention or future plans, you can use some adverbs:

ahora | luego, después | hoy | mañana

Luego vamos a ir al parque. | **Mañana** voy a descansar.

- To be more specific about the time, you can use these expressions:

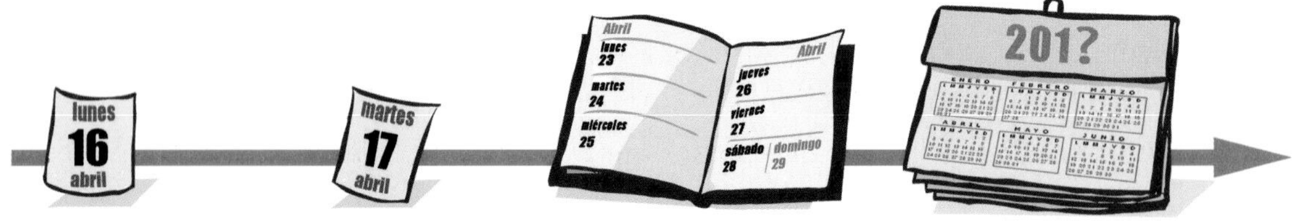

esta mañana, esta tarde, esta noche | mañana por la mañana, mañana por la tarde, mañana por la noche | la próxima semana, la semana que viene | el próximo año, el año que viene

Esta noche vamos al cine. | Yo **voy a ir** a México **el próximo año**.

31 **Compara.** What is the difference between Yo voy a comprar verduras mañana and Yo voy al mercado? Do you use the same verb *(to go)* to express both ideas in English?

32 **Nuestro calendario**

▶ **Escribe.** Read Diana's notes and write what people are going to do.

Modelo Próxima semana. Tess al parque.
→ *La próxima semana Tess va a ir al parque.*

1. Hoy, 2:00 p. m. Todos al restaurante.
2. Hoy, 7:00 p. m. Yo al gimnasio.
3. Mañana, 8:00 p. m. Tim a la biblioteca.
4. Esta tarde, 6:00 p. m. Rita y yo al cine.

33 Los planes de Rita

▶ **Escucha e identifica.** What activities will Rita be doing in New York? Listen and write the letter of each activity in the order you hear.

A

B

C

D

E

F

▶ **Escucha y escribe.** Listen again and write a sentence saying what Rita does at each time.

Modelo *Ahora Rita va a jugar al baloncesto con Andy y Tim.*

1. ahora
2. esta tarde
3. esta noche
4. mañana por la mañana
5. mañana por la tarde
6. la próxima semana

34 Mañana voy a...

▶ **Escribe.** What are your plans for tomorrow morning, afternoon, and evening? Write sentences telling two things you will do at each time.

▶ **Habla.** Now talk with two classmates about your plans. Who else is going to do the same things as you?

COMUNIDADES

CENTRAL PARK

Central Park es un famoso parque de Nueva York. Ofrece muchas actividades para jóvenes y mayores. Visitantes de todo el mundo pasan tiempo allí, porque pueden caminar, ver animales, asistir al teatro o a conciertos. Central Park es un oasis en medio de la ciudad.

35 Compara. Do you have something like Central Park where you live? Where do people go in your community for outdoor activities? Do visitors from other countries ever go there?

Comunicación

36 Actividades en el parque

▶ **Lee y escribe.** Read the advertisement. Then write an itinerary for Diana at the celebration. Make sure to tell her what she is going to do at each place.

Modelo *Esta noche vas a…*

▶ **Escucha y escribe.** Listen to the message Diana left for Rita. Decide which Hispanic Day activities they are going to do.

Modelo *Diana y Rita van a ir al concierto de música tropical para bailar y escuchar música latina.*

LOS HISPANOS ♥ NY

¡La Gran Manzana está de fiesta!

¡Celebra el Día de la Hispanidad en Central Park! Esta noche vamos a celebrar un concierto de música tropical. ¡Vas a mover tu cuerpo con los ritmos del merengue y la salsa! Mañana por la mañana vamos a asistir a una exposición de esculturas de formas y colores extraordinarios.

También vamos a celebrar un torneo de juegos de mesa. Después vamos a tener un almuerzo con comida latinoamericana.

¿Quieres venir? Puedes comprar tus boletos en el Museo de la Sociedad Hispánica de América.

37 Un guía neoyorquino

▶ **Habla.** You are volunteering as a guide in New York. Your partner will tell you what a group of tourists are going to do this afternoon. Use the information to suggest where they can go.

Modelo señora López - leer un libro

1. patricia - pintar
2. los empresarios - bailar
3. yo - nadar
4. la profesora de música - caminar y ver animales
5. nosotros - ver cuadros de pintores hispanos
6. todos - escuchar música latina

La señora López va a leer un libro esta tarde.
Ella puede leerlo en Central Park.

38 Tengo curiosidad

▶ **Escribe.** What are your classmates' future plans? Write five interview questions about the things they intend to do in the near and distant future. Use a different time expression in each.

Modelo *¿Vas a escribir correos electrónicos hoy?*

▶ **Habla.** Use your questions to interview three classmates. Report your findings to the class.

39 Las vacaciones ideales

▶ **Habla.** In a small group, talk about where you are going to travel during your next vacation and what you are going to do there. Tell when you will do each thing.

¿Qué van a hacer el próximo verano?
Vamos a ir a California.
Yo voy a nadar en el océano.
Mi hermano y yo vamos a hacer deportes acuáticos.

▶ **Escribe.** Write an e-mail summarizing the plans for your friends.

Modelo

Mensaje nuevo

Para:

Cc:

Asunto:

¡Hola a todos!

El próximo verano yo voy a...

Final del desafío

Esta noche voy a...

Y yo...

También vamos a...

40 ¡Qué museo más interesante!

▶ **Escribe.** Complete the speech bubbles according to the photos. Then add yourself into the scenes of the challenge. What will you do in the museum all night?

▶ **Representa.** Act out this ending for your classmates.

Fotos de famosos

Tess and Patricia are at the Latin Grammy Awards in San Antonio, Texas. Their task is to take photos of the musicians at the event. Will they find all the musicians in time to take their pictures before the show begins?

¡No lo puedo creer! ¡Estamos en los *Grammy* latinos! ¡Hoy vamos a un gran concierto!

¡Es increíble! Yo veo los *Grammy* latinos en la televisión todos los años.

¡Mira, allí está Juanes. ¿Tienes la cámara?

Sí, la tengo en la bolsa... creo... La estoy buscando...

¡Rápido, Tess! ¡Juanes está saliendo! ¡Estás perdiendo la oportunidad!

Continuará...

41 Detective de palabras

▶ **Relaciona.** Match each phrase with a picture.

1. ver la televisión
2. ir a un concierto
3. tomar una foto

Ⓐ 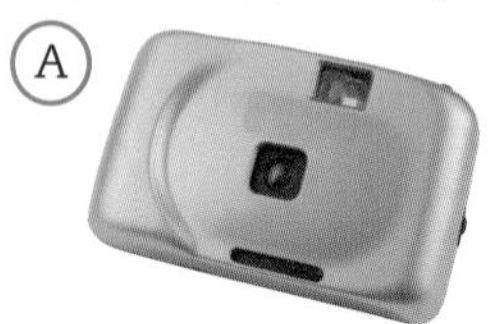

Ⓑ 

Ⓒ 

▶ **Habla.** How much do you like to do these activities? How often do you do them? Compare your answer with a partner's.

Modelo A. *¿Te gusta ver la televisión?*
B. *Sí, me gusta mucho ver la televisión.*

A. *¿Cuándo ves la televisión?*
B. *La veo todas las tardes.*

42 ¿Comprendes?

Escribe. Answer the questions.

1. ¿Dónde están Tess y Patricia?
2. ¿A qué espectáculo asisten hoy?
3. ¿De quién toman fotos?
4. ¿Qué está buscando Tess en su bolsa?

43 ¿Qué estás haciendo?

Escribe. Tess thinks that the people below are doing a certain thing, but Patricia disagrees. Write a sentence based on each picture.

Modelo TESS: *Marcos está comiendo* ***una empanada****.*
PATRICIA: *¡No! Marcos está comiendo* ***una hamburguesa****.*

1 La familia está paseando en **coche**.

2 Sara está tocando **la guitarra**.

3 Rafa está jugando en **el parque**.

4 Susi está bebiendo **agua**.

5 Tom está apagando **la computadora**.

Los *Grammy* latinos

Desde el año 2000, el *Grammy* latino es un premio muy prestigioso para los cantantes, músicos o grupos musicales latinos. La gala de los *Grammy* latinos se celebra todos los años en otoño. El músico más premiado es el cantante colombiano Juanes, con 17 *grammys*.

44 Piensa. Have you ever seen the Latin Grammy Awards? Which Latin singer is your favorite?

Visit the website to learn more about the Latin Grammy Awards.

Vocabulario

Tiempo libre

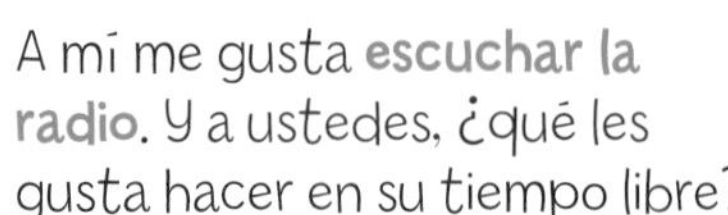

A mí me gusta escuchar la radio. Y a ustedes, ¿qué les gusta hacer en su tiempo libre?

A mí me gusta mucho tomar fotos y grabar con mi cámara.
Yo prefiero jugar a los videojuegos y escribir correos a mis amigos.
A mí me gusta mucho ir al cine. Me gusta ver películas de terror.

45 En mi tiempo libre

▶ **Relaciona.** Match each activity with the related object.

1. grabar
2. escuchar
3. tomar
4. ver
5. jugar

Ⓐ 

Ⓑ 

Ⓒ 

Ⓓ 

Ⓔ 

46 ¡Qué suerte!

Escucha y escribe. The local electronics store is giving away free gadgets to the first fifty customers. Listen and write what the characters say they will do with their item.

Modelo  las noticias → *Patricia quiere la radio para oír las noticias.*

1  2  3  4  5 

a. la graduación de su amigo
b. la quinceañera de su prima
c. sus programas favoritos
d. mensajes a sus amigos
e. su música favorita

47 ¿Qué prefieres?

Une, escribe y habla. Write questions choosing a phrase from each column to talk to your partner about your preferences.

Modelo *¿Prefieres grabar un video o ir al cine?*

A	 B	 C	 D
¿Prefieres	1. grabar un video 2. tomar fotos 3. escuchar la radio 4. jugar a los videojuegos 5. escribir correos electrónicos	o	a. mirar fotografías? b. grabar canciones? c. ver una película? d. ir al cine? e. hablar?

CONEXIONES: ARTE

La Fiesta Noche del Río

San Antonio es una ciudad del sur de Texas con mucha influencia hispana. La ciudad es famosa por su *River Walk*, o Paseo del Río. El *River Walk* es una zona para pasear y divertirse *(enjoy oneself)* a lo largo del río San Antonio. Hay hoteles, restaurantes, tiendas y teatros. Allí se celebra la Fiesta Noche del Río. Los actores bailan, cantan y actúan según las tradiciones de México, Argentina, España y los Estados Unidos.

48 Relaciona. What type of event would you like to attend at the River Walk?

Gramática

El presente continuo

- In Spanish we use the present progressive (presente continuo) to talk about actions that are happening at the moment of speaking.

  –¿Qué **estás haciendo**, Luis?
  –**Estoy escuchando** música.

Formación del presente continuo

- The present progressive is formed as follows:

  estar + gerundio — Pablo **está haciendo** la comida y María **está escribiendo**.

- The gerundio (present participle) is formed by adding these endings to the verb stem:
  1. -ando for -ar verbs: escuch~~ar~~ → escuch**ando**
  2. -iendo for -er and -ir verbs: hac~~er~~ → hac**iendo** escrib~~ir~~ → escrib**iendo**

- Notice that in the present progressive, only estar is conjugated.

  VERBO TRABAJAR (TO WORK). PRESENTE CONTINUO

Singular		Plural	
yo	estoy trabajando	nosotros nosotras	estamos trabajando
tú	estás trabajando	vosotros vosotras	estáis trabajando
usted él ella	está trabajando	ustedes ellos ellas	están trabajando

49 **Piensa.** What are some uses of the present progressive in English? How are those similar to or different from the present progressive in Spanish?

50 Una escuela de arte

Escucha y escribe. Listen and write what the people below are studying in performing arts school.

Modelo *Alicia está estudiando baile.*

1. Nelson
2. Beatriz
3. Teresa y Kate
4. Elena
5. Sergio y Héctor

a. fotografía
b. radio
c. televisión
d. música
e. cine

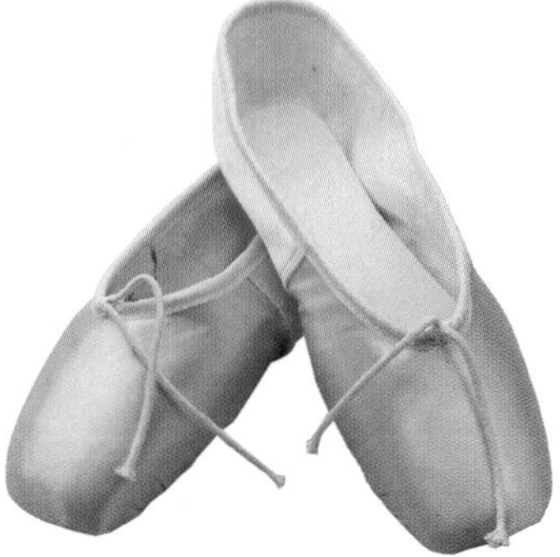

51 Sin palabras

▶ **Representa.** Act out an action from page 334 and see if your classmates can guess what you are doing.

Modelo *¡Estás escuchando música!*

52 Tess, la fotógrafa

▶ **Escribe y habla.** At the Latin Grammys, Tess took this photo for her school newspaper. Write sentences to caption what each person is doing. Then talk with a classmate about each person's actions.

Modelo A. *¿Qué está haciendo María?*
B. *María está hablando por teléfono.*

CONEXIONES: MÚSICA

La música tejana

Un tipo de música muy popular en Texas y en otros lugares de los Estados Unidos es la música tejana. Los instrumentos principales en la música tejana son el acordeón, el piano eléctrico y la guitarra eléctrica. Un cantante muy famoso de música tejana es Jay Pérez.

Piensa y compara. Have you ever heard *Tejano* music? What are the primary instruments in the music that you like to listen to?

Gramática

El gerundio

- Remember that the present participle (gerundio) is formed by adding the endings -ando or -iendo to the stem of the verb.

trabaj-~~ar~~ → trabajando hac-~~er~~ → haciendo escrib-~~ir~~ → escribiendo

Verbos irregulares en gerundio

- Most present participles are regular. The only irregular ones occur in verbs that have e > i or o > u stem changes.

VERBOS IRREGULARES EN GERUNDIO

E > I		O > U
decir → diciendo	servir → sirviendo	dormir → durmiendo
medir → midiendo	vestir → vistiendo	morir → muriendo
pedir → pidiendo		poder → pudiendo

- When the stem of an -er or -ir verb ends in a vowel, the ending -iendo is written -yendo.

le~~er~~ → leyendo Estoy **leyendo** un libro.
o~~ír~~ → oyendo Estamos **oyendo** música.

El gerundio con pronombres objeto y reflexivos

- Object pronouns and reflexive pronouns can either be placed before estar or attached to the present participle.

Luis **se** está vistiendo. Luis está vistiéndo**se**.
Ellas **lo** están diciendo. Ellas están diciéndo**lo**.

54 **Piensa.** Why might -yendo be a better ending than -iendo for verbs like creer and traer?

55 **¡Está durmiendo!**

▶ **Escucha y completa.** Tess can hear but she can't see what is going on in the crowd. Listen and complete the following sentences to describe the situation. Use the present progressive form of the verbs in the box.

1. Un fotógrafo ______.
2. Un fan ______ una foto a Shakira.
3. Una chica ______ una canción muy bonita.
4. Los chicos del grupo Maná ______.

dormir
oír
vestirse
pedir

56 ¿Qué estás haciendo?

▶ **Completa.** Tess and Diana are on the phone talking about their plans for the evening. Fill in the missing present participles in the dialogue.

TESS:	¡Hola, Diana! ¿Cómo estás? ¿Qué estás ___1___ (hacer)?
DIANA:	Me estoy ___2___ (vestirse). ¿Y tú?
TESS:	Estoy ___3___ (leer) un libro muy interesante... ¿Cómo está Rita?
DIANA:	Está mejor, gracias. Es solo un resfriado. Ahora está ___4___ (dormir). ¿Quieres salir a comer conmigo?
TESS:	Hoy no puedo. Mi madre está ___5___ (pedir) una pizza... ¿Quieres venir? Estamos ___6___ (escuchar) el último disco de Juanes. ¡Es fantástico!

Haciendo todo a la vez

▶ **Habla.** With a partner, say the things that each person is doing in the photos below.

1. Patricia...

2. Andy...

3. Mack y Tim...

CONEXIONES: HISTORIA Y GEOGRAFÍA

La influencia latina en los Estados Unidos

En los Estados Unidos hay muchos lugares con nombres españoles: ciudades como Los Ángeles, Santa Fe y San Diego; y estados como Florida, Colorado y California. Estos lugares pertenecieron *(belonged)* a España o a México. Hoy conservan los nombres y muchas costumbres latinas.

Piensa. What are some other place names that have Spanish origins? What do some of these names mean in English?

Comunicación

59 Correos a casa

▶ **Lee y completa.** While traveling around the United States, Tess and Patricia send e-mails to their friends and family. Read the e-mail below and fill in how they are doing. Use the present progressive form.

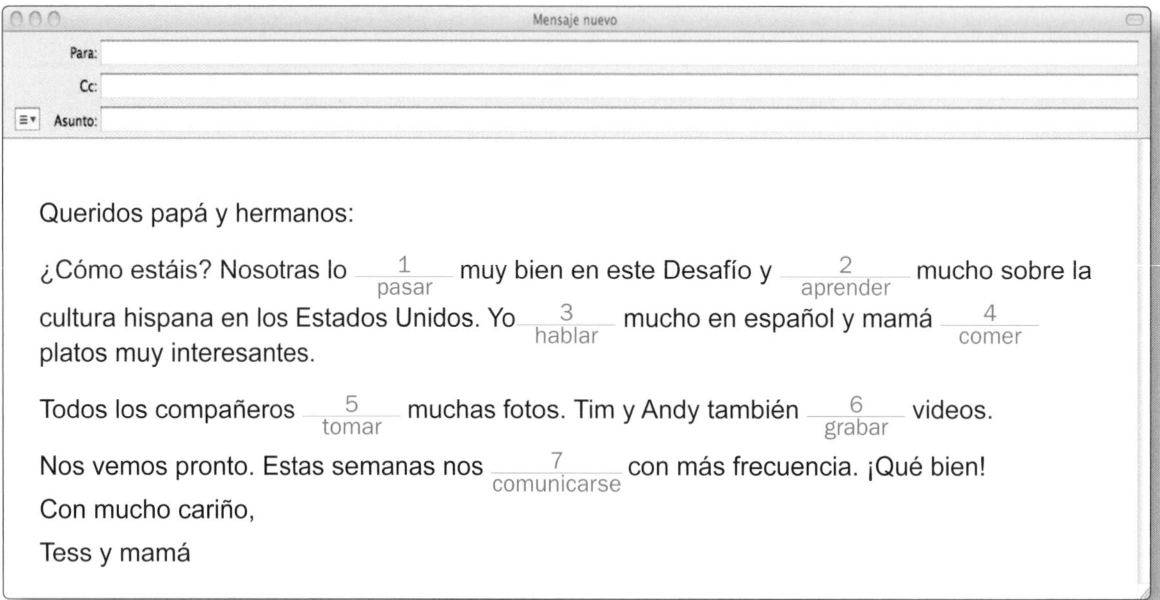

Queridos papá y hermanos:

¿Cómo estáis? Nosotras lo ___1___ (pasar) muy bien en este Desafío y ___2___ (aprender) mucho sobre la cultura hispana en los Estados Unidos. Yo ___3___ (hablar) mucho en español y mamá ___4___ (comer) platos muy interesantes.

Todos los compañeros ___5___ (tomar) muchas fotos. Tim y Andy también ___6___ (grabar) videos.

Nos vemos pronto. Estas semanas nos ___7___ (comunicarse) con más frecuencia. ¡Qué bien!

Con mucho cariño,

Tess y mamá

60 Hablar de los otros

▶ **Escribe y habla.** Write sentences ordering the clues below. Then ask your partner what each person is doing.

Modelo

	El señor Ramírez	escuchar

A. *¿Qué está haciendo el señor Ramírez?*
B. *El señor Ramírez está escuchando música.*

1.		Isabel	ver
2.	Elisa		lavarse
3.		usted	grabar

4.	ellos	leer	
5.	tú		cepillarse
6.		Teresa	preparar

61 Adivina qué

▶ **Escucha e identifica.** Listen as the people give clues about what they are doing. According to the clues, guess what each person is doing.

Final del desafío

¡Aquí está mi cámara!

¡Tess, rápido, toma la foto!

Perdón, Juanes, ¿podemos sacarle una foto?

Están esperándome en el teatro. ¡Es muy tarde!

¡Por favor, por favor! Estamos participando en un desafío cultural...

62 ¿Qué pasa en la historia?

▶ **Escribe y representa.** What happens in the last scene? Did Tess and Patricia get the last photo they needed? Write the dialogue and act out the final scene.

¡Vamos a jugar!

Andy and Janet are in Dodger Stadium in Los Angeles, the home of the LA Dodgers. One of them will play with the team and try to hit a home run before time runs out. Who will play? Will he or she hit the ball out of the park?

Continuará...

63 Detective de palabras

▶ **Completa.** The sentences below summarize the *fotonovela*. Complete each one with a word from the boxes.

1. Janet ______ al béisbol mejor que Andy.
2. Janet no tiene ganas de ______.
3. Andy ______ primero.
4. Janet va a ______ para hacer un jonrón.

jugar | jugar | juega | juega

64 ¿De qué tiene ganas?

▶ Escribe. What do the people below feel like doing? Write a sentence according to the pictures.

Modelo ¿Andy tiene ganas de comer empanada?
→ *No, Andy **no tiene ganas de** comer empanada.*

1. ¿El entrenador quiere perder tiempo? →
2. ¿Tú y yo queremos jugar en el estadio? →
3. ¿Andy y Tim quieren llevar sus guantes de béisbol? →
4. ¿Los jugadores tienen ganas de ver la televisión? →
5. ¿Tú quieres ver un partido de béisbol hoy? →
6. ¿Ese fan del béisbol tiene ganas de jugar al fútbol? →

= no
= sí

65 Para estar en forma

▶ Escucha y escribe. Listen to Janet's fitness plan and write down the advice she gives. You may find help in the box.

Modelo *Janet tiene que hacer ejercicio.*

dormir ocho horas	hacer ejercicio	comer bien
beber agua	tomar jugos de frutas	montar en bicicleta

▶ Habla. Now talk with a partner about the advice in the box. Which pieces of advice do you agree with? Which do you follow?

Modelo A. *¿Tú haces ejercicio?*
B. *Sí, hago ejercicio todos los días.*

El béisbol

El béisbol es un deporte muy popular en los Estados Unidos y en varios países de Latinoamérica, como Venezuela, Cuba y la República Dominicana. Por eso, muchos de los jugadores del Salón de la Fama del Béisbol son hispanos, como Roberto Clemente (Puerto Rico), Orlando Hernández (Cuba) y Rod Carew (Panamá).

66 Piensa. What other Spanish-speaking sports figures do you know? What other sports do you enjoy watching?

Vocabulario

Los deportes

Jugar al...

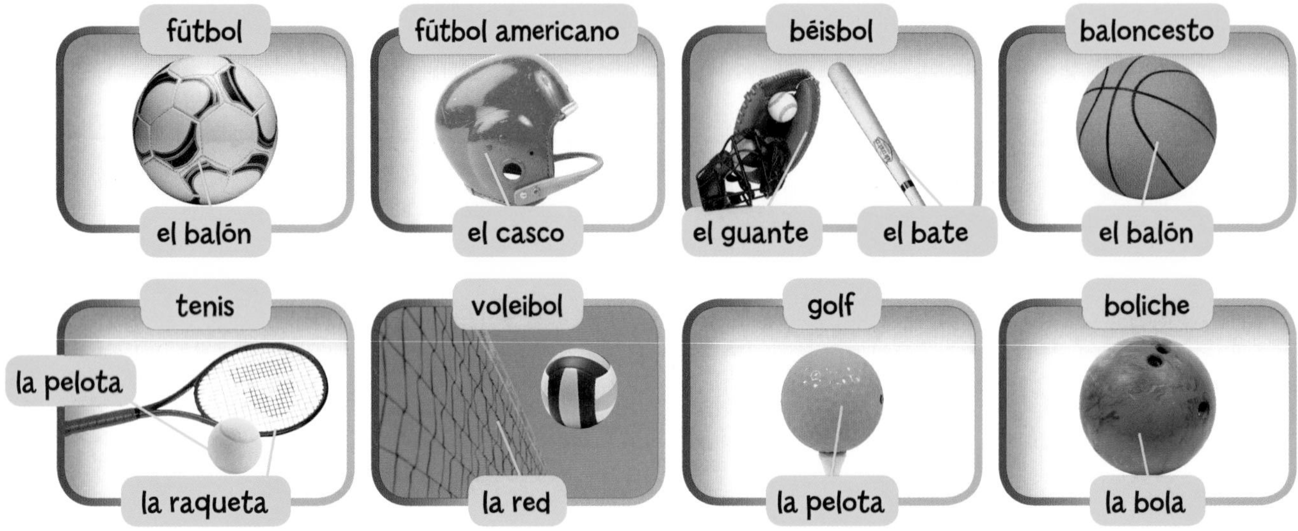

Practicar...

La competición

67 ¿A qué están jugando?

▶ **Escribe.** Andy and Janet play many sports. Write a sentence for each picture. Use the present progressive.

Modelo *Andy y Janet están jugando al fútbol americano.*

1 

2 

3 

4 

68 ¿Qué deporte?

▶ **Escribe.** Andy and Janet are volunteering as P. E. teachers in a kindergarten class. Help them explain to the children which piece of equipment goes with each sport.

Modelo béisbol - bate ⟶ *Para jugar al béisbol necesitamos un bate.*

1. fútbol americano - casco
2. tenis - raqueta
3. voleibol - red
4. béisbol - guante
5. boliche - bola
6. baloncesto - balón

69 ¿Ver o jugar?

▶ **Escucha y escribe.** Listen and fill in a chart like the one below with the sports the characters like to watch or play.

	1	2	3	4	5	6
ver						
jugar						

▶ **Escribe.** Now write sentences to tell which sports each participant likes to watch and which he or she likes to play.

Modelo *A Mack le gusta ver* ***el baloncesto*** *y le gusta jugar* ***al fútbol***.

▶ **Habla.** Talk with a partner about the sports you like to watch and the ones you play. Share the information with your class.

CULTURA

La popularidad de los deportes

El fútbol es el deporte más popular del mundo. Según las estadísticas, el fútbol tiene millones de fans en todo el mundo. En los Estados Unidos, el deporte más popular es el fútbol americano y el fútbol es el deporte número cuatro.

70 Compara. Why do you think soccer is so popular around the world? Why do you think soccer is not as popular in the United States as it is in the rest of the world?

Gramática

Verbos con raíz irregular *(u > ue)*

- In the verb jugar *(to play)*, the u in the stem changes to ue in the present tense:

VERBO JUGAR (TO PLAY). PRESENTE

Singular		Plural	
yo	juego	nosotros nosotras	jugamos
tú	juegas	vosotros vosotras	jugáis
usted él ella	juega	ustedes ellos ellas	juegan

Note: As with other stem-changing verbs, all forms in the present tense are irregular except for nosotros, nosotras and vosotros, vosotras. This is another *boot* verb.

- The preposition a is used with jugar to talk about playing a sport or game.

  yo + jugar + a + el tenis ⟶ Yo **juego al tenis**.
  nosotros + jugar + a + el fútbol ⟶ Nosotros **jugamos al fútbol**.

- Jugar means "to play a sport or a game". It isn't used to refer to playing a musical instrument, as in English. Tocar *(to play)* is used for an instrument.

  Ellos **juegan** al tenis. Yo **juego** al voleibol.
  Ellos **tocan** el piano. Yo **toco** la guitarra.

71 Piensa. Why do you think that Spanish uses different verbs to refer to playing sports vs. playing a musical instrument?

72 ¿A qué juegas?

▶ **Habla.** Andy plays tennis. With your partner, take turns asking and answering whether you play the following sports. If you don't play a sport, refer to someone you know that does.

Modelo A. *¿Juegas al baloncesto?*
B. *Sí, juego al baloncesto en la escuela.*
B. *No, no juego al baloncesto. Mi hermano juega al baloncesto.*

1. el tenis
2. el golf
3. el fútbol americano
4. el béisbol
5. el fútbol
6. el boliche

73 Adivina...

▶ **Escucha y decide.** Listen and decide which sport the four pairs are going to play.

A

B

C

D

▶ **Escribe.** Now write a sentence to tell what sport each person plays, and where.

Modelo *Andy juega al béisbol en el parque.*

74 Deportes en familia

▶ **Escribe.** You and your family plan to play several sports over the next three days. Write what sports you will play, and when you will play them.

Modelo *Hoy mi familia juega al fútbol por la tarde.*
Mañana jugamos a...

▶ **Habla y presenta.** Now create a poster and present your schedule to the class.

CULTURA

El *jai alai*

El *jai alai* viene del País Vasco, del norte de España. Es conocido como «el deporte más rápido del mundo», por la velocidad *(speed)* de la pelota. Los jugadores juegan al *jai alai* con una pelota de cuero y una canasta *(basket)* atada *(tied)* al brazo. La cancha *(court)* de *jai alai* tiene tres paredes. En los Estados Unidos hay partidos de *jai alai* en el estado de Florida y en Connecticut.

75 Investiga. Go online and find out the rules of *jai alai*. When was it invented?

TU DESAFÍO Visit the website to learn more about *jai alai*.

Comunicación

76 Primero las tareas

▶ **Escucha y relaciona.** Andy wants to play sports this weekend, but Janet reminds him of the household chores he has to do. Listen and match each sport with the chore that will replace it.

77 Temporada de deportes

▶ **Habla y escribe.** Talk with a partner about the sports you play or would play during the different seasons. What sports do you both play? Write a short summary.

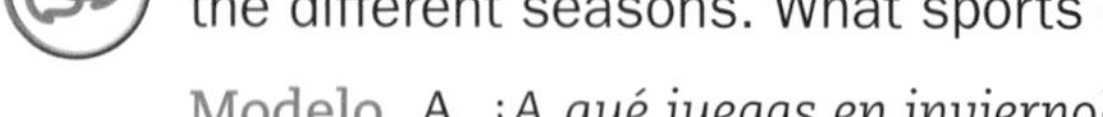

Modelo A. *¿A qué juegas en invierno?*
B. *En invierno yo juego al baloncesto. ¿Y tú?*
A. *Yo practico la natación.*

En invierno, yo practico la natación y Sonia juega al baloncesto.

78 En la tienda de deportes

▶ **Habla.** Andy and Janet go to the sporting goods store to buy some new equipment. With your partner, take turns pointing to the different equipment and saying what they will buy to play different sports.

Modelo *Andy juega al béisbol. Va a comprar un bate nuevo.*

79 Un día de deportes

▶ **Escribe.** Your school is planning an Olympic Day. Make a poster with the sports that you will play, the schedule of events, where each sport will take place, and the equipment needed.

▶ **Habla.** Present your poster to the class. Then talk with your classmates about what you will do at their events. Whose event sounds like the most fun?

Modelo *¡Bienvenidos a nuestro día de deportes! Hoy vamos a...*

Final del desafío

Vamos, Janet, tú juegas bien al béisbol. ¡Tú puedes hacerlo!

¡Vamos, vamos, vamos! ¡Sal del campo!

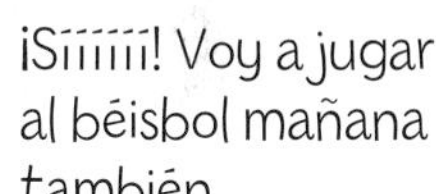

¡Síííííí! Voy a jugar al béisbol mañana también.

80 ¿Qué pasa en la historia?

▶ **Lee y dibuja.** Janet is up to bat. Using the speech bubbles, draw pictures to represent the end of the story. Then present your pictures to the class.

Earn points for your own challenge! Listen to the questions for your *Minientrevista Desafío 4* on the website and write your answers.

ESCRIBIR Y HABLAR

81 La semana de los deportes

▶ **Escribe.** Your school is celebrating an Olympic Week. Write a list of what the people are doing according to the picture.

Modelo *Orlando está jugando al fútbol. Kate está grabando el partido.*

▶ **Habla.** Now in a small group, take turns announcing the sports while your classmates say who is playing them.

ESCRIBIR

82 Una visita

▶ **Escribe.** It's Olympic Week, and Mr. Goldberg is visiting your school for two days. Write what you think he is going to do during his visit.

Modelo Hoy a las 10 a. m.
→ *Hoy a las diez de la mañana el señor Goldberg va a hablar con el director.*

1. Hoy a las 12 p. m.
2. Hoy a las 3 p. m.
3. Hoy a las 5 p. m.
4. Mañana a las 11 a. m.
5. Mañana a la 1 p. m.
6. Mañana a las 4 p. m.

ESCUCHAR, ESCRIBIR Y HABLAR

83 ¿Qué ves?

▶ Escucha y escribe. Mack has taken some photos while in the United States. Listen and check whether Mack's descriptions match up with the photos. Write the differences.

Modelo 1. *Rita no está hablando por teléfono. Ella está leyendo un libro.*

▶ Habla. Compare what you have written with your partner's answers.

LEER, HABLAR Y ESCRIBIR

84 Un cuadro de Sorolla

Joaquín Sorolla es un famoso pintor español. Su pintura representa la luz y la vitalidad de su tierra, Valencia, junto al mar Mediterráneo. La Hispanic Society de Nueva York conserva muchas de sus obras.

▶ Habla. Talk about the painting with a partner. Answer the following questions:

1. ¿Dónde están las personas del cuadro?
2. ¿Qué están haciendo?
3. ¿Qué van a hacer después?

▶ Escribe. Write a conversation between the people in the painting.

Joaquín Sorolla. *Bajo el toldo, playa de Zarauz*, 1910.

El encuentro

En Grant Park

The four pairs meet in Chicago after their individual tasks. Did all of them complete their tasks successfully? Who will win the challenge in the United States?

Este dominó es de Miami. ¡Ven a jugar con nosotros!

En el museo de la Sociedad Hispánica hay cuadros muy interesantes... ¡Voy a ir a clase de pintura!

Hum, la foto de Juanes no está muy clara... ¡Tess está cantando sus canciones todo el día!
Janet juega muy bien al béisbol. ¡Es una campeona!

¿Vamos al Festival de Música Latina? ¡Están tocando jazz latino!

85 Al llegar

Escribe. Write an e-mail to your classmates summarizing each pair's performance. Be sure to include the following information:

- Where they go and the task they have to complete.

> Modelo Diana y Rita van a Nueva York. Tienen que pasar una noche en el museo de la Sociedad Hispánica de América.

- What they do to complete the task.

> Modelo Diana y Rita no pueden usar la computadora ni el teléfono en el museo. Durante la noche van a mirar los cuadros, van a leer libros y van a escuchar música.

- What each character is going to do in his or her leisure time while in the United States.

> Modelo Rita va a jugar al baloncesto con Andy y Tim.

86 Las votaciones

Decide. Which pair has done the most multicultural challenge? Take a vote to decide!

Estados Unidos

Canadá

Chicago

Nueva York

Washington

Los Ángeles

San Diego

San Antonio

OCÉANO ATLÁNTICO

OCÉANO PACÍFICO

México

Miami

0 200 400 millas

kilómetros

ALASKA

0 200 400 millas

kilómetros

0 200 400

Golfo de Alaska

ISLAS HAWÁI

OCÉANO PACÍFICO

0 200 400 millas

kilómetros

0 200 400

Estados Unidos tiene una importante herencia hispana presente en la historia, en la arquitectura, en la gastronomía, en el arte y en los nombres de personas y lugares.

Según los datos de la Oficina del Censo para 2010, en los Estados Unidos hay 50,5 millones de personas de origen hispano. La presencia hispana es más importante en Florida, Texas, Nuevo México y California, y en las grandes ciudades como Nueva York o Chicago.

Algunos estados de la Unión tienen nombre español. Por ejemplo, Nevada, Florida y Colorado.

Y también muchos pueblos y ciudades.

87 Los hispanos y los Estados Unidos

Escribe. Answer these questions.

- What contributions from Hispanics to the United States do you know?
- How many famous Hispanic people do you know? What are their professions?

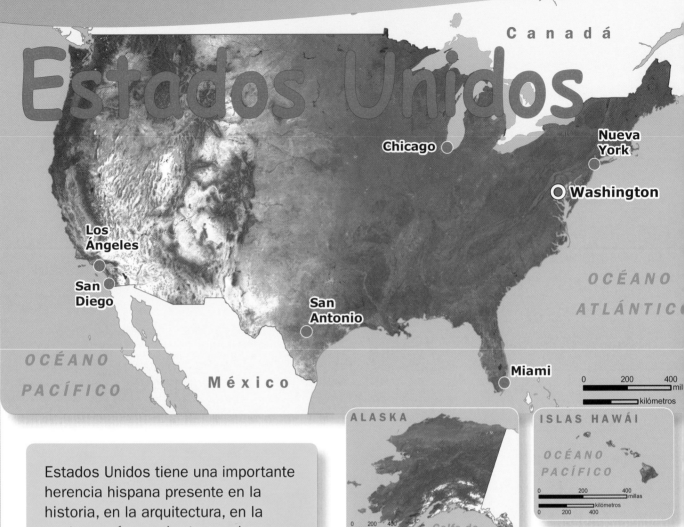

La presencia hispana en los Estados Unidos

1. Huellas hispanas en los Estados Unidos

La arquitectura colonial, la gastronomía, ciertos movimientos culturales y los medios de comunicación en español son testimonios de la herencia hispana de los Estados Unidos. La influencia de la cultura hispana se puede ver también en los nombres de algunos estados y ciudades, por ejemplo: Nevada, Florida, Los Ángeles y San Diego.

2. Estados con historia hispana

Algunos territorios de los Estados Unidos tienen un pasado hispano. Florida y Texas fueron colonizados por españoles, y las regiones que ahora son California, Nevada, Arizona, Utah, Nuevo México y parte de Colorado fueron territorios de España y, más tarde, de México.

(2) Misión de San José y San Miguel de Aguayo (San Antonio, Texas).

(3) Espectadores en el Desfile del Día de Puerto Rico (Nueva York).

3. Concentración hispana en las ciudades

Los Ángeles, Nueva York, Miami y Chicago son ciudades con mucha población hispana. En estas ciudades y en todo el país se festeja, entre septiembre y octubre, el Mes de la Herencia Hispana, una celebración de las aportaciones de la comunidad hispana a los Estados Unidos.

88 ¿Es de origen hispano?

▶ **Completa.** Complete the chart with the information from the text.

▶ **Habla.** Should your state and/or your city be included in the chart? Why?

Presencia hispana en los Estados Unidos	
Estados de origen hispano	
Ciudades con mayor población hispana	
Huellas hispanas en los Estados Unidos	

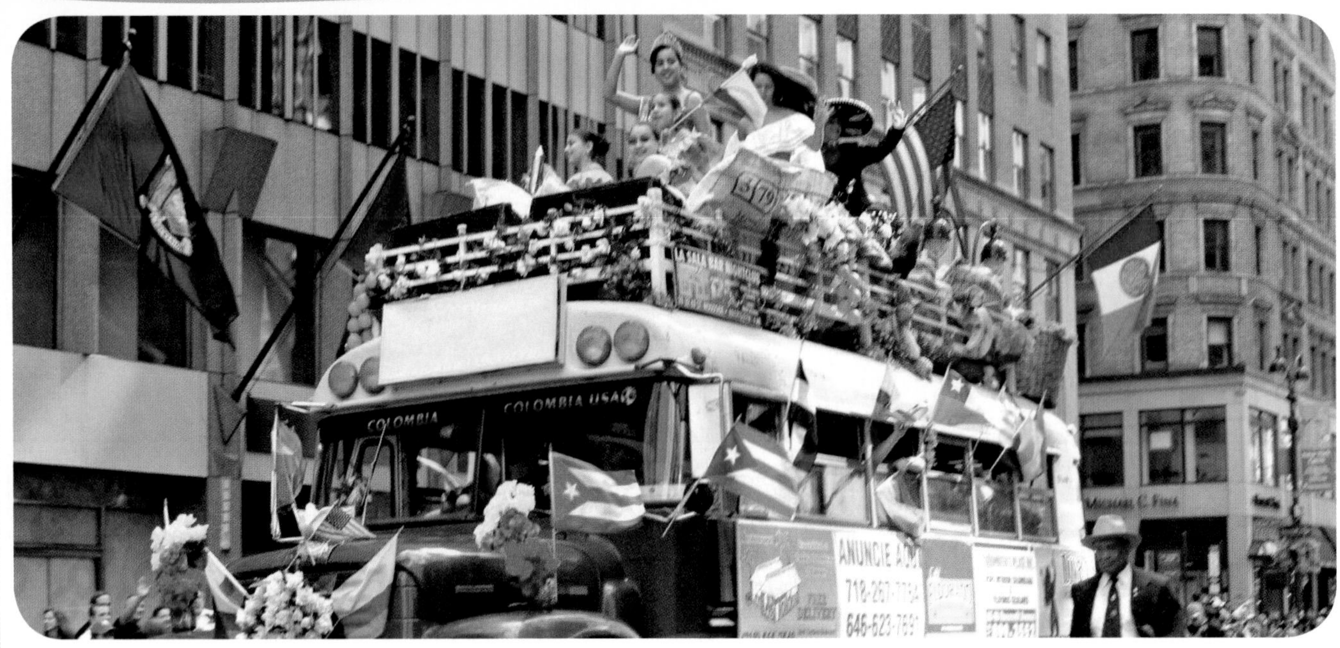

READING STRATEGY

Using prior knowledge

You use prior knowledge when you recall what you know about the topic, format, or language of the text, your personal experiences, and your knowledge of the world.

Before, during, and after reading, make connections to something you know. Bringing this prior knowledge to the text helps you understand it and learn new information.

Celebramos la Herencia Hispana

La cultura hispana está transformando los Estados Unidos. Su influencia está presente en la moda, en la comida, en la música, en el baile, en la forma de hablar de la gente y en el arte.

Del 15 de septiembre al 15 de octubre muchas ciudades celebran el Mes de la Herencia Hispana. En ese tiempo los Estados Unidos reconocen la contribución de la comunidad hispana al progreso de la nación.

Coloridos desfiles, música y danzas tradicionales, exposiciones, comida y mucha alegría muestran la riqueza y la diversidad de la cultura hispana. Es una fiesta para todos. ¡No te la pierdas![1]

Nuestra propuesta

En Chicago

DESFILE DEL DÍA DE INDEPENDENCIA DE MÉXICO
FECHA: 16 de septiembre
HORA: 7 p. m.
LUGAR: Chicago Cultural Center

En Los Ángeles

FESTIVAL DE CINE LATINO DE LOS ÁNGELES
FECHA: del 12 de septiembre al 19 de octubre
LUGAR: UCLA North Campus

En Nueva York

FIESTA DE LA JUVENTUD CARIBEÑA DE BROOKLYN
FECHA: 13 de septiembre
HORA: de 10 a. m. a 5 p. m.
LUGAR: 4th Street, Brooklyn

1. Don't miss it!

ESTRATEGIA Utilizar el conocimiento previo

89 Hacer conexiones

▶ **Escribe.** Write connections between topics, images, or details in the text and the things or experiences they remind you of.

En el texto...		Yo lo relaciono con...
Celebran el mes de la Herencia Hispana.	→	Tengo vecinos hispanos.
	→	
	→	
	→	

COMPRENSIÓN

90 Los hispanos y los Estados Unidos

▶ **Corrige.** Correct the sentences so that they agree with the text.

1. El Mes de la Herencia Hispana es una celebración hispana en los Estados Unidos.
2. La influencia hispana en la vida de los Estados Unidos no es muy importante.
3. Los estadounidenses no hispanos no pueden participar en los festejos del Mes de la Herencia Hispana.
4. El Mes de la Herencia Hispana es una fiesta de la diversidad.

91 Hispanos unidos

▶ **Haz un cartel.** In a small group, make an eye-catching poster about Hispanic Heritage.

Use the website to learn more about Hispanic Heritage.

El trabajo

Lugares de trabajo

la escuela	*school*
la fábrica	*factory*
el hospital	*hospital*
la obra	*construction site*
la oficina	*office*

Las profesiones

el/la abogado(a)	*lawyer*
el/la director(a)	*director, principal*
el/la entrenador(a)	*coach*
el/la ingeniero(a)	*engineer*
el/la maestro(a)	*teacher*
el/la médico(a)	*doctor*
el/la secretario(a)	*secretary*

Tiempo libre

escribir correos	*to write e-mails*
escuchar la radio	*to listen to the radio*
grabar	*to tape, to record*
ir al cine	*to go to the movies*
jugar a los videojuegos	*to play video games*
tomar/sacar fotos	*to take pictures*
ver películas	*to see movies*
la cámara de fotos	*camera*
la cámara de video	*camcorder*
la película	*movie, film*
el videojuego	*video game*

Los pasatiempos

actuar	*to act*
bailar	*to dance*
caminar	*to walk*
cantar	*to sing*
escribir mensajes	*to send a text message*
escuchar música	*to listen to music*
hacer deporte, practicar deportes	*to play sports*
leer un libro	*to read a book*
montar en bicicleta	*to ride a bike*
nadar	*to swim*
pintar	*to paint*
tocar el piano	*to play the piano*
viajar	*to travel*

Los deportes

Los deportes

el baloncesto	*basketball*
el béisbol	*baseball*
el boliche	*bowling*
el fútbol	*soccer*
el fútbol americano	*football*
el golf	*golf*
la natación	*swimming*
el tenis	*tennis*
el voleibol	*volleyball*
jugar (a), practicar	*to play*

El equipamiento

el balón	*ball*
el bate	*bat*
la bola	*ball*
el casco	*helmet*
el guante	*glove*
la pelota	*ball*
la raqueta	*racket*
la red	*net*

La competición deportiva

el partido	*game*
el estadio	*stadium*
el/la jugador(a)	*player*
el equipo	*team*
ganar	*to win*
perder	*to lose*

DESAFÍO 1

1 Profesiones. Read the statements below and determine which person is talking from the people in the word bank.

maestro	director	ingeniero	abogada	secretaria

1. Tengo que organizar el horario de la escuela y las reuniones con los padres.
2. Trabajo en una fábrica de coches. Hago muchos cálculos matemáticos y físicos.
3. Tengo muchas tareas en mi oficina: escribir cartas, hablar por teléfono…
4. Trabajo en una escuela. Tengo cinco clases cada día. Pongo notas.
5. Represento a mis clientes en asuntos legales.

DESAFÍO 2

Preferencias. Say what the first person likes to do and what the second person prefers.

Modelo *A ellos les gusta bailar. Yo prefiero cantar.*

DESAFÍO 3

Buenos consejos. Solve the problems with the appropriate advice.

1. Quiero ver a Juanes en directo.
2. Tengo que tomar fotos.
3. No me gusta ver películas en la tele.
4. Tengo que contactar con mi maestro.
5. Esta noche no puedo ver la película.

a. Usa mi cámara.
b. Escríbele un correo electrónico.
c. Puedes grabarla.
d. Asiste a su concierto en el teatro.
e. Entonces ve al cine.

DESAFÍO 4

Deportes. Answer the following questions in complete sentences.

1. ¿Dónde juega al fútbol o al béisbol un equipo profesional?
2. ¿Qué necesitas para jugar al béisbol?
3. ¿Cuántos jugadores necesita un equipo de baloncesto?
4. ¿Dónde practicas la natación?
5. ¿Qué deporte practicas con una raqueta y una pelota?

Imperativo afirmativo. Verbos irregulares (pág. 320)

Decir (*to say*)	di
Hacer (*to do*)	haz
Ir (*to go*)	ve
Poner (*to put*)	pon
Salir (*to leave*)	sal
Ser (*to be*)	sé
Tener (*to have*)	ten
Venir (*to come*)	ven

El presente continuo (pág. 336)

In Spanish the present progressive is formed as follows: ***estar* + gerundio**.

Estoy estudiando español.

El gerundio (pág. 338)

The present participle is formed this way:

- Add ***-ando*** to the stem of verbs ending in *-ar*.
- Add ***-iendo*** to the stem of verbs ending in *-er* and *-ir*.

VERBOS IRREGULARES EN GERUNDIO

e > i

decir → diciendo
medir → midiendo
pedir → pidiendo
servir → sirviendo
vestir → vistiendo

o > u

dormir → durmiendo
morir → muriendo
poder → pudiendo

Ir a + infinitivo (pág. 328)

To express the intention to do something, use this structure: ***ir a* + infinitive**.

Vamos a viajar a Miami.

Expresiones temporales de futuro (pág. 328)

ahora	*now*
luego, después	*later*
hoy	*today*
esta mañana	*this morning*
esta tarde	*this afternoon*
esta noche	*tonight*
mañana	*tomorrow*
mañana por la mañana	*tomorrow morning*
mañana por la tarde	*tomorrow afternoon/evening*
mañana por la noche	*tomorrow night*
la próxima semana, la semana que viene	*next week*
el próximo año, el año que viene	*next year*

Verbos con raíz irregular (*u > ue*) (pág. 346)

JUGAR

yo	juego	nosotros/nosotras	jugamos
tú	juegas	vosotros/vosotras	jugáis
usted/él/ella	juega	ustedes/ellos/ellas	juegan

DESAFÍO 1

5 **Órdenes.** Change the following obligations into commands.

Modelo Tienes que salir de casa. → *Sal de casa.*

1. Tienes que poner la mesa.
2. Tienes que ser prudente.
3. Tienes que hacer la tarea.
4. Tienes que venir a la fiesta.
5. Tienes que ir a la oficina.
6. Tienes que decir la verdad.

DESAFÍO 2

6 **Planes.** Ask and answer questions with a partner according to the model.

Modelo tú - esta tarde - jugar al fútbol → A. *¿Qué vas a hacer tú esta tarde?*
B. *Esta tarde voy a jugar al fútbol.*

1. Rosa - esta noche - ver una película
2. ustedes - mañana - montar en bicicleta
3. María y Ana - el sábado - bailar
4. usted - ahora - tocar el piano

DESAFÍO 3

7 **¿Qué están haciendo?** Rewrite the sentences changing the present tense into the present progressive and the direct object into a direct object pronoun.

Modelo Ella *escribe un mensaje.* → *Ella está escribiéndolo* o *Ella lo está escribiendo.*

1. Yo compro un casco.
2. Tú ordenas tu dormitorio.
3. Nosotros oímos las canciones.
4. Ella pide la carta.
5. Ellos graban una película.
6. Ustedes ven la televisión.

DESAFÍO 4

8 **¿Jugamos?** Say what sport the people play according the pictures. Use the verb *jugar*.

1 
nosotros

2 
yo

3 
ellos

4 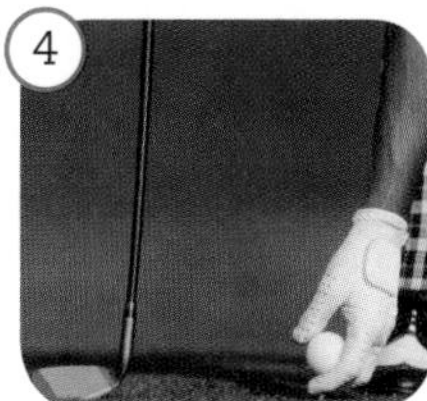
tú

5 
Pilar

CULTURA

9 **Estados Unidos hispano.** Answer the questions.

1. What is the Maximo Gomez Park in Miami better known as?
2. Which Hispanic artist has won the most Latin Grammy Awards?
3. Where does the Fiesta Noche del Río take place?
4. In what Hispanic countries is baseball the most popular?

Un cartel sobre un hispano famoso

In this project you will create a poster about a well-known person of Hispanic origin in the United States.

– First, you will research well-known native Spanish speakers.

– Secondly, in groups, decide on the person that interests you the most. Then prepare an illustrated poster to introduce the person selected.

– Thirdly, you will announce and then make your presentation to your classmates.

PASO 1 Investiga

- Find out about well-known people of Hispanic origin who are distinguished in fields such as medicine, sport, entertainment, and business. Look for information to answer these questions:

  – ¿De qué país es?

  – ¿Dónde vive o trabaja ahora?

  – ¿Qué profesión tiene?

  – ¿Por qué es famoso(a)?

  Aquí tienes algunas ideas:

Pedro Duque, astronauta.

Sonia Sotomayor, jueza.

Gloria Estefan, cantante.

Carolina Herrera, diseñadora.

Isabel Allende, escritora.

PASO 2 Prepara tu cartel

- In a group, select the person that interests you the most.
- Write the answers to the questions in Step 1 in complete sentences and creatively copy them onto your poster.
- Find photos to illustrate the information.
- Write captions to describe what is happening in each photo.

El español Pau Gasol es un jugador de baloncesto muy conocido en los Estados Unidos.

PASO 3 Anuncia tu presentación

- Prepare an advertisement for your presentation. Include the following information:
  - The name of the person you are going to present.
  - The time and place you will make your presentation.
  - Whom your presentation will appeal to.

¡El baloncesto con un experto!

Fecha:
el 10 de octubre

Hora:
a las 3 de la tarde

Lugar:
en el gimnasio

Tema:
el jugador Pau Gasol

¿Te gusta el baloncesto?
¡Ven a mi presentación!

PASO 4 Presenta el cartel

- Present your poster to the class.
- Invite your classmates to ask you questions at the end.

¿Hay preguntas?
¿Quieren saber más?

Unidad 6

Autoevaluación

¿Qué has aprendido en esta unidad?

Use these questions to evaluate how well you have understood this unit's concepts.

Evaluate your skills. For each activity, say Very well, Well, or I need more practice.

a. Can you talk about professions?

▶ Talk to your partner about which profession you would prefer to have and why.

b. Can you tell someone what to do using verbs like *decir*, *salir*, *venir*, and *poner*?

▶ Write four *tú* commands using the verbs *decir*, *salir*, *venir*, and *poner*. Ask your partner to act them out.

c. Can you say what you are going to do in the future?

▶ Ask your partner what are his or her plans for next week.

d. Can you describe what someone is doing now?

▶ Say what three classmates are doing now.

e. Can you talk about sports?

▶ Ask two classmates what sports they like to watch or play.

UNIDAD 7

Argentina

En tierra de gauchos

To talk about past actions

Vocabulario
De viaje. Medios de transporte

Gramática
Verbos regulares en *-ar*. Pretérito

Los gauchos

To express actions related to travel

Vocabulario
Los viajes

Gramática
Verbos regulares en *-er* y en *-ir*. Pretérito

El tren a las nubes

Las cataratas del Iguazú

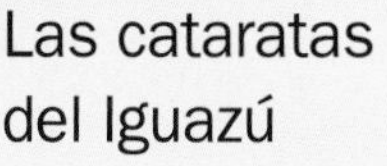

DESAFÍO 3

- **To express places and past actions**

Vocabulario

Destinos y alojamientos

Gramática

Marcadores temporales de pasado

El pasado de los verbos *ser* e *ir*

DESAFÍO 4

- **To give negative commands**

Vocabulario

La ciudad. Localización y direcciones

Gramática

El imperativo negativo

La Plaza de Mayo

En Buenos Aires

In Argentina, the four pairs gather in Buenos Aires, the capital. They come together at the *Plaza de Mayo*, in downtown Buenos Aires. There they meet Alina Aguilar, a tango dancer. She welcomes them and assigns each pair their task.

Hola, soy Alina Aguilar. ¡Bienvenidos a Argentina, un país interesante y moderno!
¿Tienen sus pasaportes, sus maletas...? ¡Van a viajar mucho! En tren, en avión, en autobús...
¡Qué bien!
¿Están listos? ¡Buen viaje a todos!

Ushuaia

Vamos a San Antonio de los Cobres en tren. Salimos de la estación de Salta.
¿Vamos a Salta en autobús? ¿Compramos billetes de ida y vuelta?
¡Tenemos que caminar mucho! Hay que encontrar un parque, una iglesia...
No olvides el plano, Tess.

Llamé al hotel. No hay habitaciones libres...
No importa. ¿Preguntaste en el cámping?

¿Tienes a mano los billetes, tía?
Sí, y el pasaporte. Tenemos que enseñarlo en el aeropuerto.

1 ¿Comprendes?

▶ **Une.** Match each question (column A) with the corresponding answer (column B).

1. ¿Están preparados los personajes para el viaje?
2. ¿Viajan Tim y Mack en avión?
3. ¿Van Tess y Patricia en taxi a su destino?
4. ¿Reservó Andy una habitación en el hotel?
5. ¿Tienen Diana y Rita el pasaporte a mano?

(B)

a. No, no hay habitaciones libres.
b. No, van caminando.
c. Sí, lo necesitan para viajar.
d. Sí, están listos.
e. No, viajan en tren.

EXPRESIONES ÚTILES

To ask if someone is ready:

Estar listo(a). / Estar preparado(a).

To express having something handy:

Tener… a mano.

To talk about a round-trip ticket:

Comprar un billete de ida y vuelta.

To say that something does not matter:

No importa. / No pasa nada.

To wish someone a good trip:

¡Buen viaje!

Sí, tengo el pasaporte a mano.

2 Expresiones

Relaciona. The expressions below don't correspond to the pictures under them. Match them appropriately.

a. ¿Tiene usted los documentos a mano?

b. ¡Buen viaje, Carmen!

c. Dos billetes de ida y vuelta, por favor.

d. ¡Estamos listos!

1 

2 

3 

4 

3 Preguntas y respuestas

Escucha y relaciona. Listen to the statements. Match each one with a logical response.

a. Sí, tranquilo. Lo tengo a mano.
b. Sí, estamos listos.
c. No pasa nada.
d. ¡Buen viaje!
e. Sí. Compra dos billetes de ida y vuelta.

¿Quién ganará?

4 Los desafíos

▶ **Habla.** What will be the challenge for each team? Think about this question and discuss it with your classmates.

DESAFÍO 2
Un gaucho
de la Pampa
Diana y Rita

5 Las votaciones

▶ **Decide.** You decide. You will vote to choose the most amazing challenge. Who do you think will win?

El tren a las nubes

Tim and Mack are traveling on the Train to the Clouds. This train is the third highest railway in the world. Tim and Mack must take a picture of each town they pass while the train is still moving.

SALTA
¡Qué bien, abuelo, vamos de excursión en tren!
Sí. El tren a las nubes pasa por el norte de Argentina. Vamos a ver paisajes fantásticos.

¿Te gusta viajar en tren, Tim? A mí me gusta mucho.
Yo solo viajé en tren una vez y me gustó. Pero me gusta más viajar en avión.

Abuelo, ¿cuántas fotos tenemos que tomar?
No sé... Necesitamos una foto de cada ciudad. ¡Y tenemos que tomar todas las fotos desde el tren!

¡Ay, abuelo, tomé una foto muy fea!
No importa, Tim. Toma otra foto, rápido. Estamos saliendo de esta ciudad...

Continuará...

6 ¿Comprendes?

▶ **Completa.** Which verb or verb phrase from the dialogue matches these expressions?

I traveled	I liked it	I took a photo
1.	2.	3.

▶ **Habla.** Ask a partner about somewhere he or she has traveled.

Modelo A. *¿Viajaste a Miami?*
B. *No, no viajé a Miami. Viajé a Orlando.*

7 ¿Quién viajó?

▶ **Decide.** Read these statements. Are they referring to Mack or to Tim?

1. Él viajó en tren una vez.
2. A él le gustó viajar en tren.
3. Él tomó una foto muy fea.

8 Preparativos para la excursión

▶ **Escucha y decide.** Listen and decide which of these activities Tim and Mack did.

1. visitar la agencia de viajes
2. desayunar en un café
3. hablar por teléfono con la abuela
4. comprar comida en un supermercado
5. preparar unos sándwiches
6. tomar un taxi
7. jugar un partido de dominó
8. pasear por el parque
9. descansar

▶ **Escucha y escribe.** Listen again and write the verb forms that correspond to the infinitives you chose above.

Modelo 1. *visitamos*

CULTURA

El tren a las nubes

El tren a las nubes sale de la ciudad de Salta y va hasta el viaducto La Polvorilla. La excursión comienza a las 7 de la mañana y termina después de la medianoche. El tren pasa por veintinueve puentes *(bridges)*, veintiún túneles y dos zigzags. Se llama tren a las nubes porque sube a 4.200 metros sobre el nivel del mar.

9 Piensa. Have you ever taken a trip by train? What are the advantages and disadvantages of travelling by train versus other means of transportation?

Vocabulario

De viaje

el avión

el barco

el tren

el metro

el autobús

el taxi

el coche

el aeropuerto

la estación

10 El transporte ideal

▶ **Habla.** Mack and Tim are looking at the signs along the way. Read their notes and decide which would be the appropriate form(s) of transportation to take to each place.

Modelo A. *¿Cómo pueden ir al Parque don Tomás?*
B. *Pueden ir a pie.*

Distancias

Parque don Tomás	1 km
Buenos Aires	577 km
Las Mercedes	45 km
San Carlos	7 km
Córdoba	580 km

11 ¡Cuántos viajeros!

▶ Completa. In the airport the four pairs heard many travelers talking around them. Complete their statements with a term from the boxes.

Modelo Normalmente voy a la escuela en autobús.

metro | coche | a pie | avión | barco

1. ¡Mi ______ sale inmediatamente! ¿Dónde está la terminal internacional?
2. Voy al puerto de Miami. Voy a tomar un ______ para viajar por el Caribe.
3. Para moverme por Washington DC uso el ______. Es más rápido y barato que un taxi.
4. Tengo licencia para conducir. Podemos rentar un ______ para viajar por la región.
5. El hotel está muy cerca del centro de la ciudad. Podemos ir ______.

12 ¿Qué haces durante las vacaciones?

▶ Habla. Talk with a classmate about the things you do during your summer break. Use the prompts below.

1. Me gusta ir de vacaciones a...
2. A mi familia y a mí nos gusta viajar a/por...
3. Vamos de excursión a/por...

CONEXIONES: CIENCIAS SOCIALES

El transporte público: el metro

Buenos Aires, igual que Nueva York, Madrid, la Ciudad de México y otras ciudades, tiene un servicio de transporte público muy popular: el metro o subte (de subterráneo). El metro argentino fue (*was*) el primero de Latinoamérica. Fue inaugurado en 1913.

13 Piensa. What are the public transportation services in your city or town? Are they efficient? What are the advantages of a public transportation system?

Gramática

Verbos regulares en *-ar*. Pretérito

- To talk about completed actions in the past, we use the preterite tense.

PRESENTE		PRETÉRITO
Yo **compro** una blusa.	→	Yo **compré** una camisa.
Yo **viajo** en barco.	→	Yo **viajé** en metro.

- These are the preterite tense endings of -ar verbs.

VERBO COMPRAR (TO BUY). PRETÉRITO

Singular		Plural	
yo	**compré**	nosotros nosotras	**compramos**
tú	**compraste**	vosotros vosotras	**comprasteis**
usted él ella	**compró**	ustedes ellos ellas	**compraron**

Note: The nosotros form is the same in the preterite as in the present. Context will clarify the tense.

PRESENTE

Todos los días **viajamos** en tren.

PRETÉRITO

En marzo **viajamos** en autobús.

14 **Compara.** How do we form the past tense in English? Are there any cases where the present and past tenses of a verb look the same?

15 **¿Qué pasó?**

Escucha y escribe. Andy and Diana are talking about what they and two other characters did over the weekend. Listen and write a sentence about what each person did. You may find clues in the pictures.

Modelo 1. *Andy viajó a una isla en barco.*

A

B

C

D

16 ¿Compraste algo?

Habla. Find out what a classmate did on a recent vacation. Ask whether he or she did each of the following things.

Modelo viajar a Argentina → A. *¿Viajaste a Argentina?*
B. *Sí, viajé a Argentina.*

1. tomar el metro
2. hablar con la gente
3. escuchar música tradicional
4. bailar salsa
5. pintar un paisaje
6. cantar en un karaoke
7. cenar muy tarde
8. tomar platos típicos
9. comprar recuerdos

17 Las compras

Escribe. The characters went shopping yesterday. Write what each person bought, according to the photos.

Modelo 1. *Yo compré una bandera de Argentina.*

Habla y presenta. Imagine you bought one of the items above. Tell a partner which one you chose. Then, as a pair, report your purchases to the class.

Modelo

Yo compré una chaqueta de cuero. ¿Qué compraste tú?
Yo compré una bandera argentina.

Marta y yo compramos una chaqueta de cuero y una bandera de Argentina.

Comunicación

18 ¡Qué día!

Lee e identifica. Tim wrote an e-mail about his trip on the Train to the Clouds. As you read it, identify the verbs in the past tense and create a list.

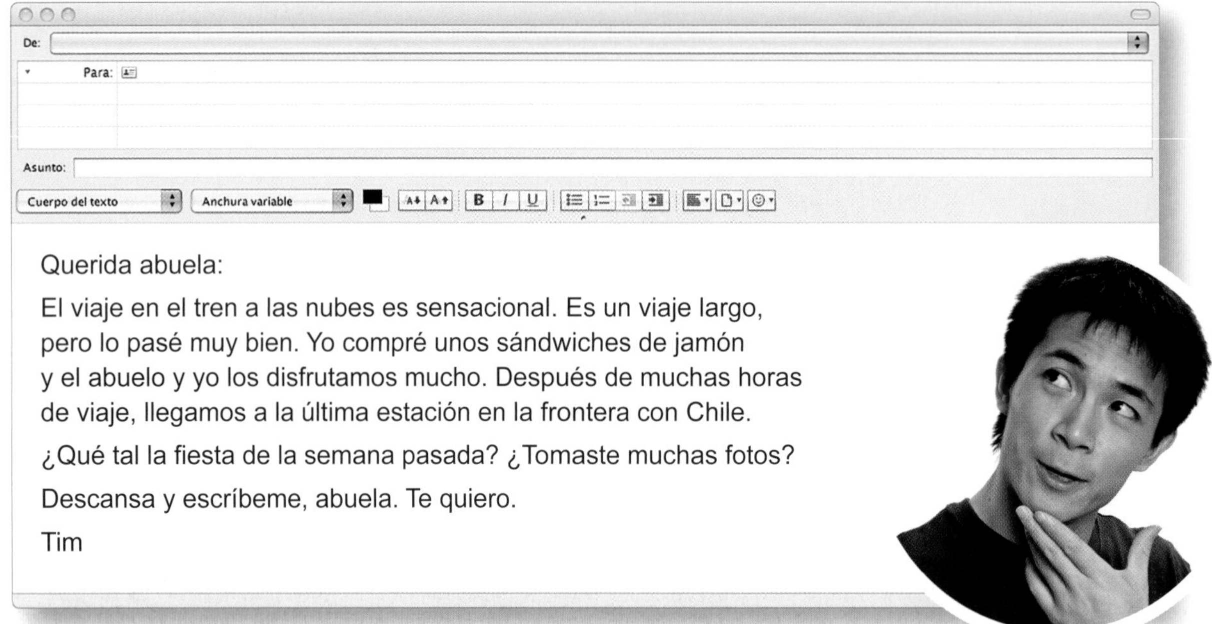
De:
Para:
Asunto:
Cuerpo del texto | Anchura variable

Querida abuela:

El viaje en el tren a las nubes es sensacional. Es un viaje largo, pero lo pasé muy bien. Yo compré unos sándwiches de jamón y el abuelo y yo los disfrutamos mucho. Después de muchas horas de viaje, llegamos a la última estación en la frontera con Chile.

¿Qué tal la fiesta de la semana pasada? ¿Tomaste muchas fotos?

Descansa y escríbeme, abuela. Te quiero.

Tim

Escucha y escribe. Listen to the message Tim's grandmother left for him and take notes about what she did each day.

lunes	Ella tomó fotos.
martes	
miércoles	
...	

19 Una historia

Escribe. Create a short story using the people and verb phrases below.

Modelo *Tomás y Carolina viajaron en tren...*

Tomás
Carolina
Daniela

hablar por teléfono	tomar un refresco
pasear	grabar
desayunar	viajar
cantar	bailar

Lee y compara. Now read your story to a classmate. Compare stories.

20 Tu semana

▶ **Completa.** Fill in a chart like the one below using the preterite *yo* form of the verbs.

estudiar	comprar un regalo
escuchar música	ver la televisión
usar la computadora	llamar a un(a) amigo(a)

lunes	
martes	
miércoles	
...	

▶ **Habla.** Ask your partner what he or she did last week and take notes. Did you both do some of the same things?

Modelo A. *¿Estudiaste el domingo?*
B. *No. Estudié el sábado. ¿Compraste un regalo el lunes?*
A. *Sí.*
B. *¡Yo también!*

Final del desafío

1 

2 

3 

4 

21 ¿Qué pasa en la historia?

▶ **Escribe.** Mack and Tim took the photos above during their trip. Write captions for each photo telling what they did. Use the verbs in the word bank.

hablar
comprar
viajar
mirar

Earn points for your own challenge! Listen to the questions for your *Minientrevista Desafío 1* on the website and write your answers.

DESAFÍO 2 Expresar acciones relacionadas con los viajes

Un gaucho de la Pampa

Diana and Rita have to travel to Santa Rosa, the capital of La Pampa, an Argentine province. There they must make their way to the Marathon *A Pampa Traviesa*. They must find a man running in gaucho attire. He will give them proof of their completed task. Will they find him?

Diana, ¿vamos a Santa Rosa en avión o en coche?
Depende... ¿Tu licencia es válida en Argentina, tía?

Sí, pero ¿no prefieres viajar en avión?
Sí, prefiero ir en avión. ¿Compramos los billetes en la agencia de viajes?

Por favor, dos billetes de avión de Buenos Aires a Santa Rosa.
¿Ida y vuelta? ¿Clase turista? ¿Prefieren el vuelo por la mañana o por la tarde?

¿Llevas a mano el pasaporte, Diana?
Sí, y llevo también la guía turística. Mira, habla del maratón...

Continuará...

22 Detective de palabras

▶ **Relaciona.** What term from the dialogue corresponds to each image?

1

2

3

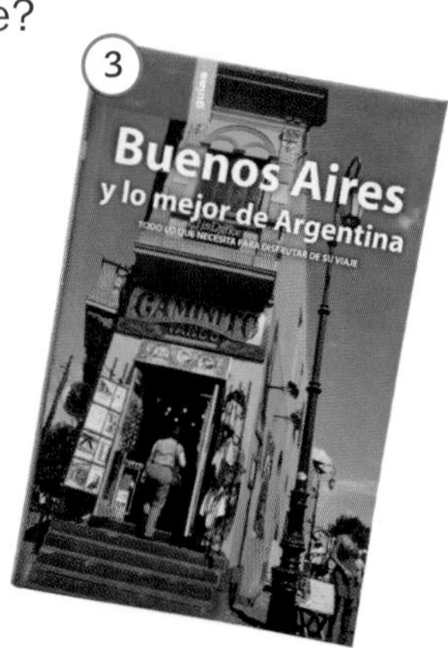

23 ¿Comprendes?

Decide. Use the dialogue on page 378 to tell whether the statements below are true *(cierto)* or false *(falso)*. If they are false, revise them to express a true statement.

1. Diana y Rita van a Santa Rosa en autobús.
2. La licencia de conducir de Rita es válida en Argentina.
3. Van a comprar los billetes a la oficina de información y turismo.
4. Una agencia de viajes vende billetes de avión.
5. Rita y Diana pueden comprar billetes de ida y vuelta.

24 En el avión

Escucha y elige. On the flight to Santa Rosa, Diana talks to Sabrina, a flight attendant. Listen and choose the correct option.

1. Sabrina es de ______
   a. Chile b. Argentina c. Perú
2. Su esposo es ______
   a. chileno b. argentino c. mexicano
3. Le gusta ______
   a. caminar b. viajar c. dormir
4. Ella viajó mucho por ______
   a. Australia b. Asia c. Europa
5. Ella tiene una casa en ______
   a. Santa Rosa b. Buenos Aires c. Santa Fe

COMPARACIONES

Los gauchos

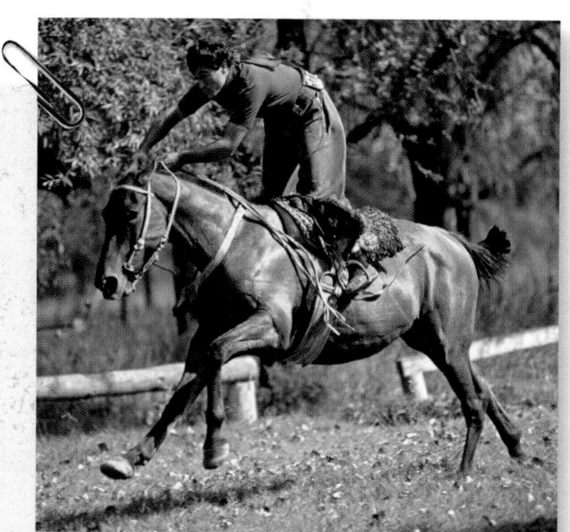

Los gauchos son como los *cowboys* americanos. Viven en la Pampa argentina y en algunas regiones de Uruguay, Paraguay, Bolivia, Chile y Brasil. En Santa Rosa, la capital de la provincia de La Pampa, hay una Fiesta de la Tradición Gaucha durante el mes de noviembre.

25 Piensa. What do you think are some similarities between cowboys and gauchos?

Visit the website to learn more about the Pampa and about the gaucho lifestyle.

Vocabulario

Los viajes

el pasaporte

el billete

la maleta

la bolsa

la guía turística

la agencia de viajes

la oficina de turismo

el mostrador de información

facturar el equipaje

enseñar el pasaporte

comprar recuerdos

26 **Viajeros con experiencia**

▶ **Escribe.** Rita gave Diana a lot of travel advice, which Diana has written in her notebook. Use her notes to report what Rita told her to do.

Modelo salir del metro con cuidado ⟶ *Sal del metro con cuidado.*

leer la guía turística	facturar pronto el equipaje
cerrar bien la maleta	ir a la oficina de turismo
mirar la hora del vuelo	visitar museos grandes y pequeños
llegar al aeropuerto temprano	comprar muchos recuerdos

27 ¿Estás lista para el viaje?

Escucha y ordena. Listen to what Diana's mother says and decide in which order these items should be prepared for travel.

A 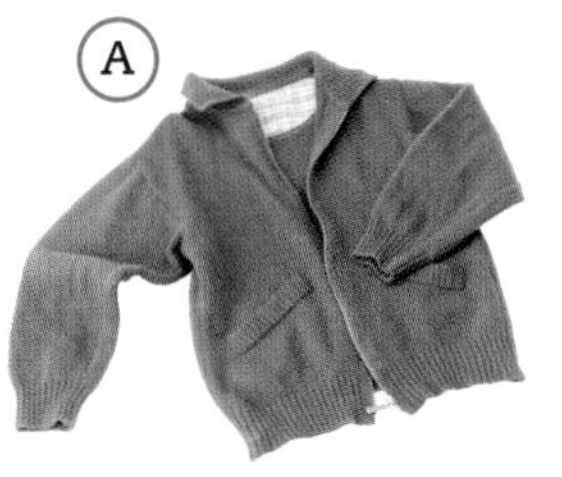

B 

C 

D E 

Escribe. Write a note to yourself telling why you need to bring or buy each of the things shown above.

Modelo 1. *Tengo que llevar una chaqueta para no tener frío en el avión.*

entrar en otro país
no tener frío en el avión
llevar toda la ropa
tomar el avión
saber más sobre Argentina

28 El itinerario del día

Escribe y habla. You went on a fabulous vacation to Argentina! Write a list of the steps you took to prepare for the trip. Then tell your partner what you did before and during your vacation.

Modelo *Primero compré una guía turística...*

Mi viaje a Argentina

1. Compré una guía turística.
2. ...

CULTURA

La Pampa

La Pampa es una provincia argentina importante por su agricultura y su industria. Está en el centro del país. A 30 kilómetros de Santa Rosa está la Reserva Natural Parque Luro. Allí puedes hacer cámping y practicar todo tipo de deportes.

29 Compara. Considering the presence of gauchos and the information above, what region of the U.S. would be most like La Pampa? Why? What differences might there be?

Gramática

Verbos regulares en *-er* y en *-ir*. Pretérito

- Regular -er and -ir verbs have the same endings in the preterite tense. Here is how they are conjugated:

VERBO COMER (TO EAT). PRETÉRITO

Singular		Plural	
yo	**comí**	nosotros nosotras	**comimos**
tú	**comiste**	vosotros vosotras	**comisteis**
usted él ella	**comió**	ustedes ellos ellas	**comieron**

VERBO ESCRIBIR (TO WRITE). PRETÉRITO

Singular		Plural	
yo	**escribí**	nosotros nosotras	**escribimos**
tú	**escribiste**	vosotros vosotras	**escribisteis**
usted él ella	**escribió**	ustedes ellos ellas	**escribieron**

Note: Just as with -ar verbs, the nosotros form of -ir verbs is the same in the preterite and the present tense. The context helps to determine the tense of the verb.

30 **Piensa.** What other clues would make you think that a sentence was in the past tense or the present tense?

31 **¿Presente o pasado?**

▶ Escucha y decide. Diana and Rita overheard conversations on the plane. Listen and decide whether the people are talking about something that happened in the past or something that normally happens.

A. Pasó en el pasado.

B. Normalmente pasa.

▶ Escribe y habla. Write three sentences using the preterite or present tense. Say them aloud to a partner. He or she will indicate whether you are talking about something that happened in the past or something that normally happens.

Modelo

Yo viajé a Argentina.
Pasó en el pasado.

32 ¿Qué hicieron?

▶ **Escribe.** What did these people do before and during their flight? Write a sentence describing each action.

Modelo *El hombre prendió la luz.*

1 
la niña

2 
la mujer

3 
los chicos

4 
Rita

33 Hoy y antes

▶ **Escribe y habla.** Write ten sentences to talk about the day's events. Write five sentences in the *nosotros* form of the present tense and five sentences in the *nosotros* form of the preterite. Share your sentences with a partner.

Modelo Presente → *Todos los días escribimos en la clase de Ciencias.*
Pretérito → *Esta mañana escribimos en la clase de Inglés.*

CULTURA

A Pampa Traviesa

A Pampa Traviesa es un maratón. Se celebra cada año en Santa Rosa, la capital de La Pampa. Los participantes corren veintiséis millas por la ciudad. No pueden correr más de mil personas.

Los atletas se reúnen delante del Edificio Mundial a las ocho de la mañana. Allí está la salida y también la llegada.

34 Piensa. What kind of training do you think it takes to run a marathon? What are the distances of the marathons and other races in your city or town?

Comunicación

35 Pasó en Argentina...

▶ **Completa.** Diana's e-mail to her best friend is incomplete—some verbs are missing. Complete her message by filling in the blanks with the appropriate preterite forms.

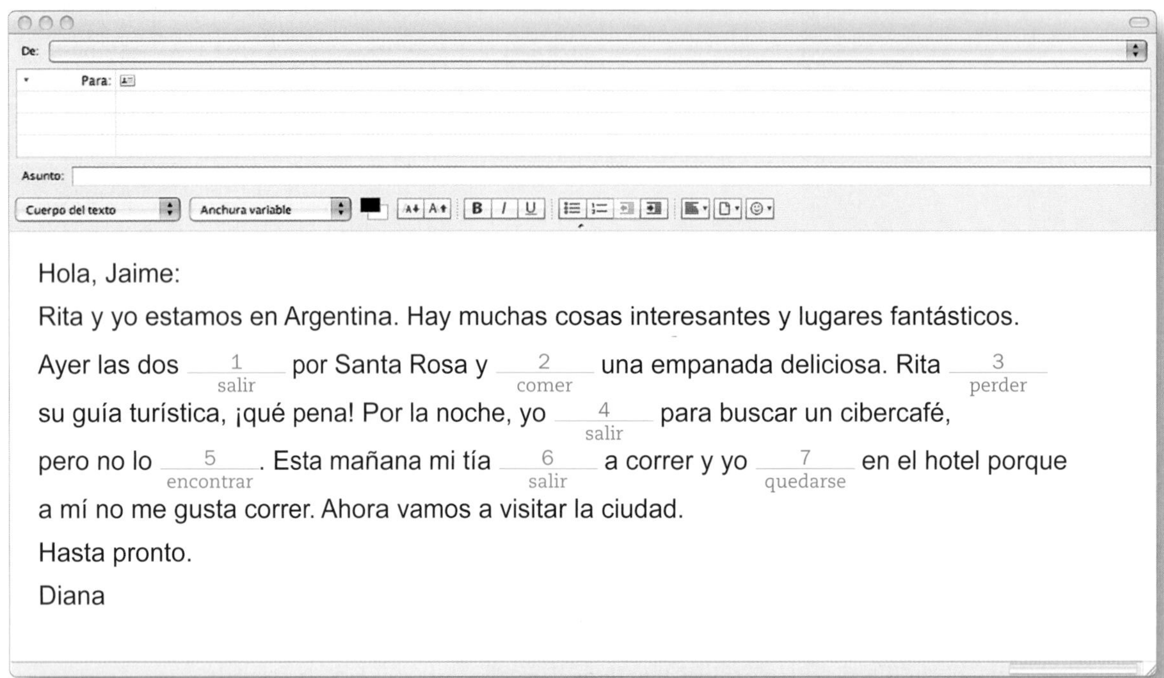
De:

Para:

Asunto:

Hola, Jaime:

Rita y yo estamos en Argentina. Hay muchas cosas interesantes y lugares fantásticos.

Ayer las dos ___1___ (salir) por Santa Rosa y ___2___ (comer) una empanada deliciosa. Rita ___3___ (perder) su guía turística, ¡qué pena! Por la noche, yo ___4___ (salir) para buscar un cibercafé, pero no lo ___5___ (encontrar). Esta mañana mi tía ___6___ (salir) a correr y yo ___7___ (quedarse) en el hotel porque a mí no me gusta correr. Ahora vamos a visitar la ciudad.

Hasta pronto.

Diana

36 Un viaje de estudios

▶ **Lee y escribe.** Read the memo sent to parents about a student trip to Argentina and write two interesting facts about the excursion.

▶ **Crea un póster.** Now find pictures about Argentina in a magazine and create a poster to try to convince your classmates to go there this year.

Viaje de estudios a Argentina

Estimados padres y madres:

El verano pasado, la organización Gauchos Argentinos invitó a varias escuelas americanas a conocer Buenos Aires y otras ciudades de Argentina. Los estudiantes conocieron a muchas personas y aprendieron mucho sobre la vida de los gauchos.

El próximo verano nuestra escuela va a pasar dos semanas en Argentina con el mismo programa. Este viernes ustedes pueden asistir a una reunión informativa sobre el viaje. Todos son bienvenidos.

Atentamente,

El Departamento de Español

37 ¡Tú también participas!

▶ Escribe. You and a friend went to Santa Rosa, like Diana and Rita. Write about your trip using some the verbs below, in the preterite tense.

Modelo *En marzo viajamos a Santa Rosa. Comimos en todos los restaurantes famosos.*

comer	comprar	visitar
viajar	conocer	perder
correr	competir	ver

Final del desafío

Aquí hay mucha gente, tía. El gaucho ya ___1___ por aquí.
Sí, Diana, el gaucho ya ___2___ a la meta.
Aquel hombre nos está ___3___. Es el gaucho, ¿verdad?

¡Qué bien, tía! ¡El gaucho nos ___4___ su sombrero!

38 ¿Qué pasa en la historia?

▶ Completa y representa. Complete the dialogue with the correct forms of the verbs below. Then, in a group, act out the ending of the *Desafío*.

saludar	regalar	llegar	pasar

Las cataratas del Iguazú

Andy and Janet are taking a trip to Iguazu Falls, one of the most spectacular waterfalls in South America. Their task is to make a video guide of the *Garganta del Diablo* (Devil's Throat), a waterfall that lies between Argentina and Brazil.

No veo la Garganta del Diablo en el mapa. ¿Y tú?

Sí, está aquí, al sur de la montaña.

¿Llamaste ayer al hotel para reservar una habitación?

No, finalmente reservé en el cámping.

Perdimos la ruta... ¿Fuimos en la dirección correcta?

No sé... Ayer miré la ruta en Internet. La Garganta del Diablo está al norte...

¡Oh, no, Janet! ¡Miramos mal el mapa!

Continuará...

39 Detective de palabras

▶ **Completa.** Complete the sentences using the dialogue above.

1. ______ en el cámping.
2. ______ la ruta...
3. ______ en la dirección correcta?
4. ______ mal el mapa.

▶ **Piensa.** Are the verbs above in the present or in the past tense?

40 ¿Comprendes?

Decide y escribe. Decide whether these statements are true *(cierto)* or false *(falso)* and correct the false statements.

Modelo Janet reservó habitación en un hotel.
→ *Falso. Janet reservó habitación en un cámping.*

1. Andy y Janet perdieron la ruta.
2. Ayer Janet miró la ruta en una guía turística.
3. La Garganta del Diablo está al sur.
4. Andy y Janet miraron mal el mapa.

41 Buscando la Garganta del Diablo

Ordena. Put these events in order according to the dialogue.

a. Andy buscó la Garganta del Diablo en el mapa.
b. Andy y Janet perdieron la ruta.
c. Andy y Janet se sentaron para pensar.
d. Janet encontró la Garganta del Diablo en el mapa.
e. Andy descubrió el error.
f. Andy y Janet caminaron mucho tiempo.
g. Andy miró bien el mapa.

Escribe. Now write Andy and Janet's adventure in search of the Devil's Throat. Use the sentences you ordered and the following words to connect them.

primero | después | luego | y | más tarde

CULTURA

Las cataratas del Iguazú

Las cataratas *(waterfalls)* del río Iguazú son unas de las cataratas más impresionantes del mundo. Están entre Paraguay, Argentina y Brasil. En esa zona está el Parque Nacional Iguazú, formado por más de 275 cataratas.

42 Piensa. Have you ever seen a waterfall? Can you name some waterfalls in North America? Are they located in a national park like Iguazu Falls?

Visit the website to learn more about the *Parque Nacional Iguazú*.

Vocabulario

Destinos y alojamientos

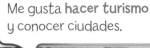

Me gusta **hacer turismo** y conocer ciudades.

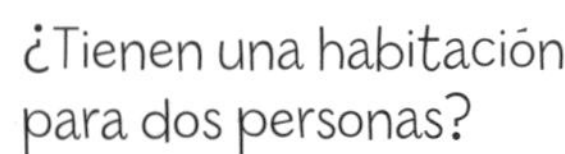

43 **¿Adónde viajaron?**

▶ **Habla.** The characters visited different places during their vacations. According to what each one is wearing, where do you think they traveled?

Modelo

¿Adónde viajó Tim?

Tim viajó a la ciudad.

44 ¿Adónde vamos?

Escucha y escribe. The characters are going to many places in Argentina. Listen to Andy coordinate their destinations and write a sentence to say where everyone goes, and how they will get there.

Modelo 1. *Mack y Tim van al norte, a la montaña, en autobús.*

 A	 B	 C	 D
1. Mack y Tim	al norte	a la costa	en coche
2. Andy y Janet	al sur	a la montaña	en avión
3. Diana y Rita	al este	a la playa	en taxi
4. Tess y Patricia	al oeste	a la ciudad	en autobús

Habla. Now tell a partner where and how the characters traveled.

Modelo A. *¿Adónde viajaron Mack y Tim?*
B. *Ellos viajaron al norte, a la montaña, en autobús.*

45 Una propuesta de viaje

Escribe. Your family cannot decide where to go on vacation this year. Write a proposal that includes answers to the following questions.

1. ¿Adónde van a ir tu familia y tú?
2. ¿Qué van a hacer allí?
3. ¿Cómo van a viajar?
4. ¿Por qué quieres ir tú allí?

Lee. In a small group, read your proposal. Then vote for the most convincing plan.

CONEXIONES: GEOGRAFÍA

La rosa de los vientos

La rosa de los vientos representa los cuatro puntos cardinales (Norte, Sur, Este y Oeste). Puede mostrar también otras direcciones, como Noreste, Sureste, Noroeste y Suroeste. La rosa de los vientos se utiliza en muchos mapas.

46 Piensa. Why do you think that the compass rose is often highly decorative? If you were a mapmaker, what would your compass rose look like?

Gramática

Marcadores temporales de pasado

- The adverbs antes, ayer, and anoche refer to the past tense:

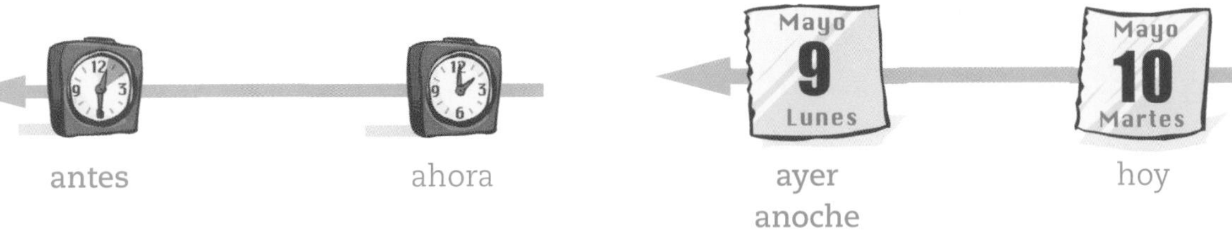

Antes hablé con Juan. Ayer cené en un restaurante.

- You can also use these expressions to refer to the past tense:

La semana pasada visité a mi abuela.

47 **Piensa.** The Spanish word *anteayer* is a compound word formed by two shorter words. What do you think it means? Is there an equivalent word in English?

48 ¿Cuándo pasó?

▶ **Escribe.** Write sentences using this information.

Modelo 1. *Diana vio una película ayer.*

Actividades		
Quién	**Qué**	**Cuándo**
1. Diana	ver una película	ayer
2. Tim	hablar por teléfono	anoche
3. Janet	aprender una receta nueva	la semana pasada
4. Diana y Rita	comer en un restaurante	el mes pasado
5. Patricia y Tess	viajar en metro	el jueves pasado

▶ **Habla.** Now tell a partner when you last did these activities.

Modelo A. *¿Cuándo viste una película?*
B. *Vi una película la semana pasada.*

49 ¿Qué hicieron?

Escucha y une. Listen to Andy and Janet talk about what they did recently and match the elements in columns A and B.

A	B
1. el mes pasado	a. visitar una playa
2. el martes pasado	b. usar la computadora
3. el miércoles	c. cenar con Tim y Mack
4. el jueves	d. comprar una guía turística
5. el sábado	e. levantarse temprano
6. ayer	f. pasear y visitar museos
7. anoche	g. pasar la noche en un cámping
8. esta mañana	h. hablar con sus padres

Escribe. Now write sentences about Andy and Janet's schedule.

Modelo 1. *El mes pasado compraron una guía turística.*

50 Una agenda llena

Escribe. You are organizing your mom's birthday party. Write who did each thing and when they did it. (Note today's date on the agenda!)

Modelo *Esta mañana limpié mi habitación.*

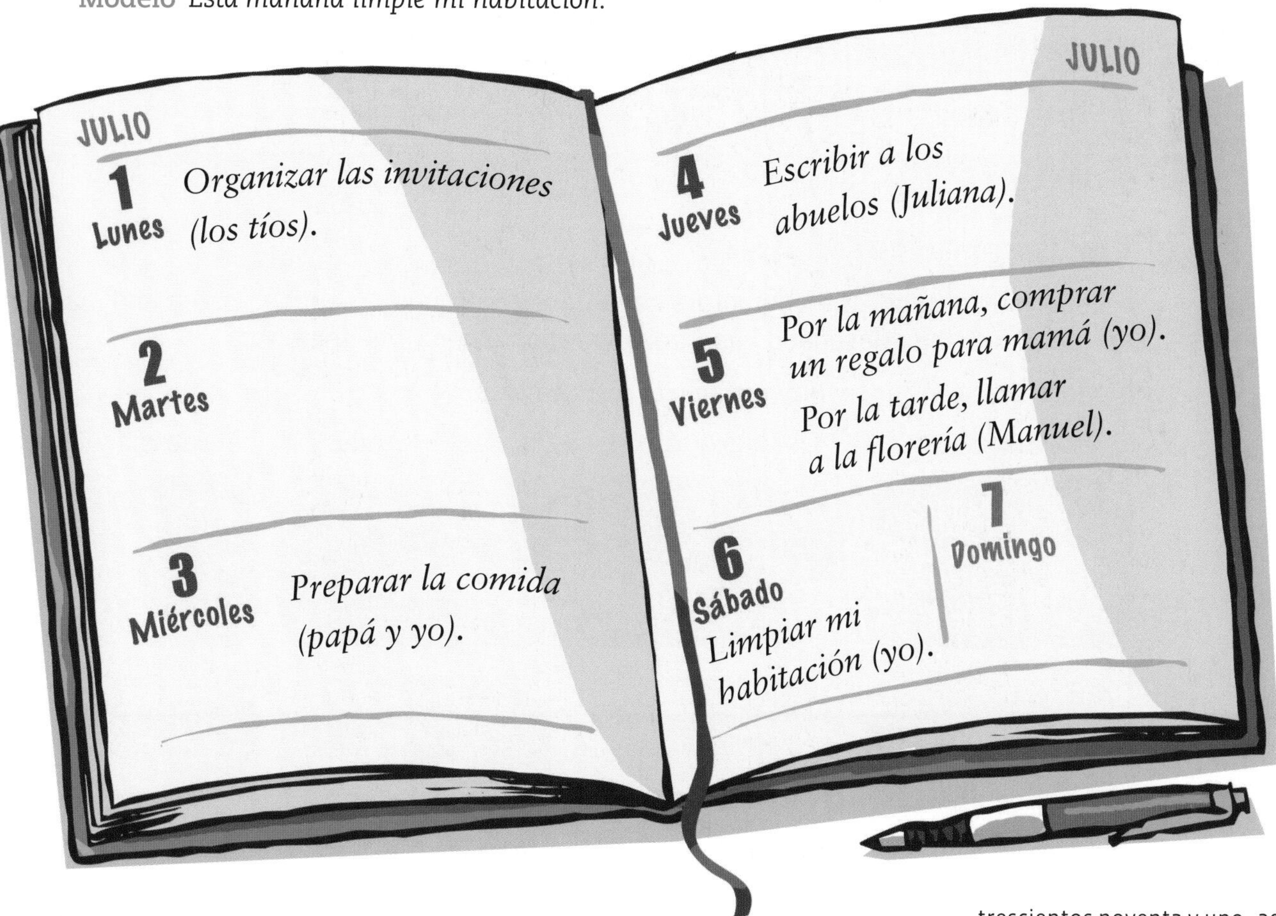

JULIO
1 Lunes
Organizar las invitaciones (los tíos).
2 Martes
3 Miércoles
Preparar la comida (papá y yo).
JULIO
4 Jueves
Escribir a los abuelos (Juliana).
5 Viernes
Por la mañana, comprar un regalo para mamá (yo). Por la tarde, llamar a la florería (Manuel).
6 Sábado
Limpiar mi habitación (yo).
7 Domingo

Gramática

Los verbos *ser* e *ir*. Pretérito

- The verbs ser and ir are irregular in the preterite and share the same forms.

VERBOS SER (TO BE) E IR (TO GO). PRETÉRITO

Singular		Plural	
yo	fui	nosotros nosotras	fuimos
tú	fuiste	vosotros vosotras	fuisteis
usted él ella	fue	ustedes ellos ellas	fueron

Prepositions of place

The verb ir can be used with prepositions to express various ideas.

- Remember, you can use ir a to say that you went to a certain place.

ir a + place	Fui **a** Buenos Aires en marzo.

- To express direction or destination, use these structures:

ir desde (from) + place + *hasta* (to) + place	Él fue **desde** México **hasta** Buenos Aires.
ir de (from) + place + *a* (to) + place	Yo fui **de** México **a** Buenos Aires.

51 Viajes por Argentina

Escucha y escribe. The characters have traveled around Argentina. Listen and match each pair with their destination and transportation. Then write sentences.

Modelo 1. 2-C. *Diana y Rita fueron a la costa en taxi.*

52 Una nota incompleta

▶ **Completa.** Andy left Janet a note about his activities. Fill in the missing parts using the words from the word bank.

al	fuimos	a	desde	al	fui	al	a

¡Hola, Janet!

Hoy fui ___1___ *supermercado para comprar fruta. Después,* ___2___ ___3___ *la calle Tres en autobús. Allí me encontré con Carlos y* ___4___ *en metro* ___5___ *parque para jugar al fútbol.* ___6___ *el parque fuimos en metro hasta una plaza muy bonita para almorzar. Después del almuerzo regresé* ___7___ *hotel y ahora voy* ___8___ *la biblioteca. Nos vemos pronto, hermana.*

Andy

53 Nuestros viajes

▶ **Habla y escribe.** Where is the most interesting place you have gone? Interview your classmates to find out each person's answer. Then write a summary of everyone's travels.

Modelo *Yo fui a Florida el año pasado. Catarina y Tommy fueron a Cancún.*

CONEXIONES: MATEMÁTICAS

Las distancias: ¿millas o kilómetros?

En los Estados Unidos y en Gran Bretaña utilizan las millas para medir las distancias. Pero en Latinoamérica y en muchos otros países usan el sistema métrico y los kilómetros.

Una milla equivale a 1,61 kilómetros. Un kilómetro es igual a 0,62 millas.

54 Piensa. Some standard speed limits in Argentina are 40 km/hr, 60 km/hr, 80 km/hr, and 120 km/hr. If you were in a car going these speeds, how fast would you be going in miles per hour?

Comunicación

55 Habla Andy

Escucha y decide. Andy has called Tess to see how she and Patricia are doing. Listen to their conversation and decide whether the following statements are true *(cierto)* or false *(falso)*. Then correct the false statements.

1. Andy reservó un hotel perfecto.
2. Tess y Patricia viajaron ayer.
3. Tess escribió un correo a su papá.
4. Ayer Patricia salió temprano de la habitación para correr.
5. Andy pasó tiempo en la playa.
6. Andy y Janet fueron al sur del parque.

56 Vacaciones increíbles

Lee y escribe. Have you ever had a bad travel experience? Read this postcard from Andy to his friend Manuel. Write three good things and three bad things that happened.

Querido Manuel:

¿Qué tal estás? Yo estoy muy contento, lo estamos pasando muy bien.

La semana pasada fuimos a conocer las cataratas del Iguazú. Estuvimos en un cámping en el Parque Nacional. Allí conocimos a unos italianos muy simpáticos.

El lunes comimos unas frutas deliciosas. Por la noche llovió mucho y por eso descansamos mal.

El martes me desperté temprano para tomar fotos, pero no encontré mi cámara. ¡Qué horror! Pero tomé unas fotos maravillosas con la cámara de Janet.

¡Son unas vacaciones increíbles!

Hasta pronto.

Andy

Manuel Ortiz
1234 5th Street
Santa Fe, NM 87507

Escribe. Write a postcard to a friend about a particularly wonderful or horrible vacation experience. Don't forget to use the preterite tense!

57 Encuestas

Habla y escribe. What do you know about your classmates' activities? In a small group, conduct mini-interviews to find out who did the things below and when they did them. Then write a paragraph with your findings.

Modelo 1. A. *¿Cuándo viste una película en el cine?*
B. *La semana pasada.*
A. *Irene y John vieron una película en el cine la semana pasada.*

1. ¿Quién vio una película en el cine?
2. ¿Quién comió en un restaurante argentino?
3. ¿Quién compró algo en un centro comercial?
4. ¿Quién fue de vacaciones a otro país?
5. ¿Quién fue a un concierto?

Final del desafío

1

2

3

4

58 ¿Cuándo pasó?

Ordena y escribe. Put the scenes in the most logical order and write the script. What did Andy and Janet tell their friends after they got back to camp for the night?

Earn points for your own challenge! Listen to the questions for your *Minientrevista Desafío 3* on the website and write your answers.

Sobres en la calle

Tess and Patricia are in Buenos Aires. Their task is to collect four envelopes with the pieces of a puzzle in the *Plaza de Mayo*, the main square in the city. Will they be able to find all the envelopes?

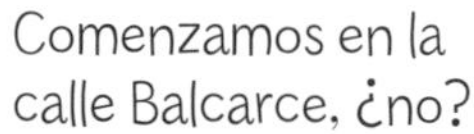

Comenzamos en la calle Balcarce, ¿no?
Sí, pero no vayas por esa calle. Es más rápido por aquí.
¡Aquí hay un sobre!
No lo celebres todavía. Ahora hay que cruzar el parque.

El segundo sobre está al lado de la iglesia... ¡Aquí está! Vamos a la calle Bolívar.
No camines tan rápido, Tess.

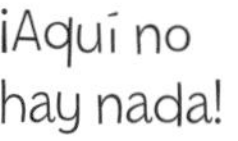

¡Aquí no hay nada!
No seas tan pesimista, mamá. Mira, aquí está el tercer sobre. Solo uno más...

Continuará...

59 Detective de palabras

▶ **Completa.** Fill in the blanks to complete each negative statement.

1. No ________ por esa calle.
2. No lo ________ todavía.
3. No ________ tan rápido.
4. No ________ tan pesimista.

60 ¿Comprendes?

▶ **Decide.** Decide if these statements about Tess and Patricia are true *(cierto)* or false *(falso)*. If they are false, correct them.

1. Comenzaron en la calle Rivadavia.
2. Encontraron cuatro sobres.
3. Cruzaron el parque.
4. No fueron a la calle Bolívar.
5. Tess caminó despacio.
6. No encontraron el tercer sobre.

61 La ruta más corta

▶ **Escucha e identifica.** Tess and Patricia are taking a tour of the *Plaza de Mayo* to help them find the envelopes with the clues. Listen to the tour guide and take notes.

▶ **Habla y escribe.** Now, with a partner, write a paragraph about the route they followed.

Modelo *Comenzaron aquí, en la calle Balcarce.*

La Plaza de Mayo

La Plaza de Mayo es la plaza principal de Buenos Aires y está en el centro de la ciudad. Esta plaza es el lugar donde comenzó la revolución por la independencia de Argentina, en mayo del año 1810.

La Casa Rosada, sede *(seat)* de la presidencia del gobierno, está delante de la plaza. Por eso, la Plaza de Mayo se considera el centro de la vida política de Buenos Aires.

62 Piensa. Where is the center of political power in the United States? If you could create your own political party, what would it be called and where would it be located? Why?

Vocabulario

La ciudad

Localización y direcciones

Por favor, ¿dónde está la catedral?

Tienes que seguir recto hasta la plaza y allí doblar a la derecha.

↑ seguir recto

↱ doblar a la derecha

↰ doblar a la izquierda

↑ cruzar

63 ¿Adónde fueron?

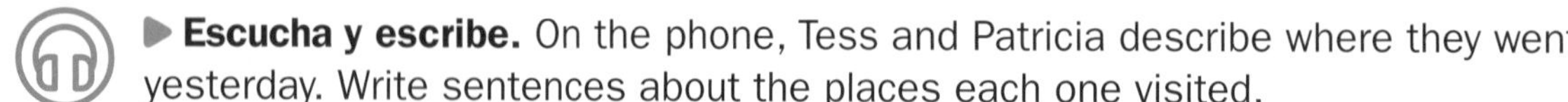

Escucha y escribe. On the phone, Tess and Patricia describe where they went yesterday. Write sentences about the places each one visited.

1 
2 
3 
4 
5 

Modelo 1. *Tess fue al cine y…*

69 Consejos para tu viaje

▶ **Escribe.** Write sentences about what to do and what not to do according to the clues below. Use the *tú* commands.

Modelo 1. *No camines por el parque. Camina por la calle.*

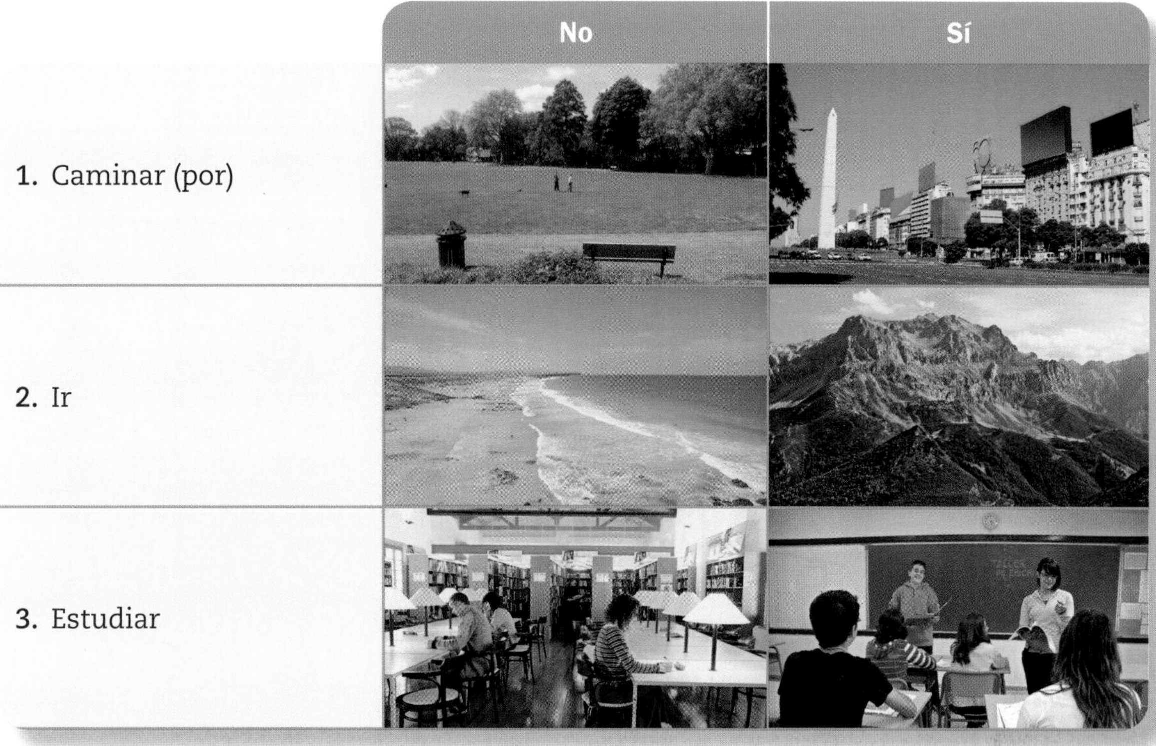

	No	Sí
1. Caminar (por)		
2. Ir		
3. Estudiar		

▶ **Habla.** Now offer your partner a suggestion about when not to do each thing.

Modelo 1. A. *Voy al parque.*
B. *No vayas al parque ahora. Hace mucho frío.*

CULTURA

La Pirámide de Mayo

La Pirámide de Mayo es el monumento nacional más antiguo de Buenos Aires. Está situada en el centro de la Plaza de Mayo y fue construida en el año 1811 para celebrar el primer aniversario de la Revolución de Mayo. El 21 de mayo de 1942 la Pirámide de Mayo fue declarada monumento histórico.

70 Piensa. Can you think of any statues in the United States that represent a revolution or the liberation of people? Where are they located?

Comunicación

71 ¿Dónde está el hospital?

Escribe. Look at the map and write how to get to the places below. Use the *tú* commands.

Modelo el cine
→ *Para ir al cine, sigue recto, cruza la plaza y dobla a la derecha en la calle Libreros.*

1. la plaza 2. el hospital 3. la biblioteca 4. el Banco Central

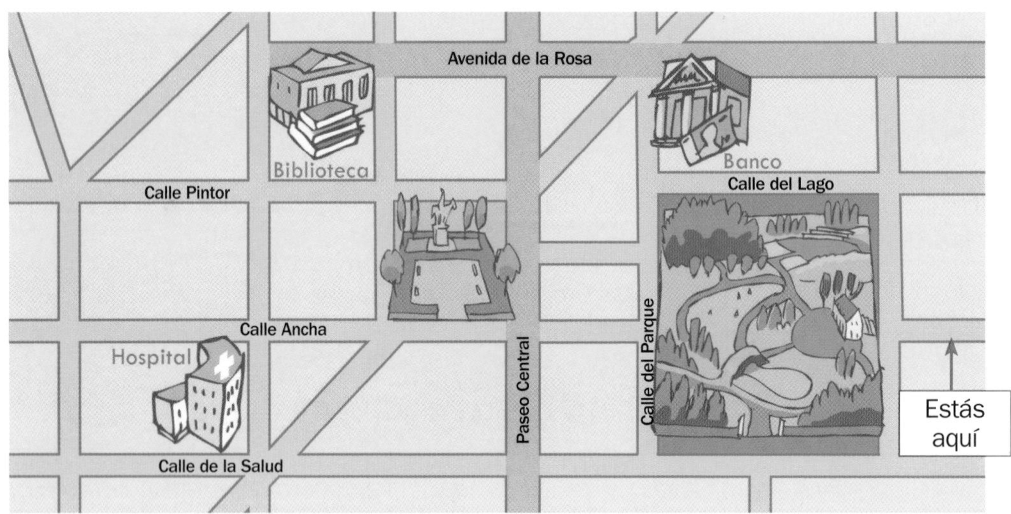

Habla. Using the map, ask your partner how to get to other places in the city. Take turns.

Modelo A. *Por favor, ¿cómo puedo ir al teatro?*
B. *Para ir al teatro, sigue recto...*

72 Sugerencias

Escucha y decide. Tess wants to do many things this summer. Listen and decide whether Patricia agrees with Tess about each item on her list.

1. estudiar en una escuela de baile
2. pasar unas noches en un hotel
3. ir mucho al teatro
4. viajar por todo el país en autobús
5. visitar el parque
6. pasear por el centro de la ciudad
7. trabajar en el banco
8. cenar todas las noches en el café

Escribe. For each activity that Patricia disapproves of, write her negative command and give a possible alternative.

Modelo *No estudies en una escuela de baile. Estudia en una escuela de música.*

73 Mi ciudad

▶ **Lee y contesta.** Read this description of Patricia's hometown and answer the questions.

> ***Mi ciudad***
>
> *Mi ciudad es grande y bonita. Me gustan mucho las calles anchas con árboles y flores. En el centro, los edificios son muy altos y elegantes. Las calles están llenas de cafés. Mi cine favorito está en el centro, cerca del teatro. ¡Es divertido salir por la noche en mi ciudad!*

1. ¿Qué piensa Patricia de su ciudad?
2. ¿Cómo son los edificios del centro?
3. ¿Qué hay en las calles del centro?
4. ¿Dónde está el cine?

▶ **Escribe.** Now write a description of your city or town. Include landmarks and direction words.

Final del desafío

amá, estoy cansada. aminamos todo el día uscando los sobres. Podemos sentarnos?
Sí. Mira, allí hay un café. Pero no comas todavía y comemos juntas después, ¿quieres?
No bebas tan rápido. Tenemos tiempo. La plaza está allí.
¡Es cierto! ¿Ves la biblioteca?

74 ¿Qué pasó en la historia?

▶ **Escribe.** Look at the scenes above. Decide what happens in the next scene and write a summary of what happened in this *Desafío*.

Modelo *Tess y Patricia caminaron todo el día buscando los sobres…*

ESCUCHAR, ESCRIBIR Y HABLAR

75 El viaje de tus sueños

Escucha y elige. Your local radio station is sponsoring a contest to win a fantasy trip. First listen to the advertisement that explains the rules of the contest. Then choose the answer that was NOT mentioned in the advertisement.

1. Necesitas...	a. el pasaporte	b. la maleta	c. el billete de ida y vuelta
2. Tú escoges ir a...	a. la montaña	b. la ciudad	c. la playa
3. Puedes ir en...	a. tren	b. taxi	c. avión
4. Te quedas en un...	a. hotel	b. hostal	c. cámping
5. Visitas...	a. museos	b. teatros	c. iglesias

Escribe. Write the script for your contest entry, describing the "trip of your dreams." Be sure to include answers to the following questions:

1. ¿Adónde quieres ir?
2. ¿Qué vas a llevar?
3. ¿Cómo vas a viajar?
4. ¿Dónde te vas a quedar?
5. ¿Qué piensas visitar?

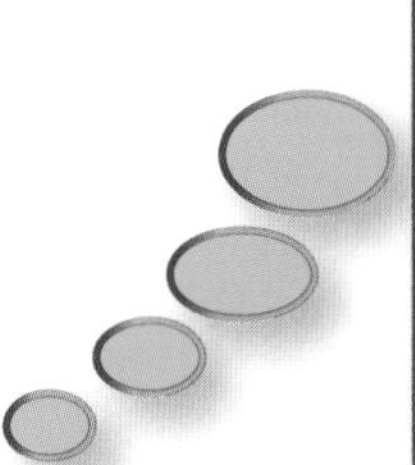

Presenta. When you have written your script, record it on an MP3 player or onto a CD. Then play your contest entry for the class. As you listen to your classmates, fill in a chart like the one below to keep track of the most popular places.

¿Adónde quieres ir?

a la montaña	a la playa	a la ciudad
Karen y Bill		

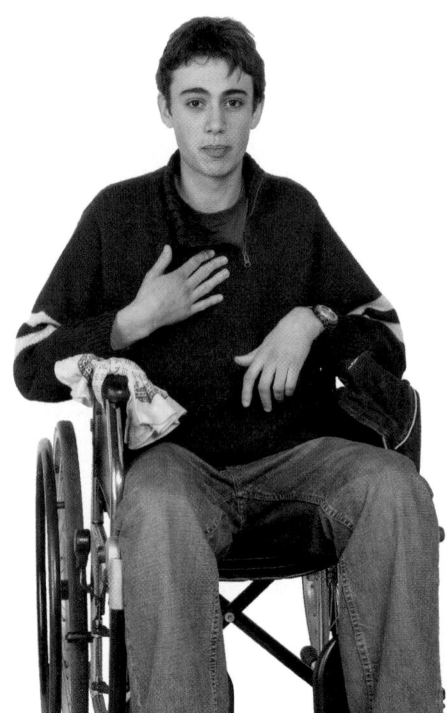

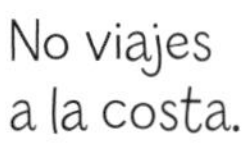
No viajes
a la costa.

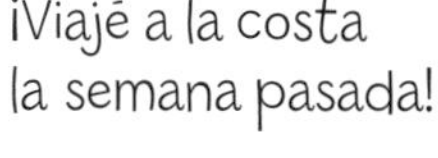
¡Viajé a la costa
la semana pasada!

HABLAR

76 ¡Ya viajé a la costa!

Habla. With a partner, take turns telling each other what not to do and what you already did and when. Follow the model.

1. ir a la ciudad en tren
2. comer en ese restaurante
3. pasear de noche por ese parque
4. viajar a la playa
5. comprar recuerdos en la terminal
6. comprar un billete de ida y vuelta
7. beber agua del río
8. escribir en el libro

LEER

77 ¡Tocamos las nubes!

Lee y contesta. Read the following extract from Tim's diary about their trip on the Train to the Clouds, and answer the questions.

Lunes, 3 de marzo

¡Tocamos las nubes!

Primero mi abuelo y yo viajamos en autobús desde Buenos Aires hasta Salta. En Salta tomamos el tren a las nubes. El viaje duró casi doce horas.

Cuando el tren alcanza los 3.000 metros (9,000 feet) casi no se puede respirar.

San Antonio de los Cobres fue nuestra última estación. Está situada a 4.000 metros de altura (12,000 feet). ¡Allí puedes tocar las nubes!

1. ¿Cómo viajaron Tim y Mack desde Buenos Aires hasta Salta?
2. ¿Desde dónde sale el tren a las nubes?
3. ¿Cuánto tiempo duró el viaje en el tren a las nubes?
4. ¿Qué pasa cuando el tren alcanza los 3.000 metros?
5. ¿Por qué llaman a este tren el tren a las nubes?

En el Teatro Colón

The four pairs meet in Buenos Aires after attempting to complete their individual tasks. Did all the pairs successfully carry out their assignments?

Mira, tomamos muchas fotos. ¡Viajamos por todas estas ciudades en un solo día!

¡Encontramos al gaucho! ¡Él corrió rápido, pero nosotras corrimos más rápido que él!

Ayer fuimos a Iguazú. ¡Qué impresionante! Nos perdimos, pero grabamos un video.

Encontramos todos los sobres en la ciudad. ¡Cuidado, Tess, no los pierdas!

78 Al llegar

▶ **Habla.** In a small group, play charades by choosing one scene and acting it out for the rest of your classmates. See if they can guess which scene is being portrayed.

▶ **Escribe.** After reviewing the scenes and the task that each pair faced, choose a winning team and try to convince the other students why they deserve to win. Write a description answering the following questions:

- ¿De dónde salieron?
- ¿Adónde fueron?
- ¿Cómo llegaron?
- ¿Qué encontraron?
- ¿Qué lugares visitaron?

Modelo

Andy y Janet fueron desde Buenos Aires hasta Iguazú en avión. Visitaron las cataratas del Iguazú, pero...

¡Qué lástima! Nuestros amigos no probaron nuestro postre más tradicional: el dulce de leche.

79 Las votaciones

▶ **Decide.** Which pair has done the most amazing challenge in Argentina? Take a vote to decide!

Sorprendente

Argentina

Argentina es una república situada en el sur de América. La capital de la nación es Buenos Aires.

Argentina es el país hispanohablante más grande del mundo, aunque no es el más poblado: tiene aproximadamente 40 millones de habitantes. El 86% de la población desciende de europeos, especialmente de españoles e italianos.

80 ¿Exactamente dónde?

Elige. Look at the map and choose the appropriate ending for each sentence.

1. Argentina está...
   a. al sur de Paraguay b. al norte de Paraguay
2. Buenos Aires está...
   a. en el centro del país b. en el este del país
3. Las cataratas del Iguazú están cerca de...
   a. Chile b. Paraguay
4. El glaciar Perito Moreno está lejos de...
   a. Chile b. Brasil

(1) Una orquesta tocando tangos.

1. El tango

El **tango** es un tipo de música y de baile conocido en todo el mundo. Su origen está en los barrios populares de Buenos Aires y de otras ciudades de Argentina y de Uruguay.

Los tangos hablan de distintos temas: el amor, el barrio, el paso del tiempo, etc.

El instrumento básico de los tangos es el bandoneón.

Una pareja bailando un tango.

2. Buenos Aires

Buenos Aires, la capital de Argentina, es una gran ciudad. Sus habitantes dicen que tienen la avenida más ancha del mundo (la avenida **9 de Julio**) y la más larga (la avenida **Rivadavia**).

Entre los barrios de Buenos Aires está el famoso barrio obrero de **La Boca**. En su calle Caminito, el pintor **Benito Quinquela** organizó un museo al aire libre.

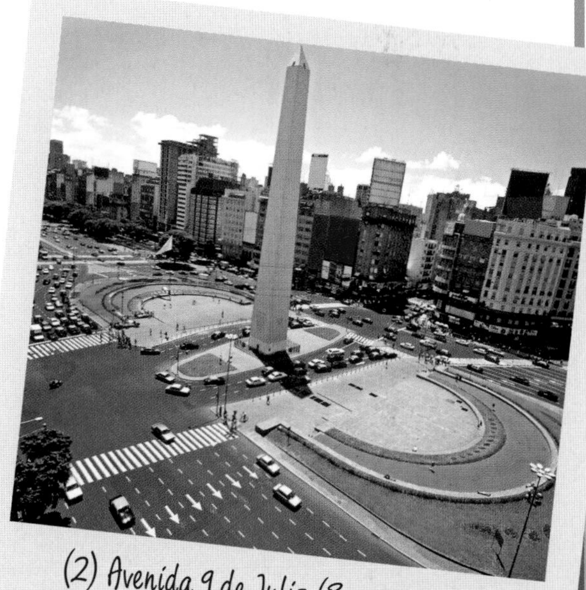

(2) Avenida 9 de Julio (Buenos Aires).

81 Mitos argentinos

▶ **Investiga y escribe.** Search for information about one of these people and write a brief summary of his or her life.

Include photos and biographical information such as main achievements and music, literature, or movie tributes.

Jorge Luis Borges.

Eva Perón (Evita).

La vuelta al mundo
de Cinthia Scoch

READING STRATEGY
Story elements

Narrative texts have three common components:

- Setting—the time and place in which the events of the story occur (when and where).
- Characters—the people or sometimes the animals in the story (who).
- Plot—the sequence of events (what).

Cinthia Scoch es una chica muy obediente. Un día, su madre la mandó a comprar un kilo de azúcar.

–Anda al almacén[1] de la derecha –le indicó la señora Scoch.

Cinthia pensó: «En realidad, el almacén está a la izquierda», pero, para no contradecir a su madre, caminó hacia la derecha.

Oliendo el lindo aroma de los tilos[2] de su barrio, caminó una, dos, tres cuadras[3], pero no encontró el almacén.

A las tres horas llegó al puerto de Buenos Aires. Allí tomó un barco con ruta de navegación hacia la derecha.

El barco navegó días y días y al fin llegó a un puerto de Australia. Cinthia Scoch bajó a tierra. Continuó hacia la derecha. Cruzó toda Australia. En la ciudad de Sidney no encontró ningún almacén, así que tomó otro barco, también hacia la derecha.

Llegó al puerto de Valparaíso, en Chile. Continuó hacia la derecha. Cruzó los Andes. Llegó a Mendoza y cruzó las provincias de San Luis y Santa Fe.

Llegó a Buenos Aires, y siempre caminando hacia la derecha, finalmente se encontró[4] en su barrio. Así completó la vuelta al mundo y de nuevo olió el lindo aroma de los tilos de su barrio. Una cuadra antes de su casa, encontró el almacén. Es decir, a la izquierda de su casa. «Mamá está equivocada[5]», pensó.

Compró un kilo de azúcar.
Entró en casa y le entregó[6] el paquete a la señora Scoch.
La madre de Cinthia guardó el azúcar en un tarro[7].
–Hija –le dijo a Cinthia–, ¡cuánto tardaste[8]!

RICARDO MARIÑO, *Botella al mar* (texto adaptado).

1. grocer's shop 2. lime trees 3. blocks 4. was
5. wrong 6. gave 7. jar 8. it took you so long!

ESTRATEGIA Elementos de la narración

82 Una historia con muchos elementos

▶ **Escribe.** Complete the story map with the different elements of Cinthia Scoch's story.

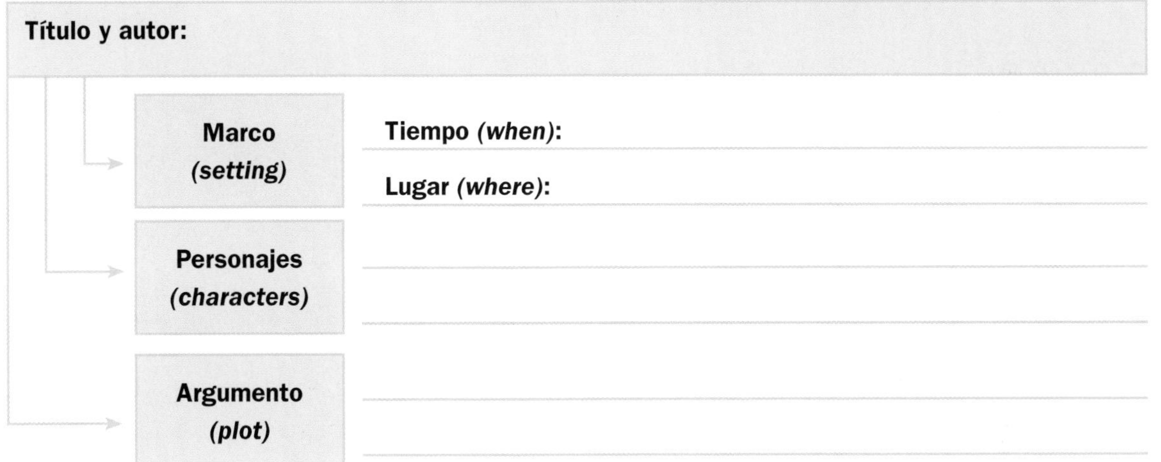

COMPRENSIÓN

83 ¿Está claro?

▶ **Completa.** Complete these sentences.

a. Cinthia salió a la calle para...
b. Cinthia caminó hacia la derecha para...
c. Cinthia caminó por su barrio, pero...
d. En el puerto de Buenos Aires...
e. Cinthia cruzó...
f. Cinthia encontró el almacén...
g. En el almacén...
h. En su casa...

84 Un resumen

▶ **Escribe.** Write a summary of Cinthia's travels. Include the main elements of the story. If you wish, illustrate the story with a drawing.

Earn points for your own challenge! Visit the website to take a virtual tour around Argentina and describe your trip in a letter to a friend.

De viaje

Medios de transporte

(ir) a pie	*on foot, walking*
el autobús	*bus*
el avión	*plane*
el barco	*boat*
el coche	*car*
el metro	*subway*
el taxi	*taxi*
el tren	*train*

Acciones

ir de vacaciones	*to go on vacation*
ir de excursión	*to go on an excursion*
viajar	*to travel*

Lugares

el aeropuerto	*airport*
la estación	*station*

Los viajes

Objetos

el billete	*ticket*
la bolsa	*bag*
la guía turística	*travel guide, guidebook*
la maleta	*suitcase*
el pasaporte	*passport*

Acciones

comprar recuerdos	*to buy souvenirs*
enseñar el pasaporte	*to show your passport*
facturar el equipaje	*to check the baggage*

Lugares

la agencia de viajes	*travel agency*
la oficina de turismo	*tourist office*
el mostrador de información	*information desk*

Destinos y alojamientos

el campo	*countryside*
la ciudad	*city, town*
la costa	*coast*
la montaña	*mountain*
la playa	*beach*
el cámping	*campsite*
el hotel	*hotel*
reservar habitación	*to reserve a room*
hacer turismo	*to be a tourist*

La ciudad

Lugares

el banco	*bank*
la biblioteca	*library*
el café	*café*
la calle	*street*
el hospital	*hospital*
la iglesia	*church*
la plaza	*square, plaza*

Localización y direcciones

cruzar la calle	*to cross the street*
doblar a la derecha	*to turn right*
doblar a la izquierda	*to turn left*
seguir recto	*to go/walk straight ahead*

DESAFÍO 1

1 **Respuestas lógicas.** Complete each sentence with the most logical answer.

1. En Buenos Aires yo viajo casi siempre…
   a. en tren b. en avión c. en metro
2. Yo vivo lejos y casi nunca voy a la escuela…
   a. a pie b. en tren c. en avión
3. Para viajar desde Buenos Aires hasta Nueva York tengo que ir…
   a. en autobús b. en metro c. en avión
4. Cuando voy de excursión con mi clase, normalmente vamos…
   a. a pie b. en autobús c. en barco

DESAFÍO 2

2 **De viaje.** Match each place with the corresponding actions.

1. En una tienda
2. En una agencia de viajes
3. En una oficina de turismo

a. compras los billetes de avión.
b. pides un plano de la ciudad.
c. compras recuerdos.
d. pagas el viaje.
e. pides información de la ciudad.
f. compras una maleta.

DESAFÍO 3

3 **Las vacaciones.** Match each statement with the corresponding picture.

1. El año pasado nos alojamos en un cámping.
2. Este verano pasamos las vacaciones en la playa.
3. En Navidad fuimos a esquiar a la montaña.
4. La semana pasada reservamos habitación en un hotel.

A

B

C

D

DESAFÍO 4

4 **¿Adónde vas?** Answer the questions in complete sentences. Use the word bank.

1. ¿Adónde vas si necesitas dinero?
2. ¿Adónde vas si estás muy enfermo?
3. ¿Adónde vas si tienes mucha hambre?
4. ¿Adónde vas si quieres leer un libro?

restaurante | banco | hospital | biblioteca

Verbos regulares. Pretérito (págs. 374, 382)

	COMPRAR	COMER	ESCRIBIR
yo	compré	comí	escribí
tú	compraste	comiste	escribiste
usted él ella	compró	comió	escribió
nosotros nosotras	compramos	comimos	escribimos
vosotros vosotras	comprasteis	comisteis	escribisteis
ustedes ellos ellas	compraron	comieron	escribieron

Marcadores temporales de pasado (pág. 390)

anteayer	*the day before yesterday*
antes	*before*
ayer	*yesterday*
anoche	*last night*
la semana pasada	*last week*
el mes pasado	*last month*
el año pasado	*last year*

Los verbos *ser* e *ir*. Pretérito (pág. 392)

singular		plural	
yo	fui	nosotros nosotras	fuimos
tú	fuiste	vosotros vosotras	fuisteis
usted él ella	fue	ustedes ellos ellas	fueron

Preposiciones de lugar (pág. 392)

a	*to*
de... a...	*from ... to ...*
desde... hasta...	*from ... to/until ...*

El imperativo negativo (pág. 400)

Verbos regulares

Comprar	Comer	Escribir
no compres	no comas	no escribas

Verbos *ser* e *ir*

Ser	Ir
no seas	no vayas

DESAFÍO 1

5 Nuestro fin de semana. Write sentences about what everyone did last weekend.

Modelo 1. *Yo viajé en avión.*

1 yo

2 ellas

3 nosotros

4 usted

5 tú

DESAFÍO 2

6 Experiencias. Answer the questions in complete sentences.

Modelo ¿Escribiste el correo electrónico a tus abuelos?
⟶ *Sí, escribí el correo electrónico a mis abuelos.*

1. ¿Comiste en un restaurante argentino?
2. ¿Leíste el último libro de Harry Potter?
3. ¿Fuiste a otro país?
4. ¿Participaste en un maratón?

DESAFÍO 3

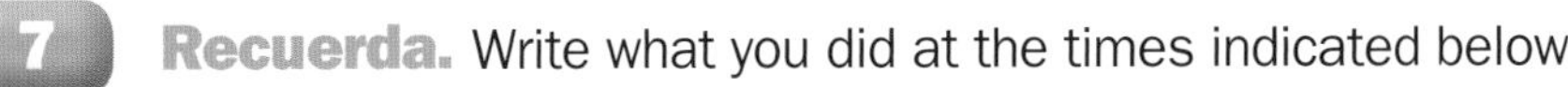

7 Recuerda. Write what you did at the times indicated below.

1. antes
2. anoche
3. ayer
4. anteayer
5. el lunes pasado
6. la semana pasada
7. el mes pasado
8. el año pasado

DESAFÍO 4

8 Órdenes. Write negative commands based on the information provided.

Modelo Si abres **la puerta**, hace frío. (abrir) ⟶ *No abras la puerta.*

1. **Esa carne** está mala. (comer)
2. **Ese libro** es muy aburrido. (leer)
3. Tus amigos no van **al cine** esta noche. (ir)
4. **Esa mochila** es muy cara. (comprar)

CULTURA

9 ¡Descubre Argentina! Answer the questions.

1. Why is *tren a las nubes* well named?
2. What do you know about the Pampa region?
3. Where is Iguazu Falls located?
4. What color is the Presidential Palace in Argentina?
5. What is the capital of Argentina?

Crónica de un viaje

In this project you will prepare an illustrated travelogue. The traveler can be someone in your family, a person in your community, or a famous person. You will present your travelogue to your classmates, who will vote for the best trip in each of these categories: most interesting, most fun, and most dangerous.

PASO 1 Decide qué viaje vas a describir

- Decide what trip you are going to describe. For example:
  - El viaje de una persona de tu familia.
  - El viaje de una persona de tu comunidad.
  - Un viaje histórico.

Viaje a la Patagonia

La Patagonia es una región árida de glaciares, situada en el sur de Argentina y Chile. En 1978 una expedición viajó allí para recordar los viajes de Francisco P. Moreno, cien años antes.

PASO 2 Busca información sobre el viaje

- Interview people or do research on the Internet to find information.

El viaje de...

¿Adónde viajó?
¿Cuándo viajó?
¿Cómo viajó? En tren, en avión, en coche...
¿Qué objetos llevó? Pasaporte, cámara...
¿Qué ocurrió en el viaje?
¿Qué vio?

- Gather documents to illustrate the trip:
  - Fotos de los viajeros.
  - Un mapa o un plano para dibujar el itinerario.
  - Postales, billetes, recuerdos...

PASO 3 Escribe la crónica

- Organize all your information in chronological order and write one or two sentences to describe the information.

En noviembre de 1979, la expedición visitó el glaciar Perito Moreno. El glaciar se llama así en honor al perito Francisco P. Moreno.

PASO 4 Presenta la crónica

- Present your report and answer your classmates' questions.

¿Qué ropa llevan?
Llevan chaquetas, gorros, guantes y botas.

PASO 5 Vota la mejor crónica

- Take a vote to decide which travelogue is the best in each category: *más interesante*, *más divertido*, *más peligroso*. Give reasons for your vote.

El viaje de la expedición al glaciar Perito Moreno es el más interesante: viajaron en coche y en barco a este glaciar del sur de Argentina.

Unidad 7

Autoevaluación

¿Qué has aprendido en esta unidad?

Do the following activities to evaluate how well you get along in Spanish.

Evaluate your skills. For each item, say Very well, Well, or I need more practice.

a. Can you talk about what you did yesterday?
- ▶ Tell your partner what you did before and after breakfast yesterday.

b. Can you talk about where you live?
- ▶ Ask your partner to name three important places where you live.
- ▶ Tell your partner the location of the same three places.

c. Can you say how people travel in your region?
- ▶ Ask your partner how his or her family goes shopping.
- ▶ Say how you get to school.

UNIDAD 8

Chile

De vuelta a los Andes

To express cause

Vocabulario
El universo

Gramática
Expresar causa:
- La conjunción *porque*
- La preposición *por*

DESAFÍO
2

La Isla de Pascua

To express quantity

Vocabulario
Geografía

Gramática
Expresar cantidad.
Los indefinidos

El desierto de Atacama

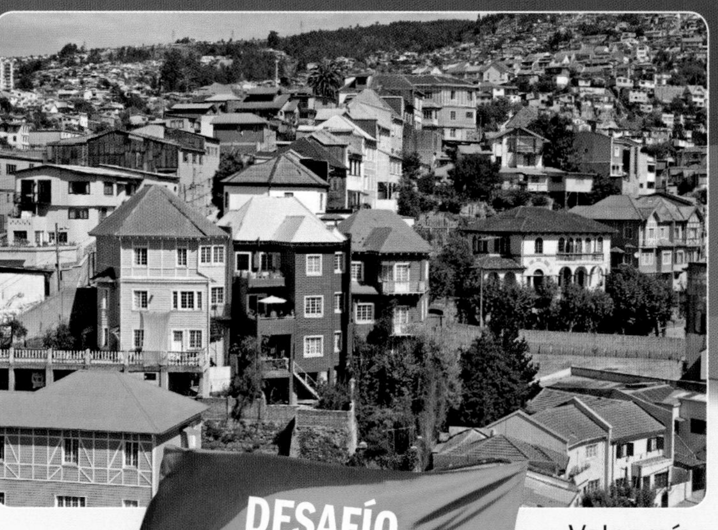

Valparaíso

DESAFÍO

3

To express past actions

Vocabulario

Divisiones políticas

Números del 101 al 1.000

Gramática

Verbos irregulares en el pasado. *Decir* y *hacer*

Verbos irregulares en el pasado. *Estar* y *tener*

Parque Nacional Torres del Paine

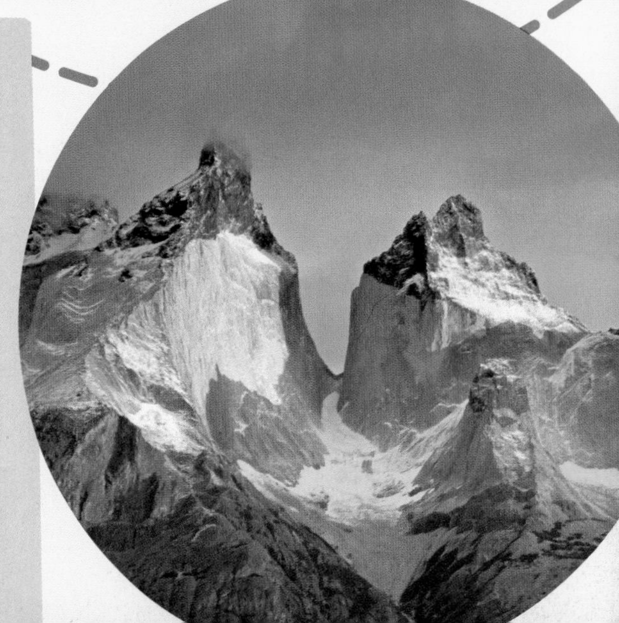

To express permission and prohibition

Vocabulario

La naturaleza y el medio ambiente

Gramática

Expresar permiso y prohibición

En Santiago de Chile

In this unit the four pairs are in Santiago, the capital of Chile. Héctor Basualdo, their Chilean host, welcomes them at *La Chascona*. This house was once owned by Pablo Neruda, a Nobel Prize-winning poet.

¿Esta es la casa del famoso poeta Pablo Neruda?
Sí, Andy. La Chascona es famosa porque fue la casa de Pablo Neruda. Ahora es un museo muy visitado.
¿Vieron el cuadro de la mujer en el salón? ¡Es fantástico!
Sí, Rita. Lo pintó otro gran artista, Diego Rivera. La mujer del cuadro es Matilde, la esposa de Pablo Neruda.
Bien, aquí tienen sus desafíos. ¡Suerte!

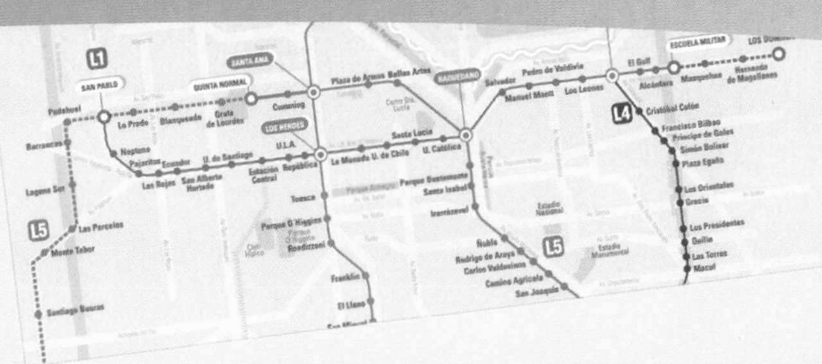

¡Tenemos que pasar una noche en el desierto!
¡Qué impresionante!

¡Cuántas estatuas! ¡Son enormes! ¿Cómo vamos a encontrar el moái falso?
No sé. ¡Todas parecen iguales!

Este maratón va por las calles de la ciudad...
Sí, es un circuito de cinco kilómetros. Lo vi por televisión.

¿Puedo botar una botella de plástico en este contenedor?
¡No, hay que reciclarla!

1 ¿Comprendes?

▶ **Responde.** Answer the questions according to what you read.

1. ¿Qué es La Chascona? ¿Por qué es famosa?
2. ¿Quién es Matilde?
3. ¿Cómo son las estatuas?
4. ¿Qué quiere botar Diana en el contenedor de basura?

EXPRESIONES ÚTILES

To wish someone good luck:
¡**Suerte**!

To show admiration:
¡**Qué** impresionante!

To stress quantity:
¡**Cuánto** dinero!
¡**Cuánta** gente!
¡**Cuántos** moáis!
¡**Cuántas** estatuas!

2 Expresiones

▶ **Escribe.** Match each expression with the corresponding picture.

a. ¡Suerte! **b.** ¡Qué impresionante! **c.** ¡Cuánta gente! **d.** ¡Qué grande!

1

2

3

4

¿Quién ganará?

3 Los desafíos

▶ **Habla.** What will be the challenge for each pair? Think about this question and discuss it with your classmates.

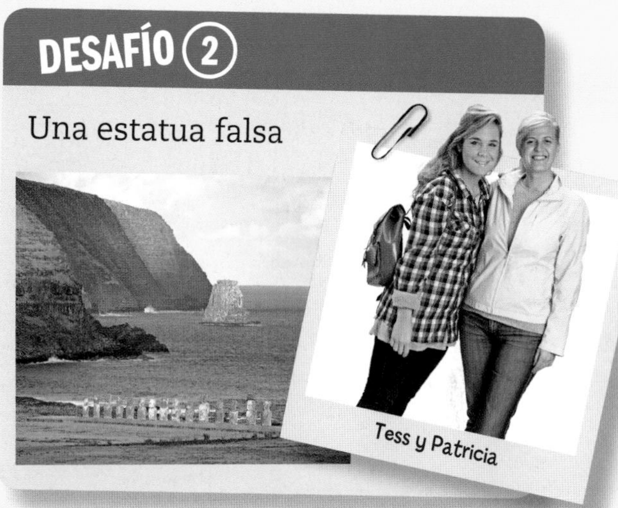

DESAFÍO 3
El Maratón de las Escaleras
163
164
Tim y Mack

4 Las votaciones

▶ **Decide.** Who will win this unit's challenge? Vote to choose the most enriching task.

Enriquecedor

DESAFÍO 1 **Expresar causa**

Las estrellas de Atacama

Andy and Janet are in the *Valle de la Luna*, a moon-like landscape in the Atacama Desert. They will spend the night there searching for a rock formation in the shape of a howling dog.

Estamos en el Valle de la Luna, Janet. ¡Vamos a explorarlo!

¡Allí hay gente... pero no se mueve!

No se mueven porque no son personas, Janet. Son rocas.

Estas rocas son interesantes...

¡Cuántas estrellas! El cielo está muy limpio.

¡Mira, aquello es el planeta Marte!

Vamos, Janet, tenemos que buscar las rocas para resolver la prueba.

Tengo la cámara lista para tomar fotos...

Continuará...

5 Detective de palabras

▶ **Relaciona.** What word from the dialogue relates to each of these images?

1

2

3

6 ¿Comprendes?

▶ **Escribe.** Use the dialogue in the *fotonovela* to answer these questions.

1. ¿Dónde están Andy y Janet?
2. ¿Qué van a hacer Andy y Janet?
3. ¿Qué ve Janet?
4. ¿Cómo está el cielo de Atacama?
5. ¿Qué tienen que hacer Andy y Janet?

7 Cada oveja con su pareja

▶ **Une.** Match each sentence in column A with the corresponding ending in column B according to the *fotonovela*.

1. Este lugar se llama Valle de la Luna	a. porque la cámara está lista.
2. Las figuras no se mueven	b. porque quieren resolver la prueba.
3. Andy y Janet ven muchas estrellas	c. porque su paisaje es similar al de la Luna.
4. Janet va a tomar fotos	d. porque no son personas. ¡Son rocas!
5. Andy y Janet tienen que buscar unas rocas	e. porque el cielo está muy limpio.

El Valle de la Luna

El Valle de la Luna está cerca de San Pedro de Atacama. El valle tiene ese nombre porque su aspecto es muy similar al paisaje de la Luna. Este valle es considerado uno de los lugares más secos de la Tierra. ¡En algunas áreas no llueve nunca!

8 Piensa. Do you think there is life on the Moon or on other planets? If so, what kind of life forms would live there?

Vocabulario

El universo

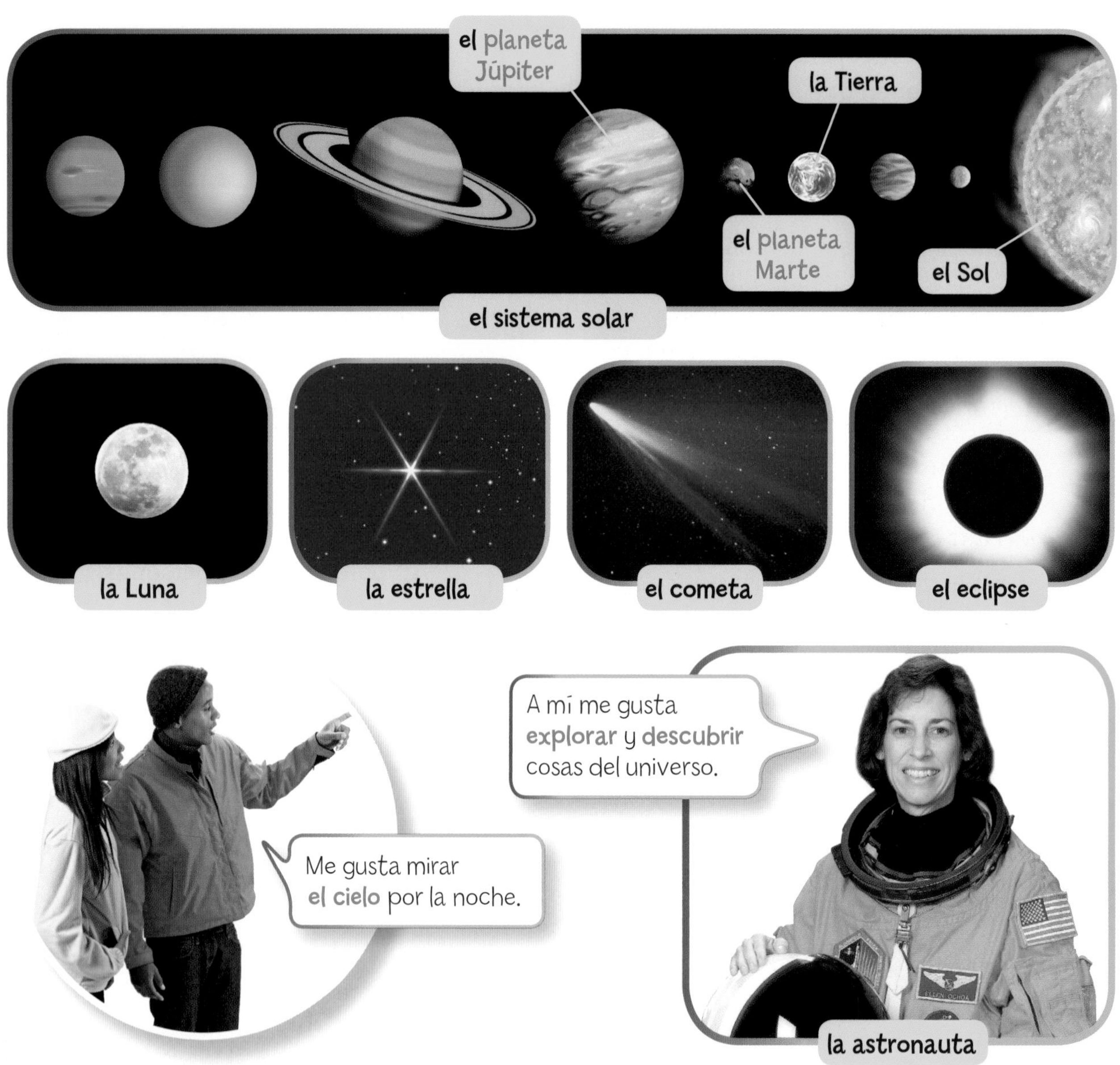

9 Tus conocimientos

▶ **Completa.** Complete the sentences with the vocabulary above.

1. _______ es una estrella.
2. _______ brillan en el cielo por la noche.
3. _______ giran alrededor del Sol.
4. _______ es el satélite de la Tierra.
5. _______ pueden ser de sol o de luna.

10 Errores

▶ **Escucha y decide.** Janet has learned about space, but she seems to have confused some facts. Listen and decide whether her statements are true *(cierto)* or false *(falso)*.

▶ **Escribe.** Write facts that you know about each of the following topics.

Modelo el cielo ⟶ *El cielo es azul.*

1. la Tierra

2. las estrellas

3. la Luna

4. el Sol

11 Las actividades típicas

▶ **Escribe.** Use the prompts below to write four sentences about the things you like to do during the seasons of the year.

1. En primavera me gusta...
2. Me gusta el verano porque puedo...
3. El otoño es especial para...
4. Durante el invierno puedo...

▶ **Habla.** Compare your answers with a partner's. What activities do you have in common?

Modelo A. *A mí me gusta el invierno porque puedo esquiar. ¿Y a ti?*
B. *A mí también.*

CONEXIONES: CIENCIAS

San Pedro de Atacama

San Pedro de Atacama es un pueblo del norte de Chile famoso por su situación geográfica. Está a casi 8.000 pies sobre el nivel del mar (más alto que muchas montañas). El pueblo también es famoso por su cielo nocturno: ¡en el cielo de San Pedro de Atacama se pueden ver millones de estrellas!

12 Piensa. How do you think San Pedro's geographic situation influences its view of the night sky? How does the geographic situation in your city or town influence your view of the night sky?

Gramática

Expresar causa

La conjunción *porque*

- To express cause, use the conjunction porque followed by a sentence with a conjugated verb.

  Lily sabe muchas cosas **porque** lee mucho.

- To ask for a reason, use the question ¿Por qué...? To respond, use the word porque.

  –¿**Por qué** no puedes ir a la fiesta?
  –**Porque** estoy enfermo.

La preposición *por*

- The preposition por sometimes expresses cause or reason.

  No fuimos a la playa **por** el viento.

- The preposition por is usually followed by a noun.

  Le compré un regalo **por su cumpleaños**.

13 **Compara.** How do we state cause in English? Describe similarities and differences in the way we express this concept in English and in Spanish.

14 **Razones para todo**

▶ **Relaciona y escribe.** Match the actions below with the corresponding picture. Write sentences using *por*.

Modelo 1. ⟶ B. *Janet fue a ese café por los helados.*

1. Janet fue a ese café...
2. Janet bebió mucha agua...
3. Janet visitó Chile...
4. Janet vio las rocas de noche...
5. Janet compró unas gafas...

A

la luna llena

B

los helados

C

una oferta especial

D

el calor

E

sus paisajes

15 Los motivos de Andy y Janet

Completa. Complete the sentences with *por* or *porque*.

1. Andy y Janet fueron al desierto ________ el desafío.
2. Janet tiene miedo ________ es de noche.
3. Andy lleva su cámara ________ le gusta tomar fotos.
4. El cielo está bonito ________ hay muchas estrellas.
5. Andy y Janet pasan mala noche ________ el frío del desierto.

16 ¡A conocernos!

Escribe. Read the following topics and choose five. Then write a sentence about yourself in relation to each topic.

Modelo 1. la familia → *Nunca estoy solo(a) porque mi familia es muy grande.*

1. la familia
2. los deportes
3. las películas
4. la escuela
5. el arte
6. el trabajo
7. los amigos
8. la música
9. la comunicación
10. las fiestas
11. las compras
12. la casa

CONEXIONES: CIENCIAS

El salar de Atacama

El salar de Atacama es el depósito de sal más grande de Chile. Está situado al sur de San Pedro de Atacama. Casi todo el depósito está permanentemente seco, pero hay lagunas. Gracias a ellas muchas aves y otros animales viven allí.

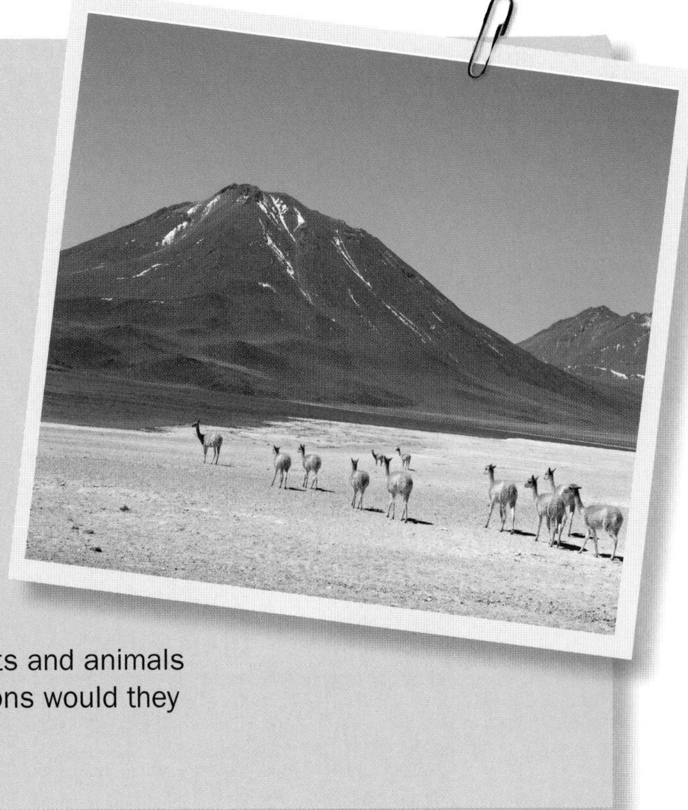

17 Piensa. Plant and animal life has adapted to live in this area, which, in some places, has never had rainfall recorded. What kinds of plants and animals would be able to survive? What adaptations would they have to make?

Comunicación

18 Nuestro universo

Escucha y decide. Listen to a scientist talk about space.
Then decide whether the statements below are true *(cierto)* or false *(falso)*.

Prueba tus conocimientos sobre el espacio

1. El Sol es una estrella.
2. El planeta Tierra no está en el sistema solar.
3. Desde la Tierra no pueden verse otros planetas.
4. Saturno es un planeta con anillos.
5. Júpiter es el planeta más grande de nuestro sistema solar.
6. No hay cometas en nuestro sistema solar.
7. Los cometas están formados por hielo y otras sustancias.
8. Neil Armstrong fue el primer hombre en caminar por la Luna.

19 Una entrevista de radio

Escribe. You are interviewing a space scientist for the school's Internet Radiocast. Write five questions you would like to ask about his or her work.

Modelo

1. ¿Por qué estudias el universo?

Habla. With your partner, role-play the interview. You ask the questions and he or she answers. Then switch roles.

¿Por qué estudias el universo?
Porque en el universo hay muchas cosas interesantes.

20 ¿Razones o excusas?

▶ **Habla.** What excuses do your classmates have for not doing the chores below? Ask five friends.

poner la mesa | barrer el suelo | ordenar el garaje | cocinar | limpiar el baño

Modelo A. *¿Qué excusa tienes para no limpiar tu dormitorio?*
B. *Yo no limpio mi dormitorio porque estoy cansado.*

▶ **Escribe.** Using your classmates' answers, write a short essay of five sentences about their excuses.

Modelo *Jim no limpia su dormitorio porque está cansado...*

Final del desafío

El blog de Andy

3 de marzo. San Pedro de Atacama

Observar el cielo de Atacama fue fantástico. El cielo allí es muy claro y puedes ver muchas estrellas. También puedes ver Marte y otros planetas.

En Chile estamos en verano, pero las noches son frías. Anoche fue difícil dormir en la tienda de campaña por el frío.

Janet y yo hablamos mucho de la Luna, de los eclipses y de los cometas, y por la noche soñé con ser astronauta. Quiero descubrir y explorar nuevos mundos.

¡Ah! Janet tomó la foto de las rocas en forma de perro porque queremos ganar el desafío.

21 ¿Qué pasa en la historia?

▶ **Escribe.** Andy and Janet spent the night in the Atacama Desert. Read Andy's blog and see if they accomplished their task. Then write your own blog entry describing what you think happened to Andy and Janet the following day when they woke up. Share your blog with the class.

Una estatua falsa

Tess and Patricia are on Easter Island, Chile. There they have to find and topple a fake moai. The native Rapanui people believed that the moai offered them protection.

La Isla de Pascua tiene unos paisajes extraordinarios.
¡Sí! Tiene volcanes, pero no están activos.

Sabemos muy poco sobre la cultura rapanui...

Camina con cuidado, la costa es rocosa.

Mira, ahí hay algunos moáis. Todos parecen auténticos, ¿verdad?
Ahí no está el moái falso. Tenemos que buscar un lago...

Continuará...

22 Detective de palabras

▶ **Identifica.** What nouns from the dialogue relate to these images?

1

2

3

4

▶ **Escribe.** Write one sentence for each noun.

23 ¿Comprendes?

▶ **Escribe.** Answer the questions in complete sentences.

1. ¿Cómo son los paisajes de la Isla de Pascua según Patricia?
2. ¿Cómo es la costa de la isla?
3. ¿De qué cultura son los moáis?
4. ¿Qué pista tienen Tess y Patricia para encontrar el moái falso?

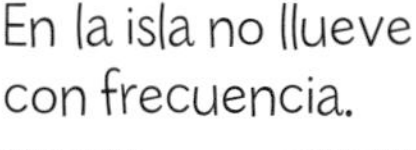
En la isla no llueve con frecuencia.

24 Una isla espectacular

▶ **Escucha y contesta.** Before their trip, Tess and Patricia talked about Easter Island. Listen to the conversation and answer the questions.

1. ¿Qué tiene ganas de ver Tess?
2. ¿Cuántas lenguas hablan en la Isla de Pascua?
3. ¿Cuántos volcanes no activos hay en la isla?
4. ¿Cómo se llaman las islas que rodean a la isla principal?
5. ¿Por qué hay pocos árboles en la Isla de Pascua?

25 Algunas cosas

▶ **Habla.** Do you know the names of any of the following? Make a list, then ask a partner if he or she knows of any.

Modelo A. *¿Conoces algún lago?*
B. *Sí, conozco el lago Ontario.*

1. ¿Conoces alguna isla?
2. ¿Conoces alguna estatua?
3. ¿Conoces algún volcán?
4. ¿Conoces algún bosque tropical?

CULTURA

La Isla de Pascua

La Isla de Pascua está en el océano Pacífico, en la Polinesia. Esta isla forma parte de Chile. Allí viven los descendientes de la civilización rapanui. Sabemos poco sobre esta antigua cultura. En 1877 quedaron en la isla poco más de cien personas. Hoy la población es de cuatro mil habitantes aproximadamente. Las imágenes de los moáis de la isla son famosas en todo el mundo.

26 Piensa. What would you like to find out about the Rapanui? Why?

Vocabulario

Geografía

¿Viajamos por **tierra** o por **mar**?

El **desierto** es **seco**.

El **bosque** es **tropical**.

27 **¿Dónde vivimos?**

▶ **Clasifica.** Classify the places by the geographic feature(s) that each represents. Then add one more place that you know to each column.

el Sahara | el Mississippi | el Amazonas | Hawái | Asia

el Mediterráneo | Yellowstone | el Atlántico | Bermudas | África

océanos	continentes	islas	ríos	desiertos	mares	bosques

28 La geografía chilena

▶ **Escribe.** These are the places Tess and Patricia would like to visit in Chile. What kind of geographic features are they?

Modelo los Andes ⟶ *Los Andes son montañas.*

1. Atacama
2. Loa
3. Viña del Mar
4. Rupanco
5. El Pacífico

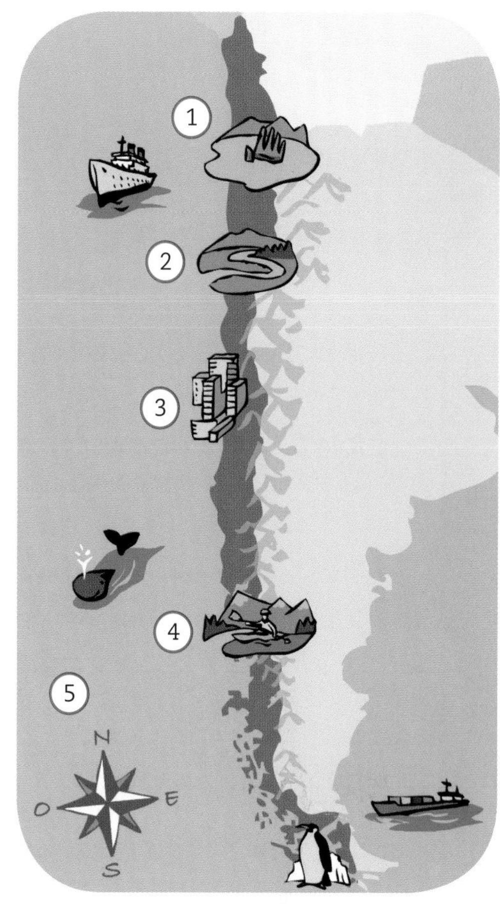

29 Una guía para turistas

▶ **Escucha y decide.** Tess is describing geographic features of the United States to a friend in Chile. Listen and tell if the statements below are true *(cierto)* or false *(falso)*. If they are false, correct them.

1. Hay mar al este y al oeste.
2. California es un estado de la costa este.
3. Manhattan es una isla.
4. Los Estados Unidos forman parte del continente americano.
5. En los Estados Unidos no hay bosques tropicales.
6. En el este de los Estados Unidos hay un gran desierto.

CONEXIONES: GEOGRAFÍA

Un balneario en Chile

Viña del Mar es una ciudad balneario *(beach resort)* famosa en todo el mundo. Tiene un clima mediterráneo similar al de California: las estaciones lluviosas son el otoño y el invierno. Pero, recuerda, Chile está en el hemisferio sur de nuestro planeta. Por eso sus estaciones son opuestas a las nuestras.

30 Piensa. During which months would it be safe to visit Viña del Mar if you want to minimize your chances of rain?

Gramática

Expresar cantidad. Los indefinidos

- In many cases, nouns can be counted using specific numbers.

  Tengo **tres** libros de español. Hay **veinte** estudiantes en la clase.

  It is possible, however, to refer to nouns using nonspecific terms of number. These terms are called *indefinites*.

  Hay **algunos** libros de español allí. **Muchas** personas visitaron el museo ayer.

- These are the most common indefinites:

  PRINCIPALES INDEFINIDOS

¿Hay **algún** estudiante en la escuela?
No veo **ningún** lago en la isla.
Tengo **algunos** libros sobre Chile.
En el desierto hay **poca** agua.
Hay **muchas** estatuas en la Isla de Pascua.
Todas las parejas viajaron a Chile.

Uso de los indefinidos

- Before a masculine singular noun, use algún or ningún instead of alguno or ninguno.

  –¿Tienes **algún** amigo chileno?
  –Sí, tengo **alguno**.

- Ningún, ninguno, and ninguna are used only in negative sentences.

  Hoy **no** hay **ninguna** estrella en el cielo.

- Todo, toda, todos, and todas are used as follows:

todo + artículo + nombre	Hay estatuas en **toda la isla**.

31 **Compara.** Think about the concept of indefinites in English. Describe similarities and differences between the forms in Spanish and English. Give examples.

32 **Tus compañeros**

▶ **Habla.** Talk with a partner about your classmates' characteristics.

1. Todos los compañeros…
2. Algunos compañeros…
3. Muchos compañeros…
4. Ningún compañero…

33 Durante el viaje a Chile

Completa. Complete the statements with the appropriate word.

Modelo *No hay ninguna estación de trenes en la isla.*

muchos | ningún | ninguno | todos | poca | algún

1. No tengo ______ libro sobre Chile.
2. ______ los chilenos están orgullosos de su país.
3. En Chile descubrimos ______ lugares maravillosos.
4. ¿Ves ______ lago? En el centro de la isla no hay ______.
5. Hay ______ información sobre la cultura rapanui.

34 Impresiones y experiencias

Escucha y contesta. Listen to the characters talk about their experience in Chile and answer the following questions in complete sentences.

1. ¿A algún personaje le gusta caminar por las montañas?
2. ¿Hay moáis en alguna tienda turística?
3. ¿Algún personaje está cansado de viajar?
4. ¿Alguno tiene muchas ganas de ver a su familia?
5. ¿A alguno le gusta viajar?

CONEXIONES: CIENCIAS

La deforestación

La deforestación de la Isla de Pascua es un fenómeno estudiado por los científicos. Algunos fósiles indican que existieron bosques tropicales en esta isla. Hoy no hay bosques. Llueve poco en la isla y esto contribuye a la deforestación.

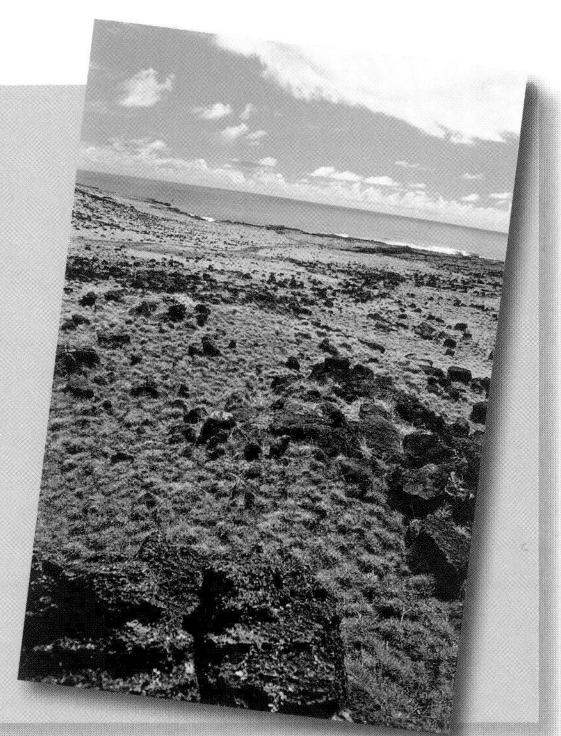

35 Piensa. What other reasons can account for the disappearance of the rainforest on Easter Island, and in other parts of the world?

Comunicación

36 Un boletín escolar

▶ **Lee y escribe.** Read Tess's notes and write a list of the three facts that would be most interesting in a promotional poster for Chile.

▶ **Habla.** With a partner, ask thought-provoking questions about each fact to guide your research.

Modelo *Los Andes son unas montañas altas.*

A. *¿Qué actividades puedes hacer en las montañas?*

B. *En las montañas puedes caminar y ver animales.*

▶ **Crea un póster.** Create a poster with the facts you chose and some images and other information about Chile.

Chile, simplemente espectacular

- *Chile tiene 2.700 millas de costa.*
- *El desierto de Atacama es uno de los desiertos más secos del mundo.*
- *Los Andes son unas montañas altas.*
- *Viña del Mar es una ciudad balneario con playas sensacionales. Tiene un festival de música muy famoso.*
- *Los moáis están en la Isla de Pascua.*
- *Chile tiene al oeste el océano Pacífico.*
- *Tiene ríos para practicar deportes acuáticos.*

37 Similitudes y diferencias

▶ **Escucha y escribe.** Listen as Tess describes the major ecological problems on Easter Island. Write down the problems she discusses.

- La isla está casi deforestada.

▶ **Habla.** With a partner, compare the environmental problems of Easter Island with those of the United States. What are some possible solutions?

38 Encuesta general

Habla. You want to find out your classmates' travel history. Ask each student if he or she has gone to the places below.

Modelo *¿Fuiste a algún río?*

1. una isla
2. un bosque
3. una montaña
4. un desierto
5. un mar
6. otro continente

Presenta. Create a chart like this one to display your classmates' answers.

	una isla	un bosque	una montaña	...
todos	✔			
algunos		✔		
ninguno			✔	

Final del desafío

39 ¿Qué pasa en la historia?

Escribe. Tess forgot to write in her diary last night. Look at the images and write a short description of what happened.

Earn points for your own challenge! Listen to the questions for your *Minientrevista Desafío 2* on the website and write your answers.

El Maratón de las Escaleras

Tim and Mack are in Valparaiso, Chile, to participate in the *Maratón de las Escaleras* (the Stairs Marathon). Their task is to run this challenging race!

Tim, este maratón es muy difícil. ¿Viste las escaleras?
Sí, abuelo, las vi. Hay escaleras porque la ciudad de Valparaíso está en la montaña.

Héctor Basualdo dijo que Valparaíso es la capital de esta provincia y una de las ciudades más importantes del país.
Bueno, abuelo, ¿cómo vamos a correr el maratón?... ¿Abuelo?

Abuelo, ¿dónde estuviste?
Estuve con una señora. ¡Me dijo que hay más de quinientos escalones!

Vamos, abuelo. Tenemos que continuar.
Estoy cansado.

Continuará...

40 Detective de palabras

▶ **Completa.** Fill in each blank with the appropriate word, according to the dialogue above.

La ciudad de Valparaíso

1. La ________ de Valparaíso está en la montaña.
2. Valparaíso es la ________ de esta ________.
3. Es una de las ciudades más importantes del ________.

41 ¿Comprendiste?

▶ **Contesta.** Answer the questions in complete sentences.

1. ¿Dónde están Tim y Mack?
2. ¿Dónde está Valparaíso?
3. ¿Qué tienen que hacer allí?
4. ¿Por qué es difícil su tarea?
5. ¿Cuántos escalones hay?
6. ¿Por qué está cansado Mack?

42 ¿Qué viste?

▶ **Escucha y escribe.** Two spectators are commenting on the marathon. Listen and write whether or not they saw the following people and things.

1. un hombre muy alto
2. un gaucho
3. un niño corriendo
4. la Luna
5. una papelería
6. una montaña
7. una entrenadora de fútbol

43 ¿Dónde estuviste?

▶ **Habla.** Find out where five classmates were on a significant date in the past year.

Modelo A. *¿Dónde estuviste el 1 de enero?*
B. *Estuve en Nueva York, en Times Square.*

El Maratón de las Escaleras de Valparaíso

El Maratón de las Escaleras es un evento especial. Tiene lugar en Valparaíso, una ciudad en la costa de Chile. En el maratón, la gente corre por la ciudad. Los corredores suben y bajan más de quinientos escalones. Hay muchas personas y la carrera se divide en varios grupos por el peligro de accidentes. Las camisetas tienen códigos para identificar a cada corredor.

44 Piensa. Have you ever run a race? Why or why not?

Use the website to learn more about the *Maratón de las Escaleras.*

Vocabulario

Divisiones políticas

Números del 101 al 1.000

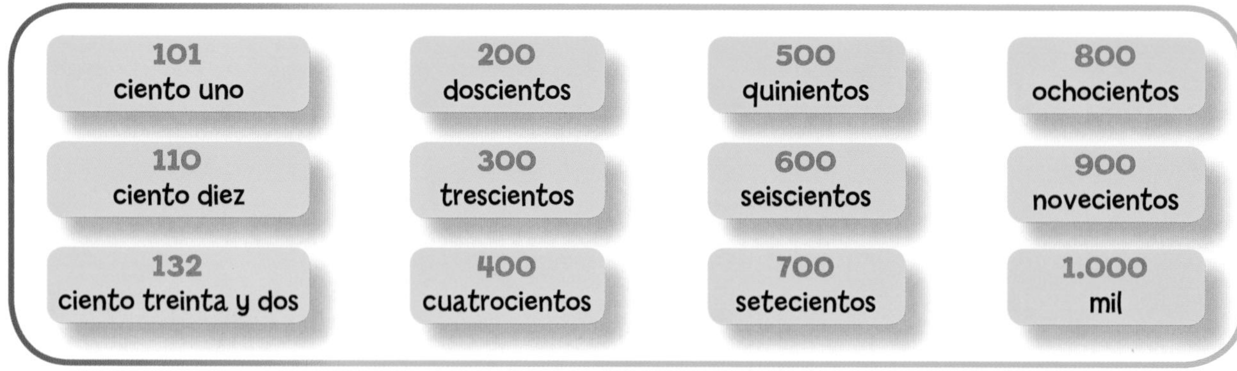

101
ciento uno
110
ciento diez
132
ciento treinta y dos
200
doscientos
300
trescientos
400
cuatrocientos
500
quinientos
600
seiscientos
700
setecientos
800
ochocientos
900
novecientos
1.000
mil

45 **Yo soy de...**

▶ **Piensa y escribe.** What are the geographic divisions where you were born? Write this information in your notebook.

Mi país: ______ Mi estado: ______
La capital de mi país: ______ Mi ciudad o pueblo: ______

▶ **Presenta.** Now share this information with the class. Does everyone have the same information?

46 Lluvia de ideas

▶ **Escribe.** Can you give examples of each part of our world? Take two minutes and write as many examples of each term as you can brainstorm.

país	capital	ciudad	pueblo
Chile Los Estados Unidos			
montaña	**océano**	**isla**	**río**
	Atlántico		

47 A sumar y restar

▶ **Escucha y escribe.** Listen to the characters and write the things they want to buy in the supermarket, and how much they cost.

Modelo Tim - 540 pesos
⟶ *Quiere comprar un jugo en el supermercado. El jugo cuesta 600 pesos.*

1. Tess - 175 pesos
2. Patricia - 980 pesos
3. Andy - 460 pesos
4. Rita - 715 pesos
5. Mack - 625 pesos
6. Diana - 860 pesos

▶ **Habla.** Now look at the amount of pesos each person brought and talk with a partner about whether that person can purchase the items he or she wants, and why or why not.

Modelo A. *¿Tim puede comprar el jugo?*
B. *No, porque solo tiene quinientos cuarenta pesos.*

CONEXIONES: MATEMÁTICAS

El dinero chileno

La moneda de Chile es el peso. Hay monedas de 10, 50 y 100 pesos. Los billetes son de 500, 1.000, 5.000 y 10.000 pesos. Un dólar americano tiene un valor aproximado de 500 pesos chilenos.

48 Piensa. Do the math to convert your school's lunch menu prices into Chilean pesos. Can you find a pattern in order to estimate the conversion without using a calculator?

Gramática

Verbos irregulares en el pasado. *Decir* y *hacer*

- The verbs decir *(to say)* y hacer *(to do, to make)* are irregular in the preterite. Here are their conjugations:

VERBO DECIR (TO SAY). PRETÉRITO

Singular		Plural	
yo	dije	nosotros nosotras	dijimos
tú	dijiste	vosotros vosotras	dijisteis
usted él ella	dijo	ustedes ellos ellas	dijeron

Héctor **dijo** que Valparaíso es la capital.

VERBO HACER (TO DO, TO MAKE). PRETÉRITO

Singular		Plural	
yo	hice	nosotros nosotras	hicimos
tú	hiciste	vosotros vosotras	hicisteis
usted él ella	hizo	ustedes ellos ellas	hicieron

Ayer **hice** una comida chilena.

49 **Piensa.** Why does the *c* change to a *z* in the form hizo? How would that form be pronounced if it kept the letter *c*?

50 Tim dijo que...

▶ **Escucha y escribe.** Tim and Mack are talking at a water stand. Listen and note who makes each statement. Then write a sentence about each.

Modelo Valparaíso es muy grande.
→ *Tim y Mack dijeron que Valparaíso es muy grande.*

1. La ciudad es muy bonita.
2. Le gusta mucho Valparaíso.
3. Hay mucha gente.
4. El maratón es emocionante.
5. Las escaleras son altas.

51 Cinco estudiantes dijeron

▶ **Habla y escribe.** The game show *Cien mexicanos dijeron* has asked you to poll your class for their next show. Create three questions to ask your classmates, then compile their answers in writing.

Modelo A. *¿Cuál es tu bebida favorita?*
B. *Mi bebida favorita es el jugo de naranja.*
A. *Dos estudiantes dijeron que el jugo de naranja es su bebida favorita.*

52 ¿Qué hicieron?

Escucha y une. Listen to the characters talk about what they did last weekend. Match the participants with their activities.

Ⓐ	Ⓑ
1. Tim y Mack	a. una cena deliciosa
2. Diana	b. una nueva amiga
3. Rita	c. unas figuras de cerámica
4. Andy y Janet	d. un viaje a la costa
5. Tess y Patricia	e. planes para el verano

Escribe. Now write a complete sentence telling what the character(s) did.

Modelo *Tim y Mack hicieron...*

53 Mensaje perdido

Escribe. Mack took a phone message from Martin, Tim's friend from home. Read the note and fill in the missing forms of the verbs *ver* and *decir*.

¡Hola, Tim! Soy Mack.

Tu amigo Martin llamó desde San Francisco. Él ___1___ (decir) que anoche te ___2___ (ver) en las noticias. ¡Qué emoción! Yo le ___3___ (decir) que tu mamá me llamó ayer para decirme lo mismo. Martin ___4___ (decir) que ustedes ___5___ (hacer) planes para el verano. ¿ ___6___ (hacer, tú) todas tus tareas? Nos vemos luego.

COMUNIDADES

EL LAPISLÁZULI

El lapislázuli es una piedra *(stone)* semipreciosa usada en trabajos de artesanía y en joyas *(jewelry)*. Su color azul simboliza la pureza, la salud, la suerte y la nobleza. La producción de lapislázuli es muy importante en Chile.

54 Relaciona. Is there a place in your city or town where people make jewelry by hand? If there is, where is this jewelry sold?

Gramática

Verbos irregulares en el pasado. *Estar* y *tener*

- Two more commonly used irregular verbs in the preterite tense are estar *(to be)* and tener *(to have)*. Here are their conjugations:

VERBO ESTAR (TO BE). PRETÉRITO

Singular		Plural	
yo	estuve	nosotros nosotras	estuvimos
tú	estuviste	vosotros vosotras	estuvisteis
usted él ella	estuvo	ustedes ellos ellas	estuvieron

Estuvimos en la costa con nuestros amigos.

VERBO TENER (TO HAVE). PRETÉRITO

Singular		Plural	
yo	tuve	nosotros nosotras	tuvimos
tú	tuviste	vosotros vosotras	tuvisteis
usted él ella	tuvo	ustedes ellos ellas	tuvieron

Andy y Janet **tuvieron** un resfriado en Chile.

55 **Piensa.** What differences do you notice between the endings of the regular preterite verbs and the endings of these irregular preterite verbs?

56 **¡Inclúyame!**

Escribe. Your teacher has asked your class to digitally paste yourselves into pictures with the characters in Chile. Using the pictures below, describe where each person was.

Modelo 1. *Mi amigo Pepe estuvo con Tess en la playa.*

1 

2 

3 

4 

57 ¿Qué tuviste?

▶ **Une y escribe.** Match the columns and write sentences with the preterite of the verb *tener*.

(A)

1. Liliana
2. Mi papá y yo
3. Tú
4. Mi mamá
5. Mis hermanos
6. Yo

a. ganas de viajar a Chile.
b. un buen viaje.
c. dos perros y un pájaro.
d. hambre esta mañana.
e. una amiga chilena en la escuela.
f. sed después de hacer deporte.

Modelo 1. *Liliana tuvo un buen viaje.*

58 Viajes

▶ **Escribe.** Write where the people below were, or what they had, using the appropriate forms of *estar* or *tener*.

Modelo *Juan estuvo en la capital.*

1. Mi abuela ______ en una playa muy bonita.
2. Nosotros ______ en las montañas.
3. Tú ______ una fiesta fantástica en el hotel.
4. Yo ______ en otro país.
5. Ellas ______ buen tiempo durante el viaje.
6. Carlos y Marta ______ en una isla tropical.
7. Mi familia y yo ______ algún problema en el viaje.

CONEXIONES: MÚSICA

El Festival Internacional de la Canción de Viña del Mar

El Festival Internacional de la Canción de Viña del Mar se celebra anualmente desde 1959. Incluye conciertos y un concurso de música popular y folclórica. Este festival es muy importante y en él participan artistas de todo el mundo. Los jueces del concurso son cantantes y músicos famosos.

59 Piensa. Can you think of any music competitions in the United States or around the world? How do they help aspiring artists?

Comunicación

60 ¿Qué hizo Mark ayer?

▶ **Escribe.** Write about Mark's day according to the pictures and the clues below.

Modelo 1. *Ayer hizo sol.*

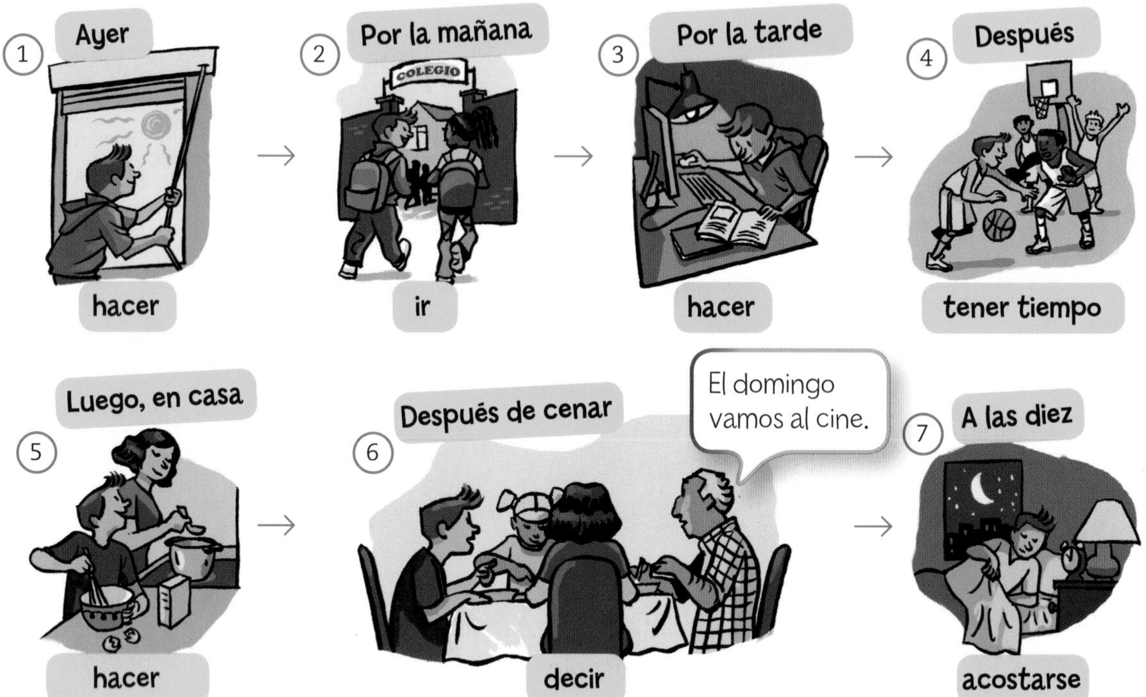

61 ¿Qué distancia hay?

▶ **Lee y habla.** With a partner, take turns asking and answering questions about the distance between these cities in Chile.

Modelo A. *¿Qué distancia hay de Iquique a Arica?*
B. *Hay trescientos dos kilómetros.*

Ciudades	Distancias
Santiago de Chile - Valparaíso	120 km
Chillán - Temuco	270 km
Iquique - Arica	302 km
Chillán - Santiago de Chile	407 km
Villarica - Castro	527 km
Calama - Arica	600 km
Viña del Mar - Temuco	796 km
Santiago de Chile - Valdivia	841 km

▶ **Piensa y escribe.** A kilometer is roughly 0.6 miles *(millas)*. Convert the distances above into miles.

Modelo 1. *De Santiago de Chile a Valparaíso = 120 km*
→ *120 × 0.6 = 72*
→ *De Santiago a Valparaíso hay setenta y dos millas.*

62 Tú, el detective

▶ **Habla.** Imagine you are a detective in charge of solving a mystery. Interview five witnesses about where they were, what they did there, and what they saw.

Modelo A. *¿Dónde estuviste el martes?*
B. *Estuve en el parque.*
A. *¿Qué hiciste allí?*
B. *Hice mi tarea y hablé con Manuel.*
A. *¿Qué viste?*
B. *Vi a mucha gente corriendo.*

▶ **Escribe.** Now fill in a detective notebook with a chart of information like the one below.

Nombre(s)	¿Dónde estuvo / estuvieron?	¿Qué hizo / hicieron?	¿Qué vio / vieron?
Paola	Estuvo en el parque.	Hizo su tarea. Habló con Manuel.	Vio a mucha gente corriendo.

Final del desafío

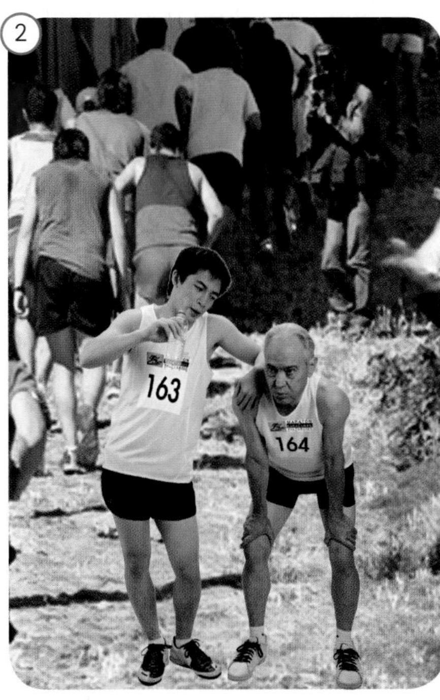

63 ¿Dónde estuvieron?

▶ **Escribe.** Describe what is happening in each scene. Write about where the characters were, what they did, what they saw, and what they said.

La famosa Ruta W

Diana and Rita are visiting the Torres del Paine National Park in Patagonia, Chile. They are going to hike the W Route, the most popular route in the park. They must collect five pounds of litter from the trail … and hike back with it!

El guía dijo que tenemos que tomar la Ruta W.

¿Por qué se llama así?

Porque tiene forma de W.

Hola, chicas. Aquí tienen sus bolsas para la basura.

Hay flores y pájaros muy bonitos. ¿Podemos tomar fotos de los animales y las plantas durante la ruta?

Sí, pero no podemos tocarlos.

Mira, tía, esos chicos están dejando mucha basura.

¡Oigan, se puede comer en el parque, pero no se puede dejar la basura!

Continuará…

64 Detective de palabras

▶ **Relaciona.** Using the dialogue, match the images below with words from the box.

flor
planta
pájaro
basura

1 

2 

3 

4 

65 ¿Comprendes?

Elige. Decide which things can and cannot be done while walking along the W Route. Choose the correct option to complete each sentence.

1. En la ruta ______ tomar fotos de los animales.
   se pueden/no se pueden
2. En la ruta ______ tocar a los animales.
   se puede/no se puede
3. ______ comer en el parque.
   Se puede/No se puede
4. ______ dejar la basura en el parque.
   Se puede/No se puede

66 Fotos del parque

Escucha y ordena. Diana sent some picture messages to her mom. Listen to the voice mail she left and put the photos in the order you hear about them.

A

B

C

CULTURA

Parque Nacional Torres del Paine

El Parque Nacional Torres del Paine está en la cordillera del Paine, en la Patagonia chilena. El pico (*peak*) más alto, Cerro Paine Grande, mide casi 3.000 metros de altura. Hay tres picos famosos, llamados las Torres del Paine. El parque tiene una gran variedad de paisajes: montañas, valles, ríos, lagos y glaciares. La flora y la fauna del parque son muy ricas.

67 Piensa. Have you ever hiked up a tall mountain? If so, how did it feel? If not, would you like to one day?

Vocabulario

La naturaleza y el medio ambiente

68 Flora y fauna

▶ **Completa.** Complete the sentences with the correct option.

1. ¡Qué bien huelen estas ______!	a. animales	b. flores
2. Ese río tiene el ______ muy limpia.	a. agua	b. aire
3. Muchos ______ viven en los árboles.	a. peces	b. pájaros
4. Los mosquitos son un tipo de ______.	a. insectos	b. peces
5. Ese contenedor es para reciclar el ______.	a. medio ambiente	b. vidrio

69 ¿Oíste algo?

Escucha y dibuja. Diana and Rita could not see well in the forest. Copy the chart below and fill it in with drawings of what they heard and felt.

Modelo

Sentido		
Elemento del bosque		

Habla. Now tell a partner what Diana and Rita experienced.

Modelo A. *¿Qué oyó Diana?*
B. *Diana oyó el sonido del aire.*

70 ¿Botar o reciclar?

Escribe. Decide whether these materials are recyclable or not and write complete sentences.

Modelo *Las botellas de vidrio son para reciclar.*

para reciclar | para botar a la basura

CONEXIONES: ECOLOGÍA

¡A reciclar!

Para salvar nuestro planeta, es muy importante reducir la cantidad de basura y reciclar. En nuestras casas podemos reciclar el plástico, el metal, el vidrio y el papel. Si reciclamos estos materiales, podemos ayudar a conservar nuestros recursos naturales.

71 Compara. What items do you recycle in your home? Do you help separate your trash at home? What other ways can you think of to keep trash from ending up in our landfills?

Gramática

Expresar permiso y prohibición

Expresar permiso

- Use the verb poder to ask for and to give permission.

  –¿**Puedo** salir este fin de semana?

  –Sí, **puedes** salir después de hacer tus tareas.

- When you want to express permission in general terms, use these formulas:

se puede + infinitivo *(with singular object)*	**Se puede** dar comida a los peces.
se puede(n) + infinitivo *(with plural object)*	¿**Se puede(n)** tomar fotos en el museo?

- The verb poder means *can* or *to be able to*.

  Puedes reciclar el plástico aquí. **Podemos** hacer la excursión en bicicleta.

Expresar prohibición

- The negative form of poder can be used to deny permission or express prohibition.

  No puedes usar la computadora aquí. **No puedes** volver tarde a casa.

- When you want to express prohibition in general terms, use these formulas:

no se puede + infinitivo	**No se puede** botar basura en el suelo.
no se puede(n) + infinitivo	**No se puede(n)** botar las botellas de vidrio a la basura.

72 **Piensa.** Poder is also the Spanish word for *power*. How are the two definitions —*to be able to* and *power*— related?

73 **Reglas para la casa**

▶ **Escribe.** The notes below were brainstormed during a family meeting prior to drawing up some house rules. Write the rules of what is allowed or prohibited.

Modelo *No se puede correr por la casa.*

- Se puede
- Se pueden
- No se puede
- No se pueden

- ☹ bailar encima de las mesas
- ☺ comer pizza una vez a la semana
- ☹ escuchar música hasta muy tarde
- ☹ ver películas violentas
- ☺ ver la televisión los fines de semana
- ☺ jugar después de hacer las tareas
- ☹ leer el correo de otros
- ☺ estudiar en el jardín

74 Empacando para el viaje

▶ **Escucha y decide.** Diana wants to know what items she can bring with her to Torres del Paine National Park. Listen to her conversation with Rita and decide if these things are allowed or not allowed in the park.

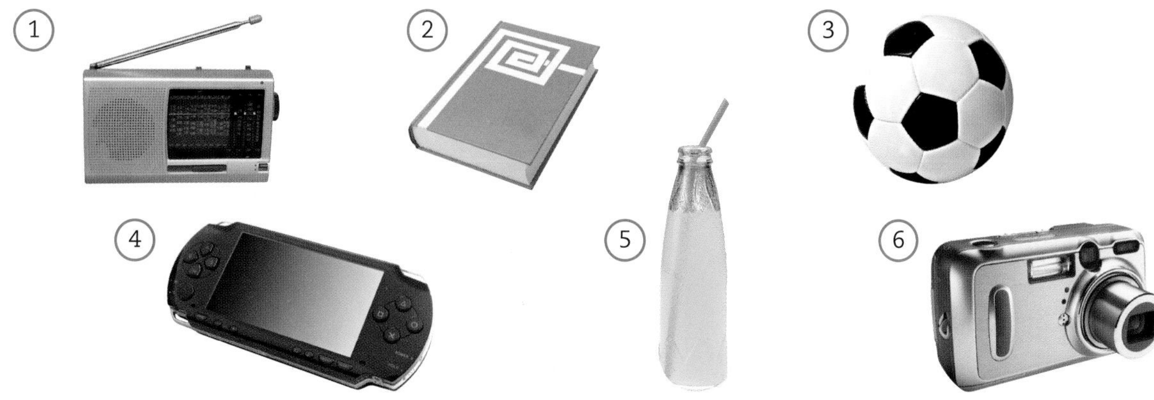

▶ **Escribe.** Write sentences to tell if each of the items above is permitted or not.

75 ¿Lo hago o no lo hago?

▶ **Escribe.** Using a chart like the one below, list five things that you are allowed to do and five things that you are not allowed to do in a national park.

En el parque se puede...	En el parque no se puede...
leer un libro	jugar al hockey

▶ **Habla.** Now tell a partner the park rules that you came up with.

Modelo *En el parque se puede leer un libro, pero no se puede jugar al hockey.*

CONEXIONES: CIENCIAS

Animales en peligro de extinción

Muchos animales están en peligro de extinción por factores como el desarrollo humano y la contaminación. En Chile están en peligro aves como el pájaro carpintero y el ñandú; mamíferos, como la vicuña y la chinchilla cordillera; y mamíferos marinos, como algunas ballenas y delfines.

76 **Piensa y busca.** What other reasons might account for these animals' status on the endangered-species list? Find out what animals are in danger where you live.

Comunicación

77 ¿Qué podemos hacer?

▶ **Elige.** There are many ways we can help save our environment. Choose the correct word to complete each sentence.

1. Es importante reciclar las latas de ______ a. papel b. metal
2. Hay que plantar más ______ a. animales b. árboles
3. Debemos escribir en los dos lados de una hoja de ______ a. planta b. papel
4. Hay que mantener limpio el aire para proteger a los ______ a. pájaros b. peces
5. Siempre hay que apagar la luz para no gastar ______ a. metal b. electricidad

78 ¿Se puede reciclar?

▶ **Habla.** Look at the items below. Talk with your partner about what they are made of and ask if they can be recycled or not.

Modelo A. *¿De qué es esta botella?* A. *¿Se puede reciclar?*
B. *Es de plástico.* B. *Sí, se puede.*

1 2 3 4 5

79 ¿Qué puede hacer ella?

▶ **Escucha y dibuja.** Diana was inspired by the Torres del Paine National Park. Listen to her plans and draw pictures of four things she will do to help the environment.

▶ **Escribe.** Now reflect on Diana's plans and write what you too can do at home.

Modelo

En casa yo puedo reciclar el papel.
También puedo plantar un árbol.

80 ¿Qué puedo hacer yo?

▶ **Escribe.** Everyone can do something to help conserve our natural resources. Write a short statement about what you can do to help.

> **Todos podemos conservar los recursos naturales del mundo. Por ejemplo, se puede(n)...**
> **Pero no se puede(n)...**
> **Por eso, yo puedo...**

Final del desafío

1

2

3

a. Sí, tía. Tenemos que reciclarlas.

b. Vamos, Diana. Ya tenemos nuestras cinco libras de basura. Si caminamos más rápido, podemos llegar a tiempo.

c. ¡Qué horror! ¡Mira cuántas latas y cuántas botellas de plástico! No podemos dejarlas aquí.

81 ¿Qué pasó?

▶ **Habla y escribe.** Look at the scenes above and decide which caption corresponds to each. Do you think Diana and Rita made it to the park entrance to turn in their five pounds of trash? Write a final caption to tell what you think happened.

Earn points for your own challenge! Listen to the questions for your *Minientrevista Desafío 4* on the website and write your answers.

LEER Y ESCRIBIR

82 Las aventuras de Bill y de Ted

Lee y elige. Bill and Ted are on separate cross-country trips. Read their conversation and fill in the blanks, choosing the correct option for each.

BILL: Yo ayer ___1___ (estuvieron / estuve) en Chicago, en el estado de Illinois.

TED: ¿Sí? Yo fui al sur del país. ___2___ (Tuvo / Tuve) tiempo de ver ciudades y zonas naturales muy interesantes.

BILL: ¡Qué bien! ¿ ___3___ (Hicieron / Hizo) calor?

TED: No, pero mi papá me ___4___ (dijo / dije) que en el sur normalmente hace mucho calor. ¡Casi parece un bosque tropical!

BILL: Estoy muy cansado porque ___5___ (viajó / viajé) cuatrocientas millas ayer.

TED: ¡Cuatrocientas millas! ¿Y adónde ___6___ (viajamos / viajaste) antes de ir a Chicago?

BILL: Viajé por tres estados. La semana pasada ___7___ (visitasteis / visité) algunos parques nacionales.

TED: ¿Sabes si ___8___ (se puede / se pueden) entrar en los parques nacionales por la noche? Quiero ver las estrellas desde Yellowstone.

Escribe. How does the conversation between Bill and Ted continue? Write it.

ESCUCHAR Y ESCRIBIR

83 Un programa especial

Escucha y escribe. There is a special show on television tonight about life on other planets. Listen to the preview and take notes.

Diseña un cartel. Design the promotional poster that will be used for advertising. Include images, words, phrases, and sentences to show the program's content.

¿HAY VIDA EN OTROS PLANETAS?
Hoy a las 9:00 p. m., programa especial

LEER, ESCRIBIR Y HABLAR

84 Un libro de texto chileno

▶ **Lee e identifica.** Tim borrowed a social studies textbook from a friend in Chile. Read the pages and identify the most important facts and issues about Chile.

Los paisajes de Chile

Chile es un país con diferentes paisajes: costas, montañas, desiertos, valles y volcanes.

La capital de Chile es Santiago de Chile, que fue fundada por los españoles en el año 1541.

Santiago de Chile

La ciudad de Santiago de Chile tiene problemas de contaminación del aire, especialmente en invierno (junio, julio y agosto). También hay contaminación del agua a causa de la industria y la agricultura. Es muy importante reciclar para ayudar a limpiar el aire y el agua.

▶ **Escribe.** Write a five-question quiz to give a partner. You should test whether your partner learned the key information from the textbook pages.

Modelo

¿Por qué hay contaminación del agua en Santiago de Chile?

▶ **Habla.** Ask a partner your quiz questions. He or she should point out where the answers can be found on the textbook pages.

El encuentro

En la Plaza de Armas

The four pairs meet in Santiago de Chile after completing their individual tasks. Did they all carry out their challenges successfully?

¡Fue fantástico observar el cielo en el desierto!
¡Y encontramos las rocas en forma de perro!
Corrimos como unos campeones, ¿verdad?
¡Sí, hicimos el circuito completo y llegamos a la meta!
163
164

Caminamos por toda la isla hasta llegar a un lago. ¡Allí encontramos el moái falso!

Después de caminar mucho llenamos las bolsas de basura.
¡Sí, cuánta basura para reciclar!

¿Aprendieron a bailar la cueca? Es la danza nacional de Chile.

85 Al llegar

▶ **Escribe.** Together with three classmates, complete a graphic organizer for each pair. Then each student turns one of the webs into a story summarizing the adventures of that pair in Chile.

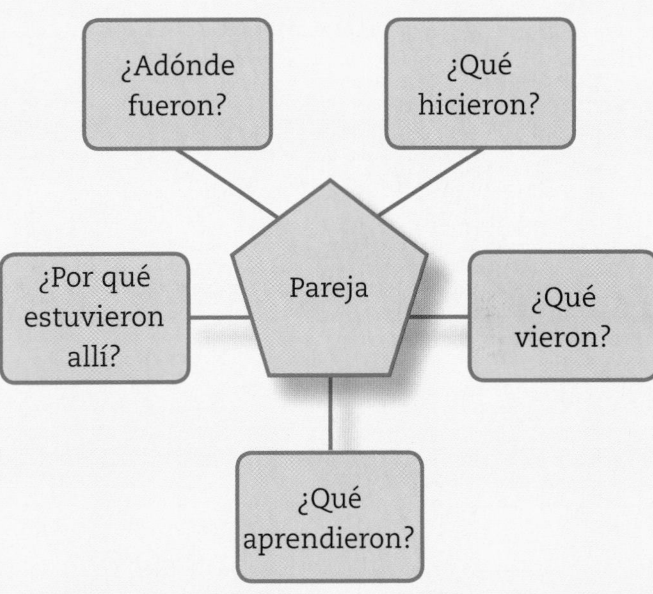

¿Adónde fueron?
¿Qué hicieron?
¿Por qué estuvieron allí?
Pareja
¿Qué vieron?
¿Qué aprendieron?

86 Las votaciones

▶ **Decide.** Which pair has done the most enriching challenge in Chile? Take a vote to decide!

Enriquecedor

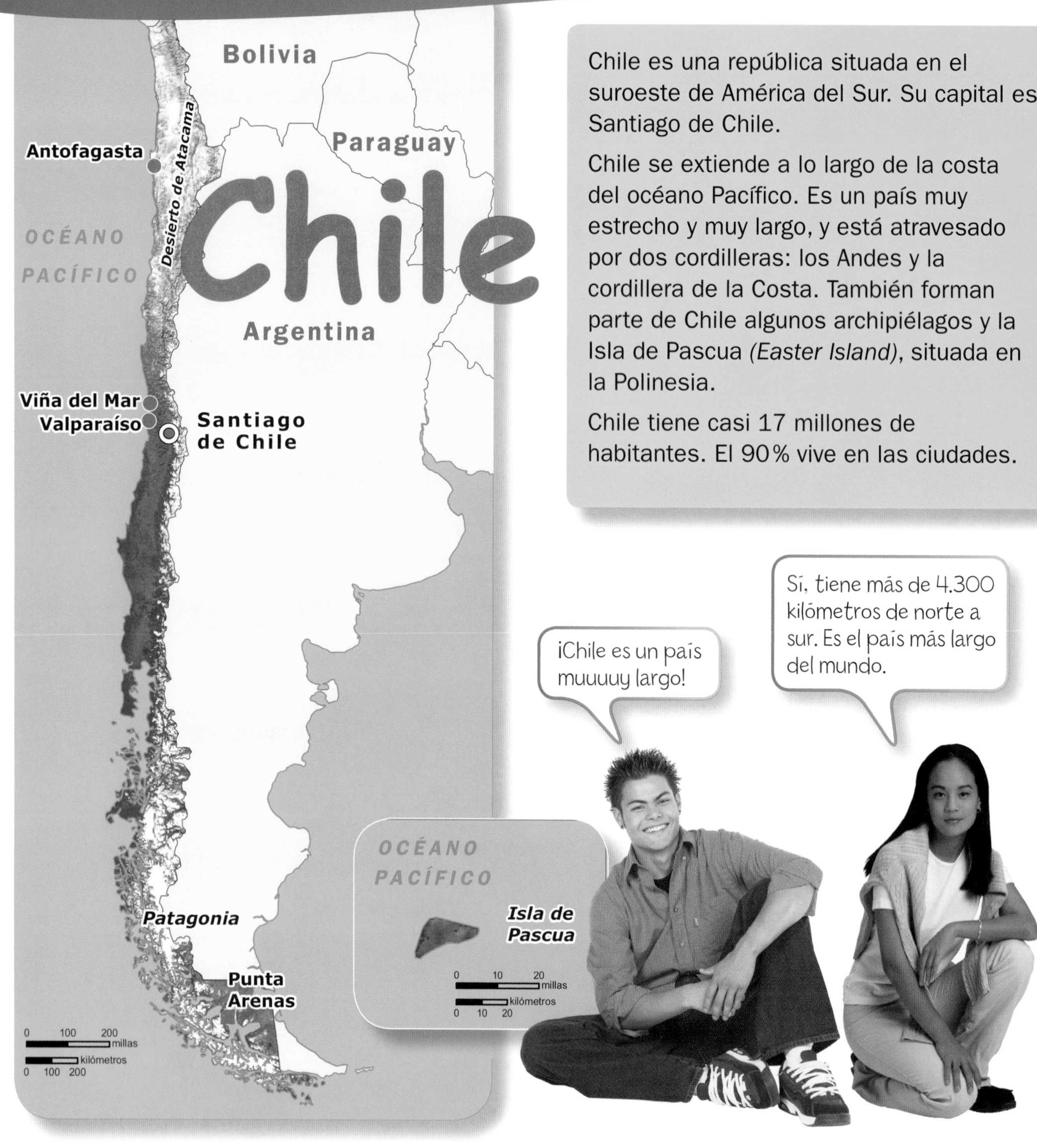

Chile es una república situada en el suroeste de América del Sur. Su capital es Santiago de Chile.

Chile se extiende a lo largo de la costa del océano Pacífico. Es un país muy estrecho y muy largo, y está atravesado por dos cordilleras: los Andes y la cordillera de la Costa. También forman parte de Chile algunos archipiélagos y la Isla de Pascua *(Easter Island)*, situada en la Polinesia.

Chile tiene casi 17 millones de habitantes. El 90% vive en las ciudades.

87 ¿Cuál es la ruta?

Decide. Look at the map and decide if the statements are true *(cierto)* or false *(falso)*.

1. Para ir de Atacama a la Patagonia chilena tengo que pasar por Valparaíso.
2. Para ir desde Santiago de Chile hasta la Isla de Pascua debo cruzar el océano Atlántico.
3. Para ir de Valparaíso a Punta Arenas hay que cruzar el desierto.
4. Para conocer el norte de Chile, puedo pasar por el desierto de Atacama.

1. La Isla de Pascua

La **Isla de Pascua** es la isla más grande de Chile. Está en la Polinesia, en el océano Pacífico.

En la Isla de Pascua hay unas estatuas gigantescas de piedra llamadas **moáis**. Los moáis fueron construidos por los primeros pobladores de la Isla de Pascua.

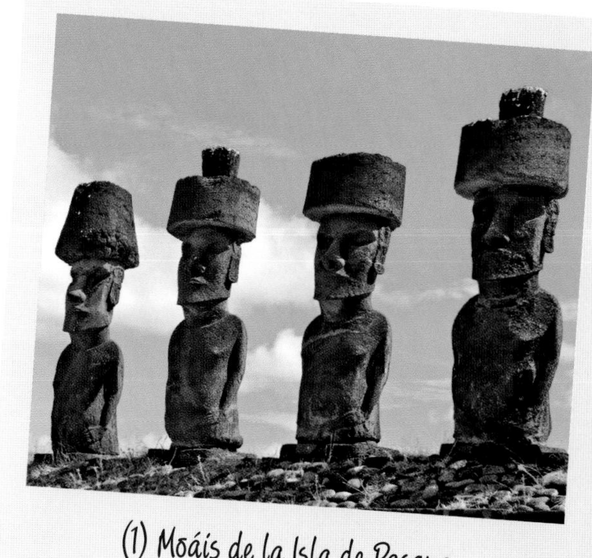

(1) Moáis de la Isla de Pascua.

Pablo Neruda.

2. Pablo Neruda

Pablo Neruda (1904–1973) es el poeta más conocido de Chile. A los veinte años publicó su obra *Veinte poemas de amor y una canción desesperada*. Ganó el **Premio Nobel de Literatura** en 1971.

3. Los chinchineros

Los chinchineros son unos músicos muy populares en Chile. Se pueden ver en las calles y plazas de Santiago y de otras ciudades chilenas. Llevan un tambor (*drum*) y unos platillos (*cymbals*) y tocan canciones tradicionales.

(3) Chinchinero.

88 Los moáis de la Isla de Pascua

▶ **Investiga y explica.** Search for information and explain the following:

1. Who built the moai? Why?
2. How did they build them?
3. Why have the moai intrigued scientists?

READING STRATEGY

Paraphrasing

Paraphrasing is restating a phrase, a sentence, or a paragraph in your own words. To paraphrase, you need to identify the main ideas and significant details in a reading. Keep in mind that synonyms are an important resource in paraphrasing.

Oda a la manzana

A ti, manzana,
quiero
celebrarte
llenándome
con tu nombre
la boca,
comiéndote.

[...]

Yo quiero
una abundancia
total, la multiplicación
de tu familia,
quiero
una ciudad,
una república,
un río Mississippi
de manzanas,
y en sus orillas
quiero ver
a toda
la población
del mundo
unida, reunida,
en el acto más simple de la tierra:
mordiendo una manzana.

PABLO NERUDA. *Odas elementales*

ESTRATEGIA **Parafrasear**

89 Con mis palabras

▶ **Escribe.** State the meaning of the poem *Oda a la manzana* using your own words. You may write more than one sentence.

90 Tu investigación

▶ **Escribe.** Find information about Pablo Neruda and fill in a chart like the one below.

Nombre: Pablo Neruda
Fecha y lugar de nacimiento:
Algunos datos de su biografía:

Algunos títulos de sus obras:

COMPRENSIÓN

91 La manzana y la vida

▶ **Relaciona y escribe.** Relate each picture to a main idea expressed in the poem. Then put them in order and write a sentence summarizing each idea.

1

2

92 El mensaje del poema

▶ **Escribe.** Write another title for the poem. Then compare it with your partner's.

Earn points for your own challenge! Visit the website to learn more about Pablo Neruda.

El universo

el universo	*universe*
el sistema solar	*solar system*
el cielo	*sky*
el cometa	*comet*
el eclipse	*eclipse*
la estrella	*star*
el planeta	*planet*
el Sol	*Sun*
la Luna	*Moon*
la Tierra	*Earth*
el/la astronauta	*astronaut*
descubrir	*to discover*
explorar	*to explore*

Divisiones políticas

la capital	*capital*
la ciudad	*city*
la frontera	*border*
el país	*country*
la provincia	*province*
el pueblo	*town*
la región	*region*

La naturaleza y el medio ambiente

la naturaleza	*nature*
el medio ambiente	*environment*
el agua	*water*
el aire	*air*
el animal	*animal*
el insecto	*insect*
el pájaro	*bird*
el pez	*fish*
el árbol	*tree*
la flor	*flower*
la hoja	*leaf*
la planta	*plant*

Geografía

Geografía	*Geography*
el bosque	*forest*
el continente	*continent*
el desierto	*desert*
la isla	*island*
el lago	*lake*
el mar	*sea*
la montaña	*mountain*
el océano	*ocean*
el río	*river*
la roca	*rock*
la tierra	*land*
el valle	*valley*
seco	*dry*
tropical	*tropical*

Los números

cien	*one hundred*
doscientos	*two hundred*
trescientos	*three hundred*
cuatrocientos	*four hundred*
quinientos	*five hundred*
seiscientos	*six hundred*
setecientos	*seven hundred*
ochocientos	*eight hundred*
novecientos	*nine hundred*
mil	*one thousand*

El reciclaje

el reciclaje	*recycling*
la basura	*trash*
el contenedor	*container*
la electricidad	*electricity*
el metal	*metal*
el papel	*paper*
el plástico	*plastic*
el vidrio	*glass*
botar	*to throw away*
reciclar	*to recycle*

DESAFÍO 1

1 **El sistema solar.** Use the clues to identify each part of the solar system.

1. El ______ es la persona que explora y observa el universo.
2. Hay ocho ______ y uno de ellos se llama Júpiter.
3. En una noche clara se pueden ver las ______
4. Si la Luna pasa frente al ______ se produce un eclipse.
5. La ______ es el nombre de nuestro planeta.

DESAFÍO 2

2 **Paisajes.** Which geographic features do the photos represent? Identify the features by writing a sentence and a short description of each.

Modelo 1. *Es un bosque tropical. En él hay árboles y animales.*

1 

2 

3 

4 

DESAFÍO 3

3 **Distancias.** Write the distance from Washington DC to the following places in the U.S.

Modelo el condado de Fairfax (16 millas)
→ *El condado de Fairfax está a dieciséis millas de Washington.*

1. la capital de Pennsylvania (123 millas)
2. la ciudad de Chicago (699 millas)
3. la frontera con Canadá (560 millas)
4. la ciudad de Nueva York (204 millas)
5. el país de Canadá (624 millas)
6. el pueblo de Ashland, KY (428 millas)

DESAFÍO 4

4 **Ecología.** Classify these items according to whether they are natural or unnatural in a park.

una botella de plástico
un árbol
una lata de metal
una flor
una hoja
un río
un insecto
un pájaro
una botella de vidrio
una planta

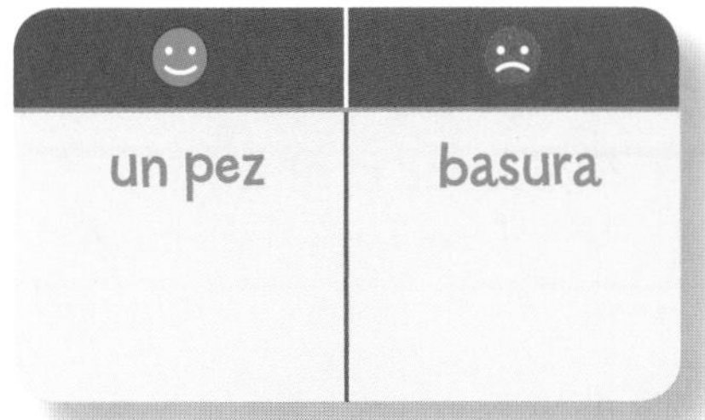

Expresar causa (pág. 428)

- Conjunción porque + oración con verbo conjugado

  ¿Por qué no puedes ir?

  No puedo ir porque estoy enferma.
- Conjunción por + sustantivo

  No fuimos por el mal tiempo.

Expresar cantidad. Los indefinidos (pág. 436)

ningún, ninguno(a)	*no, (not) any*
algún, alguno(a), algunos(as)	*one, some, any, a few*
poco(a), pocos(as)	*some, few*
mucho(a), muchos(as)	*many, a lot of*
todo(a), todos(as)	*all, every, throughout*

Verbos irregulares en el pasado (págs. 444, 446)

Decir

yo	dije	nosotros nosotras	dijimos
tú	dijiste	vosotros vosotras	dijisteis
usted él ella	dijo	ustedes ellos ellas	dijeron

Hacer

yo	hice	nosotros nosotras	hicimos
tú	hiciste	vosotros vosotras	hicisteis
usted él ella	hizo	ustedes ellos ellas	hicieron

Estar

yo	estuve	nosotros nosotras	estuvimos
tú	estuviste	vosotros vosotras	estuvisteis
usted él ella	estuvo	ustedes ellos ellas	estuvieron

Tener

yo	tuve	nosotros nosotras	tuvimos
tú	tuviste	vosotros vosotras	tuvisteis
usted él ella	tuvo	ustedes ellos ellas	tuvieron

Expresar permiso y prohibición (pág. 454)

Expresar permiso

se puede + infinitivo	Se puede dar comida a los animales.
se puede(n) + infinitivo	Se puede(n) tomar fotos en el museo.

Expresar prohibición

no se puede + infinitivo	No se puede botar la basura en el suelo.
no se puede(n) + infinitivo	No se puede(n) botar las botellas de vidrio a la basura.

DESAFÍO 1

5 **Causas.** Match the columns and write five sentences. Use *por* or *porque*.

Modelo *No quiero ir a la fiesta porque tengo que estudiar.*

1. ir a la fiesta	a. estar cansado
2. hacer ejercicio	b. el dolor de estómago
3. leer	c. tener que estudiar
4. comer	d. la lluvia
5. salir a pasear	e. doler la cabeza

DESAFÍO 2

6 **¿Qué comemos?** Choose the words that logically complete the dialogue.

CARMEN: ¡Mira cuánta comida! Hay (pocos / muchos) tipos de carnes, verduras y postres.
SARAH: Sí. Y (poco / algún) postre tiene chocolate blanco, mi favorito.
CARMEN: No me gusta el chocolate blanco. ¿Hay (alguno / ninguno) sin chocolate?
SARAH: ¡Claro que sí! Creo que hay (ninguno / algunos) con fruta.
CARMEN: ¡Perfecto! (Muchos / Todos) los postres con fruta me gustan mucho.

DESAFÍO 3

7 **¿Qué hicieron?** Create sentences about what each person did and when.

Modelo Miguel - estar - ciudad - sábado → *El sábado Miguel estuvo en la ciudad.*

1. Yo - hacer la tarea - biblioteca - miércoles
2. Nosotros - tener que hacer - examen - lunes
3. Vosotros - estar - centro de la ciudad - sábado
4. Ella - decir la verdad - escuela - viernes

DESAFÍO 4

8 **Reglas.** Write a memorandum about what is allowed and what is not allowed in your rental cabin in Yellowstone National Park.

Modelo *En mi cabaña se puede cocinar, pero no se puede hacer fuego...*

CULTURA

9 **Está en Chile.** Answer the questions.

1. What is the land of the *Valle de la Luna* compared to? Why?
2. Who constructed the moai on Easter Island?
3. Compare the Torres del Paine National Park with a national park in the United States.
4. Who was Pablo Neruda? Why is he significant?

Un póster sobre

animales en peligro

There are endangered animals throughout the world. In Chile alone, there are more than forty endangered species.

In this project you are going to do research on an endangered animal. Your research involves learning about the animal and its habitat, discovering why it is endangered, and indicating what people can do to protect it. Your final goal is to display all your work on a poster.

Nutria de río.

Vicuña.

Albatros ojeroso.

PASO 1 **Investiga sobre los animales en peligro de extinción en Chile y selecciona un animal**

- Research the endangered mammals, fish, and birds in Chile.
- Choose one animal to research. These criteria may help you decide:
  - you like its appearance;
  - it is also an endangered animal where you live;
  - it lives in extreme climatic conditions: desert, mountain, tiny island.
- Select several photos and find out the animal's name in Spanish.

PASO 2 **Busca información para una ficha y un mapa**

- Organize your information on a file card, and make a map to show the animal's habitat.

Nombre	Ballena azul
Descripción física	
Color	Negro, azul
Peso	181.500 kg (400,000 lb.)
Tamaño	24-27 m (80-100')
Población	3.000-5.000
Hábitat	Océano Pacífico
Alimentación	Pequeños crustáceos, krill
Dato curioso	Come 3.600 kg (8,000 lb.) de krill al día. Es más grande que 25 elefantes.

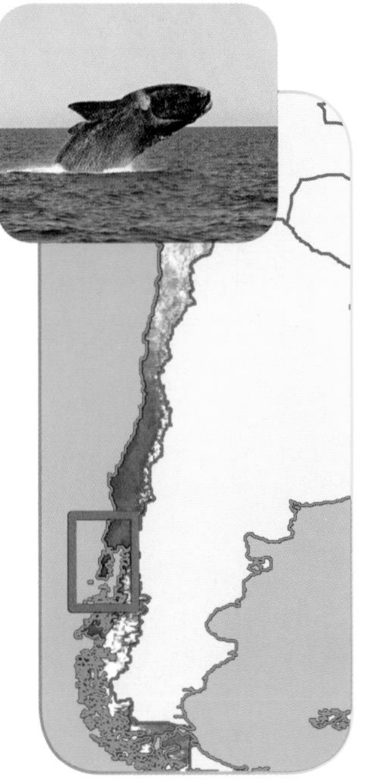

PASO 3 Explica por qué ese animal está en peligro y prepara sugerencias para protegerlo

- Why is the animal endangered? Summarize two or three of the most important causes. Some of the most common causes are:
  - Los cambios en el hábitat. Por ejemplo, la temperatura.
  - La intervención de los seres humanos. Por ejemplo, la contaminación o la caza *(hunting)*.
  - Causas naturales. Por ejemplo, las enfermedades.

> – *Cazaron muchas ballenas por su carne.*
>
> – *Ahora hay menos krill porque la temperatura del agua está cambiando.*

- Suggest some ways to protect this endangered animal. For example:
  - Prohibir la caza de ballenas.
  - Controlar los cambios del clima.

PASO 4 Organiza toda la información en tu póster y preséntala a la clase

- Arrange all your information in a logical way on your poster.
- Practice presenting your information aloud. Then present it to your classmates. Answer their questions.

¿A las ballenas azules les gusta el agua fría?

Sí. Prefieren el agua fría.

Unidad 8

Autoevaluación

¿Qué has aprendido en esta unidad?

Do the following activities to evaluate how well you can manage in Spanish.

Evaluate your skills. For each item, say Very well, Well, or I need more practice.

a. Can you talk about the seasons and the solar system?

▶ Draw three items in space and ask your partner to identify them.

▶ Say what season your birthday falls in.

b. Can you express cause or reason?

▶ Write three reasons to visit Chile. Use *por* or *porque*.

c. Can you describe the geography of Chile?

▶ Describe land and water features. Use words like *alguno*, *todo*, *mucho*, and *poco*.

d. Can you talk about where you live?

▶ Choose three cities in your country and guess how far they are from you.

e. Can you narrate past events?

▶ Ask your partner what living things he or she saw yesterday.

f. Can you explain how to protect the environment?

▶ Tell three things that are allowed or prohibited with regard to the environment.

Nouns and articles

Gender of nouns

In Spanish all nouns are **masculine** or **feminine**. Most nouns that end in -o are masculine, and most nouns that end in -a are feminine. Nouns that end in -e or in a consonant can be either masculine or feminine.

Nouns that refer to people have a masculine and a feminine form. The feminine is usually formed by changing the -o of the masculine form to an -a, or by adding an -a.

Masculine form	Feminine form	Examples
Ends in *-o*.	Changes *-o* to *-a*.	el niño → la niña
Ends in a consonant.	Adds *-a*.	el profesor → la profesora

Number of nouns

Nouns can be **singular** (one person or thing) or **plural** (more than one person or thing). To form the plural, add -s to the singular form if the noun ends in a vowel. If it ends in a consonant, add -es.

Singular form	Plural form	Examples
Ends in a vowel.	Adds *-s*.	el edificio → los edificios
Ends in a consonant.	Adds *-es*.	el ascensor → los ascensores

Articles

Definite articles refer to a specific noun. In English the definite article has only one form: the. In Spanish there are four forms: el, la, los, and las.

Indefinite articles refer to a nonspecific noun. In Spanish, the indefinite article has four forms: un, una (*a* or *an*) and unos, unas (*some* or *a few*).

DEFINITE ARTICLES

	Masculine	Feminine
Singular	el	la
Plural	los	las

INDEFINITE ARTICLES

	Masculine	Feminine
Singular	un	una
Plural	unos	unas

Contractions

The combination of the prepositions a and de with the definite article el results in a contraction.

a + el → al	de + el → del

Adjectives

Agreement with nouns

Adjectives describe nouns. Spanish adjectives can be masculine or feminine, singular or plural. They must agree with the noun both in gender and in number.

GENDER

Masculine form	Feminine form	Examples
Ends in *-o*.	Changes *-o* to *-a*.	niño simpático → niña simpática
Ends in *-e* or in a consonant.	Does not change.	niño inteligente → niña inteligente

NUMBER

Singular form	Plural form	Examples
Ends in a vowel.	Adds *-s*.	amigo simpático → amigos simpáticos
Ends in a consonant.	Adds *-es*.	amigo joven → amigos jóvenes

Demonstrative adjectives

Demonstrative adjectives indicate where something or someone is located in relation to the person speaking.

	Singular		Plural	
Distance from speaker	Masculine	Feminine	Masculine	Feminine
Near	este	esta	estos	estas
At a distance	ese	esa	esos	esas
Far away	aquel	aquella	aquellos	aquellas

Possessive adjectives

Possessive adjectives express ownership. They agree with the noun they accompany. They agree with the thing (or person) possessed, not with the owner.

mi mis	*my*	nuestro, nuestra nuestros, nuestras	*our*
tu tus	*your (informal)*	vuestro, vuestra vuestros, vuestras	*your (informal)*
su sus	*his, her, your*	su sus	*their, your*

Indefinite adjectives

Indefinite adjectives express number of nouns in nonspecific terms.

ningún, ninguno(a)	*no, (not) any*
algún, alguno(a), algunos(as)	*one, some, any, a few*
poco(a), pocos(as)	*some, few*
mucho(a), muchos(as)	*many, a lot of*
todo(a), todos(as)	*all, every, throughout*

Comparatives

Comparisons of inequality and equality

To express a difference regarding one characteristic, use más... que (*more ... than*) or menos... que (*less ... than*). To express equality, use tan... como (*as ... as*).

más + adjetivo + que
menos + adjetivo + que
tan + adjetivo + como

Comparative adjectives

Mejor and peor are used just like the English words *better* and *worse* to indicate a comparative degree.

bueno *good*	→	mejor, mejores *better*	malo *bad*	→	peor, peores *worse*

Pronouns

Subject pronouns

Subject pronouns identify the person who is performing an action.

Singular		Plural	
yo	*I*	nosotros nosotras	*we*
tú	*you (informal)*	vosotros vosotras	*you (informal)*
usted él ella	*you (formal)* *he* *she*	ustedes ellos ellas	*you* *they* *they*

Direct object pronouns

To avoid repeating words that have already been mentioned, you can replace the direct object with a pronoun.

Singular				Plural			
Masculine		Feminine		Masculine		Feminine	
lo	*him, it*	la	*her, it*	los	*them*	las	*them*

Indirect object pronouns

To avoid repeating words that have already been mentioned, you can replace the indirect object with a pronoun.

Indirect object pronouns are the same as those used with the verb gustar.

Singular		Plural	
me	*to me*	nos	*to us*
te	*to you (informal)*	os	*to you (informal)*
le	*to him, to her, to you (formal)*	les	*to them, to you*

Adverbs and prepositions

Adverbs of frequency

These adverbs and adverbial phrases express how often something is done:

nunca	*never*	muchas veces	*usually, normally*
casi nunca	*almost never*	casi siempre	*many times, often*
rara vez	*seldom, rarely*	siempre	*always*
a veces	*sometimes*	todos los días	*every day*

Adverbs of quantity

These adverbs express a quantity:

nada	poco	bastante	mucho
not at all	*little, not much*	*quite, enough*	*a lot, much*

Adverbs and phrases of location

aquí	*here*	encima de	*on, on top of*
ahí	*there*	debajo de	*under*
allí	*over there*	delante de	*in front of*
al lado de	*next to*	detrás de	*behind*
a la derecha de	*to the right of*	cerca de	*near, close to*
a la izquierda de	*to the left of*	lejos de	*far from*

Adverbs and phrases about the future

When you express intention or future plans you can use these adverbs or expressions:

		mañana	*tomorrow*
ahora	*now*	mañana por la mañana	*tomorrow morning*
luego, después	*later*	mañana por la tarde	*tomorrow afternoon/evening*
		mañana por la noche	*tomorrow night*
hoy	*today*		
esta mañana	*this morning*	la próxima semana, la semana que viene	*next week*
esta tarde	*this afternoon*	el próximo año, el año que viene	*next year*
esta noche	*tonight*		

Adverbs and phrases about the past

These adverbs and time expressions refer to the past tense:

antes	*before*	la semana pasada	*last week*
anoche	*last night*	el mes pasado	*last month*
ayer	*yesterday*	el año pasado	*last year*
anteayer	*the day before yesterday*		

Prepositions of place

en	*at, in, on, inside* (to express location)
a	to (after the verb *ir* indicating destination) *(not translated in English before direct and indirect objects)*
de	*from* (to express origin)
desde... hasta de... a	*from* ... to (to express direction or destination)

Conjunctions

Sentences with *si*

In order to express what you do if something happens, use this formula:

Si + condition...

The conjunction *porque*

To express cause, use the conjunction porque or the preposition por:

porque + sentence

por + noun

Interrogatives

Interrogative words

Interrogatives are question words.

¿Qué?	¿Quién?	¿Cómo?	¿Cuándo?	¿Dónde?	¿Cuánto(a)? ¿Cuántos(as)?	¿Por qué?
What?	*Who?*	*How?* *What?*	*When?*	*Where?*	*How much?* *How many?*	*Why?*

Verbs: present tense

Regular verbs: *lavar*, *prender*, *abrir*

Lavar (to wash)			
Singular		**Plural**	
yo	lavo	nosotros nosotras	lavamos
tú	lavas	vosotros vosotras	laváis
usted él ella	lava	ustedes ellos ellas	lavan

Prender (to switch on)			
Singular		**Plural**	
yo	prendo	nosotros nosotras	prendemos
tú	prendes	vosotros vosotras	prendéis
usted él ella	prende	ustedes ellos ellas	prenden

Abrir (to open)			
Singular		**Plural**	
yo	abro	nosotros nosotras	abrimos
tú	abres	vosotros vosotras	abrís
usted él ella	abre	ustedes ellos ellas	abren

Irregular verbs: *ser*, *estar*, *tener*, *ir*

Ser (to be)			
Singular		**Plural**	
yo	soy	nosotros nosotras	somos
tú	eres	vosotros vosotras	sois
usted él ella	es	ustedes ellos ellas	son

Estar (to be)			
Singular		**Plural**	
yo	estoy	nosotros nosotras	estamos
tú	estás	vosotros vosotras	estáis
usted él ella	está	ustedes ellos ellas	están

Tener *(to have)*			
Singular		**Plural**	
yo	tengo	nosotros nosotras	tenemos
tú	tienes	vosotros vosotras	tenéis
usted él ella	tiene	ustedes ellos ellas	tienen

Ir *(to go)*			
Singular		**Plural**	
yo	voy	nosotros nosotras	vamos
tú	vas	vosotros vosotras	vais
usted él ella	va	ustedes ellos ellas	van

Ir a + infinitive

To express the intention to do something, use this structure:

ir a + infinitive

The verb *gustar*

	Gustar *(to like)*	
	Singular	**Plural**
(A mí)	me **gust**a	me **gust**an
(A ti)	te **gust**a	te **gust**an
(A usted) (A él) (A ella)	le **gust**a	le **gust**an
(A nosotros) (A nosotras)	nos **gust**a	nos **gust**an
(A vosotros) (A vosotras)	os **gust**a	os **gust**an
(A ustedes) (A ellos) (A ellas)	les **gust**a	les **gust**an

The verb *doler*

	Doler *(to hurt, to ache)*	
	Singular	**Plural**
(A mí)	me **duel**e	me **duel**en
(A ti)	te **duel**e	te **duel**en
(A usted) (A él) (A ella)	le **duel**e	le **duel**en
(A nosotros) (A nosotras)	nos **duel**e	nos **duel**en
(A vosotros) (A vosotras)	os **duel**e	os **duel**en
(A ustedes) (A ellos) (A ellas)	les **duel**e	les **duel**en

Stem-changing verbs

Cerrar *(e > ie)* ***(to close)***			
Singular		**Plural**	
yo	cierro	nosotros nosotras	cerramos
tú	cierras	vosotros vosotras	cerráis
usted él ella	cierra	ustedes ellos ellas	cierran

Poder *(o > ue)* ***(to be able to)***			
Singular		**Plural**	
yo	puedo	nosotros nosotras	podemos
tú	puedes	vosotros vosotras	podéis
usted él ella	puede	ustedes ellos ellas	pueden

Pedir *(e > i)* ***(to ask)***			
Singular		**Plural**	
yo	pido	nosotros nosotras	pedimos
tú	pides	vosotros vosotras	pedís
usted él ella	pide	ustedes ellos ellas	piden

Jugar *(u > ue)* ***(to play)***			
Singular		**Plural**	
yo	juego	nosotros nosotras	jugamos
tú	juegas	vosotros vosotras	jugáis
usted él ella	juega	ustedes ellos ellas	juegan

The verb *sentirse*

Sentirse ***(to feel)***			
Singular		**Plural**	
yo	me siento	nosotros nosotras	nos sentimos
tú	te sientes	vosotros vosotras	os sentís
usted él ella	se siente	ustedes ellos ellas	se sienten

Verbs with irregular *yo* forms

Hacer ***(to do, to make)***			
Singular		**Plural**	
yo	hago	nosotros nosotras	**hacemos**
tú	**haces**	vosotros vosotras	**hacéis**
usted él ella	**hace**	ustedes ellos ellas	**hacen**

Poner ***(to put)***			
Singular		**Plural**	
yo	pongo	nosotros nosotras	**ponemos**
tú	**pones**	vosotros vosotras	**ponéis**
usted él ella	**pone**	ustedes ellos ellas	**ponen**

Traer ***(to bring)***			
Singular		**Plural**	
yo	traigo	nosotros nosotras	**traemos**
tú	**traes**	vosotros vosotras	**traéis**
usted él ella	**trae**	ustedes ellos ellas	**traen**

Salir ***(to leave)***			
Singular		**Plural**	
yo	salgo	nosotros nosotras	**salimos**
tú	**sales**	vosotros vosotras	**salís**
usted él ella	**sale**	ustedes ellos ellas	**salen**

Irregular verbs: *ver*, *oír*, *oler*, and *decir*

Ver ***(to see)***			
Singular		**Plural**	
yo	veo	nosotros nosotras	**vemos**
tú	**ves**	vosotros vosotras	**veis**
usted él ella	**ve**	ustedes ellos ellas	**ven**

Oír ***(to hear)***			
Singular		**Plural**	
yo	oigo	nosotros nosotras	**oímos**
tú	oyes	vosotros vosotras	**oís**
usted él ella	oye	ustedes ellos ellas	oyen

Oler ***(to smell)***			
Singular		**Plural**	
yo	huelo	nosotros nosotras	**olemos**
tú	hueles	vosotros vosotras	**oléis**
usted él ella	huele	ustedes ellos ellas	huelen

Decir ***(to say)***			
Singular		**Plural**	
yo	digo	nosotros nosotras	**decimos**
tú	dices	vosotros vosotras	**decís**
usted él ella	dice	ustedes ellos ellas	dicen

Reflexive verbs

Lavarse ***(to wash oneself)***			
Singular		**Plural**	
yo	me **lav**o	nosotros nosotras	nos **lav**amos
tú	te **lav**as	vosotros vosotras	os **lav**áis
usted él ella	se **lav**a	ustedes ellos ellas	se **lav**an

Other reflexive verbs are:

acostarse (ue) *(to go to bed)* → yo me acuesto

despertarse (ie) *(to wake up)* → yo me despierto

dormirse (ue) *(to fall asleep)* → yo me duermo

levantarse *(to get up)* → yo me levanto

Expressions of obligation

hay que + infinitive *a general obligation; rules or norms*	tener que + infinitive *a personal obligation*

Expressions of permission and prohibition

Expressing permission:	**Expressing prohibition:**
se puede + infinitive (with singular object) se puede(n) + infinitive (with plural object)	no se puede + infinitive no se puede(n) + infinitive

Verbs: the present participle

Regular present participle forms

The *gerundio* (present participle) is formed by adding the following endings to the verb stem:

-ando	for -*ar* verbs	escuchar → escuchando
-iendo	for -*er*, -*ir* verbs	hacer → haciendo escribir → escribiendo

Irregular present participle forms

e > ie		*o > u*
decir → diciendo medir → midiendo pedir → pidiendo	servir → sirviendo vestir → vistiendo	dormir → durmiendo morir → muriendo poder → pudiendo

When the stem of an *-er* or *-ir* verb ends in a vowel (*leer*, *creer*, *oír)*, the ending *-iendo* becomes *-yendo*.

leer → leyendo	creer → creyendo	oír → oyendo

Verbs: the present progressive

The present progressive is formed with *estar* + *gerundio* (present participle):

Trabajar *(to work)*			
Singular		**Plural**	
yo	estoy trabajando	nosotros nosotras	estamos trabajando
tú	estás trabajando	vosotros vosotras	estáis trabajando
usted él ella	está trabajando	ustedes ellos ellas	están trabajando

Verbs: commands

Affirmative *tú* commands

REGULAR VERBS

Caminar *(to walk)*	Comer *(to eat)*	Escribir *(to write)*
camina	come	escribe

IRREGULAR VERBS

Tener *(to have)*	Hacer *(to do)*	Poner *(to put)*	Venir *(to come)*	Salir *(to leave)*
ten	haz	pon	ven	sal

Ser *(to be)*	Decir *(to say)*	Ir *(to go)*
sé	di	ve

Negative *tú* commands

REGULAR VERBS

Comprar *(to buy)*	Comer *(to eat)*	Escribir *(to write)*
no compres	no comas	no escribas

IRREGULAR VERBS *SER* AND *IR*

Ser *(to be)*	Ir *(to go)*
no seas	no vayas

Verbs: the preterite tense

Regular verbs (*-ar*, *-er*, *-ir*)

	Comprar *(to buy)*	Comer *(to eat)*	Escribir *(to write)*
yo	compré	comí	escribí
tú	compraste	comiste	escribiste
usted él ella	compró	comió	escribió
nosotros nosotras	compramos	comimos	escribimos
vosotros vosotras	comprasteis	comisteis	escribisteis
ustedes ellos ellas	compraron	comieron	escribieron

Irregular verbs

Ser *(to be)* e ir *(to go)*			
Singular		**Plural**	
yo	fui	nosotros nosotras	fuimos
tú	fuiste	vosotros vosotras	fuisteis
usted él ella	fue	ustedes ellos ellas	fueron

Decir *(to say)*			
Singular		**Plural**	
yo	dije	nosotros nosotras	dijimos
tú	dijiste	vosotros vosotras	dijisteis
usted él ella	dijo	ustedes ellos ellas	dijeron

Hacer *(to do, to make)*			
Singular		**Plural**	
yo	hice	nosotros nosotras	hicimos
tú	hiciste	vosotros vosotras	hicisteis
usted él ella	hizo	ustedes ellos ellas	hicieron

Estar *(to be)*			
Singular		**Plural**	
yo	estuve	nosotros nosotras	estuvimos
tú	estuviste	vosotros vosotras	estuvisteis
usted él ella	estuvo	ustedes ellos ellas	estuvieron

Tener *(to have)*			
Singular		**Plural**	
yo	tuve	nosotros nosotras	tuvimos
tú	tuviste	vosotros vosotras	tuvisteis
usted él ella	tuvo	ustedes ellos ellas	tuvieron

GLOSARIO ESPAÑOL-INGLÉS

a *to* 32 *away from* 192
a causa de *because of* 459
a diario *daily* 297
A la(s)... *At ... (time)* 16
a la derecha de *to the right of* 108
a la izquierda de *to the left of* 108
a la vez *at the same time* 339
a lo largo de *along* 76
¿A qué hora abre...? *What time does ... open?* 148
¿A qué hora cierra...? *What time does ... close?* 148
¿A qué te dedicas? *What do you do for living?* 314
a veces *sometimes* 126
abajo *down* 302
abierto(a) *open* 152
el/la **abogado(a)** *lawyer* 318
abril *April* 14
abrir *to open* 118
abrir la ventana *to open the window* 114
la **abuela** *grandmother* 56
el **abuelo** *grandfather* 56
los **abuelos** *grandparents, grandfathers* 56
la **abundancia** *aboundance* 464
aburrido(a) *bored* 66 *boring* 129
el **accidente** *accident* 262
la **acción** *action* 114
el **aceite** *oil* 222
el **acento** *accent* 321
aceptar *to accept* 181
acompañar *to accompany* 206
el **acordeón** *accordion* 337
acostarse (o > ue) *to go to bed* 274
la **actividad** *activity* 26
las **actividades de ocio** *leisure activities* 124
activo(a) *active* 432
el **acto** *act* 464
el **actor** *actor* 143
la **actriz** *actress* 49
actuar *to perform* 5
acuático(a) *aquatic* 331
además *what's more* 136
Adiós. *Goodbye.* 6
la **adivinanza** *riddle* 219
adivinar *to guess* 2
el **adjetivo** *adjective* 50
el/la **admirador(a)** *admirer* 47
admirar *to admire* 37
la **adolescencia** *adolescence* 275
¿Adónde? *Where to?* 156
adorable *adorable* 58
adulto(a) *adult* 55
los **adverbios de cantidad** *adverbs of quantity* 210
los **adverbios de frecuencia** *adverbs of frequency* 126
aéreo(a) *aerial* 136
el **aeropuerto** *airport* 372
afeitarse *to shave* 272
afirmativo(a) *affirmative* 292
afortunadamente *fortunately* 52
la **agencia de viajes** *travel agency* 380
la **agenda** *agenda* 158
agosto *August* 14
la **agricultura** *agriculture* 381
agridulce *sweet-and-sour* 235
agrio(a) *sour* 236
el **agua** *water* 208
las **aguas termales** *hot springs* 276
¡Ah! *Oh!* 62
ahí *there* 108
ahora *now* 328
el **aire** *air* 452
aislar *to isolate* 207
el **ajo** *garlic* 222
al *to the* 60
al aire libre *outdoors, in the open air* 409
al fin *finally* 410
al final *at the end* 224
al lado de *next to* 108
al llegar *upon arriving* 75
el **albatros** *albatross* 470
alcanzar to reach 405
la **alegría** *joy* 356
el **alfabeto** *alphabet* 2
algo *something* 16
el **algodón** *cotton* 170
alguien *anybody, anyone* 4
algún, alguno(a)(os)(as) *a few, any, one, some* 436
la **alimentación** *feeding* 470
los **alimentos** *food* 218
allí *over there* 108
el **almacén** *grocery store* 410
almorzar (o > ue) *to have lunch* 208
el **almuerzo** *lunch* 208
el **alojamiento** *accommodations* 388
alojarse *to stay* 413
alrededor de *around* 426
alto(a) *tall* 48 *loud* 267
la **altura** *height* 79
amable *kind* 243
amargo(a) *bitter* 236
amarillo(a) *yellow* 170
el **Amazonas** *Amazon River* 206
amazónico(a) *Amazon (adjective)* 207
ambiental *environmental* 221
América del Sur *South America* 246
americano(a) *American* 181
el/la **amigo(a)** *friend* 38
los **amigos** *friends (males, males and females)* 38
el **amor** *love* 259
el **análisis** *analysis* 26
anaranjado(a) *orange* 170
ancho(a) *wide* 170
andar *to go, to walk* 410
los **Andes** *the Andes* 200
el **anillo** *ring* 430
el **animal** *animal* 103
el **aniversario** *anniversary* 401
anoche *last night* 390
anteayer *the day before yesterday* 390
anterior *prior* 78
antes *before* 390
antes (de) *before* 71
antiguo(a) *ancient* 77 *old* 136
antipático(a) *unfriendly* 48
anualmente *annually* 447
el **anuncio** *ad* 95
el **año** *year* 14
apagar la luz *to turn off the light* 114
el **apartamento** *apartment* 94
el **apellido** *last name* 307
la **aportación** *contribution* 355
el **apoyo** *support* 57
aprender *to learn* 20
el **aprendizaje** *learning* 24
apropiado(a) *appropriate* 177
aprovechar *to take advantage* 322
aproximadamente *aproximately* 408
aproximado(a) *rough* 443
aquel, aquella *that (far)* 172
aquello *that (neutral)* 172
aquellos, aquellas *those (far)* 172
aquí *here* 108

árabe *Arab* 271
el **árbol** *tree* 452
el **archipiélago** *archipelago* 134
el **área** *area* 95
argentino(a) *Argentinian* 373
el **argumento** *plot* 25
el **arma** *weapon* 244
el **armario** *closet* 104
el **aroma** *scent* 410
arqueológico(a) *archeological* 78
la **arquitectura** *architecture* 289
el **arroz** *rice* 208
el **arroz chaufa** *popular Peruvian-Chinese rice dish served in chifas* 235
el **Arte** *art (subject)* 16
el **arte** *art* 47
artesanal *handmade* 161
la **artesanía** *handicraft* 77
el **artículo** *item* 184
los **artículos definidos** *definite articles* 98
los **artículos indefinidos** *indefinite articles* 98
el/la **artista** *artist* 46
artístico(a) *artistic* 267
asado(a) *roasted* 227
el **asalto** *assault* 136
el **ascensor** *elevator* 94
así *like that* 150
así así *so-so* 66
así que *so that* 410
asistir *to attend* 322
la **asociación** *association* 81
asociado(a) *associated* 134
el **asopao** *rice soup from Puerto Rico* 117
el **aspecto** *aspect* 47
la **aspiradora** *vacuum cleaner* 114
el/la **astronauta** *astronaut* 426
el **asunto** *matter* 72
el **ataque** *attack* 136
atado(a) *tied* 347
¡Atención! *Be careful! Watch out!* 90
la **atención** *service* 243
Atentamente, *Sincerely yours,* 276
atlántico(a) *atlantic* 300
el/la **atleta** *athlete* 319
atlético(a) *athletic* 48
atravesado(a) *crossed* 462
atrevido(a) *daring* 48
aunque *although* 408
los **auriculares** *headphones* 318
auténtico(a) *authentic* 147
el **autobús** *bus* 372
la **autoevaluación** *self-evaluation* 85
el/la **autor(a)** *author* 411
el **autorretrato** *self-portrait* 47
avanzado(a) *advanced* 78
el **ave** *bird* 181
la **avenida** *avenue* 78
el **avión** *airplane* 372
¡Ay! *Ouch!* 282
ayer *yesterday* 390
ayudar *to help* 57
azteca *Aztec: relating to ethnic groups that dominated central Mexico in the 14th, 15th, and 16th centuries* 30
el **azúcar** *sugar* 226
azul *blue* 170
el **azulejo** *tile* 261

las **bacterias** *bacteria* 121
la **bahía** *bay* 81
bailar *to dance* 326
el **baile** *dance* 55
bajar *to get off* 410 *to go down* 441
bajo(a) *short* 48 *low (price)* 179
la **ballena** *whale* 455
el **balneario** *beach resort* 435
el **balón** *ball* 344
el **baloncesto** *basketball* 344
la **banana** *banana* 208
el **banco** *bank* 398
la **bandera** *flag* 8
el **bandoneón** *Argentinian large accordion* 409
el **banquete** *banquet* 55
bañarse *to take a bathe* 272
la **bañera** *bathtub* 104
el **baño** *bathroom* 94
barato(a) *cheap, inexpensive* 180
el **barco** *ship* 372
barrer *to sweep* 114
el **barrio** *neighborhood* 183
básico(a) *basic* 168
bastante *quite, enough* 210
la **basura** *trash* 452
el **bate** *bat* 344
beber *to drink* 226
la **bebida** *drink* 208
el **béisbol** *baseball* 344
la **belleza** *beauty* 293
bello(a) *beautiful* 301
el **beso** *kiss* 192
la **biblioteca** *library* 398
bien *well* 66 *properly* 380 *correctly* 387
Bienvenido(a). *Welcome.* 4
bilingüe *bilingual* 319
el **billete** *ticket* 380 *bill* 443
bioluminiscente *bioluminescent* 87
la **bitácora** *log* 52
blanco(a) *white* 170
la **blusa** *blouse* 162
la **boca** *mouth* 264
el **bohío** *typical shack used as a home by the Taino indians in Puerto Rico* 131
la **bola** *ball* 344
el **boletín** *bulletin* 438
el **boleto** *ticket* 330
el **boliche** *bowling* 344
el **bolígrafo** *pen* 8
la **bolsa** *bag* 380
bonito(a) *beautiful, pretty* 48
el **bordado** *embroidery* 77
el **borrador** *eraser* 8
el **bosque** *forest* 434
botar *to throw away* 452
las **botas** *boots* 162
la **botella** *bottle* 226
el **brazo** *arm* 264
brillar *to shine* 426
la **broma** *joke* 270
la **brutalidad** *brutality* 302
buen, bueno(a) *good* 174
¡Buen provecho! *Enjoy your meal!* 204
¡Buen viaje! *Have a good trip!* 368
Buenas noches. *Good evening/night.* 5
Buenas tardes. *Good afternoon.* 5
Bueno, ... *Well, ...* 440
Buenos días. *Good morning.* 5
la **bufanda** *scarf* 162
buscar *to look for* 84 *to find* 278

el **caballo** *horse* 302
la **cabaña** *cabin* 469
la **cabeza** *head* 264
el **cacique** *chief, local political boss* 131

cada *each* 65
la **cadena** *chain* 51
el **café** *coffee* 202 *café* 398
la **cafetería** *cafeteria* 322
la **calabaza** *gourd, pumpkin* 213
los **calcetines** *socks* 162
el **cálculo** *calculation* 359
el **calendario** *calendar* 14
la **calidad** *quality* 216
caliente *hot (temperature)* 236
la **calle** *street* 398
la **calzada** *avenue* 78
el **calzado** *footwear* 162
la **cama** *bed* 104
la **cámara de fotos** *camera* 334
la **cámara de video** *camcorder* 334
cambiar *to change* 229
el **cambio** *change* 275
caminar *to walk* 290
el **camino** *way* 279
la **camisa** *shirt* 162
la **camiseta** *T-shirt* 162
el/la **campeón(a)** *champion* 352
el **cámping** *campsite* 388
el **campo** *countryside* 263 *field* 349
la **canasta** *basket* 347
la **cancha** *cereal similar to popcorn in Peru* 209 *court (sports)* 347
la **canción** *song* 335
la **canela** *cinnamon* 242
el **caney** *shack where a Tainos' "cacique" or local political boss lives* 131
la **canoa** *canoe* 132
cansado(a) *tired* 66
el/la **cantante** *singer* 191
cantar *to sing* 326
la **cantidad** *quantity* 210
el **canto** *singing* 248
el **cañón** *cannon* 136
la **capital** *capital city* 442
la **cara** *face* 264
la **característica** *feature* 48
caribeño(a) *Caribbean* 356
el **cariño** *love* 340
la **carne** *meat* 208
la **carnicería** *butcher's shop* 218
caro(a) *expensive* 180
la **carrera** *race* 263
el **carro** *car* 105
la **carta** *letter* 121 *menu* 226
el **cartel** *poster* 8
la **casa** *house* 94
el **casco** *helmet* 344
casi *almost* 136
casi nunca *almost never* 126
casi siempre *most of the time* 126
el **caso** *case* 175
el **castillo** *castle* 136
las **cataratas** *waterfalls* 365
la **catedral** *cathedral* 281
la **categoría** *category* 162
católico(a) *Catholic* 257
la **causa** *cause* 428
causar *to cause* 221
la **caza** *hunting* 471
cazar *to hunt* 471
la **cebolla** *onion* 222
la **celebración** *celebration* 21
celebrar *to celebrate* 55
el **celular** *cell phone* 62
la **cena** *dinner* 208
cenar *to have dinner* 208
central *central* 151
el **centro** *center, middle* 76 *downtown* 373
el **centro comercial** *shopping center, mall* 152
Centroamérica *Central America* 144
cepillarse *to brush (one's hair, teeth)* 272
el **cepillo** *hairbrush* 272
el **cepillo de dientes** *toothbrush* 272
la **cerámica** *ceramics, pottery* 178
cerca de *near, close to* 108
los **cereales** *cereals* 291
la **ceremonia** *ceremony* 55
cerrado(a) *closed* 152
cerrar (e > ie) *to close* 154
el **césped** *grass* 114
el **ceviche** *marinated seafood dish popular in South America* 201
el **champú** *shampoo* 272
Chao. *Bye.* 6
la **chaqueta** *jacket* 162
el/la **chef** *chef* 220
la **chica** *girl* 38
la **chicha morada** *old and popular Peruvian drink* 209
el **chico** *boy* 38
los **chicos** *boys, boys and girls* 38
las **chifas** *restaurants of Chinese origin typical in Peru* 235
chileno(a) *Chilean* 379
la **chinchilla** *chinchilla* 455
el **chinchinero** *Chilean one-man band* 463
el **chino** *Chinese (language)* 20
chino(a) *Chinese* 235
el/la **chino(a)** *Chinese (noun)* 235
el **chocolate** *chocolate* 2
el **cibercafé** *cybercafe* 384
el/la **ciclista** *cyclist* 263
ciclista *cycling* 256
el **cielo** *sky* 426
la(s) **ciencia(s)** *science* 109
las **Ciencias Naturales** *science* 16
las **Ciencias Sociales** *social studies* 16
el/la **científico(a)** *scientist* 237
cierto(a) *true* 48
el **cilantro** *cilantro* 222
el **cine** *movie theater* 334 *cinematography* 336
la **cinta** *ribbon* 192
el **cinturón** *belt* 192
el **circuito** *track* 421
circular *circular* 131
la **ciudad** *city* 388
el/la **ciudadano(a)** *citizen* 134
civil *civil* 78
la **civilización** *civilization* 78
Claro. *Of course.* 12
claro *clearly* 321
claro(a) *clear* 79
la **clase** *class* 13
la **clase turista** *coach class* 378
clásico(a) *classic* 225
la **clave** *key* 137
el/la **cliente(a)** *customer* 152
el **clima** *climate* 97
el **coche** *car* 372
la **cocina** *kitchen* 94 *cuisine* 240
cocinar *to cook* 218
el **código** *code* 441
el **cognado** *cognate* 25
coincidir *to coincide* 248
la **colección** *collection* 325
coleccionar *to collect* 73
el **colegio** *school* 25
colombiano(a) *Colombian* 293
el **color** *color* 170
colorido(a) *colorful* 91
combinar *to combine* 235
el **comedor** *dining room* 94
el/la **comentarista** *announcer* 262
comenzar (e > ie) *to begin* 248
comer *to eat* 226 *to have lunch* 297
comer bien *to eat well* 290
el **cometa** *comet* 426
la **comida** *food* 117 *meal* 208
la **comida rápida** *fast food* 217
como *like* 46
¿Cómo? *How?* 2

¿Cómo estás/está/están? *How are you?* 66
¿Cómo me/te/le/les queda? *How does it fit/suit me/you/him/her/them?* 181
¿Cómo te llamas? *What's your name?* 4
¿Cómo te sientes? *How are you feeling?* 260
la **cómoda** *dresser* 104
cómodo(a) *comfortable* 170
el/la **compañero(a)** *classmate* 24
la **comparación** *comparison* 37
compartir *to share* 229
la **competición** *competition* 263
la **competición deportiva** *sport competition* 358
competir (e > i) *to compete* 238
completar *to complete* 5
completo(a) *complete* 206
comprar *to buy* 152
las **compras** *shopping* 180
comprender *to understand* 10
la **comprensión** *comprehension* 79
la **computadora** *computer* 8
común *common* 119
la **comunicación** *communication* 44
la **comunidad** *community* 39
con *with* 24
la **concentración** *concentration* 113
el **concepto** *concept* 137
el **concierto** *concert* 77
la **conclusión** *conclusion* 125
la **concordancia** *agreement* 98
concreto(a) *specific* 237
el **concurso** *contest* 447
el **condado** *county* 467
conducir *to drive* 373
la **conexión** *connection* 49
confesar (e > ie) *to confess* 268
cónico(a) *conic* 131
la **conjunción** *conjunction* 428
conmigo *with me* 339
conocer *to be acquainted, to know* 228
el **conocimiento** *knowledge* 357
el/la **consejero(a)** *adviser* 323
el **consejo** *advice* 55
conservar *to preserve* 339
considerar *to consider* 397
la **construcción** *construction* 108 *building* 301
construir *to build* 401
la **consulta** *doctor's office* 285
el/la **consumidor(a)** *consumer* 181
contactar *to contact* 359
la **contaminación** *contamination* 455
contar (o > ue) *to count* 182
el **contenedor** *container* 452
contener *to contain* 203
contento(a) *happy* 66
el **contexto** *context* 62
el **continente** *continent* 434
continuar *to continue* 248
contradecir *to contradict* 410
la **contribución** *contribution* 356
contribuir *to contribute* 437
controlar *to control* 471
la **conversación** *conversation* 34
conversar *to talk, to chat* 317
el **coquí** *small frog from Puerto Rico* 86
el **corazón** *heart* 321
la **cordillera** *mountain chain* 451
el **coro** *choir* 289
correcto(a) *correct* 386
el **correo electrónico** *e-mail* 51
el/la **corredor(a)** *runner* 441
correr *to run* 290
cortar *to cut* 114
la **cortesía** *courtesy* 6
corto(a) *short* 170
la **cosa** *thing* 61
la **costa** *coast, shore* 246
costar (o > ue) *to cost* 180
el **costo de la vida** *cost of living* 183
la **costumbre** *custom* 297
crear *to create* 198
creativo(a) *creative* 48
creer *to think* 131 *to believe* 224
la **crema de afeitar** *shaving cream* 272
el/la **cristiano(a)** *Christian* 281
la **crítica** *review* 243
la **crónica** *chronicle* 416
el **crustáceo** *crustacean* 470
cruzar *to cross* 398
el **cuaderno** *notebook* 8
la **cuadra** *block* 410
cuadrado(a) *square* 95
el **cuadro** *painting* 47
¿Cuál? *Which?* 115
cuando *when* 405
¿Cuándo? *When?* 13
¡Cuánto(a)(os)(as)...! *How much/many...!* 422
¿Cuánto(a)? *How much?* 106
¿Cuánto cuesta(n)...? *How much does/do ... cost?* 148
¿Cuántos(as)? *How many?* 106
el **cuarto** *room* 94
cubano(a) *Cuban* 317
el **cubismo** *cubism* 267
cubista *cubist* 267
la **cuchara** *spoon* 226
el **cuchillo** *knife* 226
la **cueca** *Chilean national dance* 461
el **cuello** *neck* 264
el **cuero** *leather* 170
el **cuerpo** *body* 264
la **cueva** *cave* 87
el **cuidado** *care* 380
¡Cuidado! *Be careful! Watch out!* 90
cuidar *to take care of* 124
cuidarse *to take care of oneself* 290
Cuídate. *Take care of yourself.* 260
cultivar *to cultivate* 209
la **cultura** *culture* 37
cultural *cultural* 76
el **cumpleaños** *birthday* 15
curar *to cure* 319
la **curiosidad** *curiosity* 330
curioso(a) *curious* 47
el **cuy** *guinea pig from the Andean region* 227

la **danza** *dance* 65
el/la **danzante** *dancer* 75
dar *to give* 55
dar la bienvenida *to welcome* 136
el **dato** *piece of information* 85
de *from* 42 *of* 60 *than* 76
De nada. *You're welcome.* 7
de ida y vuelta *round trip* 368
de nuevo *again* 410
de viaje *on a trip* 372
debajo de *under* 108
deber *must* 456
débil *weak* 278
decidir *to decide* 25
decir *to say* 266
declarar *to declare* 401
decorar *to decorate* 271
dedicarse a *to do for a living* 312
el **dedo** *finger, toe* 264
defender (e > ie) *to defend* 136
defensivo(a) *defensive* 137
la **deforestación** *deforestation* 437

dejar *to leave (something)* 450
del *of the* 60
delante de *in front of* 108
deletrear *to spell* 2
el **delfín** *dolphin* 455
delgado(a) *thin* 48
delicioso(a) *delicious* 233
los/las **demás** *rest* 285
los **demostrativos** *demonstratives* 172
dentro *inside* 288
dentro de *in, inside of* 112
el **departamento** *department* 384
el **deporte** *sport* 344
el **depósito** *deposit* 429
derecho(a) *right* 229
el **desafío** *challenge* 30
el **desarrollo** *development* 332
desayunar *to have breakfast* 208
el **desayuno** *breakfast* 208
descansar *to rest* 290
el **descanso** *rest* 271
descender (e > ie) *to descend* 408
el/la **descendiente** *descendant* 433
desconectar *to switch off* 26
desconfiar *to distrust* 26
describir *to describe* 46
la **descripción** *description* 51
descubrir *to discover* 426
desde *from* 136 *since* 209
el **deseo** *wish* 157
desesperado(a) *desperate* 302
el **desfile** *fashion show* 187 *parade* 248
el **desierto** *desert* 247
el **desodorante** *deodorant* 272
despacio *slowly* 396
la **despedida** *farewell* 6
despertarse (e > ie) *to wake up* 274
después *later on* 277
después de *after* 71
el **destino** *destination* 388
destruir *to destroy* 302
el/la **detective** *detective* 13
detrás de *behind* 108
el **día** *day* 14
el **día de Acción de Gracias** *Thanksgiving* 227
el **día de Año Nuevo** *New Year's Day* 227
el **día de campo** *picnic* 242
el **diablo** *devil* 191
el **diálogo** *dialogue* 34
el **diario** *diary* 60
diario(a) *daily* 248
dibujado(a) *drawn* 17
el **dibujo** *drawing* 109
el **diccionario** *dictionary* 8
diciembre *December* 14
el **diente** *tooth* 264
la **dieta** *diet* 209
la **diferencia** *difference* 111
diferente *different* 174
difícil *difficult* 91
digital *digital* 72
el **dinero** *money* 180
el/la **dios(a)** *god(dess)* 78
la **dirección** *direction* 398
el/la **director(a)** *director* 318 *principal* 350
dirigir *to direct, to run* 319
el **disco** *disc* 339
el **disco compacto** *compact disc* 195
el/la **diseñador(a)** *designer* 161
diseñar *to design* 169
el **diseño** *design* 169
disfrutar *to enjoy* 300
disponible *available* 95
la **distancia** *distance* 372
distinto(a) *different* 206
la **diversidad** *diversity* 356
diverso(a) *diverse* 51
divertido(a) *fun* 35
divertirse (e > ie) *to enjoy oneself* 335
dividir *to divide* 441
la **división** *division* 442
doblar a la derecha/izquierda *to turn to the right/left* 398
el/la **doctor(a)** *doctor* 41
el **documental** *documentary* 307
el **documento** *document* 368
el **dólar** *dollar* 148
doler (o > ue) *to hurt* 282
el **dolor** *ache, pain* 280
el **domingo** *Sunday* 14
los **domingos** *on Sundays* 152
el **dominó** *dominoes* 310
don *mister* 372
donar *to donate* 73
¿Dónde? *Where?* 13
dormir (o > ue) *to sleep* 285
dormirse (o > ue) *to fall asleep* 274
el **dormitorio** *bedroom* 94
el **drama** *drama* 25
la **dramatización** *dramatization* 255
dramatizar *to dramatize* 199
la **ducha** *shower* 104
ducharse *to take a shower* 272
dulce *sweet* 236
el **dulce de leche** *milk caramel typical of Argentina and other countries in the Rio de la Plata region* 407
durante *during* 71 *for* 263
durar *to last* 405

el **eclipse** *eclipse* 426
la **ecología** *ecology* 467
ecológico(a) *ecological* 113
el **ecosistema** *ecosystem* 246
la **edad** *age* 58
el **edificio** *building* 94
la **Educación Física** *physical education (subject)* 16
el **ejemplo** *example* 319
el **ejercicio** *exercise* 27
el *the* 98
él *he* 40
el año pasado *last year* 390
el año que viene *next year* 328
el mes pasado *last month* 390
el próximo año *next year* 328
la **electricidad** *electricity* 456
eléctrico(a) *electric* 337
el **elefante** *elephant* 470
elegante *elegant* 175
el **elemento** *element* 411
ella *she* 40
ellas *they (females)* 40
ellos *they (males, males and females)* 40
emigrar *to emigrate* 235
la **emoción** *emotion* 68
emocionado(a) *excited* 66
emocionante *exciting* 261
empacar *to pack* 455
la **empanada** *pie* 333
el **emperador** *emperor* 249
empezar (e > ie) *to begin, to start* 154
el/la **empleado(a)** *employee* 322
el/la **empresario(a)** *businessman, businesswoman* 317
en *at, in, on, inside* 108
en brazos *in one's arms* 302
en cambio *instead* 327
en común *in common* 61
en directo *live* 359

en el centro de *in the middle of* 246
en general *in general* 297
en medio de *in the middle of* 302
en realidad *actually* 410
Encantado(a). *Nice to meet you.* 4
encima de *on, on top of* 108
encontrar (o > ue) *to find* 9
encontrarse (o > ue) *to feel* 284
encontrarse con *to run into, to meet with* 393
el **encuentro** *meeting, encounter* 74
la **encuesta** *survey* 115
la **energía** *energy* 285
enérgico(a) *energetic* 52
enero *January* 14
la **enfermedad** *illness* 280
el/la **enfermero(a)** *nurse* 280
enfermo(a) *sick* 66
el/la **enfermo(a)** *patient* 280
el **enigma** *enigma* 112
enloquecido(a) *mad* 302
enojado(a) *angry* 66
enorme *huge* 178
enriquecedor(a) *enlightening* 423
la **ensalada** *salad* 218
enseñar *to teach* 319
enseñar el pasaporte *to show one's passport* 380
entender (e > ie) *to understand* 154
entonces *then* 359
entrar *to enter* 122
entre *between* 134 *among* 325
entregar *to hand out* 10
el/la **entrenador(a)** *coach* 318
entretener *to entertain* 258
la **entrevista** *interview* 157
entrevistar *to interview* 62
entusiasta *enthusiastic* 36
enviado(a) *sent* 72
la **época** *age* 270
equilibrado(a) *well-balanced* 275
el **equipaje** *baggage* 380
el **equipamiento** *equipment* 358
el **equipo** *team* 344
equivaler *to be equivalent* 393
equivocado(a) *wrong* 410
el **error** *mistake* 387
Es la... *It's ... (time)* 16
Es saludable. *It's healthy.* 204
la **escalera** *stairs* 94
el **escalón** *step* 440
la **escena** *scene* 158
el **escenario** *scenario* 317
escoger *to choose* 93
escolar *school (adjective)* 9
escribir *to write* 2
escribir correos *to write e-mails* 334
escribir mensajes *to write instant messages* 326
el/la **escritor(a)** *writer* 362
escuchar *to listen* 2
el **escudo** *shield* 261
la **escuela** *school* 44
ese, esa *that (nearby)* 172
la **esencia** *essence* 135
esos, esas *those (nearby)* 172
el **espacio** *space* 430
la **espada** *sword* 302
los **espaguetis** *spaghetti* 3
la **espalda** *back* 280
el **Español** *Spanish (subject)* 16
el **español** *Spanish (language)* 2
español(a) *Spanish* 2
el/la **español(a)** *Spaniard* 136
especial *special* 149
la **especialidad** *specialty* 219
especializado(a) *specialized* 219
especialmente *specially* 301
la **especie** *sort* 163
espectacular *spectacular* 433
el **espectáculo** *show* 267
la **esperanza** *hope* 302
esperar *to wait for* 259
espontáneo(a) *spontaneous* 48
la **esposa** *wife* 73
el **esposo** *husband* 379
el **esquema** *diagram* 291
esquiar *to ski* 3
Está bueno(a). *It tastes good.* 236
Está delicioso(a). *It's delicious.* 236
Está malo(a). *It doesn't taste good.* 236
esta mañana *this morning* 328
esta noche *tonight, this evening* 328
Está nublado. *It's cloudy.* 18
esta tarde *this afternoon/evening* 328
la **estabilidad** *stability* 93
la **estación** *season* 18 *station* 372
el **estadio** *stadium* 344
las **estadísticas** *statistics* 345
el **estado** *state* 51 *condition* 64
los **Estados Unidos** *United States* 76
estadounidense *American (adjective)* 134
el/la **estadounidense** *American (noun)* 357
la **estantería** *bookcase* 104
estar *to be* 68
estar de acuerdo *to agree* 175
estar de moda *to be in fashion* 148
estar en forma *to be in shape* 290
estar en oferta *to be on sale* 148
estar listo(a) *to be ready* 368
estar preparado(a) *to be ready/prepared* 368
la **estatua** *statue* 325
el **este** *east* 76
este, esta *this* 172
Este(a) es... *This is ...* 34
el **estilo** *style* 267
Estimado(a)... *Dear ...* 273
esto *this (neutral)* 172
el **estómago** *stomach* 280
estos, estas *these* 172
Estoy enfermo(a). *I am sick.* 260
la **estrategia** *strategy* 29
estrecho(a) *tight* 170 *narrow* 190
la **estrella** *star* 426
el/la **estudiante** *student* 8
los **estudiantes** *students (males, males and females)* 43
estudiar *to study* 12
el **estudio** *study* 384
estudioso(a) *studious* 48
la **estufa** *stove* 104
la **etapa** *stage* 262
el/la **europeo(a)** *European* 408
evaporado(a) *evaporated* 242
el **evento** *event* 77
evitar *to avoid* 285
exactamente *exactly* 408
el **examen** *test, examination* 13
examinar *to examine* 79
excelente *excellent* 66
¡Excelente! *Excellent!* 314
excepcional *exceptional* 255
la **excursión** *excursion, field trip* 272
la **excusa** *excuse* 293
la **existencia** *existence* 106
existir *to exist* 437
el **éxito** *success* 321
la **expedición** *expedition* 416
la **experiencia** *experience* 380

experto(a) *expert* 47
la **explanada** *esplanade* 248
explorar *to explore* 426
el/la **explorador(a)** *explorer* 105
la **exposición** *exhibition* 77
expresar *to express* 42
la **expresión** *expression* 34
las **expresiones de lugar** *expressions to indicate location* 108
expresivo(a) *expressive* 69
extenderse (e > ie) *to stretch out* 462
la **extinción** *extinction* 455
extraño(a) *rare* 57
extraordinario(a) *extraordinary* 330

F

la **fábrica** *factory* 318
la **fachada** *front* 283
facturar el equipaje *to check the luggage* 380
la **falda** *skirt* 162
fallado(a) *failed* 277
las **Fallas** *traditional Valencian celebrations* 21
falso(a) *false* 25
la **familia** *family* 56
familiar *family (adjective)* 54
los **familiares** *relatives* 55
famoso(a) *famous* 49
el/la **famoso(a)** *celebrity* 315
el/la **fan** *fan* 35
fantástico(a) *fantastic* 36
la **farmacia** *pharmacy, drugstore* 280
fascinante *fascinating* 192
la **fauna** *fauna* 451
favorito(a) *favorite* 53
febrero *February* 14
la **fecha** *date* 14
femenino(a) *feminine* 50
fenomenal *phenomenal* 52
el **fenómeno** *phenomenon* 437
feo(a) *ugly* 48
festejar *to celebrate* 355
el **festejo** *festivity* 357
el **festival** *festival* 135
la **festividad** *festivity* 248
la **ficha** *domino* 323 *file card* 470
la **fiebre** *fever* 280
la **fiesta** *holiday* 15 *fiesta, festival* 21 *party* 31 *festivity* 227
la **figura** *figure* 47
fijarse *to notice* 267
el **fin de semana** *weekend* 126
el **final** *end* 45
físico(a) *physical* 48
el **flamenco** *flamenco* 267
la **flauta** *flute* 65
la **flor** *flower* 452
la **flora** *flora* 451
la **florería** *flower shop* 391
folclórico(a) *folk* 447
la **forma** *form* 106 *shape* 131 *way* 285
la **formación** *formation* 50
formal *formal* 175
formado(a) *formed* 134
formar parte *to be part of* 433
el **foro** *forum* 72
el **fósil** *fossil* 437
la **foto** *photo* 41
la **fotografía** *photography, photo* 25
el/la **fotógrafo(a)** *photographer* 313
la **fotonovela** *photonovel* 37
el **francés** *French (language)* 314
la **frase** *sentence* 17
la **frecuencia** *frequency* 126
frecuente *frequent* 127
frente a *in front of* 467
los **frijoles** *beans* 208
frío(a) *cold* 236
frito(a) *fried* 227
la **frontera** *border* 442
la **fruta** *fruit* 208
la **frutería** *fruit and vegetable store* 218
el **fuego** *fire* 136
la **fuente** *fountain* 142
fuerte *strong* 262
el **fuerte** *fort* 136
fundado(a) *founded* 325
el **fútbol** *soccer* 344
el **fútbol americano** *football* 344
el **futuro** *future* 70

G

las **gafas** *glasses* 428
la **gala** *gala* 333
la **galería** *gallery* 317
ganar *to win* 35
el **garaje** *garage* 94
la **garganta** *throat* 280
la **garita** *watch tower* 136
gastar *to spend* 180 *to waste* 456
la **gastronomía** *gastronomy* 354
el **gato** *cat* 56
el **gaucho** *gaucho* 364
el **gel** *gel* 272
la **generación** *generation* 57
general *general* 439
el **género** *gender* 50
la **gente** *people* 43
la **geografía** *geography* 434
geográfico(a) *geographic* 427
geométrico(a) *geometric* 271
el **germen** *germ* 285
el **gerundio** *present participle* 338
gigantesco(a) *gigantic* 463
el **gimnasio** *gym* 25
girar *to turn around* 65 *to turn* 426
el **giro** *turn* 65
el **glaciar** *glacier* 408
el **gobierno** *government* 291
el **golf** *golf* 344
el **golpe** *knock* 262
gordo(a) *fat* 48
el **gorro** *cap* 162
grabar *to tape, to record* 334
Gracias. *Thank you.* 7
gracias a *thanks to* 321
gracioso(a) *funny* 48
el **grado** *degree* 206
la **graduación** *graduation* 335
gran, grande *large* 54 *great* 77 *big* 93
Gran Bretaña *Great Britain* 393
gratis *free (of charge)* 271
la **gripe** *flu* 285
el **grupo** *group* 63
el **guante** *glove (sports)* 344
los **guantes** *gloves* 162
guapo *handsome* 48
guardar *to put … away* 411
la **guerra** *war* 302
el/la **guía** *guide (person)* 143
la **guía turística** *tourist guide (book)* 380
el **guión** *script* 143
el **guisante** *pea* 222
la **guitarra** *guitar* 3
gustar *to like* 164
el **gusto** *taste* 237
los **gustos** *likes* 160

haber *to have* 106
la habilidad *skill* 183
la habitación *room* 95
el/la habitante *inhabitant* 76
habitado(a) *inhabited* 355
el hábitat *habitat* 470
el hábito *habit* 290
habitual *habitual* 10
hablar *to talk, to speak* 2
hablar por teléfono *to talk on the phone* 124
Hace calor. *It's hot.* 18
Hace frío. *It's cold.* 18
Hace sol. *It's sunny.* 18
Hace viento. *It's windy.* 18
hacer *to do, to make* 228
hacer deporte *to play sports* 290
hacer ejercicio *to exercise* 290
hacer preguntas *to ask questions* 12
hacer turismo *to travel around* 388
hacia *towards* 410
el hambre *hunger* 235
la hamburguesa *hamburger* 3
hasta *up to* 371 *to* 392 *until* 454
Hasta la vista. *See you.* 6
Hasta luego. *See you later.* 6
Hasta mañana. *See you tomorrow.* 6
Hasta pronto. *See you soon.* 6
hay *there is, there are* 106
hay que *one has to ...* 126
el helado *ice cream* 208
el hemisferio *hemisphere* 435
la herencia *heritage* 301
la hermana *sister* 38
el hermano *brother* 38
los hermanos *brothers, siblings* 38
el héroe *hero* 37
hidratante *moisturizing* 274
el hielo *ice* 430
la higiene *hygiene* 272
la hija *daughter* 38
el hijo *son* 38
los hijos *sons, sons and daughters* 38
hispánico(a) *Hispanic* 310
hispano(a) *Hispanic* 175
hispanohablante *Spanish speaker* 76
la Historia *history (subject)* 41
la historia *story* 45
histórico(a) *historic* 105
el hockey *hockey* 455
la hoja *leaf* 452
Hola. *Hello.* 5
el hombre *man* 38
honesto(a) *honest* 321
el honor *honor* 248
la hora *hour* 248
el horario *schedule* 16
el horror *horror* 302
el hospital *hospital* 280
el hostal *guest house* 257
el hotel *hotel* 388
hoy *today* 328
Hoy es... *Today is ...* 15
la huella *influence, mark* 355
el huevo *egg* 208
el huipil *traditional Guatemalan blouse* 163
humano(a) *human* 293

la idea *idea* 168
ideal *ideal* 206
la identificación *identification* 43
identificar(se) *to identify (oneself)* 36
la iglesia *church* 398
igual *same* 174 *equal* 393
igual que *like* 165
la imagen *image* 84
imaginar *to imagine* 131
el imperativo *imperative (tense), command (tense)* 292
importante *important* 15
la impresión *impression* 437
impresionante *impressive* 79
inaugurar *to inaugurate* 373
inca *Incan: relating to the Incas, who began as a tribe in the Cuzco area around 1200* 227
incluir *to include* 55
incorrecto(a) *incorrect* 26
increíble *incredible* 46
los indefinidos *indefinites* 436
la independencia *independence* 84
indicar *to indicate* 410
indígena *indigenous* 65
el/la indígena *native person* 131
el/la indio(a) *indian* 73
la industria *industry* 239
la inferencia *inference* 249
el infinitivo *infinitive* 116
la influencia *influence* 301
la información *information* 25
informal *informal* 323
informar *to report* 151
informativo(a) *informative* 384
el/la ingeniero(a) *engineer* 318
el Inglés *English (subject)* 16
el inglés *English (language)* 20
el ingrediente *ingredient* 216
inhumano(a) *inhumane* 26
inmediatamente *at once* 373
el inodoro *toilet* 104
el insecto *insect* 452
inspirado(a) *inspired* 117
las instrucciones *directions* 11
el instrumento *instrument* 264
inteligente *intelligent* 48
la intención *intention* 324
intenso(a) *intense* 301
intercambiar *to exchange* 327
el interés *interest* 70
interesante *interesting* 25
internacional *international* 161
la interpretación *performance, acting* 49
los interrogativos *question words* 13
la intervención *intervention* 471
la investigación *research* 301
investigar *to research* 27
el invierno *winter* 18
invisible *invisible* 26
la invitación *invitation* 391
el/la invitado(a) *guest* 63
invitar *to invite* 231
invocar *to invoke* 248
ir *to go* 156
ir a... *to go to ...* 156
ir a pie *to go on foot* 372
ir al cine *to go to the movies* 334
ir bien *to do well (school)* 323
ir con *to match* 160
ir de compras *to go shopping* 152
ir de excursión *to go on an excursion* 372
ir de vacaciones *to go on vacation* 372
ir de/desde... hasta *to go from ... to* 392
ir en avión *to go by plane* 207
ir en barco *to go by boat* 207
irregular *irregular* 154
irritado(a) *irritated* 267
la isla *island* 434

italiano(a) *Italian* 254
el/la **italiano(a)** *Italian* 394
el **itinerario** *itinerary* 186
izquierdo(a) *left* 229

el **jabón** *soap* 272
el **jade** *jade* 149
el **jai alai** *jai alai* 347
el **jamón** *ham* 376
el **jardín** *yard* 94
el **jersey** *jersey* 263
el **jonrón** *home run* 342
joven *young* 48
el/la **joven** *young man/woman* 119
la **joya** *jewell* 445
el **juego** *game* 9
el **juego de mesa** *board game* 296
el **jueves** *Thursday* 14
los **jueves** *on Thursdays* 179
el/la **juez(a)** *judge* 321
el/la **jugador(a)** *player* 344
jugar (u > ue) (a/al) *to play (sports and games)* 344
jugar (u > ue) a los videojuegos *to play videogames* 334
el **jugo** *juice* 208
julio *July* 14
junio *June* 14
junto *together* 296
junto a *next to* 351
juntos(as) *together* 117
Júpiter *Jupiter* 426
la **juventud** *youth* 356

K

el **karaoke** *karaoke* 375
el **kilo** *kilo, kilogram* 222
el **kilómetro** *kilometer* 76
el **krill** *shrimp-like crustacean marine animal* 470

la, las *the* 98
la, las *her, it/them* 220
la próxima semana *next week* 328
la semana pasada *last week* 390
la semana que viene *next week* 328
el **laberinto** *labyrinth* 136
el **lado** *side* 78
el **lago** *lake* 434
la **laguna** *lagoon* 429
la **lana** *wool* 170
el **lapislázuli** *semi-precious stone that has been valued since antiquity for its intense blue color* 445
el **lápiz** *pencil* 8
largo(a) *long* 170
la **lata** *can, tin* 456
latino(a) *Latin* 311
Latinoamérica *Latin America* 163
latinoamericano(a) *Latin American* 330
el **lavabo** *sink* 104
el **lavaplatos** *dishwasher* 104
lavar *to wash* 116
lavarse *to get washed, wash up* 274
le, les *(to) him, her, you (formal)/(to) them, you (plural)* 230
la **leche** *milk* 208
la **leche condensada** *condensed milk* 242
la **lectura** *reading* 78
leer *to read* 3
legal *legal* 359
las **legumbres** *legumes* 291
lejos *far away* 173
lejos de *far from* 108
la **lengua** *language* 165 *tongue* 237
la **letra** *letter* 2
levantarse *to get up* 274
la **libertad** *liberty* 325
la **libra** *pound* 457
libre *free* 134
la **librería** *bookstore* 25
el **libro** *book* 8
el **libro de texto** *textbook* 459
la **licencia** *license* 373
el/la **líder** *leader* 262
la **lima** *lime* 224
limeño(a) *from Lima* 201
limitar *to border* 190
el **limón** *lemon* 222
la **limonada** *lemonade* 232
limpiar *to clean* 114
limpiar la mesa *to clear the table* 226
limpio(a) *clean* 226
lindo(a) *lovely, cute* 83
la **línea** *line* 247
la **linterna** *flashlight* 122
la **lista** *list* 209
listo(a) *ready* 424
la **literatura** *literature* 463
el **litro** *liter* 286
llamado(a) *called, named* 78
llamar *to call* 37 *to phone* 367
llamarse *to be called* 4
la **llave** *key* 2
la **llegada** *arrival* 32 *finish line* 383
llegar *to arrive* 75
llenar *to fill* 460
lleno(a) *full* 246
llevar *to bring* 122 *to wear* 147 *to contain* 204 *to lead* 281
llorar *to cry* 302
llover (o > ue) *to rain* 394
Llueve. *It's raining.* 18
la **lluvia** *rain* 443
lluvioso(a) *rainy* 435
lo, los *him, it/them* 220
Lo siento. *I'm sorry.* 90
la **localización** *location* 398
lógico(a) *logical* 125
los *the* 98
luego *later* 328
el **lugar** *place, location* 78
la **Luna** *Moon* 426
el **lunes** *Monday* 14
los **lunes** *on Mondays* 157
la **luz** *light* 91

la **madre** *mother* 38
el/la **maestro(a)** *teacher* 318
magnífico(a) *magnificent* 78
el **maíz** *corn* 208
mal *badly* 66
la **maleta** *suitcase* 380
mal, malo(a) *bad* 174
la **mamá** *mom, mommy* 38
el **mamífero** *mammal* 455
mandar *to order* 410
la **manera** *manner, way* 169
el **maniquí** *mannequin* 160
la **mano** *hand* 264
la **mansión** *mansion* 105
el **mantel** *tablecloth* 226
mantener *to keep* 275
la **mantequilla** *butter* 208
el **manuscrito** *manuscript* 325

la **manzana** *apple* 208
mañana *tomorrow* 328
la **mañana** *morning* 72
mañana por la mañana *tomorrow morning* 328
mañana por la noche *tomorrow night* 328
mañana por la tarde *tomorrow afternoon/evening* 328
el **mapa** *map* 8
maquillarse *to make (oneself) up* 272
el/la **mar** *sea* 434
el **maracuyá** *passion fruit* 208
el **maratón** *marathon* 378
maravilloso(a) *marvelous* 394
el **marcador** *marker* 390
el **marco** *setting* 411
marino(a) *marine* 455
Marte *Mars* 426
el **martes** *Tuesday* 14
los **martes** *on Tuesdays* 157
marzo *March* 14
más *more* 111
el/la **más** *most* 36
más de *more than* 76
más... que *more ... than* 174
la **máscara** *mask* 125
la **mascota** *pet* 56
masculino(a) *masculine* 98
las **Matemáticas** *mathematics* 16
matemático(a) *mathematical* 359
el **material** *material* 143
el **material escolar** *school supplies* 9
los **materiales** *materials* 170
maya *Mayan: relating to the native American people of southern Mexico and northern Central America* 150
mayo *May* 14
mayor *old* 48
el/la **mayor** *biggest* 113
mayor que *bigger than* 76
me *(to) me* 230 *myself* 274
Me duele/duelen... *I have a ... ache* 260
Me llamo... *My name is ...* 34
Me queda bien. *It fits well.* 180
Me queda grande. *It's too big.* 180
Me queda mal. *It doesn't fit well.* 180
Me queda pequeño(a). *It's too small.* 180
Me siento bien. *I feel fine.* 260
Me siento mal. *I don't feel well.* 260
mecánico(a) *mechanical* 62
mediano(a) *medium* 184
la **medianoche** *midnight* 371
el **medicamento** *medication, medicine* 290
la **Medicina** *medicine (science)* 281
el/la **médico(a)** *doctor, physician* 280
medio(a) *half a* 222 *average* 248
el **medio ambiente** *environment* 452
el **mediodía** *noon* 297
los **medios de transporte** *means of transportation* 412
medir (e > i) *to measure* 238
mediterráneo(a) *Mediterranean* 300
mejor *better* 174
el/la **mejor** *best* 216
menos *less* 127
menos cuarto *quarter to (time)* 16
menos... que *less ... than* 174
el **mensaje** *message* 39
el **mensaje electrónico** *text message* 268
la **mensajería instantánea** *instant messaging* 62
la **menta** *mint* 273
mental *mental* 275
el **mercado** *market* 133
el **merengue** *merengue* 330
el **mes** *month* 14
la **mesa** *table* 104
el/la **mesero(a)** *server* 226
la **mesita de noche** *nightstand* 104
la **meta** *finish line* 385
el **metal** *metal* 452
el **metro** *meter* 95 *subway* 372
el **metro cuadrado** *square meter* 95
mexicano(a) *Mexican* 36
la **mezcla** *mixture* 399
mezclar *to mix* 218
la **mezquita** *mosque* 301
mi, mis *my* 60
el **microondas** *microwave* 104
el/la **miembro** *member* 37
el **miércoles** *Wednesday* 14
miles *thousands* 248
la **milla** *mile* 78
el **millón** *million* 76
el **minuto** *minute* 183
¡Mira! *Look!* 90
mirar *to look at* 293
mirar vitrinas *to window-shop* 152
mismo(a) *same* 57
el **misterio** *mistery* 247
misterioso(a) *mysterious* 78
el **mito** *myth* 409
el **moái** *monolithic human figures carved from rock on the Polynesian island of Easter Island, Chile* 421
la **mochila** *backpack* 8
la **moda** *fashion* 144
los **modales** *manners* 229
modernista *modernist* 301
moderno(a) *modern* 110
la **monarquía** *monarchy* 300
el **monasterio** *monastery* 257
la **moneda** *currency* 181
el **monitor** *monitor* 25
el **monje** *monk* 289
el **monstruo** *monster* 269
la **montaña** *mountain* 388
montar en bicicleta *to ride a bike* 326
el **monumento** *monument* 98
morado(a) *purple* 170
morder (o > ue) *to bite* 464
moreno(a) *brunet(te)* 48
morir (o > ue) *to die* 338
el **mostrador de información** *information desk* 380
mostrar (o > ue) *to show* 356
el **motivo** *motive* 429
mover (o > ue) *to move* 330
muchas veces *usually, normally, many times* 126
mucho(a)(os)(as) *a lot, much, many* 436
Mucho gusto. *It's a pleasure.* 34
mudo(a) *silent* 3
los **muebles** *furniture* 104
las **muelas** *teeth (molars)* 280
la **muerte** *death* 302
el/la **muerto(a)** *dead person* 21
la **mujer** *woman* 38
la **multiplicación** *multiplication* 464
el **mundo** *world* 22
el/la **muñeco(a)** *doll* 148
el **muñeco quitapenas** *"worry doll" (traditional Guatemalan doll)* 171

el **museo** *museum* 47
la **Música** *music (subject)* 16
la **música** *music* 25
musical *musical* 333
el/la **músico(a)** *musician* 333
muy *very* 33
muy bien *very well* 66
¡Muy bien! *Very well!* 314
muy mal *very badly* 66

el **nacimiento** *birth* 465
la **nación** *nation* 356
nacional *national* 77
nada *not at all* 210
nadar *to swim* 326
la **naranja** *orange* 208
la **nariz** *nose* 264
la **narración** *narration* 411
la **natación** *swimming* 344
natural *natural* 265
la **naturaleza** *nature* 452
la **navegación** *navigation* 410
navegar *to sail* 410
la **Navidad** *Christmas* 29
necesario(a) *necessary* 25
la **necesidad** *need* 122
necesitar *to need* 177
negativo(a) *negative* 400
el **negocio** *business* 317
negro(a) *black* 170
neoyorquino(a) *New Yorker* 330
nervioso(a) *nervous* 66
ni *nor* 267
la **nieta** *granddaughter* 56
Nieva. *It's snowing.* 18
ningún, ninguno(a) *no, (not) any* 436
la **niña** *girl* 38
el **niño** *boy* 38
los **niños** *boys, boys and girls* 38
el **nivel** *level* 371
no *no* 7
No, gracias. *No, thank you.* 7
No importa. *It does not matter.* 368
No pasa nada. *It does not matter.* 368
la **nobleza** *nobility* 445
la **noche** *night* 112
nocturno(a) *night, nocturnal* 427
el **nombre** *name* 4 *noun* 96
nominado(a) *nominated* 49
el **noreste** *northeast* 78
normal *normal* 255
el **noroeste** *northwest* 279
el **norte** *north* 76
nos *(to) us* 230 *ourselves* 274
nosotros(as) *we* 40
la **nota** *note* 129 *grade* 359
la **noticia** *news* 335
la **novia** *girlfriend* 38
noviembre *November* 14
el **novio** *boyfriend* 38
los **novios** *couple* 38
la **nube** *cloud* 364
el **núcleo** *nucleus* 190
nuestro(a) *our* 60
nuevo(a) *new* 61
el **número** *number* 47
nunca *never* 126
la **nutria** *otter* 470
la **nutrición** *nutrition* 291

el **ñandú** *rhea* 455

o *or* 5
el **oasis** *oasis* 329
obediente *obedient* 410
el **objeto** *object* 104
la **obligación** *obligation* 126
las **obligaciones** *duties* 127
la **obra** *work, artwork* 47 *construction site* 318
obrero(a) *working class* 409
observar *to observe* 51
el **océano** *ocean* 434
octubre *October* 14
ocupado(a) *busy* 116
ocurrir *to happen* 416
el **oeste** *west* 76
la **oferta** *bargain* 162
oficial *official* 181
la **oficina** *office* 318
la **oficina de turismo** *tourist office* 380
la **Oficina del Censo** *Census Bureau* 354
ofrecer *to offer* 136
los **oídos** *ears* 280
oír *to hear* 266
el **ojo** *eye* 264
la **ola** *wave* 2
oler *to smell* 266
olvidar *to forget* 367
opinar *to think, to give an opinion* 160
la **opinión** *opinion* 47
la **oportunidad** *opportunity* 322
optimista *optimistic* 70
opuesto(a) *opposite* 435
la **oración** *sentence* 306
la **orden** *order* 288
ordenar *to straighten up* 114
las **orejas** *ears* 264
el **organismo** *organism* 113
la **organización** *organization* 325
organizado(a) *organized* 276
organizar *to organize* 85
orgulloso(a) *proud* 437
el **origen** *origin* 169
original *original* 205
originalmente *originally* 279
la **orilla** *river bank* 464
os *(to) you (plural, informal)* 230 *yourselves (informal)* 274
el **otoño** *autumn* 18
otro(a) *other* 6 *another* 92
la **oveja** *sheep* 425

la **paciencia** *patience* 320
el/la **paciente** *patient* 258
el **padre** *father* 38
los **padres** *parents* 38
la **paella** *traditional rice dish from Spain* 117
pagar *to pay* 178
la **página** *page* 130
el **paiche** *South American tropical freshwater fish* 200
el **país** *country* 442
el **paisaje** *scenery* 370
el **pájaro** *bird* 452
el **pájaro carpintero** *woodpecker* 455
la **palabra** *word* 2
el **palacio** *palace* 78
las **palomitas** *popcorn* 209
el **pan** *bread* 208
la **panadería** *bakery* 218
los **pantalones** *pants* 162
los **pantalones cortos** *shorts* 162
el **papá** *dad* 38
la **papa** *potato* 208

los **padres** *parents (familiar)* 38
el **papel** *paper* 452
la **papelería** *stationery store* 152
el **paquete** *package* 411
para *for* 20 *to, in order to* 79
el **parador** *state-run hotel* 279
parafrasear *to paraphrase* 465
el **paraíso** *paradise* 246
parecer *to seem, to appear* 173 *to look like* 421
la **pared** *wall* 94
la **pareja** *pair* 203 *couple* 409 *partner* 425
parlamentario(a) *parliamentary* 300
el **parque** *park* 25
la **parte** *part* 192
el/la **participante** *participant* 51
participar *to participate* 248
la **partida** *match, game* 315
el **partido** *match, game* 344
el **partido político** *political party* 399
el **pasado** *past* 355
pasado(a) *past* 390
el **pasaje** *passage* 136
el **pasaporte** *passport* 380
pasar *to happen* 45 *to pass* 165 *to pass by, to go through* 207 *to spend (time)* 329
pasar la aspiradora *to vacuum* 114
pasarlo bien *to have a good time* 340
el **pasatiempo** *pastime, hobby* 326
pasear *to walk, to stroll* 114
el **paseo** *walk* 78
el **paso** *step* 84 *passage* 409
la **pasta de dientes** *toothpaste* 272
pedir (e > i) *to ask for* 238
peinarse *to comb (one's hair)* 272
el **peine** *comb* 272
la **película** *movie* 334
el **peligro** *danger* 441
peligroso(a) *dangerous* 417
pelirrojo(a) *red-haired* 48
el **pelo** *hair* 264
la **pelota** *ball* 344
pensar (e > ie) *to think* 154
peor *worse* 174
pequeño(a) *short* 34 *small* 71
percibir *to perceive* 237
perder (e > ie) *to lose* 344
perdido(a) *lost* 261
Perdón. *Excuse me.* 90
perdonar *to forgive* 298
el/la **peregrino(a)** *pilgrim* 279
perfecto(a) *perfect* 228
¡Perfecto! *Perfect!* 314
el **perfume** *perfume* 264
el/la **periodista** *journalist* 321
el **período** *period* 275
el/la **perito(a)** *expert* 417
permanentemente *permanently* 429
el **permiso** *permission* 454
pero *but, however* 36
el **perro** *dog* 56
la **persona** *person* 47
el/la **personaje** *character* 203
personal *personal* 270
la **personalidad** *personality* 48
personalizar *to personalize* 268
las **personas** *people* 38
la **perspectiva** *perspective* 173
pertenecer *to belong* 339
peruano(a) *Peruvian* 222
la **pesca** *fishing* 239
la **pescadería** *fish market* 218
el **pescado** *fish (as food)* 208
pesimista *pessimistic* 396
el **peso** *Chilean currency* 443
el **pez** *fish (alive)* 452
el **piano** *piano* 326
picante *hot (spicy)* 236
el **picnic** *picnic* 125
el **pico** *peak* 451
el **pie** *foot (unit of measurement)* 79 *foot (part of the body)* 264
la **piedra** *stone* 77
la **pierna** *leg* 264
la **pimienta** *pepper* 226
pintar *to paint* 326
el/la **pintor(a)** *painter* 47
la **pintura** *painting* 47
la **pirámide** *pyramid* 78
el/la **pirata** *pirate* 136
la **piscina** *swimming pool* 344
la **pista** *clue* 115
la **pizarra** *chalkboard* 8
la **pizza** *pizza* 220
el **plan** *plan* 125
el **planeta** *planet* 426
el **plano** *plan (map)* 79
plano(a) *flat* 97
la **planta** *plant* 452
la **planta baja** *ground floor* 94
plantar *to plant* 456
el **plástico** *plastic* 452
el **plato** *course, entrée* 117 *dish* 226
el **plato preparado** *ready-cooked meal* 217
el **plato principal** *main course* 208
la **playa** *beach* 388
la **plaza** *square* 398
el **plural** *plural* 40
la **población** *population* 77
poblado(a) *populated* 76
el/la **poblador(a)** *settler* 463
poco *little, not much* 210
pocos(as) *some, few* 436
poder (o > ue) *can, to be able* 182
poderoso(a) *powerful* 78
el **poema** *poem* 128
el/la **policía** *police officer* 41
político(a) *political* 397
el **pollo** *chicken* 208
poner *to put* 228
poner atención *to pay attention* 321
poner buena cara *to put on a good face* 316
poner la mesa *to set the table* 226
poner notas *to grade* 359
popular *popular* 37 *folk* 47
la **popularidad** *popularity* 345
por *for* 49 *in* 69 *through, around* 78 *by* 124 *because of* 151
por ejemplo *for instance, for example* 161
Por favor. *Please.* 7
¿Por qué? *Why?* 148
porque *because* 148
el **portafolios** *briefcase* 318
los **posesivos** *possessives* 60
posible *possible* 121
la **posición** *position* 173
la **postal** *postcard* 416
el **póster** *poster* 308
el **postre** *dessert* 208
practicar *to practice* 344
practicar deportes *to play sports* 326
el **precio** *price* 180
el **precio de oferta** *sale price* 184
el **precio sugerido** *suggested price* 184
precioso(a) *beautiful* 44
la **predicción** *prediction* 151
la **preferencia** *preference* 124
preferir (e > ie) *to prefer* 212
la **pregunta** *question* 12

preguntar *to ask* 4
premiado(a) *awarded* 333
el **premio** *award* 311 *price* 463
la **prenda** *garment* 163
prender *to turn on* 118
prender la luz *to turn on the light* 114
la **preocupación** *worry* 171
preocuparse *to worry* 278
preparado(a) *ready* 64
preparar *to prepare* 115
los **preparativos** *preparations* 371
la **preposición** *preposition* 60
la **presencia** *presence* 354
la **presentación** *introduction* 4 *presentation* 84
presentarse *to introduce oneself* 44
presente *present* 354
el **presente** *present tense* 116
el **presente continuo** *present progressive* 336
presidencial *presidential* 399
el/la **presidente(a)** *president* 399
presidir *to preside* 248
prestado(a) *borrowed* 165
prestigioso(a) *prestigious* 333
el **pretérito** *preterite tense* 374
previo(a) *previous* 357
la **primavera** *spring* 18
el **primer piso** *first floor* 94
el **primer plato** *appetizer* 208
primero *first of all* 248
primer(o)(a) *first* 15
el/la **primo(a)** *cousin* 56
los **primos** *male cousins, male and female cousins* 56
principal *main* 51
el **principio** *beginning* 267
probar (o > ue) *to taste* 218
el **problema** *problem* 171
la **procedencia** *origin* 42
procedente *coming* 165
la **producción** *production* 26
el **producto** *product* 166
la **profesión** *profession, occupation* 318
profesional *professional* 313
el/la **profesor(a)** *teacher* 8
los **profesores** *teachers (males, males and females)* 41
el **programa** *program, show* 71
el **progreso** *progress* 356
la **prohibición** *prohibition* 454
prohibir *to forbid* 471
promover (o > ue) *to promote* 325
los **pronombres de objeto directo** *direct object pronouns* 220
los **pronombres de objeto indirecto** *indirect object pronouns* 230
los **pronombres personales sujeto** *subject pronouns* 40
pronto *soon* 240
la **pronunciación** *pronunciation* 2
propio(a) *own* 47
la **proporción** *proportion* 190
la **propuesta** *proposal* 356
proteger *to protect* 456
la **provincia** *province* 442
próximo(a) *next* 192
el **proyecto** *project* 84
prudente *prudent* 361
la **prueba** *test, quiz* 71
publicar *to publish* 463
público(a) *public* 373
el **pueblo** *town* 442
el **puente** *bridge* 371
el **puerco** *pork* 235
la **puerta** *door* 8
el **puerto** *mountain pass* 265 *harbor, port* 301
puertorriqueño(a) *Puerto Rican* 134
el **puesto** *stall, stand* 179
el **punto** *point* 237
el **punto cardinal** *cardinal point* 389
la **pureza** *purity* 445

Q

que *that* 25 *than* 174
¿Qué? *What?* 13
¡Qué...! *How ...!* 74
¡Qué bien! *How great!* 177
¡Qué delicioso(a)! *How delicious!* 204
¡Que día! *What a day!* 376
¿Qué día es hoy? *What's today's date?* 15
¡Qué dolor! *How painful!* 262
¡Qué emoción! *How exciting!* 445
¡Qué hambre! *I'm starving!* 235
¿Qué hora es? *What time is it?* 16
¡Qué horror! *How awful!* 394
¡Qué impresionante! *How impressive!* 422
¡Qué lástima! *What a pity!* 407
¿Qué lleva? *What ingredients does it have?* 204
¡Qué pena! *What a shame!* 384
¡Qué rico(a)! *How tasty!* 204
¡Qué romántico(a)! *How romantic!* 234
¡Qué suerte! *How lucky!* 335
¿Qué tal...? *How about ...?* 206
¿Qué tal estás/está/están? *How are you doing?* 66
¡Qué tarea! *What a task!* 216
¡Que te mejores! *Get well!* 260
¿Qué te pasa? *What's wrong?* 260
¿Qué tiempo hace? *What's the weather like?* 19
quedarse *to stay* 384
la **quema** *burning* 191
querer (e > ie) *to want* 212
Querido(a)... *Dear ...* 121
el **queso** *cheese* 254
el **quetzal** *Guatemalan monetary unit* 146
¿Quién? *Who?* 13
la **quinceañera** *birthday party for a fifteen-year-old girl* 31

la **radio** *radio* 72
la **raíz** *stem* 154
la **rampa** *ramp* 136
la **rana** *frog* 103
rapanui *native Polynesian inhabitants of Easter Island* 432
rápido *quickly* 288
rápido(a) *fast* 7
la **raqueta** *racket* 344
rara vez *seldom, rarely* 126
raro(a) *rare* 123
el **rasgo** *feature* 48
la **razón** *reason* 20
real *royal* 271
la **realidad** *reality* 26
realizar *to make* 25
realmente *really* 192
la **receta** *recipe* 202
el **rechazo** *rejection* 212
el **reciclaje** *recycling* 452
reciclar *to recycle* 452
la **recomendación** *recommendation* 153
recomendar (e > ie) *to recommend* 291

reconocer *to recognize* 356
recordar (o > ue) *to remember* 182
recorrer *to cover* 281
rectangular *rectangular* 131
el **recuerdo** *souvenir* 176
el **recurso** *resource* 453
la **red** *net* 344
reducir *to reduce* 453
referirse (e > ie) *to refer to* 183
el **refresco** *refreshment, soda* 208
el **refrigerador** *refrigerator* 104
regalar *to give a present* 385
el **regalo** *present* 150
la **región** *region* 151
la **regla** *rule* 127
regresar *to come back* 393
regular *regular* 116 *average* 255
regularmente *regularly* 289
las **relaciones** *relationships* 38
relajarse *to relax* 271
religioso(a) *religious* 55
el **reloj** *clock* 8
el **remedio** *remedy* 290
rentar *to rent* 95
el **repaso** *review* 28
repetir (e > i) *to repeat* 238
la **representación** *performance* 248
representar *to perform* 11 *to represent* 163
la **república** *republic* 76
la **reserva** *reservoir* 113 *reserve* 381
reservar habitación *to reserve a room* 388
el **resfriado** *cold (illness)* 280
resolver (o > ue) *to solve* 171
respirar *to breathe* 405
responder *to reply* 213
responsable *responsible* 125
la **respuesta** *answer* 12
restar *to substract* 443
el **restaurante** *restaurant* 203
los **restos** *remains* 246
el **retrato** *portrait* 267
la **reunión** *meeting* 359
reunirse *to meet, to gather* 317
la **revista** *magazine* 124
la **revolución** *revolution* 397
revuelto(a) *scrambled* 9
el **rey** *king* 247
rico(a) *tasty* 240 *rich* 451
el **río** *river* 434
la **riqueza** *richness* 356
el **ritmo** *rhythm* 330
el **rito** *rite* 248
la **roca** *rock* 424
rocoso(a) *rocky* 432
rodear *to surround* 151
rojo(a) *red* 170
la **ropa** *clothing* 162
la **rosa de los vientos** *compass rose* 389
rosado(a) *pink* 170
rubio(a) *blond(e)* 48
las **ruinas** *ruins* 191
la **ruta** *route* 386
la **rutina** *routine* 157

el **sábado** *Saturday* 14
los **sábados** *on Saturdays* 157
saber *to know, to know how* 228
el **sabor** *flavor* 236
saborear *to taste* 264
sacar *to take out* 10
el **sacerdote** *priest* 65
sacudir *to dust* 114
sagrado(a) *holy* 153
la **sal** *salt* 226
la **sala** *living room* 94
salado(a) *salty* 236
el **salar** *salt flat* 429
la **salida** *start* 383
salir *to go out, to leave* 228
el **salón** *living room* 420
el **salón de clase** *classroom* 8
el **Salón de la Fama** *Hall of Fame* 343
la **salsa** *salsa (dance)* 135 *sauce* 208
saltar *to jump* 65
la **salud** *health* 213
saludable *healthy* 290
saludar *to greet* 385
el **saludo** *greeting* 4
salvar *to save* 453
el **sancochado** *traditional Peruvian soup made with vegetables and meat or fish* 202
las **sandalias** *sandals* 162
el **sándwich** *sandwich* 208
sano(a) *healthy* 275
el/la **santo(a)** *saint* 339
el **santuario** *sanctuary* 247
el **satélite** *satellite* 426
se *himself, herself, itself, yourselves, themselves* 274
Se llama... *His/her name is ...* 34
se puede/pueden *it is allowed* 454
seco(a) *dry* 434
el **seco de carne** *beef stew* 200
el/la **secretario(a)** *secretary* 318
Secundaria *secondary (high school)* 316
la **sede** *seat, venue* 397
seguir (e > i) recto *to keep (walking/driving) straight* 398
según *according to* 291
el/la **segundo(a)** *second* 396
la **selección** *national team* 37
la **selva** *jungle* 246
la **semana** *week* 65
semiprecioso(a) *semi-precious* 445
la **sensación** *sensation, feeling* 66
sensacional *sensational* 376
sentarse (e > ie) *to sit* 10
el **sentido** *sense* 237
sentirse (e > ie) *to feel* 284
el **señor** *Mr.* 33
la **señora** *Mrs.* 40
los **señores** *Mr. and Mrs.* 40
septiembre *September* 14
ser *to be* 42
ser de *to be from* 42
ser de (mi) talla *to be (my) size* 180
serio(a) *serious* 48
la **serpiente** *snake* 192
la **servilleta** *napkin* 226
servir (e > i) *to serve* 238
si *if* 284
sí *yes* 7
siempre *always* 126
el **siglo** *century* 136
significar *to mean* 13
la **silla** *chair* 8
el **simbolismo** *symbolism* 302
simbolizar *to symbolize* 65
el **símbolo** *symbol* 103
similar *similar* 103
la **similitud** *similarity* 438
simpático(a) *friendly* 48
simple *simple* 464
sin *without* 224
el **singular** *singular* 40
el **síntoma** *sympton* 280
el **sistema** *system* 123

el **sistema métrico** *metric system* 393
el **sistema solar** *solar system* 426
el **sitio** *site* 246
la **situación** *location* 427
situado(a) *located* 300
situar *to locate* 78
sobre *about* 22 *on* 302 *above* 371
el **sobre** *envelope* 369
la **sobrina** *niece* 56
los **sobrinos** *nephews and nieces* 57
social *social* 270
la **sociedad** *society* 310
el **sofá** *sofa* 104
el **sol** *Peruvian monetary unit* 209
el **Sol** *Sun* 426
solo *only* 207
el **solsticio** *solstice* 248
el **sombrero** *hat* 162
Son las... *It's ... (time)* 16
el **sonido** *sound* 103
la **sonrisa** *smile* 313
soñar (o > ue) *to dream* 431
la **sopa** *soup* 208
la **sopa del día** *soup of the day* 232
sorprendente *amazing* 369
sorprender *to surprise* 297
la **sorpresa** *surprise* 239
su, sus *his, her/their; your (formal)* 60
subir *to climb* 371 *to go up* 441
subterráneo(a) *underground* 123
suceder *to take place* 16
el **suceso** *event* 25
sucio(a) *dirty* 226
el **suelo** *floor* 94
el **sueño** *dream* 47
¡Suerte! *Good luck!* 422
la **suerte** *luck* 445
el **suéter** *sweater* 162
la **sugerencia** *suggestion* 240
el **sujeto** *subject* 40
sumar *to add* 443
la **superficie** *area* 76
el **supermercado** *supermarket* 218
el **sur** *south* 76
el **sureste** *southeast* 389
el **suroeste** *southwest* 389
el **suspiro limeño** *traditional Peruvian dessert of vanilla custard* 201
la **sustancia** *substance* 430

la **talla** *size* 180
el **tamaño** *size* 470
también *also, as well* 36
tampoco *neither* 262
tan *as* 263 *so* 396
tan... como *as ... as* 174
el **tango** *tango* 409
tardar *to take time* 411
tarde *late* 297
la **tarde** *afternoon, evening* 13
la **tarea** *task* 52 *chore* 57 *homework* 125
las **tareas domésticas** *housework* 114
la **tarjeta de crédito** *credit card* 180
el **tarro** *jar* 411
el **taxi** *taxi* 372
la **taza** *cup* 226
te *(to) you (informal)* 230 *yourself* 274
el **té** *tea* 7
el **teatro** *theater* 317
Te presento a... *Let me introduce ... to you.* 4
¿Te sientes bien/mal? *Are you OK/ill?* 260
el **techo** *ceiling* 94
tejano(a) *Texan* 337
la **tele** *TV* 359
telefónico(a) *telephone (adjective)* 39
el **teléfono** *telephone* 25
la **televisión** *television* 124
el **televisor** *television set* 104
el **tema** *theme* 47
la **temperatura** *temperature* 236
el **templo** *temple* 78
la **temporada** *season* 348
temporal *temporal* 328
temprano *early* 275
el **tenedor** *fork* 226
tener *to have* 58
tener a mano *to have handy* 368
tener... años *to be ... old* 58
tener calor *to be hot* 66
tener frío *to be cold* 66
tener ganas de... *to feel like ...* 124
tener hambre *to be hungry* 66
tener lugar *to take place* 441
tener miedo *to be afraid* 66
tener sueño *to be sleepy* 285
tener que... *to have to ...* 126
tener razón *to be right* 160
tener sed *to be thirsty* 66
el **tenis** *tennis* 344
los **tenis** *sneakers* 162
la **tensión** *tension* 399
tercer(o)(a) *third* 123
las **termas romanas** *Roman baths* 271
la **terminal** *terminal* 373
terminar *to end, to finish* 206
el **territorio** *territory* 134
el **terror** *horror* 334
el **textil** *textile* 148
el **texto** *text* 10
la **tía** *aunt* 56
el **tiempo** *weather* 18 *time* 185
el **tiempo libre** *leisure time* 334
la **tienda** *store* 152
la **tienda de campaña** *tent* 431
la **tierra** *dirt, dust* 131 *homeland* 351 *land* 434
la **Tierra** *Earth* 426
el **tilo** *lime tree* 410
tímido(a) *timid, shy* 48
el **tío** *uncle* 56
los **tíos** *uncle and aunt, uncles* 56
típico(a) *typical* 117
el **tipo** *kind, type* 131
el **título** *title* 411
la **tiza** *chalk* 318
la **toalla** *towel* 272
tocar *to play (an instrument)* 65 *to touch* 264
todavía *yet* 396
todo *everything* 72 *all* 295
todo(a)(os)(as) *entire, all, every, throughout* 436
todos los días *every day* 126
tomar *to take medicines* 290 *to drink* 343 *to take a means of transport* 371
tomar fotos *to take pictures* 334
el **tomate** *tomato* 222
el **torneo** *tournament* 330
el **toro** *bull* 302
la **tos** *cough* 280
total *total* 464
el/la **trabajador(a)** *worker* 322
trabajar *to work* 336
el **trabajo** *work* 318 *job* 319
el **trabalenguas** *tongue twister* 266
la **tradición** *tradition* 191
tradicional *traditional* 117
tradicionalmente *traditionally* 55

la **traducción** *translation* 26
traer *to bring* 228
el **traje** *dress* 145
Tranquilo(a). *Don't worry.* 368
la **transformación** *transformation* 295
transformar *to transform* 356
la **transición** *transition* 55
el **transporte** *transportation* 372
el **tren** *train* 372
triste *sad* 66
tropical *tropical* 434
tú *you (informal)* 40
tu, tus *your (informal)* 60
el **túnel** *tunnel* 136
el **turismo** *tourism* 122
el/la **turista** *tourist* 51
turístico(a) *tourist (adjective)* 277

la **ubicación** *location* 248
último *last* 339
un, una *a, an* 98
único(a) *unique* 95 *only* 109
unido(a) *united* 357
la **universidad** *university* 26
el **universo** *universe* 426
unos, unas *some* 98
usar *to use* 124
el **uso** *use* 40
usted *you (singular, formal)* 40
ustedes *you (plural)* 40
el **utensilio** *utensil* 179
útil *useful* 34
utilizar *to utilize* 357

las **vacaciones** *holidays, vacations* 331
el **vacío** *space* 65
la **vainilla** *vanilla* 242
Vale. *All right.* 342
válido(a) *valid* 378
valiente *brave* 65
el **valle** *valley* 434
el **valor** *value* 443
la **variedad** *variety* 451
varios(as) *several* 57 *different* 248
el **vaso** *glass* 226
el/la **vecino(a)** *neighbor* 357
vegetal *vegetal* 213
vegetariano(a) *vegetarian* 215
la **velocidad** *speed* 347
el/la **vendedor(a)** *salesperson* 152
el/la **vendedor(a) ambulante** *street vendor* 217
vender *to sell* 152
venir *to come* 320
la **venta** *sale* 199
la **ventana** *window* 8
ver *to see, to watch* 228
ver películas *to see movies* 334
el **verano** *summer* 18
el **verbo** *verb* 42
la **verdad** *truth* 320
¿Verdad? *Right?* 255
verde *green* 170
las **verduras** *vegetables* 208
el **vestido** *dress* 162
vestirse (e > i) *to get dressed* 272
la **vez** *time* 65
vía *via* 248
el **viaducto** *viaduct* 371
viajar *to travel* 326
el **viaje** *trip* 124
el/la **viajero(a)** *traveler* 373
la **victoria** *victory* 39
la **vida** *life* 55
el **video** *video* 157
el **videojuego** *videogame* 334
el **vidrio** *glass* 452
viejo(a) *old* 48
el **viento** *wind* 428
el **viernes** *Friday* 14
violento(a) *violent* 454
la **visita** *visit* 247
la **visita guiada** *guided visit* 77
el/la **visitante** *visitor* 136
visitar *to visit* 88
la **vista** *view* 136
la **vitalidad** *vitality* 351
la **vitamina** *vitamine* 293
la **vitrina** *shop window* 169
la **vivienda** *housing* 94
vivir *to live* 57
los/las **voladores(as)** *flying performers* 31
volar (o > ue) *to fly* 182
el **volcán** *volcano* 151
el **voleibol** *volleyball* 344
volver (o > ue) *to come back* 182
vosotros(as) *you (plural, informal)* 40
la **votación** *voting* 35
la **voz** *voice* 52
el **vuelo** *flight* 248
la **vuelta al mundo** *around the world* 410
la **vuelta ciclista** *cycling race* 256
vuestro(a) *your (informal)* 60

y *and* 2
y cuarto *quarter past (time)* 16
y media *half past (time)* 16
ya *already* 215
yo *I* 40
Yo soy... *I am ...* 32

la **zapatería** *shoe store* 152
los **zapatos** *shoes* 162
el **zigzag** *zigzag* 371
la **zona** *area, region* 265 *zone* 271

Los números

uno	1	trece	13	veinticinco	25	cien	100
dos	2	catorce	14	veintiséis	26	ciento uno	101
tres	3	quince	15	veintisiete	27	ciento diez	110
cuatro	4	dieciséis	16	veintiocho	28	doscientos	200
cinco	5	diecisiete	17	veintinueve	29	trescientos	300
seis	6	dieciocho	18	treinta	30	cuatrocientos	400
siete	7	diecinueve	19	cuarenta	40	quinientos	500
ocho	8	veinte	20	cincuenta	50	seiscientos	600
nueve	9	veintiuno	21	sesenta	60	setecientos	700
diez	10	veintidós	22	setenta	70	ochocientos	800
once	11	veintitrés	23	ochenta	80	novecientos	900
doce	12	veinticuatro	24	noventa	90	mil	1000

Saludos, presentaciones y despedidas

Hola	*Hello*
Buenos días	*Good morning*
Buenas tardes	*Good afternoon*
Buenas noches	*Good evening/night*
¿Cómo estás?	*How are you?* (informal)
Bienvenido(a)	*Welcome*
Te presento a...	*Let me introduce ... to you*
Lo siento	*I'm sorry*
Adiós	*Goodbye*
Hasta luego	*See you later*

Expresiones comunes del aula

Abran los libros.	*Open your books.*
Cierren los libros.	*Close your books.*
Entreguen sus papeles.	*Turn in your papers.*
Escriban.	*Write.*
Saquen sus cuadernos.	*Take out your notebooks.*
Siéntense.	*Sit down.*
¿Cómo se dice... en español?	*How do you say ... in Spanish?*
¿Cómo se escribe...?	*How do you write ...?*
¿Puedo ir al baño?	*Can I go to the bathroom?*
¿Puede repetir, por favor?	*Could you repeat, please?*
¿Puedo usar...?	*Can I use ...?*
¿Qué significa...?	*What does ... mean?*

Órdenes para hacer las actividades

Adivina	*Guess*	**Escoge**	*Choose*
Analiza	*Analyze*	**Escribe**	*Write*
Anuncia	*Announce*	**Escucha**	*Listen*
Busca	*Look for*	**Evalúa**	*Evaluate. Grade*
Calcula	*Calculate*	**Explica**	*Explain*
Clasifica	*Classify*	**Habla**	*Speak*
Compara	*Compare*	**Haz**	*Do*
Completa	*Complete. Fill in the blanks*	**Identifica**	*Identify*
Comprueba	*Check*	**Investiga**	*Research*
Conecta	*Connect*	**Lee**	*Read*
Contesta	*Answer*	**Ordena**	*Put ir order*
Corrige	*Correct*	**Organiza**	*Organize*
Crea	*Create*	**Piensa**	*Think*
Decide	*Decide*	**Prepara**	*Prepare*
Define	*Define*	**Presenta**	*Present*
Describe	*Describe*	**Relaciona**	*Relate. Connect. Match*
Descubre	*Discover. Find out*	**Repite**	*Repeat*
Dibuja	*Draw*	**Representa**	*Act out*
Diseña	*Design*	**Responde**	*Respond*
Elige	*Choose*	**Selecciona**	*Select*
Encuentra	*Find*	**Señala**	*Mark. Point out*
Ensaya	*Practice*	**Une**	*Match*

GLOSARIO INGLÉS-ESPAÑOL

a *un, una* 98
a lot *mucho* 436
a lot of *mucho(a)(os)(as)* 436
aboundance *la abundancia* 464
about *sobre* 22
above *sobre* 371
accent *el acento* 321
to **accept** *aceptar* 181
accident *el accidente* 262
accomodations *el alojamiento* 388
to **accompany** *acompañar* 206
according to *según* 291
accordion *el acordeón* 337
ache *el dolor* 280
act *el acto* 464
acting *la interpretación* 49
action *la acción* 224
active *activo(a)* 432
activity *la actividad* 26
actor *el actor* 143
actress *la actriz* 49
actually *en realidad* 410
ad *el anuncio* 95
to **add** *sumar* 443
adjective *el adjetivo* 50
to **admire** *admirar* 37
admirer *el/la admirador(a)* 47
adolescence *la adolescencia* 275
adorable *adorable* 58
adult *adulto(a)* 55
advanced *avanzado(a)* 78
adverbs of frequency *los adverbios de frecuencia* 126
adverbs of quantity *los adverbios de cantidad* 210
advice *el consejo* 55
advisor *el/la consejero(a)* 323
aerial *aéreo(a)* 136
affirmative *afirmativo(a)* 292
after *después de* 71
afternoon *la tarde* 13
again *de nuevo* 410
age *la edad* 58 *la época* 270
agenda *la agenda* 158
to **agree** *estar de acuerdo* 175
agreement *la concordancia* 98
agriculture *la agricultura* 381
air *el aire* 452
airplane *el avión* 372
airport *el aeropuerto* 372
All right. *Vale.* 342
all *todo* 295 *todo(a)(os)(as)* 436
almost *casi* 136
almost never *casi nunca* 126
along *a lo largo de* 76
already *ya* 215
also *también* 36
although *aunque* 408
always *siempre* 126
amazing *sorprendente* 369
Amazon River *el Amazonas* 206
Amazon (adjective) *amazónico(a)* 207
American *estadounidense* 134 *americano(a)* 181 *el/la estadounidense* 357
an *un, una* 98
analysis *el análisis* 26
ancient *antiguo* 77
and *y* 2
(the) Andes *los Andes* 200
angry *enojado(a)* 66
animal *el animal* 103
anniversary *el aniversario* 401
announcer *el comentarista* 262
annually *anualmente* 447
another *otro(a)* 92
answer *la respuesta* 12
any *algún(a)(os)(as)* 436 *ningún, ninguno(a)* 436
anybody *alguien* 4
anyone *alguien* 4
apartment *el apartamento* 94
to **appear** *parecer* 173
appetizer *el primer plato* 208
apple *la manzana* 208
appropriate *apropiado(a)* 177
approximately *aproximadamente* 408
April *abril* 14
aquatic *acuático(a)* 331
Arab *árabe* 271
archeological *arqueológico(a)* 78
archipelago *el archipiélago* 134
architecture *la arquitectura* 289
Are you OK/ill? *¿Te sientes bien/mal?* 260
area *el área* 95 *la zona* 265
arena *el estadio* 344
Argentinian *argentino(a)* 373
arm *el brazo* 264
around *por* 78 *alrededor de* 426
arrival *la llegada* 32
to **arrive** *llegar* 75
art (subject) *el Arte* 16
art *el arte* 47
artist *el/la artista* 46
artistic *artístico(a)* 267
artwork *la obra* 47
as *tan* 263
as ... as *tan... como* 174
as well *también* 36
to **ask** *preguntar* 4
to **ask for** *pedir (e > i)* 238
aspect *el aspecto* 47
assault *el asalto* 136
associated *asociado(a)* 134
association *la asociación* 81
astronaut *el/la astronauta* 426
at *en* 108
At (time) ... *A la(s)...* 16
at once *inmediatamente* 373
at the end *al final* 224
at the same time *a la vez* 339
athlete *el/la atleta* 319
athletic *atlético(a)* 48
attack *el ataque* 136
to **attend** *asistir* 322
August *agosto* 14
aunt *la tía* 56
authentic *auténtico(a)* 432
author *el autor* 411
autumn *el otoño* 18
available *disponible* 95
avenue *la avenida, la calzada* 78
average *regular* 255
to **avoid** *evitar* 285
award *el premio* 311
awarded *premiado(a)* 333
Aztec *azteca* 30

back *la espalda* 280
backpack *la mochila* 8
bacteria *las bacterias* 121
bad *mal, malo(a)* 174
badly *mal* 66
bag *la bolsa* 380
baggage *el equipaje* 380
bakery *la panadería* 218
ball *el balón, la bola, la pelota* 344
banana *la banana* 208
bank *el banco* 398
bank (river) *la orilla* 464
banquet *el banquete* 55
bargain *la oferta* 162
baseball *el béisbol* 344
basic *básico(a)* 168
basket *la canasta* 347
basketball *el baloncesto* 344
bat *el bate* 344
bathroom *el baño* 94
bathtub *la bañera* 104

bay *la bahía* 81
to **be** *ser* 42 *estar* 68
to **be able** *poder (o > ue)* 182
to **be acquainted** *conocer* 228
to **be afraid** *tener miedo* 66
to **be called** *llamarse* 4
Be careful! *¡Atención! ¡Cuidado!* 90
to **be cold** *tener frío* 66
to **be equivalent** *equivaler* 393
to **be fit** *estar en forma* 288
to **be from** *ser de* 42
to **be hot** *tener calor* 66
to **be hungry** *tener hambre* 66
to **be in fashion** *estar de moda* 148
to **be in shape** *estar en forma* 290
to **be (my) size** *ser de (mi) talla* 180
to **be ... old** *tener... años* 58
to **be on sale** *estar en oferta* 148
to **be part of** *formar parte de* 433
to **be ready** *estar listo(a)* 368
to **be right** *tener razón* 160
to **be sleepy** *tener sueño* 285
to **be thirsty** *tener sed* 66
to **be too big/small** *quedar grande/pequeño(a)* 180
beach *la playa* 388
beach resort *el balneario* 435
beans *los frijoles* 208
beautiful *precioso(a)* 44 *bonito(a)* 48 *bello(a)* 301
beauty *la belleza* 293
because *porque* 148
because of *por* 151
bed *la cama* 104
bedroom *el dormitorio* 94
before *antes* 390
to **begin** *empezar (e > ie)* 154 *comenzar (e > ie)* 248
behind *detrás de* 108
to **believe** *creer* 224
to **belong** *pertenecer* 339
belt *el cinturón* 192
beside *al lado de* 108
best *el/la mejor* 216
better *mejor* 174
between *entre* 134
big *gran, grande* 93
bigger (than) *mayor (que)* 76
biggest *el/la mayor* 76
bilingual *bilingüe* 319
bill *el billete* 443
biography *la biografía* 465
bioluminescent *bioluminiscente* 87
bird *el ave* 181 *el pájaro* 452
birthday *el cumpleaños* 15
to **bite** *morder (o > ue)* 464
bitter *amargo(a)* 236
black *negro(a)* 170
blond(e) *rubio(a)* 48
blouse *la blusa* 162
blue *azul* 170
board game *el juego de mesa* 296
body *el cuerpo* 264
book *el libro* 8
bookcase *la estantería* 104
boots *las botas* 162
border *la frontera* 442
to **border** *limitar* 190
bored *aburrido(a)* 66
boring *aburrido(a)* 129
borrowed *prestado(a)* 165
bottle *la botella* 226
bowling *el boliche* 344
boy *el chico, el niño* 38
boyfriend *el novio* 38
boys and girls *los chicos* 38
brave *valiente* 65
bread *el pan* 208
to **breathe** *respirar* 405
bridge *el puente* 371
to **bring** *llevar* 122 *traer* 228
brother *el hermano* 38
brothers *los hermanos* 38
brunet(te) *moreno(a)* 48
to **brush** *cepillarse* 272
brutality *la brutalidad* 302
to **build** *construir* 401
building *el edificio* 94 *la construcción* 301
bull *el toro* 302
bulletin *el boletín* 438
burning *la quema* 191
bus *el autobús* 372
business *el negocio* 317
businesswoman *la empresaria* 317
busy *ocupado(a)* 116
but *pero* 36
butcher's shop *la carnicería* 218
butter *la mantequilla* 208
to **buy** *comprar* 152
by *por* 134
Bye. *Chao.* 6

C

cabin *la cabaña* 469
café *el café* 398
cafeteria *la cafetería* 322
cake *la torta* 208
calculation *el cálculo* 359
calendar *el calendario* 14
to **call** *llamar* 37
called *llamado(a)* 78
camcorder *la cámara de video* 334
camera *la cámara de fotos* 334
campsite *el cámping* 388
can *poder (o > ue)* 182
can (container) *la lata* 456
cannon *el cañón* 136
canoe *la canoa* 132
cap *el gorro* 162
capital city *la capital* 442
car *el carro* 105 *el coche* 372
cardinal point *el punto cardinal* 389
care *el cuidado* 380
Caribbean *caribeño(a)* 356
to **carry** *llevar* 378
cat *el gato* 56
category *la categoría* 162
cathedral *la catedral* 281
Catholic *católico(a)* 257
cause *la causa* 428
to **cause** *causar* 221
cave *la cueva* 87
ceiling *el techo* 94
to **celebrate** *celebrar* 55
celebration *la celebración* 21
celebrity *el/la famoso(a)* 315
center *el centro* 76
central *central* 151
Central America *Centroamérica* 144
century *el siglo* 136
ceramics *la cerámica* 178
cereals *los cereales* 291
ceremony *la ceremonia* 55
chain *la cadena* 51
chair *la silla* 8
chalk *la tiza* 318
chalkboard *la pizarra* 8
challenge *el desafío* 30
champion *el/la campeón(a)* 352
change *el cambio* 275
to **change** *cambiar* 229
character *el personaje* 203
to **chat** *conversar* 317
cheap *barato(a)* 180
to **check the luggage** *facturar el equipaje* 380
cheese *el queso* 254
chef *el/la chef* 220
chicken *el pollo* 208

Chilean *chileno(a)* 379
Chinese *chino(a)* 235
chocolate *el chocolate* 2
choir *el coro* 289
to **choose** *escoger* 93 *seleccionar* 225
chore *la tarea* 57
Christian *cristiano(a)* 281
Christmas *la Navidad* 29
chronicle *la crónica* 416
church *la iglesia* 398
cilantro *el cilantro* 222
cinematography *el cine* 336
cinnamon *la canela* 242
circular *circular* 131
citizen *el/la ciudadano(a)* 134
city *la ciudad* 398
civil *civil* 78
civilization *la civilización* 78
class *la clase* 13
classic *clásico(a)* 225
classmate *el/la compañero(a)* 24
classroom *el salón de clase* 8
clean *limpio(a)* 226
to **clean** *limpiar* 114
clear *claro(a)* 79
to **clear the table** *limpiar la mesa* 226
clearly *claro* 321
climate *el clima* 97
to **climb** *subir* 371
clock *el reloj* 8
to **close** *cerrar (e > ie)* 154
close to *cerca de* 108
closed *cerrado(a)* 152
closet *el armario* 104
clothing *la ropa* 162
cloud *la nube* 364
clove *el clavo* 247
clue *la pista* 115
coach *el/la entrenador(a)* 318
coach class *la clase turista* 378
coast *la costa* 246
code *el código* 441
coffee *el café* 202
coffee shop *el café* 398
cognate *el cognado* 25
to **coincide** *coincidir* 248
cold *frío(a)* 236 *el resfriado* 280
to **collect** *coleccionar* 73
collection *la colección* 325
Colombian *colombiano(a)* 293
color *el color* 170
colorful *colorido(a)* 91
comb *el peine* 272
to **comb one's hair** *peinarse* 272

to **combine** *combinar* 235
to **come** *venir* 320
to **come back** *volver (o > ue)* 182
comet *el cometa* 426
command (tense) *el imperativo* 292
common *común* 119
communication *la comunicación* 44
community *la comunidad* 39
compact disc *el disco compacto* 195
comparison *la comparación* 37
compass rose *la rosa de los vientos* 389
to **compete** *competir (e > i)* 238
competition *la competición* 263
complete *completo(a)* 206
to **complete** *completar* 5
comprehension *la comprensión* 303
computer *la computadora* 8
concentration *la concentración* 113
concept *el concepto* 137
concert *el concierto* 77
conclusion *la conclusión* 125
condensed milk *la leche condensada* 242
condition *el estado* 64
to **confess** *confesar (e > ie)* 268
conjunction *la conjunción* 428
connection *la conexión* 49 *la relación* 264
to **consider** *considerar* 397
construction *la construcción* 108
construction site *la obra* 318
consumer *el/la consumidor(a)* 181
to **contact** *contactar* 359
to **contain** *contener* 203 *llevar* 204
container *el contenedor* 452
contest *el concurso* 447
context *el contexto* 62
continent *el continente* 434
to **continue** *continuar* 248
to **contradict** *contradecir* 410
to **contribute** *contribuir* 437
to **control** *controlar* 471
conversation *la conversación* 34
to **cook** *cocinar* 218
cool *fresco(a)* 27
corn *el maíz* 208
correct *correcto(a)* 386
correctly *bien, correctamente* 387
to **cost** *costar (o > ue)* 180
cost of living *el costo de la vida* 183

cotton *el algodón* 170
cough *la tos* 280
to **count** *contar (o > ue)* 182
country (nation) *el país* 442
countryside *el campo* 263
couple *los novios* 38 *la pareja* 409
course (in a meal) *el plato* 117
court (sports) *la cancha* 347
courtesy *la cortesía* 6
cousin *el/la primo(a)* 56
to **cover (distance)** *recorrer* 281
to **create** *crear* 198
creative *creativo(a)* 48
credit card *la tarjeta de crédito* 180
to **cross** *cruzar* 398
crossed *atravesado(a)* 462
crustacean *crustáceo(a)* 470
to **cry** *llorar* 302
Cuban *cubano(a)* 317
cubism *el cubismo* 267
cubist *cubista* 267
cuisine *la cocina* 240
to **cultivate** *cultivar* 209
cultural *cultural* 76
culture *la cultura* 37
cup *la taza* 226
to **cure** *curar* 319
curiosity *la curiosidad* 330
curious *curioso(a)* 47
currency *la moneda* 181
custom *la costumbre* 297
customer *el/la cliente(a)* 152
to **cut** *cortar* 218
cute *lindo(a)* 83
cybercafe *el cibercafé* 384
cycling *ciclista* 256
cycling race *la vuelta ciclista* 256
cyclist *el/la ciclista* 263

dad *el papá* 38
daily *diario(a)* 248 *a diario* 297
dance *el baile* 55 *la danza* 65
to **dance** *bailar* 326
dancer *el/la danzante* 75
danger *el peligro* 441
daring *atrevido(a)* 48
date *la fecha* 14
daughter *la hija* 38
day *el día* 14
dead person *el/la muerto(a)* 21

Dear ... *Querido(a)...* 121 *Estimado(a)...* 273
death *la muerte* 302
December *diciembre* 14
to **decide** *decidir* 25
to **declare** *declarar* 401
to **decorate** *decorar* 271
to **defend** *defender (e > ie)* 136
defensive *defensivo(a)* 137
definite articles *los artículos definidos* 98
deforestation *la deforestación* 437
degree *el grado* 206
delicious *delicioso(a)* 233
demonstratives *los demostrativos* 172
deodorant *el desodorante* 272
department *el departamento* 384
deposit *el depósito* 429
to **descend** *descender (e > ie)* 408
descendant *el/la descendiente* 433
to **describe** *describir* 46
description *la descripción* 51
desert *el desierto* 247
design *el diseño* 169
designer *el/la diseñador(a)* 161
desperate *desesperado(a)* 302
dessert *el postre* 208
destination *el destino* 388
to **destroy** *destruir* 302
detective *el/la detective* 13
development *el desarrollo* 332
devil *el diablo* 191
diagram *el esquema* 291
dialogue *el diálogo* 34
diary *el diario* 60
dictionary *el diccionario* 8
to **die** *morir (o > ue)* 338
diet *la dieta* 209 *el régimen alimenticio* 254
difference *la diferencia* 111
different *diferente* 109 *distinto(a)* 206 *varios(as)* 248
difficult *difícil* 91
digital *digital* 72
dining room *el comedor* 94
to **direct** *dirigir* 319
direct object *el objeto directo* 220
direct object pronouns *los pronombres de objeto directo* 220
direction *la dirección* 398
directions *las instrucciones* 11
director *el/la director(a)* 318
dirt *la tierra* 131
dirty *sucio(a)* 226
disc *el disco* 339
to **discover** *descubrir* 426
dish *el plato* 226
dishwasher *el lavaplatos* 104
distance *la distancia* 393
to **distrust** *desconfiar* 26
diverse *diverso(a)* 51
diversity *la diversidad* 356
to **divide** *dividir* 441
division *la división* 442
to **do** *hacer* 228
to **do for a living** *dedicarse a* 313
to **do well in school** *ir bien* 323
doctor *el/la doctor(a)* 41
doctor's office *la consulta* 285
document *el documento* 368
documentary *el documental* 307
dog *el perro* 56
doll *el/la muñeco(a)* 148
dollar *el dólar* 148
dolphin *el delfín* 455
domino *la ficha* 323
dominoes *el dominó* 310
to **donate** *donar* 73
Don't worry. *Tranquilo(a).* 368
door *la puerta* 8
down *abajo* 302
downtown *el centro* 373
drama *el drama* 25
dramatization *la dramatización* 255
to **dramatize** *dramatizar* 199
drawn *dibujado(a)* 17
dream *el sueño* 47
to **dream** *soñar (o > ue)* 431
dress *el traje* 145 *el vestido* 162
dresser *la cómoda* 104
drink *la bebida* 208
to **drink** *beber* 226 *tomar* 343
to **drive** *conducir* 373
drugstore *la farmacia* 280
dry *seco(a)* 434
during *durante* 71
dust *la tierra* 131
to **dust** *sacudir* 114
duties *las obligaciones* 127

E

each *cada* 65
early *temprano* 275
ears *las orejas* 264 *los oídos* 280
Earth *la Tierra* 426
east *el este* 76
to **eat** *comer* 226
to **eat well** *comer bien* 290
eclipse *el eclipse* 426
ecological *ecológico(a)* 113
ecology *la ecología* 467
egg *el huevo* 208
electric *eléctrico(a)* 337
electricity *la electricidad* 456
elegant *elegante* 175
element *el elemento* 411
elemental *elemental* 464
elephant *el elefante* 470
elevator *el ascensor* 94
e-mail *el correo electrónico* 51
embroidery *el bordado* 77
to **emigrate** *emigrar* 235
emotion *la emoción* 68
emperor *el emperador* 249
employee *el/la empleado(a)* 322
encounter *el encuentro* 74
end *el final* 45
to **end** *terminar* 206
energetic *enérgico(a)* 52
energy *la energía* 285
engineer *el/la ingeniero(a)* 318
English (subject) *el Inglés* 16
enigma *el enigma* 112
to **enjoy** *disfrutar* 300
to **enjoy oneself** *divertirse (e > ie)* 335
Enjoy your meal! *Buen provecho!* 204
enlightening *enriquecedor(a)* 423
enough *bastante* 210
to **enter** *entrar* 122
to **entertain** *entretener* 258
enthusiastic *entusiasta* 36
entire *todo(a)* 49
entrée *el plato* 226
envelope *el sobre* 369
environment *el medio ambiente* 452
environmental *ambiental* 221
equal *igual* 393
equivalent *equivalente* 379
eraser *el borrador* 8
esplanade *la explanada* 248
essence *la esencia* 135
European *el/la europeo(a)* 408
evaporated *evaporado(a)* 242
evening *la tarde* 13
event *el suceso* 25 *el evento* 77
every *todo(a)(os)(as)* 436
every day *todos los días* 126
everything *todo* 72

exactly *exactamente* 408
examination *el examen* 13
to **examine** *examinar* 79
example *el ejemplo* 319
excellent *excelente* 66
Excellent! *¡Excelente!* 314
exceptional *excepcional* 255
to **exchange** *intercambiar* 327
excited *emocionado(a)* 64
excursion *la excursión* 272
excuse *la excusa* 293
Excuse me. *Perdón.* 90
exercise *el ejercicio* 27
to **exercise** *hacer ejercicio* 290
exhibition *la exposición* 77
existence *la existencia* 106
expedition *la expedición* 416
expensive *caro(a)* 180
experience *la experiencia* 380
expert *experto(a)* 47 *el/la perito(a)* 417
to **explore** *explorar* 426
explorer *el/la explorador(a)* 105
to **express** *expresar* 42
expression *la expresión* 34
expressive *expresivo(a)* 69
extinction *la extinción* 455
extraordinary *extraordinario(a)* 330
eye *el ojo* 264

face *la cara* 264
factory *la fábrica* 318
failed *fallado(a)* 277
fall (season) *el otoño* 427
to **fall asleep** *dormirse (o > ue)* 274
false *falso(a)* 25
family *familiar* 54 *la familia* 56
famous *famoso(a)* 49
fan *el/la fan* 35
fantastic *fantástico(a)* 36
far away *lejos* 173
far from *lejos de* 108
farewell *la despedida* 6
fascinating *fascinante* 192
fashion *la moda* 144
fashionable *de moda* 148
fast *rápido(a)* 7
fast food *la comida rápida* 217
fat *gordo(a)* 48
fauna *la fauna* 451
favorite *favorito(a)* 53
feature *la característica, el rasgo* 48
February *febrero* 14
feeding *la alimentación* 470
to **feel** *encontrarse (o > ue)* 284 *sentirse (e > ie)* 284
to **feel like ...** *tener ganas de...* 124
feeling *la sensación* 66
feminine *femenino(a)* 50
festival *la fiesta* 21 *el festival* 135
festivity *la fiesta* 227 *la festividad* 248 *el festejo* 357
fever *la fiebre* 280
few *poco(a)(os)(as)* 436
field trip *la excursión* 272
fiesta *la fiesta* 21
figure *la figura* 47
file card *la ficha* 470
to **fill** *llenar* 460
finally *al fin* 410
to **find** *encontrar (o > ue)* 9 *buscar* 26
finger *el dedo* 264
to **finish** *terminar* 206
finish line *la llegada* 383 *la meta* 385
fire *el fuego* 136
first *primer(o)(a)* 15
first floor *el primer piso* 94
first of all *primero* 248
fish *el pescado* 208 *el pez (alive)* 452
fish market *la pescadería* 218
fishing *la pesca* 239
to **fit** *quedar* 263
flag *la bandera* 8
flashlight *la linterna* 122
flat *plano(a)* 97
flavor *el sabor* 236
flight *el vuelo* 248
floor *el suelo* 94
flora *la flora* 451
flower *la flor* 452
flower shop *la florería* 391
flu *la gripe* 285
flute *la flauta* 65
to **fly** *volar (o > ue)* 182
folk *popular* 47 *folclórico(a)* 447
food *la comida* 117 *los alimentos* 218
foot (measurement) *el pie* 79
foot (body) *el pie* 264
football *el fútbol americano* 344
footwear *el calzado* 162
for *para* 20 *por* 49 *durante* 263
for example *por ejemplo* 161
for instance *por ejemplo* 161
forest *el bosque* 434
to **forgive** *perdonar* 298
fork *el tenedor* 226
form *la forma* 106
formed *formado(a)* 134
formal *formal* 175
formation *la formación* 50
fort *el fuerte* 136
fortunately *afortunadamente* 52
forum *el foro* 72
fossil *el fósil* 437
founded *fundado(a)* 325
fountain *la fuente* 142
frequency *la frecuencia* 126
free *libre* 132
free (of charge) *gratis* 271
French (language) *el francés* 314
frequent *frecuente* 127
Friday *el viernes* 14
fried *frito(a)* 227
friend *el/la amigo(a)* 38
friendly *simpático(a)* 48
frog *la rana* 103
from *de* 60 *desde* 136
front *la fachada* 283
fruit *la fruta* 208
fruit and vegetable store *la frutería* 218
full *lleno(a)* 246
fun *divertido(a)* 35
funny *gracioso(a)* 48
furniture *los muebles* 104
future *el futuro* 70

gala *la gala* 333
gallery *la galería* 317
game *el juego* 9 *la partida* 315 *el partido* 344
garage *el garaje* 94
garden *el jardín* 271
garlic *el ajo* 222
garment *la prenda* 163
gastronomy *la gastronomía* 354
to **gather** *reunirse* 317
gel *el gel* 272
gender *el género* 50
general *general* 439
generation *la generación* 57
geographical *geográfico(a)* 427

geography *la geografía* 434
geometric *geométrico(a)* 271
germ *el germen* 285
to **get dressed** *vestirse (e > i)* 272
to **get off** *bajar* 410
to **get up** *levantarse* 272
Get well! *¡Que te mejores!* 260
gift *el regalo* 239
gigantic *gigantesco(a)* 463
girl *la chica, la niña* 38
girlfriend *la novia* 38
to **give** *dar* 55 *entregar* 411
glacier *el glaciar* 408
glass *el vaso* 226 *el vidrio* 452
glasses *las gafas* 428
glove (sport) *el guante* 344
gloves *los guantes* 162
to **go** *ir* 156 *andar* 410
to **go by boat** *ir en barco* 207
to **go by plane** *ir en avión* 207
to **go down** *bajar* 441
to **go on vacation** *ir de vacaciones* 372
to **go on an excursion** *ir de excursión* 372
to **go on foot** *ir a pie* 372
to **go out** *salir* 228
to **go shopping** *ir de compras* 152
to **go to** *ir a* 156
to **go to bed** *acostarse (o > ue)* 274
to **go to the movies** *ir al cine* 334
to **go up** *subir* 441
god(dess) *el/la dios(a)* 78
golf *el golf* 344
good *buen, bueno(a)* 174
Good afternoon. *Buenas tardes.* 5
Good evening/night. *Buenas noches.* 5
Good luck! *¡Suerte!* 422
Good morning. *Buenos días.* 5
Goodbye. *Adiós.* 6
gourd *la calabaza* 213
government *el gobierno* 291
grade *la nota* 359
to **grade** *poner notas* 359
graduation *la graduación* 335
granddaughter *la nieta* 56
grandfather *el abuelo* 56
grandmother *la abuela* 56
grandparents *los abuelos* 56
grandson *el nieto* 56
grass *el césped* 114
great *gran, grande* 77
Great! *¡Qué bien!* 366
Great Britain *Gran Bretaña* 393
green *verde* 170
to **greet** *saludar* 385
greeting *el saludo* 4
grocery store *el almacén* 410
ground floor *la planta baja* 94
group *el grupo* 63
to **grow (vegetables, etc.)** *cultivar* 209
to **guess** *adivinar* 2
guest *el/la invitado(a)* 63
guest house *el hostal* 257
guide (book) *la guía turística* 380
guide (person) *el/la guía* 143
guided visit *la visita guiada* 77
guitar *la guitarra* 3
gym *el gimnasio* 25

H

habit *el hábito* 308
habitat *el hábitat* 470
habitual *habitual* 10
hair *el pelo* 264
hairbrush *el cepillo* 264
half past (time) *y media* 16
ham *el jamón* 376
hamburger *la hamburguesa* 3
hand *la mano* 264
to **hand out** *entregar* 10
handicraft *la artesanía* 77
handmade *artesanal* 161
handsome *guapo* 48
to **happen** *pasar* 45
happy *contento(a)* 66
harbor *el puerto* 301
has (one has to ...) *hay que...* 126
hat *el sombrero* 162
to **have** *tener* 58
to **have a good time** *pasarlo bien* 340
Have a good trip! *¡Buen viaje!* 368
to **have breakfast** *desayunar* 208
to **have dinner** *cenar* 208
to **have handy** *tener a mano* 368
to **have lunch** *almorzar (o > ue)* 208 *comer* 297
to **have to** *tener que* 126
he (pronoun) *él* 40
head *la cabeza* 264
headphones *los auriculares* 96
health *la salud* 213
healthy *sano(a)* 275 *saludable* 290
to **hear** *oír* 266
heart *el corazón* 321
height *la altura* 79
Hello. *Hola.* 5
helmet *el casco* 344
to **help** *ayudar* 57
hemisphere *el hemisferio* 435
her *la* 220
(to) her *le* 230
here *aquí* 108
heritage *la herencia* 301
hero *el héroe* 37
hers *su, sus* 58
herself *se* 274
him *lo* 220
(to) him *le* 230
himself *se* 274
his *su/sus* 60
His/Her name is ... *Se llama...* 34
Hispanic *hispano(a)* 219 *hispánico(a)* 310
historic *histórico(a)* 105
history (subject) *la Historia* 41
hobby *el pasatiempo* 326
hockey *el hockey* 455
holy *sagrado(a)* 153
holiday *la fiesta* 15
holidays *las vacaciones* 331
home run *el jonrón* 342
homeland *la tierra* 351
homework *la tarea* 125
honest *honesto(a)* 321
honor *el honor* 248
hope *la esperanza* 302
horror *el horror* 302 *el terror* 334
horse *el caballo* 302
hot (temperature) *caliente* 236
hot (spicy) *picante* 236
hot springs *las aguas termales* 276
hotel *el hotel* 388
hour *la hora* 248
house *la casa* 94
housework *las tareas domésticas* 114
housing *la vivienda* 94
How? *¿Cómo?* 2
How ...! *¡Qué...!* 74
How about ...? *¿Qué tal...?* 206
How are you? *¿Cómo estás/está/están?* 66
How are you feeling? *¿Cómo te sientes?* 260
How awful! *¡Qué horror!* 394
How big! *¡Qué grande!* 422
How delicious! *¡Qué delicioso(a)!* 204
How does it fit/suit me/you/him/her/them? *¿Cómo me/te/le/les queda?* 181

How exciting! *¡Qué emocionante!* 445
How great! *¡Qué bien!* 177
How impressive! *¡Qué impresionante!* 422
How lucky! *¡Qué suerte!* 335
How many? *¿Cuántos(as)?* 106
How much? *¿Cuánto(a)?* 106
How much/many ...! *¡Cuánto(a)(os)(as)...!* 422
How much does/do ... cost? *¿Cuánto cuesta(n)?* 148
How painful! *¡Qué dolor!* 262
How romantic! *¡Qué romántico(a)!* 234
How tasty! *¡Qué rico(a)!* 204
however *pero* 36
huge *enorme* 178
hunger *el hambre* 235
to **hunt** *cazar* 471
hunting *la caza* 471
to **hurt** *doler (o > ue)* 282
husband *el esposo* 379
hygiene *la higiene* 272

I *yo* 40
I am sick. *Estoy enfermo(a).* 260
I don't feel well. *Me siento mal.* 260
I feel fine. *Me siento bien.* 260
I have a ... ache. *Me duele/duelen...* 260
I'm sorry. *Lo siento.* 90
I'm starving! *¡Qué hambre!* 235
ice *el hielo* 430
ice cream *el helado* 208
idea *la idea* 168
ideal *ideal* 206
identification *la identificación* 38
to **identify (oneself)** *identificar(se)* 36
if *si* 284
illness *la enfermedad* 280
image *la imagen* 84
to **imagine** *imaginar* 131
imperative (tense) *el imperativo* 292
important *importante* 15
impression *la impresión* 437
impressive *impresionante* 79
in *por* 69 *en* 108
in a healthy way *saludablemente* 285
in a mess *revuelto(a)* 9
in common *en común* 61
in front of *delante de* 108 *frente a* 467
in general *en general* 297
in one's arms *en brazos* 302
in order to *para* 79
in the middle of *en el centro de* 302
in the open air *al aire libre* 409
to **inaugurate** *inaugurar* 373
Incan *inca* 248
to **include** *incluir* 55
incorrect *incorrecto(a)* 26
incredible *increíble* 46
indefinite articles *los artículos indefinidos* 98
indefinites *los indefinidos* 436
independence *la independencia* 84
Indian *el/la indio(a)* 73
to **indicate** *indicar* 410
indigenous *indígena* 65
indirect object pronouns *los pronombres de objeto indirecto* 230
industry *la industria* 239
inexpensive *barato(a)* 180
inference *la inferencia* 249
infinitive *el infinitivo* 116
influence *la influencia* 301
informal *informal* 323
information *la información* 25
information desk *el mostrador de información* 380
informative *informativo(a)* 384
ingredient *el ingrediente* 216
inhabited *habitado(a)* 355
inhabitant *el/la habitante* 76
inhumane *inhumano(a)* 26
insect *el insecto* 452
inside *en* 108
inspired *inspirado(a)* 117
instant messaging *la mensajería instantánea* 62
instead *en cambio* 327
instrument *el instrumento* 264
intelligent *inteligente* 48
intense *intenso(a)* 30
intention *la intención* 324
interest *el interés* 70
interesting *interesante* 25
international *internacional* 161
intervention *la intervención* 471
interview *la entrevista* 157
to **interview** *entrevistar* 62
to **introduce oneself** *presentarse* 44
introduction *la presentación* 37
invisible *invisible* 26
invitation *la invitación* 391
to **invite** *invitar* 231
to **invoke** *invocar* 248
irregular *irregular* 154
irritated *irritado(a)* 267
island *la isla* 434
to **isolate** *aislar* 207
it *la, lo* 220
It does not matter. *No importa, No pasa nada.* 368
It doesn't fit well. *Me queda mal.* 180
It doesn't taste good. *Está malo(a).* 236
it is allowed *se puede/pueden* 454
It fits well. *Me queda bien.* 180
It's ... (time) *Es la.../Son las...* 16
It's a pleasure. *Mucho gusto.* 34
It's cloudy. *Está nublado.* 18
It's cold. *Hace frío.* 18
It's delicious. *Está delicioso(a).* 236
It's healthy. *Es saludable.* 204
It's hot. *Llueve.* 18
It's snowing. *Nieva.* 18
It's sunny. *Hace sol.* 18
It's too big. *Me queda grande.* 180
It's too small. *Me queda pequeño(a).* 180
It's windy. *Hace viento.* 18
It tastes good. *Está bueno(a).* 236
Italian *italiano(a)* 254
item *el artículo* 184
itinerary *el itinerario* 186
itself *se* 274

jacket *la chaqueta* 162
jade *el jade* 149
January *Enero* 14
jar *el tarro* 411
jersey *el jersey* 263
jewel *la joya* 445
job *el trabajo* 319
joke *la broma* 270
journalist *el/la periodista* 321
judge *el/la juez(a)* 321
juice *el jugo* 208
July *julio* 14

Mediterranean *mediterráneo(a)* 300
to **meet** *reunirse* 317
to **meet with** *encontrarse (o > ue) con* 393
meeting *el encuentro* 74 *la reunión* 359
member *el/la miembro* 37
mental *mental* 275
menu *la carta* 226
message *el mensaje* 39
metal *el metal* 452
meter *el metro* 95
metric system *el sistema métrico* 393
Mexican *mexicano(a)* 36
microwave *el microondas* 104
middle *el centro* 76
midnight *la medianoche* 371
mile *la milla* 78
milk *la leche* 208
million *el millón* 76
mineral *el mineral* 274
mint *la menta* 273
minute *el minuto* 183
mistake *el error* 387
mistery *el misterio* 247
to **mix** *mezclar* 218
mixture *la mezcla* 399
modern *moderno(a)* 110
modernist *modernista* 301
moisturizing *hidratante* 274
mom *la mamá* 38
monarchy *la monarquía* 300
monastery *el monasterio* 257
Monday *lunes* 14
money *el dinero* 180
monitor *el monitor* 25
monk *el monje* 289
monster *el monstruo* 269
month *el mes* 14
monument *el monumento* 98
Moon *la Luna* 426
more *más* 111
more ... than *más... de* 76 *más... que* 174
morning *la mañana* 72
mosque *la mezquita* 301
most *el/la más* 36
most of the time *casi siempre* 126
mother *la madre* 38
motive *el motivo* 429
mountain *la montaña* 388
mountain chain *la cordillera* 451
mountain pass *el puerto* 265
to **move** *mover (o > ue)* 330
movie *la película* 49
movie theater *el cine* 334
Mr. *el señor* 33
Mr. and Mrs. *los señores* 40
Mrs. *la señora* 40
much *mucho* 210
multiplication *la multiplicación* 464
museum *el museo* 47
music (subject) *la Música* 16
music *la música* 25
musical *musical* 333
musician *el/la músico(a)* 333
must *deber* 456
my *mi, mis* 60
My name is ... *Me llamo...* 34
myself *me* 274
mysterious *misterioso(a)* 78
myth *el mito* 409

name *el nombre* 4
named *llamado(a)* 78
napkin *la servilleta* 226
narration *la narración* 410
narrow *estrecho(a)* 190
nation *la nación* 356
national *nacional* 77
national team *la selección* 37
native person *el/la indígena* 131
natural *natural* 265
nature *la naturaleza* 452
navigation *la navegación* 410
necessary *necesario(a)* 25
near *cerca de* 108
neck *el cuello* 264
need *la necesidad* 216
to **need** *necesitar* 177
negative *negativo(a)* 400
neighbor *el/la vecino(a)* 357
neighborhood *el barrio* 183
nervous *nervioso(a)* 66
net *la red* 344
never *nunca* 126
next *próximo(a)* 192
next to *al lado de* 108 *junto a* 351
next week *la próxima semana, la semana que viene* 328
next year *el próximo año, el año que viene* 328
new *nuevo(a)* 61
New Year's Day *el día de Año Nuevo* 227
news *la noticia* 335
Nice to meet you. *Encantado(a).* 4
niece *la sobrina* 56
night *la noche* 112 *nocturno(a)* 427
nightstand *la mesita de noche* 104
no *no* 7 *ningún, ninguno(a)* 436
No, thank you. *No, gracias.* 7
nobility *la nobleza* 445
nocturnal *nocturno(a)* 427
noon *el mediodía* 297
nominated *nominado(a)* 49
nor *ni* 267
normal *normal* 255
normally *muchas veces* 126 *normalmente* 373
north *el norte* 76
northeast *el noreste* 78
northwest *el noroeste* 279
nose *la nariz* 264
not any *ningún, ninguno(a)* 436
not at all *nada* 210
not much *poco* 210
note *la nota* 129
notebook *el cuaderno* 8
to **notice** *fijarse* 267
noun *el nombre* 96
November *noviembre* 14
now *ahora* 328
nucleus *el núcleo* 190
number *el número* 47
nurse *el/la enfermero(a)* 280
nutrition *la nutrición* 291

oasis *el oasis* 329
obedient *obediente* 410
object *el objeto* 104
obligation *la obligación* 126
to **observe** *observar* 51
occupation *la profesión* 318
ocean *el océano* 434
October *octubre* 14
of *de* 42
Of course. *Claro.* 12
of the *del* 60
offer *la oferta* 428
to **offer** *ofrecer* 136
office *la oficina* 157
official *oficial* 181
often *muchas veces* 126
Oh! *¡Ah!* 62
oil *el aceite* 222

old *viejo(a), mayor* 48 *antiguo(a)* 136
on *en* 108 *sobre* 302
on a trip *de viaje* 372
on Mondays/Tuesdays/etc. *los lunes/martes/etc.* 157
on top of *encima de* 108
one has to ... *hay que...* 320
onion *la cebolla* 222
only *único(a)* 109 *solo(a)* 207
open *abierto(a)* 152
to **open** *abrir* 118
to **open the window** *abrir la ventana* 114
opinion *la opinión* 47
opportunity *la oportunidad* 322
opposite *opuesto(a)* 435
or *o* 5
orange *anaranjado(a)* 170
orange *la naranja* 208
orchestra *la orquesta* 409
order *la orden* 288
to **order** *mandar* 410
organism *el organismo* 113
organization *la organización* 325
to **organize** *organizar* 85
organized *organizado(a)* 276
origin *el origen* 169
original *original* 205
originally *originalmente* 279
other *otro(a)* 6
our *nuestro(a)(os)(as)* 60
ourselves *nos* 274
outdoors *al aire libre* 409
over there *allí* 108
own (adjective) *propio(a)* 47

to **pack** *empacar* 455
package *el paquete* 410
pain *el dolor* 280
to **paint** *pintar* 47
painter *el/la pintor(a)* 47
painting *la pintura* 47 *el cuadro* 47
pair *la pareja* 203
palace *el palacio* 78
pants *los pantalones* 162
paper *el papel* 452
parade *el desfile* 248
paradise *el paraíso* 246
to **paraphrase** *parafrasear* 465
parents *los padres, los papás (familiar)* 38
park *el parque* 25
parliamentary *parlamentario(a)* 300
part *la parte* 192
participant *el/la participante* 51
to **participate** *participar* 248
partner *la pareja* 425
party *la fiesta* 31
to **pass** *pasar* 65
to **pass by** *pasar* 207
passage *el pasaje* 136 *el paso* 409
passion fruit *el maracuyá* 208
past *el pasado* 355 *pasado(a)* 390
pastime *el pasatiempo* 326
patience *la paciencia* 320
patient *el/la paciente* 258 *el/la enfermo(a)* 280
to **pay** *pagar* 178
to **pay attention** *poner atención* 321
pea *el guisante* 222
peak *el pico* 451
pen *el bolígrafo* 8
pencil *el lápiz* 8
people *las personas* 38 *la gente* 43
pepper *la pimienta* 222
to **perceive** *percibir* 237
perfect *perfecto(a)* 228
Perfect! *¡Perfecto!* 314
to **perform** *actuar* 5 *representar* 11
performance *la interpretación* 49 *la representación* 248
perfume *el perfume* 264
period *el periodo* 275
permanentely *permanentemente* 429
permission *el permiso* 454
person *la persona* 47
personal *personal* 270
personality *la personalidad* 48
to **personalize** *personalizar* 268
perspective *la perspectiva* 173
Peruvian *peruano(a)* 222
pessimistic *pesimista* 396
pet *la mascota* 56
pharmacy *la farmacia* 280
phenomenal *fenomenal* 52
phenomenon *el fenómeno* 437
to **phone** *llamar* 367
photo *la foto* 41
photographer *el/la fotógrafo(a)* 313
photography *la fotografía* 25
photonovel *la fotonovela* 37
physical *físico(a)* 48
physical education (subject) *la Educación Física* 16
piano *el piano* 326
picnic *el picnic* 125 *el día de campo* 242
picture *la fotografía* 25
piece of information *el dato* 85
pilgrim *el/la peregrino(a)* 279
pink *rosado(a)* 170
pirate *el/la pirata* 136
pizza *la pizza* 220
place *el lugar* 78
plan *el plan* 125
plan (map) *el plano* 79
planet *el planeta* 426
planta *la planta* 452
plastic *el plástico* 452
to **play (music)** *tocar (o > ue)* 65
to **play (games)** *jugar (u > ue)* 344
to **play sports** *practicar deportes* 326 *jugar (u > ue) a/al* 344
to **play videogames** *jugar (u > ue) a los videojuegos* 334
player *el/la jugador(a)* 344
plaza *la plaza* 398
Please. *Por favor.* 7
plot *el argumento* 25
plural *el plural* 40
poem *el poema* 128
point *el punto* 237
police officer *el/la policía* 41
political *político(a)* 397
political party *el partido político* 399
pollution *la contaminación* 455
popcorn *las palomitas* 209
popular *popular* 37
popularity *la popularidad* 345
populated *poblado(a)* 76
population *la población* 77
pork *el puerco* 235
port *el puerto* 301
portrait *el retrato* 267
position *la posición* 173
positive *positivo(a)* 57
possession *la posesión* 60
possessives *los posesivos* 60
possible *posible* 121
poster *el cartel* 8 *el póster* 308
potato *la papa* 208
pottery *la cerámica* 178
pound *la libra* 457

powerful *poderoso(a)* 78
prediction *la predicción* 151
to **prefer** *preferir (e > ie)* 212
preference *la preferencia* 124
preparations *los preparativos* 371
to **prepare** *preparar* 115
preposition *la preposición* 60
presence *la presencia* 354
present (gift) *el regalo* 152
present participle *el gerundio* 338
present progressive *el presente continuo* 336
present tense *el presente* 116
presentation *la presentación* 84
to **preserve** *conservar* 339
to **preside** *presidir* 248
president *el/la presidente(a)* 399
presidential *presidencial* 399
prestigious *prestigioso(a)* 333
preterite tense *el pretérito* 374
pretty *bonito(a)* 48
previous *previo(a)* 357
price *el precio* 180
priest *el sacerdote* 65
principal *el/la director(a)* 350
prior *anterior* 78
prize *el premio* 463
problem *el problema* 171
product *el producto* 166
profession *la profesión* 318
professional *profesional* 313
program *el programa* 71
progress *el progreso* 356
prohibition *la prohibición* 454
project *el proyecto* 84
to **promote** *promover (o > ue)* 325
pronunciation *la pronunciación* 2
properly *bien* 380
proportion *la proporción* 190
proposal *la propuesta* 356
to **protect** *proteger* 456
province *la provincia* 442
prudent *prudente* 361
public *público(a)* 373
to **publish** *publicar* 463
Puerto Rican *puertorriqueño(a)* 134
pumpkin *la calabaza* 213
purity *la pureza* 445
purple *morado(a)* 170
to **put** *poner* 228
to **put ... away** *guardar* 411
to **put on a good face** *poner buena cara* 316
pyramid *la pirámide* 78

quality *la calidad* 216
quantity *la cantidad* 210
question *la pregunta* 12
question words *los interrogativos* 13
quick *rápido(a)* 347
quickly *rápido* 288
quite *bastante* 210
quiz *la prueba* 71

R

race *la carrera* 262
racket *la raqueta* 344
radio *la radio* 72
rain *la lluvia* 443
to **rain** *llover (o > ue)* 394
rainy *lluvioso(a)* 435
ramp *la rampa* 136
rare *extraño(a)* 57 *raro(a)* 325
rarely *rara vez* 126
to **reach** *alcanzar* 405
to **read** *leer* 3
reading (noun) *la lectura* 78
ready *preparado(a)* 64 *listo(a)* 424
ready-cooked meal *el plato preparado* 217
reality *la realidad* 26
really *realmente* 192
reason *la razón* 20
recipe *la receta* 202
to **recognize** *reconocer* 356
to **recommend** *recomendar (e > ie)* 291
recommendation *la recomendación* 153
to **record** *grabar* 334
rectangular *rectangular* 131
to **recycle** *reciclar* 452
red *rojo(a)* 170
red-haired *pelirrojo(a)* 48
to **reduce** *reducir* 453
to **refer to** *referirse (e > ie)* 183
refreshment *el refresco* 208
refrigerator *el refrigerador* 104
region *la región* 151 *la zona* 265
regular *regular* 116
regularly *regularmente* 289
rejection *el rechazo* 212
relationships *las relaciones* 38
relatives *los familiares* 55
to **relax** *relajarse* 271
relevant *relevante* 369
religious *religioso(a)* 55
remains *los restos* 246
remedy *el remedio* 290
to **remember** *recordar (o > ue)* 182
to **rent** *rentar* 95
to **repeat** *repetir (e > i)* 238
to **reply** *responder* 213
to **represent** *representar* 163
republic *la república* 76
research *la investigación* 27
to **research** *investigar* 155
reserve *la reserva* 381
to **reserve a room** *reservar habitación* 388
reservoir *la reserva* 113
resource *el recurso* 453
responsible *responsable* 125
rest *el descanso* 271 *los/las demás* 296
to **rest** *descansar* 274
restaurant *el restaurante* 203
review *el repaso* 28 *la crítica* 243
revolution *la revolución* 397
rhythm *el ritmo* 330
ribbon *la cinta* 192
rice *el arroz* 208
rich *rico(a)* 451
richness *la riqueza* 356
riddle *la adivinanza* 219
to **ride a bike** *montar en bicicleta* 326
Right? *¿Verdad?* 255
ring *el anillo* 430
rite *el rito* 248
river *el río* 434
roasted *asado(a)* 227
rock *la roca* 424
rocky *rocoso(a)* 432
room *el cuarto* 94 *la habitación* 95
rough *aproximado(a)* 443
route *la ruta* 386
routine *la rutina* 157
royal *real* 271
ruins *las ruinas* 185
rule *la regla* 127
to **run** *correr* 290 *dirigir* 319
to **run into** *encontrarse (o > ue) con* 393

S

sad *triste* 66
to **sail** *navegar* 410
saint *el/la santo(a)* 339
salad *la ensalada* 218
sale price *el precio de oferta* 184
salesperson *el/la vendedor(a)* 152
salsa *la salsa* 135
salt *la sal* 226
salt flat *el salar* 429
salty *salado(a)* 236
same *mismo(a)* 57 *igual* 174
sanctuary *el santuario* 247
sandals *las sandalias* 162
sandwich *el sándwich* 208
satellite *el satélite* 426
Saturday *el sábado* 14
sauce *la salsa* 208
to **say** *decir* 266
scarf *la bufanda* 162
scenario *el escenario* 317
scene *la escena* 158
scenery *el paisaje* 75
scent *el aroma* 410
schedule *el horario* 16
school *el colegio* 25 *la escuela* 44
school (adjective) *escolar* 9
school supplies *el material escolar* 9
science *las Ciencias Naturales* 16 *la(s) ciencia(s)* 109
scientist *el/la científico(a)* 237
sea *el mar* 434
season *la estación* 18 *la temporada* 348
seat (government) *la sede* 397
second *el/la segundo(a)* 396
secondary (school) *Secundaria* 316
secretary *el/la secretario(a)* 318
to **see** *ver* 228
to **see movies** *ver películas* 334
See you. *Hasta la vista.* 6
See you later. *Hasta luego.* 6
See you soon. *Hasta pronto.* 6
See you tomorrow. *Hasta mañana.* 6
to **seem** *parecer* 173
seldom *rara vez* 126
self-evaluation *la autoevaluación* 85
self-portrait *el autorretrato* 47
to **sell** *vender* 152
sensation *la sensación* 66
sensational *sensacional* 376
sense *el sentido* 237
sentence *la frase* 17 *la oración* 306
September *septiembre* 14
serious *serio(a)* 48
to **serve** *servir (e > i)* 238
server *el/la mesero(a)* 226
service *la atención* 243
to **set the table** *poner la mesa* 226
setting *el marco* 411
settler *el/la poblador(a)* 463
several *varios(as)* 57
shampoo *el champú* 272
shape *la forma* 131
to **share** *compartir* 229
to **shave** *afeitarse* 272
shaving cream *la crema de afeitar* 272
she *ella* 40
sheep *la oveja* 425
shield *el escudo* 261
to **shine** *brillar* 426
ship *el barco* 93
shirt *la camisa* 162
shoe store *la zapatería* 152
shoes *los zapatos* 162
shop window *la vitrina* 169
shopping *las compras* 180
shopping center *el centro comercial* 152
shore *la costa* 246
short *pequeño(a)* 34 *bajo(a)* 48 *corto(a)* 170
shorts *los pantalones cortos* 162
show *el programa* 71 *el espectáculo* 267
to **show** *mostrar (o > ue)* 356
to **show one's passport** *enseñar el pasaporte* 380
shower *la ducha* 104
shy *tímido(a)* 48
siblings *los hermanos* 38
sick *enfermo(a)* 66
side *el lado* 78
silent *mudo(a)* 3
similar *similar* 103
similarity *la similitud* 438
simple *simple* 464
since *desde* 209
Sincerely yours. *Atentamente.* 276
to **sing** *cantar* 326
singer *el/la cantante* 191
singing *el canto* 248
singular *el singular* 40
sink (basin) *el lavabo* 104
sister *la hermana* 38
to **sit** *sentarse (e > ie)* 10
site *el sitio* 246
size *la talla* 184 *el tamaño* 470
to **ski** *esquiar* 3
skill *la habilidad* 183
skirt *la falda* 162
sky *el cielo* 426
to **sleep** *dormir (o > ue)* 285
slowly *despacio* 396
small *pequeño(a)* 71
to **smell** *oler* 264
smile *la sonrisa* 313
snake *la serpiente* 192
sneakers *los tenis* 164
so *tan* 396
so that *así que* 410
soap *el jabón* 272
soccer *el fútbol* 344
social *social* 270
social studies (subject) *las Ciencias Sociales* 16
society *la sociedad* 310
socks *los calcetines* 162
soda *el refresco* 208
sofa *el sofá* 104
solar system *el sistema solar* 426
solstice *el solsticio* 248
to **solve** *resolver (o > ue)* 424
some *unos(as)* 98 *algún, alguno(a)(os)(as), poco(a)(os)(as)* 436
something *algo* 16
sometimes *a veces* 126
son *el hijo* 38
song *la canción* 335
soon *pronto* 240
sort *la especie* 163
so-so *así así* 66
sound *el sonido* 103
soup *la sopa* 208
soup of the day *la sopa del día* 232
sour *agrio(a)* 236
south *el sur* 76
South America *América del Sur* 246
southeast *el sureste* 389
southwest *el suroeste* 389
souvenir *el recuerdo* 176

space *el vacío* 65 *el espacio* 430
spaghetti *los espaguetis* 3
Spaniard *el/la español(a)* 136
Spanish *español(a)* 2
Spanish (subject) *el Español* 16
Spanish (language) *el español* 2
Spanish speaker *el/la hispanohablante* 408
to **speak** *hablar* 2
special *especial* 149
specially *especialmente* 301
specialized *especializado(a)* 219
specialty *la especialidad* 219
specific *concreto(a)* 237
spectacular *espectacular* 433
speed *la velocidad* 347
to **spell** *deletrear* 2
to **spend** *gastar* 180
to **spend (time)** *pasar* 329
spontaneous *espontáneo(a)* 48
spoon *la cuchara* 226
sport *el deporte* 344
sport competition *la competición deportiva* 358
spring *la primavera* 18
square (shape) *cuadrado(a)* 95
square meter *el metro cuadrado* 95
square (city) *la plaza* 398
stability *la estabilidad* 93
stadium *el estadio* 344
stage *la etapa* 262
stairs *la escalera* 94
stall *el puesto* 179
stand *el puesto* 179
star *la estrella* 426
start (race) *la salida* 383
to **start** *empezar (e > ie)* 154
state *el estado* 51
state-run hotel *el parador* 279
stationery store *la papelería* 152
statistics *las estadísticas* 345
statue *la estatua* 325
to **stay** *quedarse* 384 *alojarse* 413
stem *la raíz* 154
step *el paso* 84 *el escalón* 440
stomach *el estómago* 280
stone *la piedra* 77
store *la tienda* 152
story *la historia* 269
stove *la estufa* 104
straight *liso(a)* 193
to **straighten up** *ordenar* 114
strategy *la estrategia* 29
street *la calle* 398
street vendor *el/la vendedor(a) ambulante* 217
to **stretch out** *extenderse (e > ie)* 462
to **stroll** *pasear* 114
strong *fuerte* 262
student *el/la estudiante* 8
studious *estudioso(a)* 48
study *el estudio* 384
to **study** *estudiar* 12
style *el estilo* 267
subject pronouns *los pronombres personales sujeto* 40
substance *la sustancia* 430
to **substract** *restar* 443
subway *el metro* 372
success *el éxito* 321
sugar *el azúcar* 226
suggested price *el precio sugerido* 184
suggestion *la sugerencia* 240
suitcase *la maleta* 380
summer *el verano* 18
sun *el Sol* 426
Sunday *el domingo* 14
supermarket *el supermercado* 218
support *el apoyo* 57
surprise *la sorpresa* 239
to **surprise** *sorprender* 297
to **surround** *rodear* 151
survey *la encuesta* 115
sweater *el suéter* 162
to **sweep** *barrer* 114
sweet *dulce* 236
sweet-and-sour *agridulce* 235
to **swim** *nadar* 326
swimming *la natación* 344
swimming pool *la piscina* 344
sword *la espada* 302
symbol *el símbolo* 103
symbolism *el simbolismo* 302
to **symbolize** *simbolizar* 65
symptom *el síntoma* 280
system *el sistema* 123

T

table *la mesa* 104
tablecloth *el mantel* 226
to **take** *llevar* 381
to **take a bath** *bañarse* 272
to **take a means of transportation** *tomar* 371
to **take a shower** *ducharse* 272
to **take advantage** *aprovechar* 322
to **take care of** *cuidar* 124
to **take care of oneself** *cuidarse* 290
Take care of yourself. *¡Cuídate!* 260
to **take medicines** *tomar medicamentos* 290
to **take out** *sacar* 10
to **take pictures** *tomar fotos* 334
to **take place** *suceder* 16 *tener lugar* 441
to **take time** *tardar* 411
to **talk** *hablar* 2
to **talk on the phone** *hablar por teléfono* 124
tall *alto(a)* 48
tango *el tango* 409
to **tape** *grabar* 334
task *la tarea* 52
taste *el gusto* 237
to **taste** *probar (o > ue)* 218 *saborear* 264
tasty *rico(a)* 240
taxi *el taxi* 372
tea *el té* 7
teacher *el/la profesor(a)* 8 *el/la maestro(a)* 318
team *el equipo* 344
teeth (molars) *las muelas* 280
telephone *el teléfono* 25
telephone (adjective) *telefónico(a)* 39
television *la televisión* 124
television set *el televisor* 104
to **tell** *decir* 266
temperature *la temperatura* 236
temple *el templo* 78
temporal *temporal* 328
tennis *el tenis* 344
tension *la tensión* 399
tent *la tienda de campaña* 431
terminal *la terminal* 373
territory *el territorio* 134
test *el examen* 13 *la prueba* 71
Texan *tejano(a)* 337
text *el texto* 10
text message *el mensaje electrónico* 268
textbook *el libro de texto* 459
textile *textil* 148
than *de* 76 *que* 174

Thank you. *Gracias.* 7
Thanksgiving Day *el día de Acción de Gracias* 227
thanks to *gracias a* 321
that *que* 25
that (far away) *aquel, aquella* 172
that (nearby) *ese(a)* 172
that (neutral) *aquello* 172
the *el, la, los, las* 98
the day before yesterday *anteayer* 390
theater *el teatro* 317
their *su, sus* 60
them *los, las* 220
(to) them *les* 230
theme *el tema* 47
themselves *se* 274
there *ahí* 108
there (far away) *allí* 108
there is, there are *hay* 106
these *estos(as)* 172
they *ellos, ellas* 40
thin *delgado(a)* 48
thing *la cosa* 61
to **think** *pensar (e > ie)* 154 *opinar* 160 *parecer* 293
third *tercer(o)(a)* 123
this *este(a)* 172
this *esto (neutral)* 172
this afternoon *esta tarde* 328
this evening *esta tarde/noche* 328
This is ... *Este(a) es...* 34
this morning *esta mañana* 328
those (far away) *aquellos(as)* 172
those (nearby) *esos(as)* 172
thousands *miles* 248
throat *la garganta* 280
through *por* 78
to **throw away** *botar* 221
Thursday *el jueves* 14
ticket *el boleto* 330 *el billete* 380
tied *atado(a)* 347
tight *estrecho(a)* 170
tile *el azulejo* 261
time *la vez* 65 *el tiempo* 185
timid *tímido(a)* 48
tin *la lata* 456
tired *cansado(a)* 66
title *el título* 465
to *para* 79
to be prepared *estar preparado(a)* 368
to be ready *estar listo(a)* 368
to have handy *tener a mano* 368
to the left of *a la izquierda de* 108
to the right of *a la derecha de* 108
today *hoy* 15
Today is ... *Hoy es...* 15
toe *el dedo* 264
together *juntos(as)* 117 *junto* 296
toilet *el inodoro* 104
tomato *el tomate* 222
tomorrow *mañana* 328
tomorrow afternoon/evening *mañana por la tarde* 328
tomorrow morning *mañana por la mañana* 328
tomorrow night *mañana por la noche* 328
tonight *esta noche* 328
tongue *la lengua* 237
tooth *el diente* 264
toothbrush *el cepillo de dientes* 272
toothpaste *la pasta de dientes* 272
total *total* 464
tourism *el turismo* 122
tourist *el/la turista* 51
tourist guide *la guía turística* 380
tourist office *la oficina de turismo* 380
touristic *turístico(a)* 277
tournament *el torneo* 330
towards *hacia* 410
towel *la toalla* 272
town *el pueblo* 442
track *el circuito* 421
tradition *la tradición* 191
traditional *tradicional* 117
traditionally *tradicionalmente* 55
train *el tren* 372
to **transform** *transformar* 356
transformation *la transformación* 295
transition *la transición* 55
translation *la traducción* 26
transportation *el transporte* 372
trash *la basura* 114
to **travel** *viajar* 326
travel agency *la agencia de viajes* 380
to **travel around** *hacer turismo* 388
traveler *el/la viajero(a)* 373
tree *el árbol* 452
trip *el viaje* 124
tropical *tropical* 434
true *cierto(a)* 48
truth *la verdad* 320
to **try** *probar (o > ue)* 407
T-shirt *la camiseta* 162
Tuesday *el martes* 14
tunnel *el túnel* 136
turn *el giro* 65
to **turn** *girar* 426
to **turn around** *girar* 65
to **turn off** *apagar* 114
to **turn on** *prender* 118
to **turn on the light** *prender la luz* 114
to **turn to the right/left** *doblar a la derecha/izquierda* 398
TV *la tele* 359
type *el tipo* 131
typical *típico(a)* 117

ugly *feo(a)* 48
uncle *el tío* 56
under *debajo de* 108
underground *subterráneo(a)* 123
to **understand** *comprender* 10 *entender (e > ie)* 154
unfriendly *antipático(a)* 48
unique *único(a)* 95
united *unido(a)* 357
United States *los Estados Unidos* 76
universe *el universo* 426
university *la universidad* 26
until *hasta* 454
upon arriving *al llegar* 75
up to *hasta* 371
(to) us *nos* 230
use *el uso* 40
to **use** *usar* 124
useful *útil* 34
usually *muchas veces* 126 *normalmente* 373
utensil *el utensilio* 179
to **utilize** *utilizar* 357

vacations *las vacaciones* 331
to **vacuum** *pasar la aspiradora* 114
vacuum cleaner *la aspiradora* 114
valid *válido(a)* 378
valley *el valle* 434
value *el valor* 443
vanilla *la vainilla* 242

variety *la variedad* 451
vegetables *las verduras* 208
vegetal *vegetal* 213
vegetarian *vegetariano(a)* 215
venue *la sede* 397
verb *el verbo* 42
very *muy* 33
very badly *muy mal* 66
very well *muy bien* 66
Very well! *¡Muy bien!* 314
via *vía* 248
viaduct *el viaducto* 371
victory *la victoria* 39
video *el video* 157
videogame *el videojuego* 334
view *la vista* 136
violent *violento(a)* 454
visit *la visita* 247
to **visit** *visitar* 88
visitor *el/la visitante* 136
vitality *la vitalidad* 351
vitamin *la vitamina* 293
voice *la voz* 52
volcano *el volcán* 151
volleyball *el voleibol* 344
voting *la votación* 35

to **wait for** *esperar* 259
to **wake up** *despertarse (e > ie)* 274
walk *el paseo* 78
to **walk** *pasear* 114 *caminar* 290 *andar* 410
wall *la pared* 94
to **want** *querer (e > ie)* 212
war *la guerra* 302
to **wash** *lavar* 116
to **wash oneself** *lavarse* 274
to **waste** *gastar* 456
to **watch** *ver* 228
watch tower *la garita* 136
water *el agua* 208
waterfalls *las cataratas* 365
way *la manera* 169 *el camino* 279 *la forma* 285
we *nosotros(as)* 40
weak *débil* 278
weapon *el arma* 244
to **wear** *llevar* 147
weather *el tiempo* 18
Wednesday *el miércoles* 14
week *la semana* 65
weekend *el fin de semana* 126
weight *el peso* 470
Welcome. *Bienvenido(a).* 4
to **welcome** *dar la bienvenida* 136
well *bien* 66
Well, ... *Bueno, ...* 440
well-balanced *equilibrado(a)* 275
west *el oeste* 76
whale *la ballena* 455
What? *¿Qué?* 13
What a day! *¡Qué día!* 376
What a lot of money! *¡Cuánto dinero!* 422
What a lot of people! *¡Cuánta gente!* 422
What a pity! *¡Qué lástima!* 407
What a shame! *¡Qué pena!* 384
What a task! *¡Qué tarea!* 216
What do you do for living? *¿A qué te dedicas?* 314
What ingredients does it have? *¿Qué lleva?* 204
What time does ... open/close? *¿A qué hora abre/cierra...?* 148
What time is it? *¿Qué hora es?* 16
what's more *además* 136
What's the weather like? *¿Qué tiempo hace?* 19
What's today's date? *¿Qué día es hoy?* 15
What's wrong? *¿Qué te pasa?* 260
What's your name? *¿Cómo te llamas?* 4
When? *¿Cuándo?* 13
Where? *¿Dónde?* 13
Where to? *¿Adónde?* 156
Which? *¿Cuál?* 115
white *blanco(a)* 170
Who? *¿Quién?* 13
Why? *¿Por qué?* 148
wide *ancho(a)* 170
wife *la esposa* 73
to **win** *ganar* 35
wind *el viento* 428
window *la ventana* 8
to **window-shop** *mirar vitrinas* 152
winter *el invierno* 18
wish (noun) *el deseo* 157
with *con* 24
with me *conmigo* 339
without *sin* 224
woman *la mujer* 38
woodpecker *el pájaro carpintero* 455
wool *la lana* 170
word *la palabra* 9
work *la obra* 47 *el trabajo* 318
to **work** *trabajar* 336
worker *el/la trabajador(a)* 322
working-class *obrero(a)* 409
world *el mundo* 22
to **worry** *preocuparse* 278
worse *peor* 174
to **write** *escribir* 2
to **write e-mails** *escribir correos* 334
to **write instant messages** *escribir mensajes* 326
writer *el/la escritor(a)* 362
wrong *equivocado(a)* 410
wrongly *mal* 356

yard *el jardín* 94
year *el año* 14
yellow *amarillo(a)* 170
yesterday *ayer* 390
yet *todavía* 396
you (familiar, singular) *tú* 40
you (formal, singular) *usted* 40
you (plural) *ustedes* 40 *vosotros(as) (Spain)* 40
(to) you (formal) *le, les* 230
(to) you (familiar, singular) *te* 230
(to) you (Spain, plural) *os* 236
young *joven* 48
young man *el joven* 119
young woman *la joven* 119
your (familiar) *tu, tus* 60
your (formal) *su, sus* 60 *vuestro(a) (Spain)* 60
You're welcome. *De nada.* 7
yourself *te* 274
yourselves *os (informal)* 274 *se* 274
youth *la juventud* 356

zigzag *el zigzag* 371
zone *la zona* 271

ÍNDICE GRAMATICAL

CRÉDITOS FOTOGRÁFICOS

Cubierta: C. Díez Polanco; S. Enríquez; Sylvain Grandadam/A. G. E. FOTOSTOCK; I. Preysler/Atrezzo: Helen Chelton; ISTOCKPHOTO; **Contracubierta:** Pat Canova, Luis Castañeda/A. G. E. FOTOSTOCK; Alfio Garozzo, Robert Harding/Michael Busselle/CuboImages/CORDON PRESS; **I** I. Preysler/Atrezzo: Helen Chelton; **IV** I. Preysler/Atrezzo: Helen Chelton; ISTOCKPHOTO; S. Jiménez; **V** F. Morera; I. Preysler/Atrezzo: Helen Chelton; Gavin Hellier /Getty Images Sales Spain; **VI** C. Díez Polanco; ISTOCKPHOTO; J. Crespo; Krauel; S. Enríquez; Miguel Ángel Muñoz /A. G. E. FOTOSTOCK; **X** José Enrique Molina/A. G. E. FOTOSTOCK; **XI** A. G. E. FOTOSTOCK; G. Aldana; Mark Lewis /Getty Images Sales Spain; I. Preysler/Atrezzo: Helen Chelton; J. Montoro; S. Enríquez; **XII** Panoramic Images/Getty Images Sales Spain **XIII** Ben Welsh/A. G. E. FOTOSTOCK; G. Aldana; I. Preysler/Atrezzo: Helen Chelton; J. Montoro; SANTILLANA PUERTO RICO; **XIV** Dave G. Houser/CORBIS/CORDON PRESS; **XV** Gregory G. Dimijian/A. G. E. FOTOSTOCK; G. Aldana; I. Preysler/Atrezzo: Helen Chelton; J. Montoro; J. V. Resino; SEIS x SEIS; **XVI** J. C. Muñoz; Juan M. Ruiz; **XVII** A. G. E. FOTOSTOCK; José de la Cuesta/EFE; G. Aldana; I. Preysler/Atrezzo: Helen Chelton; ISTOCKPHOTO; J. Montoro; J. V. Resino; Juan M. Ruiz; **XX** O. Torres; **XXI** Horizon, Kord.com, Laurent Guerinaud/A. G. E. FOTOSTOCK; GARCÍA-PELAYO/Juancho; F. Ontañón; I. Preysler/Atrezzo: Helen Chelton; J. Lucas; SEIS x SEIS; **XXII** Hayden Roger Celestin/EPA/EFE; **XXIII** Horizon, Kord.com, Laurent Guerinaud/A. G. E. FOTOSTOCK; Philippe Renault/CORDON PRESS; I. Preysler/Atrezzo: Helen Chelton; ISTOCKPHOTO; J. Lucas; SEIS x SEIS; **XXIV** Mary Kate Denny/Getty Images Sales Spain; **XXV** Horizon, Johnny Stockshooter, Kord.com, Laurent Guerinaud/A. G. E. FOTOSTOCK; Edgar Dominguez/EFE; I. Preysler/Atrezzo: Helen Chelton; J. Lucas; SEIS x SEIS; **XXVI** John Warburton-Lee/FOTONONSTOP; José Fuste Raga/ A. G. E. FOTOSTOCK; **XXVII** Horizon, A. Kord.com; Laurent Guerinaud/A. G. E. FOTOSTOCK; GARCÍA-PELAYO/Juancho; Tips/Luis Castañeda ,Walter Bibikow/FOTONONSTOP; I. Preysler/Atrezzo: Helen Chelton; J. Lucas; SEIS x SEIS; **000** I. Preysler/Atrezzo: Helen Chelton; **002** I. Preysler/ Atrezzo: Helen Chelton; **003** DIGITALVISION/SERIDEC PHOTOIMAGENES CD; I. Preysler/Atrezzo: Helen Chelton; ISTOCKPHOTO; MATTON-BILD; P. Anca/REAL MUSICAL, MADRID; S. Padura; **004** I. Preysler/Atrezzo: Helen Chelton; **006** I. Preysler/Atrezzo: Helen Chelton; **007** Prats i Camps; **008** I. Preysler/Atrezzo: Helen Chelton; J. Jaime; S. Enríquez; STOCKBYTE/SERIDEC PHOTOIMAGENES CD; **009** GARCÍA-PELAYO/Juancho; I. Preysler/Atrezzo: Helen Chelton; ISTOCKPHOTO; J. Jaime; **010** I. Preysler/Atrezzo: Helen Chelton; **011** COMSTOCK; J. Jaime; Prats i Camps; Image Source Limited/SERIDEC PHOTOIMAGENES CD; **012** FOTONONSTOP; I. Preysler/Atrezzo: Helen Chelton; Prats i Camps; **013** COMSTOCK; FOTONONSTOP; MATTON-BILD; Prats i Camps; **014** I. Preysler/Atrezzo: Helen Chelton; **015** I. Preysler/Atrezzo: Helen Chelton; ISTOCKPHOTO; **016** ISTOCKPHOTO; A. Toril; I. Preysler/Atrezzo: Helen Chelton; J. Jaime; **017** ISTOCKPHOTO; COMSTOCK; J. Jaime; STOCKBYTE/SERIDEC PHOTOIMAGENES CD; I. Preysler/Atrezzo: Helen Chelton; **018** I. Preysler/Atrezzo: Helen Chelton; S. Padura; **019** I. Preysler/Atrezzo: Helen Chelton; **020** Thinkstock Images/Getty Images Sales Spain; I. Preysler/Atrezzo: Helen Chelton; **021** Prats i Camps; David R. Frazier; Jeremy Hoare/A. G. E. FOTOSTOCK; **024** I. Preysler/Atrezzo: Helen Chelton; ISTOCKPHOTO; J. M.ª Escudero; **025** E. Marín; Andersen Ross/Getty Images Sales Spain; **026** Prats i Camps; **027** A. G. E. FOTOSTOCK; COMSTOCK; **028** ColorBlind Images/Getty Images Sales Spain **029** GARCÍA-PELAYO/Juancho; I. Preysler/Atrezzo: Helen Chelton; MATTON-BILD; STOCKBYTE/SERIDEC PHOTOIMAGENES CD; **030** COMSTOCK, akg-images/ALBUM, Isaac Esquivel/EFE; **031** Luis Acosta/AFP, Jack Hollingsworth/Getty Images Sales Spain; Jerome Sessini/CORBIS/ CORDON PRESS; **032** Prats i Camps; David Paniagua/A. G. E. FOTOSTOCK; **033** I. Preysler/Atrezzo: Helen Chelton; Carlos Jasso /AFP/Getty Images Sales Spain; Prats i Camps I. Preysler/Atrezzo: Helen Chelton; **034** I. Preysler/Atrezzo: Helen Chelton; Prats i Camps; **035** I. Preysler/ Atrezzo: Helen Chelton; Luis Acosta /AFP /Getty Images Sales Spain; akg-images ALBUM; Jerome Sessini /CORBIS/CORDON PRESS; Isaac Esquivel/ EFE; **036** I. Preysler/Atrezzo: Helen Chelton; Icon SMI/Andy Mead/CORBIS/CORDON PRESS; AbleStock/Jupiterimages; NFL/Mike Ehrmann, Ronald Martinez, Stu Forster Getty/Images Sales Spain; **037** C. Díez Polanco; I. Preysler/Atrezzo: Helen Chelton; ISTOCKPHOTO; Jerome Bernard-Abou/EFE; AbleStock/Jupiterimages; **038** A. G. E. FOTOSTOCK; COMSTOCK; ISTOCKPHOTO; Krauel; **039** Prats i Camps; **041** COMSTOCK, ISTOCKPHOTO, PHOTODISC/SERIDEC PHOTOIMAGENES CD, STOCK PHOTOS; AbleStock.com/HighRes Press Stock; Arthur Tilley Getty/Images Sales Spain; **042** Prats i Camps; **043** FOTONONSTOP; I. Preysler/Atrezzo: Helen Chelton; AbleStock/Jupiterimages ; **044** A. G. E. FOTOSTOCK; I. Preysler/Atrezzo: Helen Chelton; AbleStock/Jupiterimages; **045** I. Preysler/Atrezzo: Helen Chelton; Alamy Images/ ACI AGENCIA DE FOTOGRAFÍA; Jonathan Daniel, Stephen Dunn, Stuart McClymont/Getty Images Sales Spain; **046** I. Preysler/Atrezzo: Helen Chelton; akg-images/ALBUM; Alamy Images/ACI AGENCIA DE FOTOGRAFÍA; Mauritius/Cash /FOTONONSTOP; **047** akg-images/ALBUM; Bettmann/CORBIS/CORDON PRESS; **048** COMSTOCK; DIGITALVISION, STOCKBYTE/SERIDEC PHOTOIMAGENES CD; FOTONONSTOP; Prats i Camps; AbleStock.com/HighRes Press Stock; CBS/MCA/UNIVERSAL, GABRIEL SIMON PRODUCTION SERVICES/STORYLINE ENTERTAINMENT, IMAGINE FILMS/UNIVERSAL/McBROOM, BRUCE/ALBUM; AbleStock/Jupiterimages; **049** I. Preysler/Atrezzo: Helen Chelton; ISTOCKPHOTO; PHOTOALTO/SERIDEC PHOTOIMAGENES CD; CORBIS/COVER; AbleStock/Jupiterimages; MIRAMAX/ ALBUM; **051** World Pictures/Phot/A. G. E. FOTOSTOCK; **052** A. G. E. FOTOSTOCK, ISTOCKPHOTO; MATTON-BILD; SERIDEC PHOTOIMAGENES CD; AbleStock.com/HighRes Press Stock; **053** I. Preysler/Atrezzo: Helen Chelton; Prats i Camps; Mauritius/Cash /FOTONONSTOP; **054** I. Preysler/Atrezzo: Helen Chelton; AbleStock/ Jupiterimages; **055** I. Preysler/Atrezzo: Helen Chelton; AbleStock/Jupiterimages; **056** COMSTOCK, D. Sánchez, FOTONONSTOP; I. Preysler/ Atrezzo: Helen Chelton; ISTOCKPHOTO; PHOTODISC/SERIDEC PHOTOIMAGENES CD; AbleStock.com/HighRes Press Stock; AbleStock/ Jupiterimages; **057** COMSTOCK; PHOTOALTO/SERIDEC PHOTOIMAGENES CD; AbleStock.com/HighRes Press Stock; Kraig Scarbinsky/Getty Images Sales Spain; **058** I. Preysler/Atrezzo: Helen Chelton; **059** HighRes Press Stock; I. Preysler/Atrezzo: Helen Chelton; ISTOCKPHOTO; J. Jaime; MATTON-BILD; Tim Hawley/Getty Images Sales Spain; **060** COMSTOCK; ISTOCKPHOTO; J. Jaime; AbleStock/Jupiterimages; **061** Cortesía de Apple; I. Preysler/Atrezzo: Helen Chelton; ISTOCKPHOTO; MATTON-BILD; Prats i Camps; AbleStock/Jupiterimages **062** A. Prieto/E. Talavera/Agencia Estudio San Simón; I. Preysler/Atrezzo: Helen Chelton; **063** AbleStock/Jupiterimages I. Preysler/Atrezzo: Helen Chelton; **064** I. Preysler/Atrezzo: Helen Chelton; ISTOCKPHOTO; Alamy Images /ACI AGENCIA DE FOTOGRAFÍA; Stuart Pearce/A. G. E. FOTOSTOCK; **065** I. Preysler/Atrezzo: Helen Chelton; Alamy Images/ACI AGENCIA DE FOTOGRAFÍA; Stuart Pearce/A. G. E. FOTOSTOCK; **066** ISTOCKPHOTO; J. Jaime; MATTON-BILD; PHOTODISC, Image Source Limited/SERIDEC PHOTOIMAGENES CD; Prats i Camps; S. Enríquez; S. Padura; AbleStock.com/HighRes Press Stock; AbleStock/Jupiterimages; **067** I. Preysler/Atrezzo: Helen Chelton; SERIDEC PHOTOIMAGENES CD; AbleStock/Jupiterimages; Stockbroker/A. G. E. FOTOSTOCK; **069** I. Preysler/Atrezzo: Helen Chelton; **070** COVER; AbleStock/Jupiterimages; **071** Stuart Pearce/A.G.E. FOTOSTOCK; I. Preysler/Atrezzo: Helen Chelton; Alamy Images/ACI AGENCIA DE FOTOGRAFÍA; **072** CENTRAL STOCK, PHOTODISC/SERIDEC PHOTOIMAGENES CD; **073** S. Enríquez; SERIDEC PHOTOIMAGENES CD; The Granger Collection/CORDON PRESS; **074** I. Preysler/Atrezzo: Helen Chelton; Stuart Pearce/A.G.E. FOTOSTOCK; Mark Lewis, Jonathan Daniel/Getty Images Sales Spain; **075** José Fuste Raga/A. G. E. FOTOSTOCK; **076** MATTON-BILD; SERIDEC PHOTOIMAGENES CD; **077** ISTOCKPHOTO; S. Enríquez; Morton Beebe/CORBIS/ CORDON PRESS; Cortesía Don Bain/La Voz Nueva /EFE; Matthew Peyton/Getty Images Sales Spain; **078** Neil Beer/Getty Images Sales Spain; **079** AbleStock.com/HighRes Press Stock; **081** COMSTOCK, ISTOCKPHOTO, STOCKBYTE, Image Source Limited/SERIDEC PHOTOIMAGENES CD; **083** COMSTOCK; I. Preysler/Atrezzo: Helen Chelton; ISTOCKPHOTO; AbleStock.com/HighRes Press Stock; Pixtal, Roy Morsch /A. G. E. FOTOSTOCK; **084** GARCÍA-PELAYO/Juancho/COLECCIÓN DE BURT B. HOLMES; Photo Art Resource/Scala, Florence /SCALA GROUP; **085** Digital image, The Museum of Modern Art, New York/Scala, Florence /SCALA GROUP; AbleStock.com/HighRes Press Stock; **086** Atlantide Phototravel/CORDON PRESS; SANTILLANA PUERTO RICO; **087** Frank Llosa/frankly.com; Timothy O'Keefe/A. G. E. FOTOSTOCK; **088** I. Preysler/Atrezzo: Helen Chelton; SANTILLANA PUERTO RICO; Tips/Mark Lewis/FOTONONSTOP; **089** C. Contreras; I. Preysler/Atrezzo: Helen Chelton; Franz-Marc Frei /CORBIS/CORDON PRESS; S. Enríquez; ISTOCKPHOTO; Joe Raedle/Getty Images Sales Spain; **090** Prats i Camps; **091** Frank Llosa/frankly.com; I. Preysler/Atrezzo: Helen Chelton; Atlantide Phototravel/CORDON PRESS; SANTILLANA PUERTO RICO; Timothy O'Keefe/A. G. E. FOTOSTOCK; **092** I. Preysler/Atrezzo: Helen Chelton; David Madison/Inti St. Clair/Getty Images Sales Spain; SANTILLANA PUERTO RICO; **093** Jeremy Horner/CORBIS/CORDON PRESS; **094** FOTONONSTOP; **095** J. M.ª Escudero; S. Padura; SERIDEC PHOTOIMAGENES CD; **097** J. Jaime; Prats i Camps; AbleStock.com/HighRes Press Stock; Atlantide Phototravel/CORBIS/CORDON PRESS; Jeff Greenberg/A. G. E. FOTOSTOCK; **099** C. Díez Polanco; Angelo Cavalli/A. G. E. FOTOSTOCK; Inti St. Clair/Getty Images Sales Spain; **101** I. Preysler/Atrezzo: Helen Chelton; Burnett&Palmer/A. G. E. FOTOSTOCK; SANTILLANA PUERTO RICO; **102** I. Preysler/Atrezzo: Helen Chelton; Franz-Marc Frei/CORBIS/CORDON PRESS; SANTILLANA PUERTO RICO; **103** I. Preysler/Atrezzo: Helen Chelton; Franz-Marc Frei/CORBIS/ CORDON PRESS; Minden Pictures/Heidi&Hans-Juergen Koch/A.S.A.; SANTILLANA PUERTO RICO; J. Jaime; **104** Prats i Camps; **105** Bob Krist/ CORBIS/CORDON PRESS; J. Ll. Banús, Juan Carlos Muñoz, Sergio Pitamitz, Sylvain Grandadam/A. G. E. FOTOSTOCK; **106** Prats i Camps; **107** I. Preysler/Atrezzo: Helen Chelton; Amos Morgan/A. G. E. FOTOSTOCK; **109** J. Jaime; Mark Lewis/Getty Images Sales Spain; **110** HighRes Press Stock; **111** ISTOCKPHOTO; S. Enríquez; I. Preysler/Atrezzo: Helen Chelton; **112** Frank Llosa/frankly.com; I. Preysler/Atrezzo: Helen Chelton; STOCK PHOTOS; **113** Frank Llosa/frankly.com; I. Preysler/Atrezzo: Helen Chelton; **114** J. M.ª Escudero; Prats i Camps;

115 COMSTOCK; I. Preysler/Atrezzo: Helen Chelton; ISTOCKPHOTO; J. Soler; **116** I. Preysler/Atrezzo: Helen Chelton; **117** COMSTOCK; Garry Wade, Jupiterimages, Marcelo Santos/Getty Images Sales Spain; SANTILLANA PUERTO RICO; **119** FOTONONSTOP; I. Preysler/Atrezzo: Helen Chelton; Prats i Camps; COMSTOCK; **120** I. Preysler/Atrezzo: Helen Chelton; **121** Frank Llosa/frankly.com; I. Preysler/Atrezzo: Helen Chelton; **122** SANTILLANA PUERTO RICO I. Preysler/Atrezzo: Helen Chelton; **123** C. Díez Polanco; I. Preysler/Atrezzo: Helen Chelton; **124** COMSTOCK; EFE; J. Jaime; PHOTOALTO/SERIDEC PHOTOIMAGENES CD; AbleStock.com/HighRes Press Stock; George Doyle, Patrick Sheandell O'Carroll, Ryan McVay/Getty Images Sales Spain; SPL/A. G. E. FOTOSTOCK; **125** F. de Madariaga; I. Preysler/Atrezzo: Helen Chelton; Prats i Camps; **126** I. Preysler/Atrezzo: Helen Chelton; **127** I. Preysler/Atrezzo: Helen Chelton; **128** Prats i Camps; **129** A. Toril; I. Preysler/Atrezzo: Helen Chelton; SANTILLANA PUERTO RICO; **130** J. Jaime: **131** COMSTOCK; Prats i Camps; SANTILLANA PUERTO RICO; **132** I. Preysler/Atrezzo: Helen Chelton; Franz-Marc Frei/CORBIS/CORDON PRESS; SANTILLANA PUERTO RICO; **133** C. Díez Polanco; **134** FOTONONSTOP; **135** Panoramic Images/Getty Images Sales Spain; SANTILLANA PUERTO RICO; **136** Mark Lewis, Robert Frerck/Getty Images Sales Spain; **137** Krauel; **139** Cortesía de Apple; HP/Hewlett-Packard; MATTON-BILD; S. Enríquez; Samsung; **141** Krauel; S. Enríquez; **142** C. Díez Polanco; J. Crespo; Museo Casa Blanca, Instituto de Cultura Puertorriqueña. Instituto de Cultura Puertorriqueño; **143** SERIDEC PHOTOIMAGENES CD; Museo Casa Blanca, Instituto de Cultura Puertorriqueña. Instituto de Cultura Puertorriqueño; **144** José Cabezas/AFP/Getty Images Sales Spain; SEIS x SEIS; **145** SEIS x SEIS; Tibor Bognar /FOTONONSTOP; **146** ISTOCKPHOTO; Alamy Images/ACI AGENCIA FOTOGRAFÍA; I. Preysler/Atrezzo: Helen Chelton; **147** FUNDACIÓN SANTILLANA; ISTOCKPHOTO; I. Preysler/Atrezzo: Helen Chelton; **148** I. Preysler/Atrezzo: Helen Chelton; ISTOCKPHOTO; **149** C. Díez Polanco; FUNDACIÓN SANTILLANA; I. Preysler/Atrezzo: Helen Chelton; ISTOCKPHOTO; SEIS x SEIS; **150** SEIS x SEIS; ISTOCKPHOTO; I. Preysler/Atrezzo: Helen Chelton; **151** Krauel; CuboImages/Robert Harding /CORDON PRESS; Sylvain Grandadam/ A. G. E. FOTOSTOCK; **152** J. Jaime; KAIBIDE DE CARLOS FOTÓGRAFOS; MATTON-BILD; Centro Comercial Espai Campanar/Prats i Camps; Oceanimages/A. G. E. FOTOSTOCK ;I. Preysler/Atrezzo: Helen Chelton; **153** SEIS x SEIS; **155** F. Ontañón; P. Anca; Prats i Camps; Uthaiwan Boonloy/EPA/EFE; **156** ISTOCKPHOTO; **158** HighRes Press Stock; I. Preysler/Atrezzo: Helen Chelton; **159** ISTOCKPHOTO; SEIS x SEIS; Beateworks/Adrian Wilson/CORBIS, Eddy Buttarelli /CuboImages/CORDON PRESS; ISTOCKPHOTO I. Preysler/Atrezzo: Helen Chelton; **160** ISTOCKPHOTO I. Preysler/Atrezzo: Helen Chelton; **161** ISTOCKPHOTO; SEIS x SEIS; **162** A. Toril; HighRes Press Stock; ISTOCKPHOTO; J. Jaime; Prats i Camps; **163** A. G. E. FOTOSTOCK; I. Preysler/Atrezzo: Helen Chelton; **165** I. Preysler/Atrezzo: Helen Chelton; ISTOCKPHOTO; J. Jaime; **166** Prats i Camps; CuboImages/A. Garozzo/CORDON PRESS; **167** I. Preysler/Atrezzo: Helen Chelton; **168** I. Preysler/Atrezzo: Helen Chelton; Bruno Morandi, Jonathan Selig, San Rostro, Terrance Klassen/A. G. E. FOTOSTOCK; Upperhall Ltd/Robert Harding /Getty Images Sales Spain; **169** Getty Images Sales Spain; I. Preysler/Atrezzo: Helen Chelton; ISTOCKPHOTO; J. Jaime; SEIS x SEIS; Ana M.ª Guerra; **170** I. Preysler/Atrezzo: Helen Chelton; ISTOCKPHOTO; PHOTODISC/SERIDEC PHOTOIMAGENES CD; Prats i Camps; **171** I. Preysler/Atrezzo: Helen Chelton; KAIBIDE DE CARLOS FOTÓGRAFOS; **172** A. Viñas; Agencia Estudio San Simón/A. Prieto; GARCÍA-PELAYO/Juancho; I. Preysler/ Atrezzo: Helen Chelton; Prats i Camps; **173** M. Moreno; Prats i Camps; The Art Archive/Museo Nacional de Historia Guatemala City/Gianni Dagli Orti/The Picture Desk Limited; **174** S. Padura; **175** AbleStock.com/HighRes Press Stock; Commercial Eye/Getty Images Sales Spain; **176** I. Preysler/Atrezzo: Helen Chelton; ISTOCKPHOTO; J. Jaime; KAIBIDE DE CARLOS FOTÓGRAFOS; **177** C. Díez Polanco; J. C. Muñoz; SEIS x SEIS I. Preysler/Atrezzo: Helen Chelton; **178** I. Preysler/Atrezzo: Helen Chelton; Jeremy Horner, Sergio Pitamitz /CORBIS/CORDON PRESS; Sylvain Grandadam/A. G. E. FOTOSTOCK; **179** A. Viñas; FUNDACIÓN SANTILLANA; ISTOCKPHOTO; J. Jaime; Bruno Morandi/Getty Images Sales Spain; I. Preysler/Atrezzo: Helen Chelton; **180** Prats i Camps; STOCKBYTE/SERIDEC PHOTOIMAGENES CD; AbleStock.com/HighRes Press Stock; **181** C. Díez Polanco; FUNDACIÓN SANTILLANA; I. Preysler/Atrezzo: Helen Chelton; SEIS x SEIS; **182** ISTOCKPHOTO; **183** I. Preysler/ Atrezzo: Helen Chelton; SERIDEC PHOTOIMAGENES CD; **184** ISTOCKPHOTO; J. Jaime; **185** Bruno Morandi/A. G. E. FOTOSTOCK; SEIS x SEIS; I. Preysler/Atrezzo: Helen Chelton; **187** Santiago Fernández Fuentes/A. G. E. FOTOSTOCK; **188** C. Díez Polanco; I. Preysler/Atrezzo: Helen Chelton; J. V. Resino; Panoramic Images/Getty Images Sales Spain; **189** I. Preysler/Atrezzo: Helen Chelton; **190** AbleStock.com/HighRes Press Stock; Kablonk/A. G. E. FOTOSTOCK; **191** J. V. Resino; SEIS x SEIS; AFP/Orlando Sierra/Getty Images Sales Spain; Gregory G. Dimijian/A. G. E. FOTOSTOCK; **193** J. M.ª Escudero; SEIS x SEIS; Bruno Morandi/A. G. E. FOTOSTOCK; Tibor Bognar /FOTONONSTOP; **195** MATTON-BILD; Ian Shaw Getty/Images Sales Spain; **197** I. Preysler/Atrezzo: Helen Chelton; Prats i Camps; Charles&Josette Lenars/CORBIS/CORDON PRESS; **198** SEIS x SEIS; **199** I. Preysler/Atrezzo: Helen Chelton; AbleStock.com/HighRes Press Stock; **200** I. Preysler/Atrezzo: Helen Chelton; **201** ISTOCKPHOTO; **202** ISTOCKPHOTO; Andersen Ross/A. G. E. FOTOSTOCK; I. Preysler/Atrezzo: Helen Chelton; **203** C. Díez Polanco; Alamy Images/ACI AGENCIA DE FOTOGRAFÍA; ISTOCKPHOTO; S. Padura; I. Preysler/Atrezzo: Helen Chelton; **204** I. Preysler/Atrezzo: Helen Chelton; J. Jaime; AbleStock.com/HighRes Press Stock; **205** I. Preysler/Atrezzo: Helen Chelton; **206** José Fuste Raga/A. G. E. FOTOSTOCK; Alamy Images/ACI AGENCIA FOTOGRAFÍA; I. Preysler/Atrezzo: Helen Chelton; **207** I. Preysler/Atrezzo: Helen Chelton; J. Jaime; M. Catalán; MATTON-BILD; ISTOCKPHOTO; Paul Harris/John Warburton-Lee/FOTONONSTOP; **208** A. Toril; GARCÍA-PELAYO/Juancho; C. Díez Polanco; C. Roca; HighRes Press Stock; ISTOCKPHOTO; J. Jaime; J. Lucas; MATTON-BILD; Christian Schwier ,Dirk Pieters, David Innes/A. G. E. FOTOSTOCK; I. Preysler/ Atrezzo: Helen Chelton; **209** A. G. E. FOTOSTOCK; Jack Hollingsworth/Getty Images Sales Spain; **210** I. Preysler/Atrezzo: Helen Chelton; **211** Alamy Images/ACI AGENCIA DE FOTOGRAFÍA; **213** Andrew Holt/Getty Images Sales Spain; Franco Pizzochero/A. G. E. FOTOSTOCK; **214** Foodfolio, Roy Morsch, Emely/A. G. E. FOTOSTOCK; I. Preysler/Atrezzo: Helen Chelton; J. Jaime; MATTON-BILD; Gabrielle Revere, Stock4B/ Getty Images Sales Spain; **215** ACI AGENCIA DE FOTOGRAFÍA; I. Preysler/Atrezzo: Helen Chelton; J. Jaime; ISTOCKPHOTO; **216** Alamy Images/ ACI AGENCIA FOTOGRAFÍA; I. Codina; ISTOCKPHOTO; S. Enríquez; I. Preysler/Atrezzo: Helen Chelton; **217** C. Díez Polanco; **218** I. Preysler/ Atrezzo: Helen Chelton; J. Jaime; J. Lucas; S. Enríquez; John Rowley, Kieran Scott /Getty Images Sales Spain; Laurence Mouton/ A. G. E. FOTOSTOCK; **219** A. Viñas; J. Jaime; Emilio Ereza/A. G. E. FOTOSTOCK; I. Preysler/Atrezzo: Helen Chelton; **221** I. Preysler/Atrezzo: Helen Chelton; **222** COMSTOCK; F. de Madariaga; J. Jaime; MATTON-BILD; AbleStock.com/HighRes Press Stock; I. Preysler/Atrezzo: Helen Chelton; **223** ISTOCKPHOTO; O. Torres I. Preysler/Atrezzo: Helen Chelton; **224** AbleStock.com/HighRes Press Stock; ISTOCKPHOTO I. Preysler/Atrezzo: Helen Chelton; **225** ISTOCKPHOTO; J. Lucas; S. Enríquez; AbleStock.com/HighRes Press Stock; I. Preysler/Atrezzo: Helen Chelton; **226** ISTOCKPHOTO; J. Jaime; PHOTODISC/SERIDEC PHOTOIMAGENES CD; Prats i Camps; I. Preysler/Atrezzo: Helen Chelton; **227** ISTOCKPHOTO; **229** COMSTOCK; J. Jaime; Nick White Getty/Images Sales Spain; **231** I. Preysler/Atrezzo: Helen Chelton; ISTOCKPHOTO; **232** ISTOCKPHOTO; **233** I. Preysler/Atrezzo: Helen Chelton; ISTOCKPHOTO; J. Jaime; PHOTODISC/SERIDEC PHOTOIMAGENES CD; **234** Jeremy Hoare/A. G. E. FOTOSTOCK; S. Enríquez; I. Preysler/Atrezzo: Helen Chelton; **235** SERIDEC PHOTOIMAGENES CD; Alamy Images/ACI AGENCIA DE FOTOGRAFÍA; **236** ISTOCKPHOTO; J. Jaime; MATTON-BILD; S. Enríquez; AbleStock.com HighRes Press Stock, I. Preysler/Atrezzo: Helen Chelton; **237** I. Preysler/Atrezzo: Helen Chelton; Heather Winters/A. G. E. FOTOSTOCK; **238** S. Enríquez; **239** A. Toril; C. Díez Polanco; I. Preysler/Atrezzo: Helen Chelton; J. Jaime; **240** J. Jaime; Krauel; MATTON-BILD; P. Esgueva; I. Preysler/Atrezzo: Helen Chelton; **241** J. Jaime; MATTON-BILD; ISTOCKPHOTO; I. Preysler/Atrezzo: Helen Chelton; **242** A. Viñas; J. Jaime; K. Arras/A. G. E. FOTOSTOCK; I. Preysler/Atrezzo: Helen Chelton; **243** Alamy Images/ACI AGENCIA DE FOTOGRAFÍA; Mascarucci/CORBIS/CORDON PRESS; **244** I. Preysler/Atrezzo: Helen Chelton; Jeremy Woodhouse/Getty Images Sales Spain; **245** I. Preysler/Atrezzo: Helen Chelton; S. Enríquez; **246** MATTON-BILD; SERIDEC PHOTOIMAGENES CD; **247** C. Díez Polanco; J. Crespo; S. Jiménez; José de la Cuesta/EFE; **248** Alamy Images/ACI AGENCIA DE FOTOGRAFÍA; **249** Alamy Images/ACI AGENCIA DE FOTOGRAFÍA; **251** I. Preysler/Atrezzo: Helen Chelton; J. Jaime; STOCKBYTE/SERIDEC PHOTOIMAGENES CD; AbleStock.com/ HighRes Press Stock; **253** J. Crespo; **254** ISTOCKPHOTO; AbleStock.com/HighRes Press Stock; **255** ISTOCKPHOTO; MATTON-BILD; **256** J. Lucas; Manuel Bruque/EFE; **257** S. Padura; R. Matina/A. G. E. FOTOSTOCK; **258** GARCÍA-PELAYO/Juancho; Prats i Camps; **259** I. Preysler/Atrezzo: Helen Chelton; ISTOCKPHOTO; S. Enríquez; **260** I. Preysler/Atrezzo: Helen Chelton; ISTOCKPHOTO; AbleStock.com/ HighRes Press Stock; Moodboard /CORBIS/CORDON PRESS; 261 EFE; I. Preysler/Atrezzo: Helen Chelton; ISTOCKPHOTO; S. Padura; T. Arias; **262** I. Preysler/Atrezzo: Helen Chelton; Imago sportfotodienst/Sirotti, Víctor Fraile/REUTERS/CORDON PRESS; **263** A. G. E. FOTOSTOCK; T. Albir, EPA/Hugo Philpott/EFE; David Taylor/AGENCE D.P.P.I./FERY – PRESS; JOHN FOXX IMAGES/SERIDEC PHOTOIMAGENES CD; AFP/Jaime Reina/GETTY IMAGES SALES SPAIN; **264** ISTOCKPHOTO; M.ª A. Ferrándiz; S. Enríquez; PHOTOALTO/SERIDEC PHOTOIMAGENES CD; AbleStock. com /HighRes Press Stock; www.sylent-press.de, Image Source/David Ryle, Robert Harding World Imagery/Sergio Pitamitz, Heather Weston, Tetra Images/ CORBIS/ CORDON PRESS; **265** I. Preysler/Atrezzo: Helen Chelton; Tim De Waele/CORBIS/CORDON PRESS; **267** Patrick Morin/ SIPA-PRESS/SIPA ICONO/EFE; I. Preysler/Atrezzo: Helen Chelton; **269** Prats i Camps, I. Preysler/Atrezzo: Helen Chelton; **270** I. Preysler/Atrezzo: Helen Chelton; Adam Woolfitt/A. G. E. FOTOSTOCK; **271** ISTOCKPHOTO; Melba Agency; Prats i Camps; **272** ISTOCKPHOTO; J. Jaime; PHOTOALTO/SERIDEC PHOTOIMAGENES CD; Prats i Camps; **273** ISTOCKPHOTO; **274** A. Prieto/Agencia Estudio San Simón;

275 ISTOCKPHOTO; I. Preysler/Atrezzo: Helen Chelton; **276** J. Lucas; Prats i Camps; **277** C. Pérez; I. Preysler/Atrezzo: Helen Chelton; J. Jaime; P. Esgueva; **278** A. Toimil; I. Preysler/Atrezzo: Helen Chelton; **279** C. Pérez; ISTOCKPHOTO; PHOTODISC/SERIDEC PHOTOIMAGENES CD; Nik Wheeler/CORBIS/CORDON PRESS; Ken Cavanagh/A. G. E. FOTOSTOCK; **280** Cham/SIPA-PRESS/EFE; ISTOCKPHOTO; J. Jaime; KAIBIDE DE CARLOS FOTÓGRAFOS; Prats i Camps; S. Enríquez: ARCO/Rudolf, Pixtal/ A. G. E. FOTOSTOCK; Blend Images/J. L. Pelaez, Inc. CORBIS / CORDON PRESS; **281** J. Jaime; **282** I. Preysler/Atrezzo: Helen Chelton; **283** A. Toimil; ISTOCKPHOTO; **284** ISTOCKPHOTO; Roberto Schmidt/ AFP/Getty Images Sales Spain; Pixtal/A. G. E. FOTOSTOCK; **285** S. Enríquez; **286** SERIDEC PHOTOIMAGENES CD; **287** A. Toimil; I. Preysler/ Atrezzo: Helen Chelton; T. Arias; **288** I. Preysler/Atrezzo: Helen Chelton; S. Padura; **289** I. Preysler/Atrezzo: Helen Chelton; SERIDEC PHOTOIMAGENES CD; AbleStock.com /HighRes Press Stock; José Ramón San Sebastián/ EFE; 290 ISTOCKPHOTO; J. Escandell.com; S. Enríquez; SERIDEC PHOTOIMAGENES CD; Jupiterimages/Getty Images Sales Spain; Pixtal/A. G. E. FOTOSTOCK; **291** AbleStock.com/HighRes Press Stock; **292** C. Pérez; ISTOCKPHOTO; MATTON-BILD; AbleStock.com /HighRes Press Stock; **293** J. Martin/MUSEUM ICONOGRAFÍA; akg-images/ ALBUM; **294** A. G. E. FOTOSTOCK; I. Preysler/Atrezzo: Helen Chelton; ISTOCKPHOTO; P. Esgueva; SERIDEC PHOTOIMAGENES CD; AbleStock.com/HighRes Press Stock; Kate Kunz CORBIS/CORDON PRESS; **295** I. Preysler/Atrezzo: Helen Chelton; Prats i Camps; S. Padura; SERIDEC PHOTOIMAGENES CD; **296** J. Jaime; S. Enríquez; **297** COMSTOCK; D. López; I. Preysler/Atrezzo: Helen Chelton; Prats i Camps; **298** A. Toimil; F. Ontañón; I. Preysler/Atrezzo: Helen Chelton; Panoramic Images /Getty Images Sales Spain; **299** I. Preysler/Atrezzo: Helen Chelton; **300** ISTOCKPHOTO; **301** S. Vannini/SYGMA/CONTIFOTO; O. Boé; S. Enríquez; **302** Dalmas/SIPA-PRESS/EFE; ORONOZ/MUSEO NACIONAL CENTRO DE ARTE REINA SOFÍA; **303** ORONOZ/MUSEO NACIONAL CENTRO DE ARTE REINA SOFÍA; **305** I. Preysler/Atrezzo: Helen Chelton; ISTOCKPHOTO; **307** I. Preysler/Atrezzo: Helen Chelton; Joseph Martin/MUSEUM ICONOGRAFÍA; **308** Prats i Camps; **309** MATTON-BILD; **310** J. M.ª Escudero; Alamy Images/ACI AGENCIA DE FOTOGRAFÍA; **311** Visions of America/Joseph Sohm/CORBIS CORDON PRESS; **312** ISTOCKPHOTO; **313** I. Preysler/Atrezzo: Helen Chelton; ISTOCKPHOTO; SEIS x SEIS; **314** I. Preysler/Atrezzo: Helen Chelton; S. Enríquez; **315** Topham/CORDON PRESS; I. Preysler/Atrezzo: Helen Chelton; ISTOCKPHOTO; AbleStock.com/HighRes Press Stock; **316** J. Jaime; SEIS x SEIS; Dennis MacDonald/A. G. E. FOTOSTOCK; I. Preysler/Atrezzo: Helen Chelton; **317** Prats i Camps; SEIS x SEIS, **318** A. G. E. FOTOSTOCK; COVER; ISTOCKPHOTO; J. Jaime; MARGEN FOTOGRAFÍA; S. Enríquez; SERIDEC PHOTOIMAGENES CD; STOCK PHOTOS; AbleStock.com/HighRes Press Stock; **319** I. Preysler/Atrezzo: Helen Chelton; S. Enríquez; SERIDEC PHOTOIMAGENES CD; **320** COMSTOCK; ISTOCKPHOTO; SERIDEC PHOTOIMAGENES CD; STOCK PHOTOS; **321** FOTONONSTOP; I. Preysler/Atrezzo: Helen Chelton; WireImage/Dave Rossman/Getty Images Sales Spain; **322** J. Jaime; MATTON-BILD;S. Enríquez; **323** I. Preysler/Atrezzo: Helen Chelton; **324** I. Preysler/Atrezzo: Helen Chelton; Miguel Rajmil/ EFE; Topham/CORDON PRESS; **325** DigitalVision/SERIDEC PHOTOIMAGENES CD; T. Abad /A. G. E. FOTOSTOCK; **326** J. Jaime; PHOTODISC/ SERIDEC PHOTOIMAGENES CD; Prats i Camps; S. Enríquez; AbleStock.com/HighRes Press Stock; Luis Castilla/EFE; **327** C. Díez Polanco; HighRes Press Stock; M. Barcenilla; **329** I. Preysler/Atrezzo: Helen Chelton; J. Jaime; M. Barcenilla; MATTON-BILD; S. Enríquez; AbleStock.com/ HighRes Press Stock; **330** S. Enríquez; **331** I. Preysler/Atrezzo: Helen Chelton; ISTOCKPHOTO; Miguel Rajmil/EFE; **332** I. Preysler/Atrezzo: Helen Chelton; ISTOCKPHOTO; P. Anca/REAL MUSICAL, MADRID; PHILIPS; Ted Soqui/CORBIS/CORDON PRESS; Robert Mora/Getty Images Sales Spain; **333** COMSTOCK; CORDON PRESS; ISTOCKPHOTO; AbleStock.com/HighRes Press Stock; **334** Canon; CREATIVE LABS; EFE; I. Preysler/ Atrezzo: Helen Chelton; ISTOCKPHOTO; Prats i Camps; S. Enríquez; Saitek; **335** Canon; CREATIVE LABS; ISTOCKPHOTO; Kodak EasyShare; LG ELECTRONICS; Nokia Corporation; Pat Canova /A. G. E. FOTOSTOCK; **336** GARCÍA-PELAYO/Juancho; **337** Steve Snowden/Getty Images Sales Spain; **339** I. Preysler/Atrezzo: Helen Chelton; ISTOCKPHOTO; SERIDEC PHOTOIMAGENES CD; **340** A. Prieto/Agencia Estudio San Simón; ISTOCKPHOTO; JVC; LG ELECTRONICS; VERBATIM; AbleStock.com/HighRes Press Stock; **341** A. G. E. FOTOSTOCK; I. Preysler/Atrezzo: Helen Chelton; ISTOCKPHOTO; Prats i Camps; AbleStock.com/HighRes Press Stock; Michael Buckner/Getty Images Sales Spain; **342** I. Preysler/ Atrezzo: Helen Chelton; ISTOCKPHOTO; Ilubi Images/A. G. E. FOTOSTOCK; Danny Moloshok/REUTERS/CORDON PRESS; **343** ISTOCKPHOTO; Sports Illustrated/Heinz Kluetmeier/Getty Images Sales Spain; **344** A. Toril; A. Viñas; I. Preysler/Atrezzo: Helen Chelton; ISTOCKPHOTO; J. Jaime; MATTON-BILD; Melba Agency; PHOTODISC/SERIDEC PHOTOIMAGENES CD; Prats i Camps; AbleStock.com/HighRes Press Stock; Nik Wheeler/CORBIS/CORDON PRESS; Instituto Municipal de Deportes de Madrid/J. M.ª Escudero; **345** DIGITALVISION/SERIDEC PHOTOIMAGENES CD; I. Preysler/Atrezzo: Helen Chelton; **346** I. Preysler/Atrezzo: Helen Chelton; **347** PHOTODISC/SERIDEC PHOTOIMAGENES CD; Richard Hernandez Arrondo/GETTY IMAGES SALES SPAIN; AbleStock.com/HighRes Press Stock; **348** I. Preysler/Atrezzo: Helen Chelton; ISTOCKPHOTO; J. Jaime; Prats i Camps; AbleStock.com/HighRes Press Stock; **349** I. Preysler/Atrezzo: Helen Chelton; ISTOCKPHOTO; **350** AbleStock.com/HighRes Press Stock; **351** I. Preysler/Atrezzo: Helen Chelton; Saint Louis Art Museum, Museum Purchase Saint Louis Art Museum; **352** I. Preysler/Atrezzo: Helen Chelton; Panoramic Images/Getty Images Sales Spain; **353** I. Preysler/Atrezzo: Helen Chelton; Raymond Boyd/Michael Ochs Archives/Getty Images Sales Spain; **354** SERIDEC PHOTOIMAGENES CD; AbleStock.com/HighRes Press Stock; 355 Juan M. Ruiz; Envision/CORBIS/Tony Arruza, Philippe Renault/CORDON PRESS; **356** ISTOCKPHOTO; MATTON-BILD; Francisco Arribas; J. Jaime; Miguel Rajmil/EFE; **357** J. M.ª Escudero; SEIS x SEIS; **359** DIGITALVISION/SERIDEC PHOTOIMAGENES CD; I. Preysler/Atrezzo: Helen Chelton; ISTOCKPHOTO; J. Jaime; 361 COMSTOCK; ISTOCKPHOTO; J. Jaime; PHOTODISC/SERIDEC PHOTOIMAGENES CD; Prats i Camps; SEIS x SEIS; **362** C. Rubio/CONTIFOTO; ESA; Franck Robichon, Zayra Morales/EFE; Joe Kohen, Mark Wilson/Getty Images Sales Spain; **363** PHOTODISC/SERIDEC PHOTOIMAGENES CD; Amos Morgan/Getty Images Sales Spain; **364** ARCO/Therin-Weise, Horizon/A. G. E. FOTOSTOCK; **365** Jon Hicks/CORBIS/CORDON PRESS; Mauritius/FOTONONSTOP; **366** I. Preysler/Atrezzo: Helen Chelton; Alamy Images/ACI AGENCIA DE FOTOGRAFÍA; **367** I. Preysler/Atrezzo: Helen Chelton; Alamy Images/ACI AGENCIA DE FOTOGRAFÍA; Danièle Schneider/ FOTONONSTOP; **368** COMSTOCK; I. Preysler/Atrezzo: Helen Chelton; ISTOCKPHOTO; Prats i Camps; **369** I. Preysler/Atrezzo: Helen Chelton; ARCO/Therin-Weise, Horizon/A. G. E. FOTOSTOCK; Jon Hicks/CORBIS/CORDON PRESS; Mauritius/FOTONONSTOP; **370** Maximiliano H. Blanchet ; I. Preysler/Atrezzo: Helen Chelton; **371** I. Preysler/Atrezzo: Helen Chelton; ISTOCKPHOTO; Alamy Images/ACI AGENCIA DE FOTOGRAFÍA; **372** C. Díez Polanco; I. Preysler/Atrezzo: Helen Chelton; J. Lucas; J. M.ª Escudero; MATTON-BILD; Prats i Camps; S. Enríquez; S. Padura; AIRBUS/HANDOUT/EFE; **373** I. Preysler/Atrezzo: Helen Chelton; Christian Guy/A. G. E. FOTOSTOCK; **374** I. Preysler/Atrezzo: Helen Chelton; ISTOCKPHOTO; J. Jaime; Prats i Camps; **375** GARCÍA-PELAYO/Juancho; I. Preysler/Atrezzo: Helen Chelton; ISTOCKPHOTO; J. Jaime; Prats i Camps; S. Enríquez; **376** I. Preysler/Atrezzo: Helen Chelton; **377** ISTOCKPHOTO; Maximiliano H. Blanchet; I. Preysler/Atrezzo: Helen Chelton; **378** ISTOCKPHOTO; S. Enríquez; I. Preysler/Atrezzo: Helen Chelton; **379** I. Preysler/Atrezzo: Helen Chelton; STOCK PHOTOS; hemis.fr/ Jean-Pierre Degas/CORDON PRESS; **380** I. Preysler/Atrezzo: Helen Chelton; ISTOCKPHOTO; M. G. Vicente; Prats i Camps; S. Enríquez; Flight Collection/TopFoto; imagebroker/Michael Weber/ CORDON PRESS; **381** Bernard Annebicque/SYGMA/CONTIFOTO, I. Preysler/Atrezzo: Helen Chelton; ISTOCKPHOTO, J. Jaime; **382** Prats i Camps; **383** Claudio Elias; ISTOCKPHOTO; I. Preysler/Atrezzo: Helen Chelton; James Lauritz, Jupiterimages, Laurence Monneret, Lena Granefelt/Getty Images Sales Spain; **385** I. Preysler/Atrezzo: Helen Chelton; Jeremy Hoare/A. G. E. FOTOSTOCK; **386** Ferrer & Sostoa, Science Photo Library/A. G. E. FOTOSTOCK; I. Preysler/Atrezzo: Helen Chelton; **387** I. Preysler/Atrezzo: Helen Chelton; Danièle Schneider/FOTONONSTOP; **388** I. Preysler/Atrezzo: Helen Chelton; ISTOCKPHOTO; J. C. Muñoz; J. Lucas; Prats i Camps; S. Padura; AbleStock.com/HighRes Press Stock; Johanna Hanno/A. G. E. FOTOSTOCK; **389** DIGITALVISION/SERIDEC PHOTOIMAGENES CD; R. Vela; **392** C. Díez Polanco; M. P. Barriopedro/EFE; Juan M. Ruiz; Prats i Camps; Christophe Bluntzer, JTB Photo/A. G. E. FOTOSTOCK; **393** A. Toril; I. Preysler/Atrezzo: Helen Chelton; Christophe Lehenaff/FOTONONSTOP; **394** I. Preysler/Atrezzo: Helen Chelton; **395** I. Preysler/ Atrezzo: Helen Chelton; ISTOCKPHOTO; **396** I. Preysler/Atrezzo: Helen Chelton; Heinz Tschanz-Hofmann, Ken Welsh/A. G. E. FOTOSTOCK; **397** Demetrio Carrasco/A. G. E. FOTOSTOCK; **398** GARCÍA-PELAYO/Juancho; J. Rosselló; Prats i Camps; S. Enríquez; Danièle Schneider, Hervé de Gueltzl/FOTONONSTOP; **399** Sergio Pitamitz/A. G. E. FOTOSTOCK; **400** Prats i Camps; **401** M. P. Barriopedro/EFE; Prats i Camps; Alan Copson, José Ramiro,Waldhaeusl /A. G. E. FOTOSTOCK; 403 I. Preysler/Atrezzo: Helen Chelton; J. Jaime; Yadid Levy, Demetrio Carrasco/ A. G. E. FOTOSTOCK; **404** J. Jaime; Mauritius/José Fuste Raga /FOTONONSTOP; **405** A. Toril; S. Enríquez; Alamer/A. G. E. FOTOSTOCK; **406** I. Preysler/Atrezzo: Helen Chelton; José Fuste Raga/A. G. E. FOTOSTOCK; **407** I. Preysler/Atrezzo: Helen Chelton; **408** HighRes Press Stock; MATTON-BILD; **409** Cash/Mauritius, Marc Verin/FOTONONSTOP; Edgar Domínguez/EFE; Johnny Stockshooter/A. G. E. FOTOSTOCK; **413** ISTOCKPHOTO; PHOTODISC/SERIDEC PHOTOIMAGENES CD; Prats i Camps; Robert Cianflone/Getty Images Sales Spain; **415** Prats i Camps; Govin-Sorel John Warburton-Lee FOTONONSTOP; Heide Benser, Image Source/A. G. E. FOTOSTOCK; **416** A. Toril; C. Díez Polanco; SERIDEC PHOTOIMAGENES CD; **417** C. Contreras; SERIDEC PHOTOIMAGENES CD; Anne Montfort/FOTONONSTOP; Peter Adams/Getty Images Sales Spain; **418** J. C. Muñoz; Jochem D. Wijnands/Getty Images Sales Spain; **419** Gavriel Jecan, Kord.com A. G. E. FOTOSTOCK;

420 I. Preysler/Atrezzo: Helen Chelton; MCT/Landov/CORDON PRESS; **421** I. Preysler/Atrezzo: Helen Chelton; MCT/Landov/CORDON PRESS; **422** G. Antonio Calderón; I. Preysler/Atrezzo: Helen Chelton; ISTOCKPHOTO, **423** I. Preysler/Atrezzo: Helen Chelton; J. C. Muñoz, Gavriel Jecan, Kord.com /A. G. E. FOTOSTOCK, Jochem D. Wijnands/Getty Images Sales Spain; **424** US GEOLOGICAL SURVEY/FLAGSTAFF/ARIZONA /SIPA-PRESS/EFE; I. Preysler/Atrezzo: Helen Chelton;; ISTOCKPHOTO; Heeb Christian/A. G. E. FOTOSTOCK ; **425** ISTOCKPHOTO; **426** EFE; I. Preysler/Atrezzo: Helen Chelton; ISTOCKPHOTO; MATTON-BILD; S. Padura; **427** ISTOCKPHOTO; Science Faction/Ed Darack/CORBIS/CORDON PRESS; **428** C. Díez Polanco; I. Preysler/Atrezzo: Helen Chelton; I. Sabater; J. Jaime; AbleStock.com/HighRes Press Stock; **429** I. Preysler/Atrezzo: Helen Chelton; Laurent Guerinaud/A. G. E. FOTOSTOCK; **430** Prats i Camps; AbleStock.com/HighRes Press Stock; I. Preysler/Atrezzo: Helen Chelton; **431** I. Preysler/Atrezzo: Helen Chelton; **432** ISTOCKPHOTO; J. C. Muñoz; Angelo Cavalli/A. G. E. FOTOSTOCK; I. Preysler/Atrezzo: Helen Chelton; Robert Harding/Geoff Renner/CuboImages/CORDON PRESS; Jochem D. Wijnands/Getty Images Sales Spain; **433** I. Preysler/Atrezzo: Helen Chelton; Luis Castañeda/A. G. E. FOTOSTOCK; **434** C. Villalba; DIGITALVISION/SERIDEC PHOTOIMAGENES CD; I. Preysler/Atrezzo: Helen Chelton; ISTOCKPHOTO; J. C. Muñoz; **435** ISTOCKPHOTO; **437** SYGMA/CONTIFOTO; I. Preysler/Atrezzo: Helen Chelton; **438** Pinson/SIPA-PRESS/EFE; J. Jaime; **439** I. Preysler/Atrezzo: Helen Chelton; Gavin Hellier, Wojtek Buss/A. G. E. FOTOSTOCK; **440** G. Antonio Calderón; I. Preysler/Atrezzo: Helen Chelton; ISTOCKPHOTO; **441** G. Antonio Calderón; **443** ISTOCKPHOTO; **444** I. Preysler/Atrezzo: Helen Chelton; **445** ISTOCKPHOTO; **446** I. Preysler/Atrezzo: Helen Chelton; S. Padura; Alan Copson/A. G. E. FOTOSTOCK; **447** S. Yaniz; LatinContent/Getty Images Sales Spain; **449** G. Antonio Calderón; I. Preysler/Atrezzo: Helen Chelton; **450** I. Preysler/Atrezzo: Helen Chelton; ISTOCKPHOTO; Prats i Camps; Christian Handl, Laurie Campbell, Per-Gunnar Ostby, Steve J. Benbow/A. G. E. FOTOSTOCK; **451** ISTOCKPHOTO; Prats i Camps; E. Hummel, Joe McDonald/A. G. E. FOTOSTOCK; **452** GARCÍA-PELAYO/Juancho; I. Preysler/Atrezzo: Helen Chelton; Prats i Camps; **453** J. Jaime; AbleStock.com/HighRes Press Stock; Graeme Black/A. G. E. FOTOSTOCK; **455** I. Preysler/Atrezzo: Helen Chelton; ISTOCKPHOTO; J. Jaime; Kodak EasyShare; JUNIORS BILDARCHIV/A. G. E. FOTOSTOCK; **456** I. Preysler/Atrezzo: Helen Chelton; J. Jaime; J. M.ª Escudero; S. Padura; ISTOCKPHOTO; Natalia Bolshan; **457** I. Preysler/Atrezzo: Helen Chelton; **458** J. Jaime; **459** A. Toimil; C. Díez Polanco; I. Preysler/Atrezzo: Helen Chelton; **460** I. Preysler/Atrezzo: Helen Chelton; Patricio Cabezas Vieyra; Gavin Hellier, Wojtek Buss/A. G. E. FOTOSTOCK; **461** I. Preysler/Atrezzo: Helen Chelton; David Lillo/AFP/Getty Images Sales Spain; **462** PHOTODISC/SERIDEC PHOTOIMAGENES CD; AbleStock.com/HighRes Press Stock; **463** ISTOCKPHOTO; ORONOZ; Pablo Corral Vega/CORBIS/CORDON PRESS; **467** A. G. E. FOTOSTOCK; FOAT; I. Preysler/Atrezzo: Helen Chelton; J. M.ª Barres; Tips/Mark Edward Smith/FOTONONSTOP; **469** C. Díez Polanco; J. Jaime; **470** Sarano Simon/SIPA-PRESS/EFE; Gerard Soury A. G. E. FOTOSTOCK; Tibor Bognar FOTONONSTOP; **471** Prats i Camps

Student Book Audio CDs

Español Santillana

High School 1

CD 1

	Introducción	Track 1

Unidad preliminar. Primeros pasos

1	El alfabeto español	Track 2
2	¿Cómo se escribe?	Track 3
3	La u muda: gue, gui	Track 4
14	¿Comprendes?	Track 5
25	El horario de Tess	Track 6

Unidad 1. México

2	Conversaciones	Track 7
7	Presentaciones	Track 8
11	Los mensajes telefónicos	Track 9
18	¿Qué foto es?	Track 10
22	Identificaciones	Track 11
29	Una foto preciosa	Track 12
37	Los amigos de Mack	Track 13
42	¿Cómo son?	Track 14
47	Voces de México	Track 15
54	Presentaciones	Track 16
58	Los familiares	Track 17
67	No tengo	Track 18
74	Mensajería instantánea	Track 19
80	Los voladores atrevidos	Track 20
84	Estoy bien	Track 21
89	Caras expresivas	Track 22
92	¿Quién está contento?	Track 23
98	En la radio	Track 24

Unidad 2. Puerto Rico

2	Una conversación	Track 25
10	Adivina	Track 26
17	¿Qué ves?	Track 27
25	Tiene un garaje...	Track 28
30	¿Comprendes?	Track 29
35	Un hotel bonito	Track 30
40	La casa del abuelo Mack	Track 31
48	La cocina de Ana García	Track 32
54	Fotos de la bahía	Track 33
57	Pistas	Track 34
68	Andy en casa	Track 35
71	¿Quién pasea al perro?	Track 36
77	Actividades de preparación	Track 37
79	Preferencias	Track 38
81	Conclusiones lógicas	Track 39
82	Los planes de Mónica	Track 40
85	El fin de semana	Track 41
89	Patricia y Tess no tienen tareas	Track 42
93	El fin de semana de Janet y Tim	Track 43

Unidad 3. Guatemala

2	En la tienda de turistas	Track 44
8	La vendedora informa	Track 45
11	Las recomendaciones de Rolando Boj	Track 46
17	¿Qué piensan hacer?	Track 47
22	¿Adónde van?	Track 48
26	Un día de compras	Track 49
33	Instrucciones para las compras	Track 50
42	¿Qué ropa les gusta?	Track 51
45	De compras en Guatemala	Track 52
51	Los diseños de Rolando Boj	Track 53
56	En los armarios	Track 54
61	Me gustan estos tenis	Track 55
67	Las preferencias de Tim	Track 56
70	Recuerdos de Guatemala	Track 57
76	Me gusta el huipil morado	Track 58
80	¿Cómo me queda?	Track 59
81	El buen consumidor	Track 60
88	Una tienda especial	Track 61
93	Itinerario de compras	Track 62

Unidad 4. Perú

3	Expresiones	Track 63
11	La lista de Tim	Track 64
16	Me gusta... No me gusta...	Track 65
22	¿Qué comen?	Track 66
25	A preparar paiche	Track 67
33	Las tiendas de Cuzco	Track 68
35	¿Qué tenemos que hacer?	Track 69
39	¡Lo necesitamos!	Track 70
47	Un ceviche clásico	Track 71
51	Listos para la comida	Track 72
57	Un almuerzo en el parque	Track 73
61	Un buen amigo	Track 74
67	Una comida formal	Track 75
69	Restaurante típico El Inca	Track 76
73	¡Mesero, por favor!	Track 77
77	Quiero probar ese plato	Track 78
85	Una gran sorpresa	Track 79
88	Unas sugerencias	Track 80
93	Una receta peruana	Track 81

CD 2

Unidad 5. España

2	¿Cómo se sienten?	Track 1
12	¿Fátima, Armando o la doctora Galdón?	Track 2
17	¿Qué hacen los participantes?	Track 3
21	El ciclista Antonio López	Track 4
26	Hotel Baños Reales	Track 5
29	La rutina de Janet	Track 6
34	Un día para descansar	Track 7
39	Para descansar en Granada	Track 8
49	Los dolores de mi amiga	Track 9
55	Una visita al hospital	Track 10
61	En la consulta de la doctora	Track 11
64	¿Cómo te encuentras?	Track 12
70	Una vida sana	Track 13
73	Un gimnasio nuevo	Track 14
78	Buenos consejos	Track 15
81	Los remedios de la abuela	Track 16
85	Esmeralda está enferma	Track 17

Unidad 6. Estados Unidos

7	Las mujeres también juegan	Track 18
11	Futuros profesionales	Track 19
16	La jueza Estrella Rodríguez	Track 20
19	Héroes de la comunidad	Track 21
25	Vamos a pasear por Nueva York	Track 22
27	Una chica muy interesante	Track 23
33	Los planes de Rita	Track 24
36	Actividades en el parque	Track 25
46	¡Qué suerte!	Track 26
50	Una escuela de arte	Track 27
55	¡Está durmiendo!	Track 28
61	Adivina qué	Track 29
65	Para estar en forma	Track 30
69	¿Ver o jugar?	Track 31
73	Adivina...	Track 32
76	Primero las tareas	Track 33
83	¿Qué ves?	Track 34

Unidad 7. Argentina

3	Preguntas y respuestas	Track 35
8	Preparativos para la excursión	Track 36
15	¿Qué pasó?	Track 37
18	¡Qué día!	Track 38
24	En el avión	Track 39
27	¿Estás lista para el viaje?	Track 40
31	¿Presente o pasado?	Track 41
44	¿Adónde vamos?	Track 42
49	¿Qué hicieron?	Track 43
51	Viajes por Argentina	Track 44
55	Habla Andy	Track 45
61	La ruta más corta	Track 46
63	¿Adónde fueron?	Track 47
72	Sugerencias	Track 48
75	El viaje de tus sueños	Track 49

Unidad 8. Chile

10	Errores	Track 50
18	Nuestro universo	Track 51
24	Una isla espectacular	Track 52
29	Una guía para turistas	Track 53
34	Impresiones y experiencias	Track 54
37	Similitudes y diferencias	Track 55
42	¿Qué viste?	Track 56
47	A sumar y restar	Track 57
50	Tim dijo que...	Track 58
52	¿Qué hicieron?	Track 59
66	Fotos del parque	Track 60
69	¿Oíste algo?	Track 61
74	Empacando para el viaje	Track 62
79	¿Qué puede hacer ella?	Track 63
83	Un programa especial	Track 64